고등학교

문학 평가문제집

정재찬 교과서편

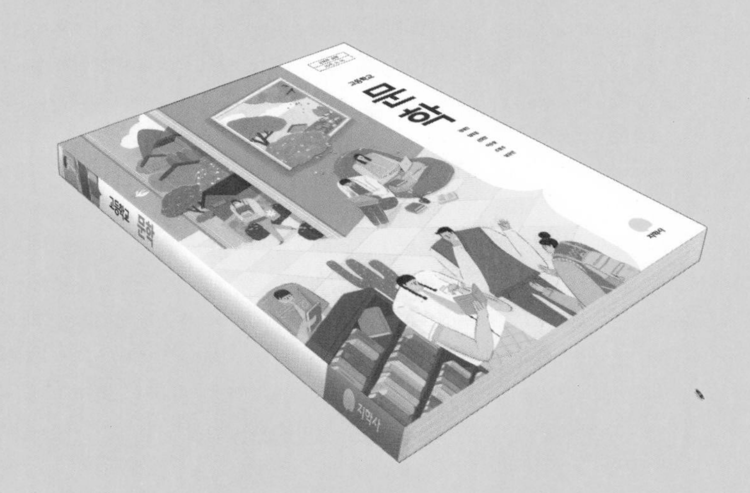

이 책의 차례

1 문학의 본질과 가치

(1) 문학의 본질

(2) 문학의 가치

(3) 문학 활동의 생활화

2 문학의 소통

(1) 문학 작품의 구조와 맥락

(2) 문학 작품의 수용과 생산

(3) 문학의 확장

3 한국 문학의 성격

4 한국 문학의 흐름

이 책의 구성과 특징

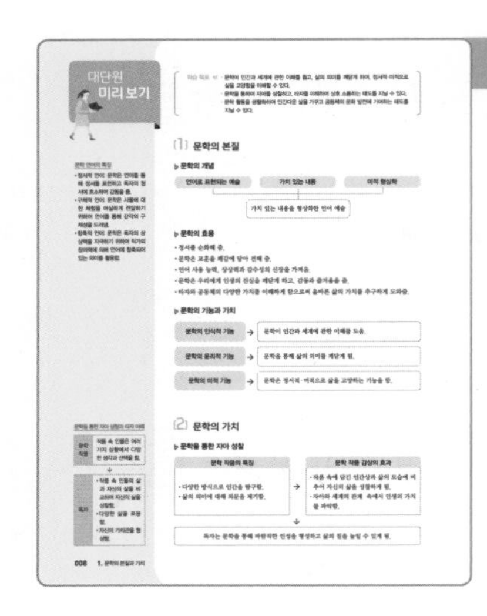
대단원
미리 보기
1 문학의 본질
2 문학의 가치

대단원 미리 보기

대단원의 학습 목표를 확인하고 학습에 필요한 핵심 개념을 중단원별로 정리하여 단원의 내용을 한눈에 살펴볼 수 있도록 제시하였습니다.

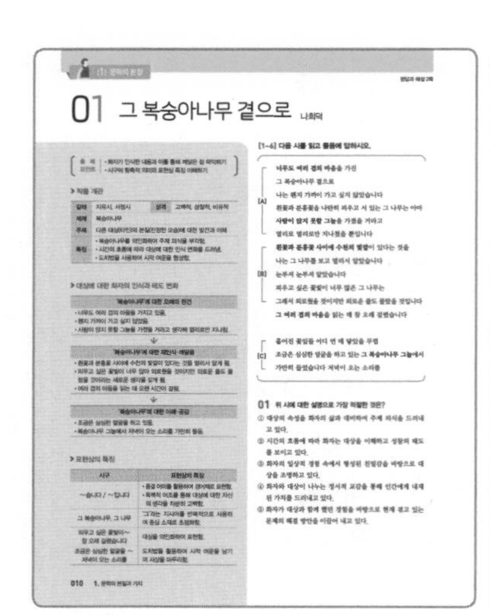
01 그 복숭아나무 곁으로 나희덕

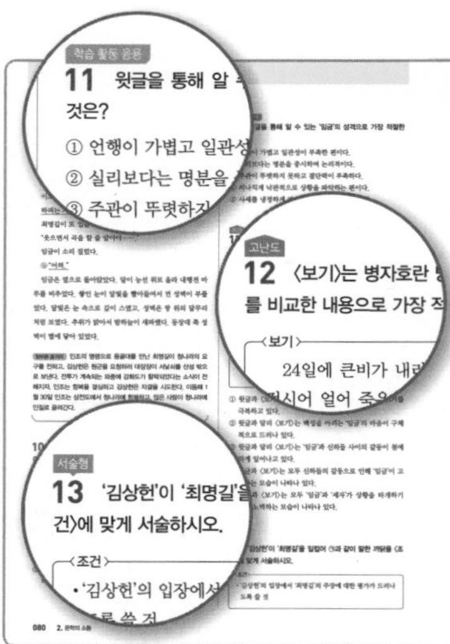
학습 활동 응용
11 윗글을 통해 알 수 있는 것은?
① 언행이 가볍고 일관성
② 실리보다는 명분을
③ 주관이 뚜렷하지
고난도
12 〈보기〉는 병자호란 를 비교한 내용으로 가장 적
〈보기〉
24일에 큰비가 내려
시어 얼어 죽은
서술형
13 '김상헌'이 '최명길'을 건〉에 맞게 서술하시오.
〈조건〉
• '김상헌'의 입장에서

소단원 평가

문제를 풀기 전 소단원 제재의 핵심 내용을 점검할 수 있도록 도식화하여 정리하였습니다. 교과서 본 제재의 전 지문을 수록하고, 내신 시험에 나올만한 다양한 유형의 문제를 선별하여 출제하였습니다.

- **학습 활동 응용:** 교과서 학습 활동의 내용을 문제를 통해 점검할 수 있도록 하였습니다.
- **고난도:** 시험에서 변별력을 높이는 고난도 문제를 대비할 수 있도록 하였습니다.
- **서술형:** 수준 높은 서술형 문제를 통해 내신을 완벽 대비할 수 있도록 하였습니다.

대단원 **실전 문제**

[1~4] 다음 시를 읽고 물음에 답하시오.

㉮ 너무도 여러 겹의 마음을 가진
그 복숭아나무 곁으로
나는 웬지 가까이 가고 싶지 않았습니다
흰꽃과 분홍꽃을 나란히 피우고 서 있는 그 나무는 아마
사랑이 많지 못할 그늘을 가졌을 거라고
멀리로 멀리로만 지나쳤을 뿐입니다
흰꽃과 분홍꽃 사이에 수천의 빛깔이 있다는 것을
나는 그 나무를 보고 멀리서 알았습니다
눈부셔 눈부셔 알았습니다
피우고 싶은 꽃빛이 너무 많은 그 나무는
그래서 외로웠을 것이지만 외로운 줄도 몰랐을 것입니다
그 여러 겹의 마음을 읽는 **데 참 오래 걸렸습니다**

흩어진 꽃잎들 어디 먼 데 닿았을 무렵
조금은 심심한 얼굴을 하고 있는 ㉠ 그 복숭아나무 그늘에서
가만히 들었습니다 저녁이 오는 소리를

㉯ 오늘 저녁 이 좁다란 방의 흰 바람벽에
어쩐지 쓸쓸한 것만이 오고 간다 / 이 흰 바람벽에
희미한 십오 촉(十五燭) 전등이 지치운 불빛을 내어던지고
때글은 다 낡은 무명샤쯔가 어두운 그림자를 쉬이고
그리고 또 달디단 따끈한 감주나 한잔 먹고 싶다고 생각하는 내 가지가지 외로운 생각이 헤매인다
그런데 이것은 또 어인 일인가 / 이 흰 바람벽에
내 가난한 늙은 어머니가 있다 / 내 가난한 늙은 어머니가
이렇게 시퍼러둥둥하니 추운 날인데 차디찬 물에 손은 담그고 무이며 배추를 씻고 있다
또 내 사랑하는 사람이 있다 / 내 사랑하는 어여쁜 사람이
어느 먼 앞대 조용한 개포가의 ㉡ 나즈막한 집에서
그의 지아비와 마주앉어 대구국을 끓여 놓고 저녁을 먹는다
벌써 어린것도 생겨서 옆에 끼고 저녁을 먹는다
그런데 또 이즈막하야 어느 사이엔가
이 흰 바람벽엔 / 내 쓸쓸한 얼굴을 쳐다보며
이러한 글자들이 지나간다
— 나는 이 세상에서 가난하고 외롭고 높고 쓸쓸하니 살어가도록 태어났다 / 그리고 이 세상을 살어가는데
내 가슴은 너무도 많이 뜨거운 것으로 호젓한 것으로 사랑으로 슬픔으로 가득찬다
그리고 이번에는 나를 위로하는 듯이 나를 울력하는 듯이
눈질을 하며 주먹질을 하며 이런 글자들이 지나간다
— 하늘이 이 세상을 내일 적에 그가 가장 귀해하고 사랑하는 것들은 모두
가난하고 외롭고 높고 쓸쓸하니 그리고 언제나 넘치는 사랑과 슬픔 속에 살도록 만드신 것이다
초생달과 바구지꽃과 짝새와 당나귀가 그러하듯이
그리고 또 '프랑시쓰 쨈'과 도연명(陶淵明)과 '라이넬 마리아 릴케'가 그러하듯이

01 (가)와 (나)의 공통점에 대한 설명으로 적절한 것은?
① 원경에서 근경으로 화자의 시선이 이동하고 있다.
② 대상의 부재에서 느끼는 안타까움을 드러내고 있다.
③ 수미상관의 수법을 통해 정서의 변화를 강조하고 있다.
④ 지시어를 반복적으로 활용하여 중심 화제로 시선을 집중시키고 있다.
⑤ 음성 상징어를 활용하여 대상의 움직임을 구체적으로 포착하고 있다.

02 (가)에 대해 이해한 내용으로 적절하지 않은 것은?
① '사랑이 많지 못할 그늘'을 통해 화자가 대상에 대해 부정적으로 생각한 이유를 암시하고 있다.
② '멀리로 멀리로만 지나쳤을 뿐입니다'를 통해 대상에 대한 화자의 태도를 드러내고 있다.
③ '피우고 싶은 꽃빛이 너무 많은'을 통해 화자가 지닌 소망이 대상에 투영되어 있음을 보여 주고 있다.
④ '참 오래 걸렸습니다'를 통해 화자가 대상의 마음에 공감하는 데 긴 시간이 필요하였음을 드러내고 있다.
⑤ '조금은 심심한 얼굴'은 화자가 대상 가까이에서 새로운 모습을 발견하게 되었음을 알려 준다.

1등급 완성 문제

수능 유형의 복합 지문이 내신 평가에서 고득점 판별 문제로 출제되고 있습니다. 단원의 성격에 맞는 작품이나 이론을 묻는 경우가 많으므로 교과서에서 다룬 작품을 파악하는 훈련이 필요합니다.

[01~06] 다음 글을 읽고 물음에 답하시오.

㉮ 문학은 공동체 차원의 언어 예술적 소통 행위라 할 수 있다. 작가들은 서로 추구하는 가치가 다른 인물이나 집단 사이의 갈등을 통해 현실 세계의 한계를 드러내기도 하고, 다양한 삶과 인물의 지향을 통해 지배적 가치나 이념과는 다른 새로운 가치의 추구가 가능함을 보여 주기도 한다. 그런 인물들의 삶을 총체적으로 인식하면서 자연스럽게 우리는 다양한 가치관을 지닌 타자를 이해하고 포용하게 되며, 삶의 다양성을 받아들이는 과정에서 옳고 그름을 판단하는 가치관도 가질 수 있게 된다. 이처럼 문학은 우리로 하여금 타인의 삶을 이해하고, 상호 소통하는 태도를 가지게 하며, 나아가 공동체적 조화를 이루며 살아가게 하는 역할을 한다.

㉯ [A] 너무도 여러 겹의 마음을 가진
그 복숭아나무 곁으로
나는 웬지 가까이 가고 싶지 않았습니다
[B] 흰꽃과 분홍꽃을 나란히 피우고 서 있는 그 나무는 아마
사랑이 많지 못할 그늘을 가졌을 거라고
멀리로 멀리로만 지나쳤을 뿐입니다
[C] 흰꽃과 분홍꽃 사이에 수천의 빛깔이 있다는 것을
나는 그 나무를 보고 멀리서 알았습니다
눈부셔 눈부셔 알았습니다
[D] 피우고 싶은 꽃빛이 너무 많은 그 나무는
그래서 외로웠을 것이지만 외로운 줄도 몰랐을 것입니다
그 여러 겹의 마음을 읽는 데 **참 오래 걸렸습니다**

[E] 흩어진 꽃잎들 어디 먼 데 닿았을 무렵
조금은 심심한 얼굴을 하고 있는 그 복숭아나무 그늘에서
가만히 들었습니다 **저녁이 오는 소리를**

㉰ 어떤 거사(居士)가 거울 하나를 갖고 있었는데 먼지가 끼어서 흐릿한 것이 마치 구름에 가리운 달빛 같았다. 그러나 그 거사는 아침 저녁으로 이 거울을 들여다보며 얼굴을 가다듬곤 하였다.

한 나그네가 거사를 보고 이렇게 물었다.

"거울이란 얼굴을 비추어 보는 물건이든지, 아니면 군자가 거울을 보고 그 맑은 것을 취하는 것으로 알고 있는데, 지금 거사의 거울은 안개가 낀 것처럼 흐리고 때가 묻어 있습니다. 그럼에도 당신은 항상 그 거울에 얼굴을 비춰 보고 있으니 그것은 무슨 뜻입니까?"

거사는 이렇게 대답했다.

"얼굴이 잘생기고 예쁜 사람은 맑고 아른아른한 거울을 좋아하겠지만, 얼굴이 못생겨서 추한 사람은 오히려 맑은 거울을 싫어할 것입니다. 그러나 잘생긴 사람은 적고 못생긴 사람은 많습니다. 만일 한번 보기만 하면 반드시 깨뜨려 버리고야 말 것이니 먼지에 흐려진 그대로 두는 것이 나을 것입니다. 먼지로 흐리게 된 것은 겉뿐이지 거울의 맑은 바탕은 속에 그냥 남아있기 때문입니다. 그러니 잘생기고 예쁜 사람을 만난 뒤에 닦고 갈아도 늦지 않습니다. 아! 옛날에 거울을 보는 사람들은 그 맑은 것을 취하기 위함이었지만, 내가 거울을 보는 것은 오히려 흐린 것을 취하는 것인데, 그대는 어찌 이를 이상스럽게 생각합니까?" 하니,

나그네는 **아무 대답이 없었다.**

01 (가)를 통해 알 수 있는 문학의 특징으로 적절하지 않은 것은?
① 문학에는 작가의 삶이 사실적으로 반영되어 있다.
② 문학은 독자로 하여금 타인의 삶을 이해하게 한다.
③ 문학의 소통은 공동체 차원의 예술적 소통 행위이다.
④ 문학은 가치가 다른 집단 사이의 갈등을 통해 현실 세계의 한계를 드러내기도 한다.
⑤ 문학을 접하는 독자들은 다양한 가치관을 지닌 타자를 이해하고 포용할 수 있게 된다.

대단원 실전 문제

대단원의 내용을 종합적으로 이해할 수 있는 문제들을 구성하였습니다. 교과서 제재에서 시험에 자주 나오는 핵심 부분을 선별해, 지문 복합 유형 문제, 학습 활동 제재 활용 문제 등 다양한 유형의 문제를 대비할 수 있도록 하였습니다.

• 1등급 완성 문제

수능 유형의 복합 지문을 바탕으로 내신 평가에서 고득점 판별 문제에 대비할 수 있도록 하였습니다.

1 문학의 본질과 가치

정답과 해설

문제의 정답 및 예시 답을 싣고, 그에 대한 상세한 해설을 담았습니다. 오답 풀이를 통해 헷갈리기 쉬운 선택지를 정확하게 이해할 수 있도록 하고, 서술형의 채점 기준을 제시하여 서술평 평가를 대비할 수 있도록 하였습니다.

문학 교과서의 목표와 내용 체계

'문학'은 초·중·고 공통 '국어'의 문학 영역을 심화·확장한 과목으로, 다양한 문학 경험과 활동을 통해 작품을 수용·생산하는 능력을 기르고, 문학에 관한 소양과 태도를 함양하여 문학문화를 향유하고 발전시키는 데 목적이 있습니다.

따라서 문학을 학습할 때에는 문학 작품의 수용·생산 활동을 통해 창의적인 문학 능력을 기르고, 문학의 본질과 양상에 대한 이해를 심화하며, 타인 및 세계와 소통하며 자아를 성찰하고 문학문화의 발전에 기여할 수 있어야 합니다.

• 고등학교 문학의 내용 체계

<table>
<tr><th>영역</th><th>일반화된 지식</th><th>내용 요소</th><th>기능</th></tr>
<tr><td>문학의 본질</td><td>문학은 언어를 매개로 한 예술로서 인식적·윤리적·미적 기능이 있다.</td><td>• 인간과 세계의 이해
• 삶의 의미 성찰
• 정서적 · 미적 고양</td><td rowspan="4">• 작품 선택하기
• 맥락 이해하기
• 몰입하기
• 보조·참고 자료 활용하기
• 이해·해석하기
• 감상·비평하기
• 성찰·향유하기
• 모방·개작·변용하기
• 창작하기
• 공유·소통하기
• 점검·조정하기</td></tr>
<tr><td>문학의 수용과 생산</td><td>문학 활동은 다양한 맥락에서 작품을 수용·생산하며 문학문화를 향유하는 행위이다.</td><td>• 작품의 내용과 형식
• 작품의 맥락
• 문학과 인접 분야
• 작품의 수용과 소통
• 작품의 재구성과 창작
• 문학과 매체</td></tr>
<tr><td>한국 문학의 성격과 역사</td><td>한국 문학은 공동체의 삶과 시대 상황을 담고 있는 민족 문화이다.</td><td>• 개념과 범위
• 전통과 특질
• 갈래별 전개와 구현 양상
• 문학과 시대 상황
• 한국 문학과 외국 문학
• 한국 문학의 발전상</td></tr>
<tr><td>문학에 대한 태도</td><td>문학을 통해 삶의 다양한 문제의식을 타인과 공유하고 소통할 때 문학 능력이 효과적으로 신장된다.</td><td>• 자아 성찰, 타자 이해
• 공동체의 문화 발전</td></tr>
</table>

1 문학의 본질과 가치

학습 목표 《
- 문학이 인간과 세계에 관한 이해를 돕고, 삶의 의미를 깨닫게 하며, 정서적·미적으로 삶을 고양함을 이해할 수 있다.
- 문학을 통하여 자아를 성찰하고, 타자를 이해하며 상호 소통하는 태도를 지닐 수 있다.
- 문학 활동을 생활화하여 인간다운 삶을 가꾸고 공동체의 문화 발전에 기여하는 태도를 지닐 수 있다.

문학 언어의 특징

- 정서적 언어: 문학은 언어를 통해 정서를 표현하고 독자의 정서에 호소하여 감동을 줌.
- 구체적 언어: 문학은 사물에 대한 체험을 여실하게 전달하기 위하여 언어를 통해 감각의 구체성을 드러냄.
- 함축적 언어: 문학은 독자의 상상력을 자극하기 위하여 작가의 창의력에 의해 언어에 함축되어 있는 의미를 활용함.

(1) 문학의 본질

▶ 문학의 개념

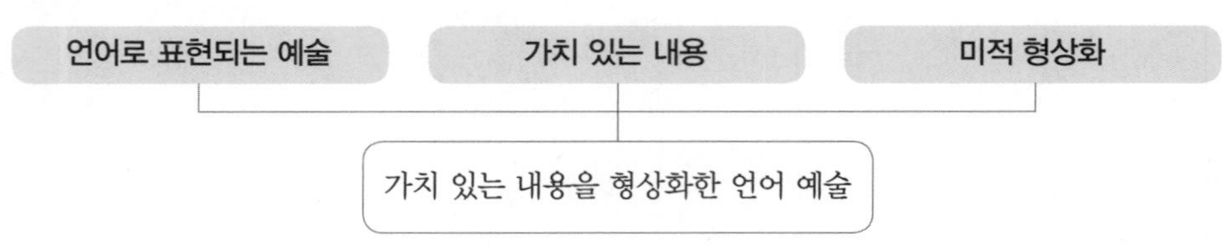

▶ 문학의 효용

- 정서를 순화해 줌.
- 문학은 교훈을 쾌감에 담아 전해 줌.
- 언어 사용 능력, 상상력과 감수성의 신장을 가져옴.
- 문학은 우리에게 인생의 진실을 깨닫게 하고, 감동과 즐거움을 줌.
- 타자와 공동체의 다양한 가치를 이해하게 함으로써 올바른 삶의 가치를 추구하게 도와줌.

▶ 문학의 기능과 가치

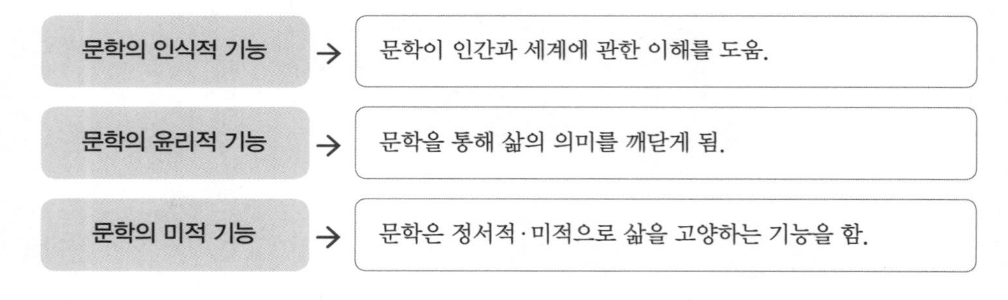

(2) 문학의 가치

문학을 통한 자아 성찰과 타자 이해

문학 작품	작품 속 인물은 여러 가지 상황에서 다양한 생각과 선택을 함.

↓

독자	• 작품 속 인물의 삶과 자신의 삶을 비교하며 자신의 삶을 성찰함. • 다양한 삶을 포용함. • 자신의 가치관을 형성함.

▶ 문학을 통한 자아 성찰

문학 작품의 특징		문학 작품 감상의 효과
• 다양한 방식으로 인간을 탐구함. • 삶의 의미에 대해 의문을 제기함.	→	• 작품 속에 담긴 인간상과 삶의 모습에 비추어 자신의 삶을 성찰하게 됨. • 자아와 세계의 관계 속에서 인생의 가치를 파악함.

↓

독자는 문학을 통해 바람직한 인성을 형성하고 삶의 질을 높일 수 있게 됨.

문학을 통한 타자 이해와 소통

문학 작품의 특징		문학 작품 감상의 효과
• 서로 다른 입장과 처지를 가진 다양한 사람들의 삶의 모습을 보여 줌. • 개인의 갈등, 집단 간의 갈등과 해결 과정을 보여 줌.	→	• 다양한 사람들의 가치관과 세계관을 이해하고 수용할 수 있게 됨. • 갈등을 해결하고 공동체적 조화를 이루며 사는 법을 배우게 됨.

3 문학 활동의 생활화 한 학기 한 권 책 읽기

문학 활동 생활화의 개념과 가치

개념		가치
일상생활에서 문학 작품을 수용하고 생산하는 활동을 지속하는 것	→	• 자신을 성찰하고, 삶의 본질을 이해할 수 있으며, 인생의 가치를 파악할 수 있음. • 다양한 층위의 공동체와 자신의 관계를 원만하게 유지하는 삶을 찾아볼 수 있음. • 공동체 구성원 사이의 정서적 교류를 가능하게 하고, 상호 존중감과 유대감을 가질 수 있음.

→ 지속적이고 자발적으로 문학 활동을 실천하면 스스로 자존감을 높이고 상생과 공존의 문화를 발전시킬 수 있음.

문학 활동 생활화의 공동체적 의의

• 사회 전체의 문화 발전에 기여함.
• 구성원들 사이에 상호 존중감과 유대감을 지니게 함.

↓

공동체의 바람직한 가치를 발견하고 공동체의 문화를 발전시키는 데 기여함.

문학 활동을 생활화하는 방법

구분	활동
개인적 차원의 활동	• 도서관에서 책을 선정하여 읽는 습관 기르기 • 문학 작품을 감상하고 생산하는 활동하기 • 문학 작품을 읽을 때 드는 생각, 질문, 감상 메모하기, 독서 일지 쓰기
공동체적 차원의 활동	• 읽은 내용에 관해 대화하기, 설명하기, 토의하기, 토론하기 • 서평 쓰기, 감상문 쓰기, 비평문 쓰기, 인터뷰 기사 쓰기 등을 통해 읽은 내용을 자신의 관점으로 정리한 후, 문제의식을 공유하고 해결 방안을 함께 모색하기

문학 활동 생활화와 가치 있는 삶

문학 활동의 생활화	• 문학 작품을 꾸준히 읽으며 작품 내용과 자신의 생활을 연관하여 사고하게 됨. • 문학 작품에서 얻은 깨달음이나 감상을 다른 사람과 주고받음.

↓

가치 있는 삶의 영위	• 문학을 통해 자신의 삶을 성찰하게 됨. • 문학을 통해 타인의 감정과 가치관을 이해하게 됨.

01 그 복숭아나무 곁으로 나희덕

출제 포인트	• 화자가 인식한 내용과 이를 통해 깨달은 점 파악하기 • 시구의 함축적 의미와 표현상 특징 이해하기

작품 개관

갈래	자유시, 서정시	성격	고백적, 성찰적, 비유적
제재	복숭아나무		
주제	다른 대상(타인)의 본질(진정한 모습)에 대한 발견과 이해		
특징	• 복숭아나무를 의인화하여 주제 의식을 부각함. • 시간의 흐름에 따라 대상에 대한 인식 변화를 드러냄. • 도치법을 사용하여 시적 여운을 형성함.		

대상에 대한 화자의 인식과 태도 변화

'복숭아나무'에 대한 오해와 편견

- 너무도 여러 겹의 마음을 가지고 있음.
- 왠지 가까이 가고 싶지 않았음.
- 사람이 앉지 못할 그늘을 가졌을 거라고 생각해 멀리로만 지나침.

'복숭아나무'에 대한 재인식·깨달음

- 흰꽃과 분홍꽃 사이에 수천의 빛깔이 있다는 것을 멀리서 알게 됨.
- 피우고 싶은 꽃빛이 너무 많아 외로웠을 것이지만 외로운 줄도 몰랐을 것이라는 새로운 생각을 갖게 됨.
- 여러 겹의 마음을 읽는 데 오랜 시간이 걸림.

'복숭아나무'에 대한 이해·공감

- 조금은 심심한 얼굴을 하고 있음.
- 복숭아나무 그늘에서 저녁이 오는 소리를 가만히 들음.

표현상의 특징

시구	표현상의 특징
~습니다 / ~입니다	• 종결 어미를 활용하여 경어체로 표현함. • 독백적 어조를 통해 대상에 대한 자신의 생각을 차분히 고백함.
그 복숭아나무, 그 나무	'그'라는 지시어를 반복적으로 사용하여 중심 소재로 초점화함.
피우고 싶은 꽃빛이~ 참 오래 걸렸습니다	대상을 의인화하여 표현함.
조금은 심심한 얼굴을 ~ 저녁이 오는 소리를	도치법을 활용하여 시적 여운을 남기며 시상을 마무리함.

[1~6] 다음 시를 읽고 물음에 답하시오.

[A]
너무도 여러 겹의 마음을 가진
그 복숭아나무 곁으로
나는 왠지 가까이 가고 싶지 않았습니다
흰꽃과 분홍꽃을 나란히 피우고 서 있는 그 나무는 아마
사람이 앉지 못할 그늘을 가졌을 거라고
멀리로 멀리로만 지나쳤을 뿐입니다

[B]
흰꽃과 분홍꽃 사이에 수천의 빛깔이 있다는 것을
나는 그 나무를 보고 멀리서 알았습니다
눈부셔 눈부셔 알았습니다
피우고 싶은 꽃빛이 너무 많은 그 나무는
그래서 외로웠을 것이지만 외로운 줄도 몰랐을 것입니다

그 여러 겹의 마음을 읽는 데 참 오래 걸렸습니다

[C]
흩어진 꽃잎들 어디 먼 데 닿았을 무렵
조금은 심심한 얼굴을 하고 있는 **그 복숭아나무 그늘**에서
가만히 들었습니다 저녁이 오는 소리를

01 위 시에 대한 설명으로 가장 적절한 것은?

① 대상의 속성을 화자의 삶과 대비하여 주제 의식을 드러내고 있다.
② 시간의 흐름에 따라 화자는 대상을 이해하고 성찰의 태도를 보이고 있다.
③ 화자의 일상적 경험 속에서 형성된 친밀감을 바탕으로 대상을 조명하고 있다.
④ 화자와 대상이 나누는 정서적 교감을 통해 인간에게 내재된 가치를 드러내고 있다.
⑤ 화자가 대상과 함께 했던 경험을 바탕으로 현재 겪고 있는 문제의 해결 방안을 이끌어 내고 있다.

02 위 시의 표현상 특징으로 적절하지 않은 것은?

① 시어를 반복적으로 사용하여 의미를 강화하고 있다.
② 색채 이미지를 활용하여 주제 의식을 드러내고 있다.
③ 지시어를 반복하여 중심 소재로 초점을 모으고 있다.
④ 자연물에 인격을 부여하여 대상의 특성을 부각하고 있다.
⑤ 공감각적 이미지를 활용하여 전달하려는 의미를 구체화하고 있다.

03 〈보기〉를 바탕으로 위 시를 감상한 내용으로 적절하지 않은 것은?

〈보기〉

「그 복숭아나무 곁으로」의 화자는 '복숭아나무'를 이전과는 다른 눈으로 보게 됨으로써 거리감을 가졌던 대상에 대한 선입견에서 벗어나 새로운 인식을 하게 된다. 이로 인해 화자는 대상에 공감하고 이전과는 다른 태도를 갖게 된다.

① '너무도 여러 겹의 마음'은 타인의 복잡한 내면으로, 화자가 대상에 거리감을 갖게 된 이유가 된다.
② '사람이 앉지 못할 그늘'은 대상에 대한 화자의 선입견으로, 대상에 대하여 화자의 인식이 부정적이었음을 보여 준다.
③ '흰꽃과 분홍꽃 사이에 수천의 빛깔'은 화자가 대상을 새로운 눈으로 보게 된 것으로, 대상에 대한 화자의 인식이 전환되는 이유가 된다.
④ '그 여러 겹의 마음'은 화자가 대상과의 공감을 통해 갖게 된 것으로, 화자의 내적 충만감을 보여 준다.
⑤ '그 복숭아나무 그늘'은 화자가 비로소 대상에 다가설 수 있게 되었음을 보여 주는 것으로, 대상에 대한 화자의 태도 변화를 보여 준다.

서술형

04 위 시에서 대상과 관련하여 화자의 태도에 어떠한 변화가 생겼는지 서술하시오.

〈조건〉

• 화자의 인식 변화가 일어나기 전과 후의 태도를 비교할 것
• 화자의 태도 변화를 알 수 있는 시구를 적절히 인용할 것

학습 활동 응용

05 위 시의 [A]~[C]에 대해 이해한 내용으로 적절하지 않은 것은?

① [A]에서는 대상과 거리를 두고자하는 화자의 태도가 나타나 있군.
② [B]에서는 [A]와 달리 대상의 심정을 헤아릴 수 있게 된 화자의 태도 변화가 나타나 있군.
③ [C]에서 화자는 [A], [B]에서와 달리, 꽃잎들이 모두 흩어진 '복숭아나무'에 주목하고 있군.
④ [C]에서는 [A], [B]에서와 달리, 도치법을 사용하여 화자와 대상 사이의 조화와 통합의 상태를 표현하고 있군.
⑤ [A]에서 [C]로 시상이 전개되면서 화자의 정서가 점점 고조되는 양상을 보이고 있군.

학습 활동 응용

06 위 시와 〈보기〉를 비교하여 감상한 것으로 적절한 것은?

〈보기〉

숲을 멀리서 바라보고 있을 때는 몰랐다
나무와 나무가 모여 / 어깨와 어깨를 대고
숲을 이루는 줄 알았다
나무와 나무 사이 / 넓거나 좁은 간격이 있다는 걸
생각하지 못했다
벌어질 대로 최대한 벌어진,
한데 붙으면 도저히 안 되는,
기어이 떨어져 서 있어야 하는,
나무와 나무 사이 / 그 간격과 간격이 모여
울울창창(鬱鬱蒼蒼) 숲을 이룬다는 것을
산불이 휩쓸고 지나간
숲에 들어가 보고서야 알았다

– 안도현, 「간격」

① 〈보기〉는 위 시와 다르게 시간의 흐름에 따른 화자의 인식 변화를 드러내고 있다.
② 〈보기〉는 위 시와 다르게 화자의 공간 이동 또한 깨달음의 계기로 작용하고 있다.
③ 위 시는 〈보기〉와 다르게 영탄적인 어조를 사용하여 자아 성찰의 태도를 드러내고 있다.
④ 위 시와 〈보기〉 모두 자연에서 깨달은 내용을 인간의 삶에 대응하여 차이점을 찾고 있다.
⑤ 위 시와 〈보기〉 모두 대상과 일정한 거리를 두고 사는 것의 가치가 새롭게 조명되고 있다.

02 두근두근 내 인생 김애란

출제 포인트	• 인물의 처지와 정서에 공감하여 감상하기 • 문학의 정서적·윤리적 기능 이해하기

작품 개관

갈래	장편 소설, 성장 소설	성격	자기 고백적, 성찰적
시점	1인칭 주인공 시점		
배경	• 시간적-현대 / • 공간적-주로 병원과 집		
제재	조로증을 앓고 있는 소년의 삶과 사랑		
주제	죽음을 앞둔 소년이 겪는 삶의 희노애락과 가족 간의 사랑		
특징	• 한 소년이 자신이 살아온 날을 기록하는 방식으로 서술됨. • 태아일 때부터 생을 마감하는 순간까지의 과정을 시간순으로 전개함. • 다양한 표현 방법을 사용하여 주인공의 심리를 참신하게 드러냄.		

'두근두근 내 인생'이라는 제목의 상징적 의미

'나'가 '두근두근'하는 심정을 느꼈던 순간		
태아일 때	첫사랑을 느낄 때	죽음을 맞이할 때
어머니의 뱃속에서 '두근두근'하는 어머니의 심장 박동 소리를 들음.	'이서하'라고 이름을 불렀을 때 가슴속에 조용한 '기척'이 일어남.	아버지의 품에서 '쿵…… 쾅…… 쿵…… 쾅……' 소리를 들음.
낯선 세상에 대한 '나'의 두려움과 기대감	새로운 만남에 대한 '나'의 설렘과 기대감(첫사랑의 설렘과 두근거림)	아버지의 두려움과 '나'에 대한 사랑

↓

'나'가 살아오면서 겪었던 의미 있는 순간들, 벅찬 삶의 한 순간

작품의 구조

• 미라와 대수가 열일곱 살에 아들 아름을 낳음.
• 아름은 열입곱 살이지만 조로증에 걸려 여든 살 노인의 모습으로 살아감.

↓

가장 어린 부모와 가장 늙은 자식의 청춘과 사랑에 대한 이야기

[1~6] 다음 글을 읽고 물음에 답하시오.

앞부분 줄거리 태권도 특기생으로 체육고등학교에 다니던 '대수'와 당찬 성격의 '미라'는 열일곱의 나이에 아이를 갖게 된다.

그 뒤로도 어머니는 쉽게 마음을 정하지 못했다. 하루에도 몇 번씩 긍정과 부정 사이를 오가며 어쩔 줄 몰라 했다. 시간은 계속 흐르고…… 축축하고 어두운 공간 속에서 내 몸은 자꾸 자라났다. 주위에선 쉴 새 없이 쿵- 쿵- 하는 소리가 들렸다. 나는 그 소리를 귀가 아닌 온몸으로 들었다. 그러고 지하 벙커에서 모스 부호 해독에 열중하는 병사처럼 내 주위를 감싸는 그 '떨림'의 실체를 파악하려 애썼다. 그리고 그 암호는 다음과 같았다.

'두근두근…… 두근두근…… 두근두근……'

쿵쿵- 혹은 둥둥- 이라도 좋았다. 먼 북소리 같기도 하고, 큰 발소리 같기도 한 무엇. 거대한 몸집을 가진 누군가가 나를 향해 성큼성큼 다가오는 듯한 울림이었다. 그때마다 나는 여진(餘震)에 민감한 순록처럼 도망칠 준비를 했다. 하지만 동시에 춤추고 싶은 기분도 들었다. 어머니의 심박과 내 것이 겹쳐 가끔은 음악처럼 들려왔던 까닭이다.

'쿵 짝짝…… 쿵 짝짝…… 쿵쿵 짝…… 쿵 짝……'

쿵은 어머니 것, 짝은 내 것이었다. 쿵은 센소리, 짝은 여린 소리였다. 나는 긴 탯줄에 매달려 그 소리에 집중했다. ㉠ 어머니의 심장은 오동통한 달처럼 내 머리위에 떠, 나무가 초록을 퍼트리듯 방울방울 사방에 비트를 퍼트렸다. 그것은 정보량의 최소 기본 단위를 말하는 ⓐ 비트(bit)이기도 하고, 가수들이 음악을 만들 때 쓰는 ⓑ 비트(beat)이기도 했다. 이 비트(bit)와 저 비트(beat)는 몸 곳곳에 중요한 메시지를 보내며 삐라처럼 흩날렸다. 듣다 보니 뭔가 '되고 싶어지는' 게 누가 들어도 참으로 선동적이라 하지 않을 수 없는 리듬이었다. 명령어를 전달받은 세포들은 곧장 행동에 돌입했다. 하늘에서 쏟

아지는 비트를 맞고, 기관들이 움트며 기지개를 편 거였다. 간이 부풀고 콩팥이 여물며 우둑우둑 뼈가 돋아났다. 나는 무럭무럭 자랐다. 그리고 종종 내 꿈속에서, 어머니가 꾸는 꿈과 만나 두서없는 대화를 했다. / '엄마……' / '응?'

'엄마……' / '그래.'

'나 자꾸 가슴이 떨려요…… 가슴이 아프도록 뛰어요…… 숨이 넘어갈 것 같은데, 이러다 죽을 것만 같은데…… 도무지 멈출 수가 없어요.'

'아가야.' / '네?'

'나도, 나도 그래. 가슴이 자꾸 뛰어. 가슴이 저리도록 뛰는데 멈출 수가 없어……'.

01 윗글에 대한 설명으로 가장 적절한 것은?

① 현재의 시각에서 사건을 전달함으로써 객관성을 높이고 있다.
② 어리숙한 인물을 서술자로 내세워 진술의 해학성을 드러내고 있다.
③ 공간적 배경을 활용하여 시대에 대한 비판적 의식을 드러내고 있다.
④ 현재와 과거의 사실을 교차하여 향후 전개될 사건의 단서를 제시하고 있다.
⑤ 꿈속에서 이루어진 가상의 대화를 통해 서로 교감하는 인물들의 관계가 드러나고 있다.

02 윗글의 내용에 대한 이해로 적절하지 않은 것은?

① '어머니'는 '나'를 임신한 것과 관련하여 심리적인 갈등을 겪고 있다.
② '나'는 무럭무럭 성장하는 자신의 몸에 대해 불안감을 느끼고 있다.
③ 처음에 '나'는 '쿵－ 쿵－' 소리의 실체를 알 수 없어 궁금하게 생각했다.
④ '나'는 긴 탯줄에 매달려 '어머니'가 전해 주는 소리에 귀를 기울이고 있다.
⑤ '나'는 '어머니'의 심박과 '나'의 심박이 합쳐진 소리를 들으며 음악을 듣는 것 같은 기분을 느끼기도 했다.

03 윗글의 시점에 대한 설명으로 가장 적절한 것은?

① 1인칭 관찰자 시점으로 부모님의 이야기를 중립적인 위치에서 서술하고 있다.
② 1인칭 주인공 시점으로 자신이 실제로 경험했던 삶의 중요한 사건을 중심으로 서술하고 있다.
③ 1인칭 주인공 시점이지만 자신이 실제로 기억하지 못하는 과거 사건의 상상까지 복합적으로 서술하고 있다.
④ 전지적 작가 시점으로 등장인물의 심리나 생각을 자세하게 서술하고 있다.
⑤ 전지적 작가 시점이지만 등장인물의 행동이나 심리를 멀찍이 떨어져 객관적으로 서술하고 있다.

04 ㉠에 대한 감상으로 적절하지 않은 것은?

① 직유법을 사용하고 있는 표현이야.
② 참신한 발상과 독창적 표현 방법이 사용된 예로 볼 수 있어.
③ 언어 자체가 지닌 아름다움을 극대화해서 보여 주고 있어.
④ 어머니의 심장 박동 소리가 태아인 '나'의 주변을 감싸고 있음을 나타내고 있군.
⑤ 풍부하고 심층적인 표현을 하고 있지만 내용의 전달 효과는 떨어진다고 볼 수 있군.

05 ⓐ와 ⓑ에 대한 설명으로 적절하지 않은 것은?

① ⓐ는 비트 분량의 단순한 정보를 담고 있음을 의미한다.
② ⓑ는 일정한 리듬에 중요한 메시지를 담아 '나'에게 전달되고 있음을 의미한다.
③ ⓐ와 ⓑ는 '나'를 무럭무럭 성장시키는 원동력이 되고 있다.
④ ⓐ와 달리 ⓑ는 '나'의 꿈속에서도 이어져 '나'를 긴장시켰다.
⑤ ⓐ와 ⓑ는 어머니의 심장 박동에 대한 '나'의 인식을 표현한 것이다.

서술형

06 윗글에서 의성어를 반복적으로 사용하여 표현하려고 한 바와 그 효과를 〈조건〉에 맞게 서술하시오.

〈조건〉
- 의성어를 통해 표현하고자 하는 것이 무엇인지 쓸 것
- '나'와 '어머니' 사이에 나눈 대화를 통해 그 효과를 유추해 볼 것

[7~12] 다음 글을 읽고 물음에 답하시오.

중략 부분 줄거리 어리고 생활 능력도 없었지만 '나'의 부모는 '나'가 크는 것을 보며 행복해한다. 그러나 '나'는 빠른 속도로 신체 나이가 늙어 가는 조로증에 걸려 병원에 다니게 된다. 우연히 '나'의 사연이 방송에 소개되면서 많은 이들의 관심을 받고, 암 투병 중이라는 '서하'라는 소녀에게서 한 통의 메일을 받는다.

사실 이곳까지 굳이 산책을 나온 건, 그 애에게 건넬 말을 궁리하기 위해서였다. [메일]을 받은 지 일주일이 지났지만, 아직 답신을 보내지 않은 상태였다. ㉠ 일단 회신을 해야겠다고 마음먹기까지의 시간이 오래 걸렸고, 쓴다 해도 뭐라 하나 몰라서였다. 물론 답장을 쓰지 못한 보다 근본적인 이유는 따로 있었다. 그리고 나는 그 까닭을 잘 알고 있었다. 그건, 내가 그 편지를 '잘 쓰려' 한다는 거였다.

'하지만 표가 나서는 안 돼……'

나는 그 애에게 때 이른 만족을 주고 싶지 않았다. ㉡ 끄덕이고 안도한 뒤 자족해 돌아서 버리게 하고 싶지 않았다. 하지만 동시에 그 애가 바란 것 이상으로 그 애를 기쁘게 해 주고 싶었다. 만족이 임계점을 넘으면 만족이 아니라 감탄이 되니까. '아!' 하는 순간의 탄성이 만들어 내는 반향을 타고, 그 반향이 일으키는 가을 물결을 타고, **그 애가 내게 쓸려 오길** 바랐다.

'하지만 어떻게?'

그러자 **지금까지 쓴 형편없는 메모들**이 떠올랐다. 힘이 잔뜩 들어간 게 생각만 해도 얼굴이 홧홧해지는 내용들이었다. 관념적이고 현학적인 데다 도통 무슨 말인지 알아들을 수 없는. ㉢ 종종 인터넷 커뮤니티에서 발견하고, 보는 즉시 '어우' 손사래 쳤던 글들을 내가 쓰고 있었다. 그것도 문체가 제각각인 게 어느 것은 도도한 초등학생이 쓴 산문 같고, 또 어떤 것은 인문대 복학생이 쓴 잡문 같았다. 이건 뭐 공작도 아니고, 수컷들 깃털 자랑하듯 구애하는 모양새라니. 가장 평범한 소년이 되어 가장 평범한 고민을 하고 있는 스스로가 낯설고 불편했다.

'역시…… 연애를 글로 배워서 그런가?'

누군가 일본 애니메이션을 보고 일본어를 독학한 친구에게 "네 말 속엔 노인과 야쿠자와 여고생의 말투가 다 섞여 있다."라고 촌평한 걸 듣고 깔깔댔었는데, ㉣ 지금 내 모습이 딱 그거 같았다. 그것은 다시 말해, **내 안에 여러 가지 욕망**이 섞여 있다는 뜻이기도 했다. 하지만 그러지 않고, 그걸 다 빼고, 어떻게 나를 설명한단 말인가? 그래도 정말 괜찮단 말인가? 나처럼 괜찮은 아이가? 나는 수심에 잠겨 먼 곳을 바라봤다. 그리고 그 수심이 마음에 든 나머지 놓아주려 하지 않았다.

"이서하……"

㉤ 사물의 이름을 처음 배우듯 발음하는 세 글자였다. 그러자 한밤중 아무도 모르게, 소나무 가지에 얹혀 있다 제 무게를 이기지 못하고 툭- 떨어지는 눈덩이처럼 **가슴속에 조용한 기척**이 일었다. 고요라는 이름의 바람이 따로 있기나 한 듯, 쩌렁쩌렁 적막이 울려 퍼졌다. 그래서 이번에는 바람의 열세 계급 중 0계급에 속한다는 '고요'라는 단어를 읊어 보았다. 그것은 곧 세상에서 가장 조용한 기척이 되어, 세상에서 가장 멀리 가는 동그라미를 만들어 냈다. 신기한 일이었다. 0계급은 아무것도 할 수 없는 줄 알았는데, 0계급이 무언가 하고 있었다.

'일단 첫 문장을 써야 해, 첫 문장을…… 그런 뒤 무슨 일이 벌어지는지 두고 보자고.'

나는 허공에다 대고 '안녕'이란 말을 써 보았다. 하지만 왠지 마음에 들지 않아 소매 끝으로 쓱쓱 지웠다. '잘 지내니'라는 말도, '반가워'라는 말도 마찬가지였다. **한 소년의 팔십 먹은 폐와 심장**, 혈관을 타고 바깥으로 흘러나온 한숨이 대기를 흐렸다. 나는 김 서린 창문에 대고 글씨를 쓰듯, 뿌옇게 변한 찰나의 공기 속에 다시 그 애 이름을 적어 넣었다. 그러자 하늘 위로 생뚱맞은 문장이 영화 자막처럼 돋아났다.

ⓐ '풍향계가 움직이기 시작……'

어디선가 삐걱 하고 낡은 풍판(風板)이 돌아가는 소리가 났다. 나는 머리 위로 지나가는 활자를 한 자 한 자 따라 읽었다.

07 윗글에 대한 설명으로 적절한 것은?

① 주인공의 내적 독백을 중심으로 이야기를 전개하고 있다.
② 인물들의 대화를 통해 사건 해결의 실마리가 드러나고 있다.
③ 특정 인물의 시선을 통해 다른 인물의 심리를 해석하여 보여 주고 있다.
④ 현재의 상황을 과거의 상황과 대비하여 인물의 처지를 부각하고 있다.
⑤ 서술자가 관찰자의 입장에서 인물의 내면 심리를 추리하여 제시하고 있다.

08 메일에 대한 이해로 가장 적절한 것은?

① '나'가 가진 마음의 상처를 치료해 주었다.
② '나'와 '서하' 사이에 인연을 맺게 해 주었다.
③ '나'가 자신에 대해 열등감을 갖도록 만들었다.
④ '나'가 '서하'의 삶에 개입할 수 있게 해 주었다.
⑤ '나'가 지닌 갈등이 심화되는 계기를 만들어 주었다.

09 〈보기〉를 바탕으로 윗글을 감상한 내용으로 적절하지 않은 것은?

〈보기〉

「두근두근 내 인생」은 조로증을 앓고 있는 열일곱 살 소년의 이야기를 담은 소설이다. 노인의 신체를 갖게 된 소년은 정체성의 혼란을 느끼며 힘겨워한다. 특히 '서하'라는 소녀에 대한 설렘과 기대가 생기면서 이러한 내적 혼란과 고민은 한층 더해진다.

① '그 애가 내게 쓸려 오길' 바라는 마음은 '서하'에 대한 '나'의 기대감이 담긴 것이겠군.
② '지금까지 쓴 형편없는 메모들'은 '서하'와 관련된 '나'의 고민이 한층 더 깊어진 이유를 짐작할 수 있게 해 주는군.
③ '내 안에 여러 가지 욕망'은 '나'가 겪고 있는 정체성의 혼란과 '서하'에 대한 설렘과 기대감을 드러내는 표현이겠군.
④ '가슴속에 조용한 기척'은 정체성의 혼란을 겪고 있는 '나'가 '서하'와의 만남을 통해 내적 혼란에서 벗어날 수 있게 되었음을 의미하는 것이겠군.
⑤ '한 소년의 팔십 먹은 폐와 심장'은 노인의 신체를 갖게 된 소년의 힘겨운 상황을 알 수 있게 해 주는군.

10 ㉠~㉤에 대한 이해로 적절하지 않은 것은?

① ㉠: '나'가 낯선 '서하'와 인연을 맺는 데 망설임이 있었음을 알 수 있다.
② ㉡: '나'는 '서하'와의 인연이 오랫동안 이어지기를 바라고 있다.
③ ㉢: '나'는 자신이 쓴 글에 대해 부끄러움을 느끼고 있다.
④ ㉣: '나'는 자신의 모습이 남들 눈에 비현실적으로 비춰지고 있음을 알고 있다.
⑤ ㉤: '이서하'라는 대상을 소중하게 생각하는 '나'의 마음을 엿볼 수 있다.

서술형

11 ⓐ는 '나'의 어떤 행위를 비유적으로 표현한 것인지 서술하시오.

고난도

12 〈보기〉를 바탕으로 윗글을 감상할 때 가장 적절한 방법은?

〈보기〉

작가들은 문학 작품을 창작할 때 기쁨, 슬픔, 즐거움, 노여움 등 삶 속에서 일어나는 온갖 감정과 정서를 있는 그대로 토로하는 것이 아니라 예술적으로 형상화된 표현을 사용해 드러낸다. 그래서 독자는 문학 작품을 통해 정서적 고양을 느끼고, 문학의 형식미를 맛보는가 하면, 다양한 심미적 감상을 할 수 있게 된다. 즉 우리는 문학의 생산과 수용 과정을 통해 삶 속에서 겪어 내는 다양한 감정과 정서를 정화하고 고양함으로써 정신적 기쁨을 느끼고 참다운 예술적 체험을 하게 되는 것이다.

① 주인공이 겪고 있는 심리적 절망에 공감한다.
② 주인공의 행동에 비추어 자신의 삶을 반성적으로 되돌아본다.
③ 주인공의 심리를 어떤 언어적 표현을 사용해 표현하고 있는지 파악해 본다.
④ 주인공이 어떤 선택을 했어야 윤리적으로 더 바람직한 행동이었는지 생각해 본다.
⑤ 작가가 실제로 경험한 사실이 작품에 얼마나 사실적으로 반영되었는지 검검해 본다.

[13~19] 다음 글을 읽고 물음에 답하시오.

중략 부분 줄거리 '나'는 '서하'가 암에 걸린 소녀가 아니라 서른이 넘은 무명 시나리오 작가임을 알게 되고, 그 후로 '나'의 병세는 급격히 악화된다.

"아빠?"

"그래, 아름아."

"저, 눈이 멀고 나서야 평소에 내가 아빠 얼굴 보는 걸 얼마나 좋아했는지 알았어요."

아버지가 손으로 내 머리를 만졌다. 나는 아버지의 커다란 손바닥 안에 내 이마가 폭 안기는 느낌이 좋다고 생각했다.

"아빠?"

나는 호흡이 달려 한동안 다음 말을 잇지 못했다. 아버지가 내 손을 잡았다.

"그래, 아름아."

"나 좀 무서워요."

"……"

아버지는 상체를 숙여 나를 안았다.

"지금 그러시면 안 돼요."

아버지는 간호사의 만류 따위 아랑곳 않고 나를 힘껏 안았다. 그러곤 깃털처럼 ㉠ 가벼운 자식 앞에서 잠시 휘청댔다. 마치 세상 모든 것 중 병 든 아이만큼 ㉡ 무거운 존재는 없다는 듯. 힘에 부쳐 바들바들 손을 떨었다. 잠시 후 내 가슴께로 펄떡이는 아버지의 심장 박동이 전해졌다.

ⓐ '쿵…… 쾅…… 쿵…… 쾅……'

약하고 희미하지만 분명 거기 있는 소리였다. 우리는 말없이 서로의 파동 안에 머물렀다. 그 자장 끝 맨 나중에 그려지는 동심원이 토성 주위의 고리처럼 우리를 오목하게 감쌌다. 아주 오래전, 어머니의 뱃속에서 만난 그런 박자를, 누군가와 온전하게 합쳐지는 느낌을 다시는 경험할 수 없을 줄 알았는데, 그것과 비슷한 느낌을 줄 수 있는 방법 하나를 비로소 알아낸 기분이었다. 그건 누군가를 힘껏 안아 서로의 박동을 느낄 만큼 심장을 가까이 포개는 거였다. 순간 눈물이 날 것 같았지만 나는 아버지를 안은 팔에 힘을 주었다. 그러곤 다시 자리에 누워 어머니를 찾았다.

"엄마?" / "응?"

"뭐 하나 물어봐도 돼요?"

"응, 다 물어봐."

"혹시 나 무섭지 않았어요?"

어머니의 목소리가 가늘게 떨렸다.

"그게 무슨 말이야, 이 녀석아."

"가끔 궁금했어요. 엄마랑 아빠랑…… 내가 병들어서 무서운 게 아니라, 그런 나를 사랑하지 못할까 봐 두려우시진 않았을까."

어머니는 아무 말도 하지 않으셨다. 어쩌면 간신히 울음을 참고 계신지도 몰랐다. / "엄마?"

어머니가 갈라지는 목소리를 냈다.

"응." / "배 한번 만져 봐도 돼요?"

ⓑ 어머니는 당황했다.

"왜?" / "그냥요."

"알고…… 있었니?"

어머니의 목소리가 파르르 떨려 왔다.

"응, 한참 전에. 엄마 먹는 그 약, 엽산 맞죠? 걱정돼서 찾아봤었어요."

"…… 일부러 숨긴 거는 아니야."

"응, 알아요. 그러니까 엄마, 언젠가 이 아이가 태어나면 제 머리에 형 손바닥이 한번 올라온 적이 있었다고 말해 주세요."

왜 지금이냐고, 조금만 참다 갖지 그러셨느냐고, 그런 말은 하지 않았다. 오래전, 아무도 모르게 원망하고 서운해했던 기억도 굳이 헤집어 내지 않았다. 이제 그런 것은 하나도 중요하지 않았다. 정말이지 하나도 중요할 리 없었다. 어머니는 대답 대신 내 손을 꼭 잡았다. 나는 잠에 취한 사람처럼 느리고 아둔하게 말했다.

"아빠." / "응?"

"그리고 엄마."

"그래."

그러곤 남아 있는 힘을 가까스로 짜내 말했다.

"보고 싶을 거예요."

13 윗글에 대한 설명으로 가장 적절한 것은?

① 특정 인물의 회상을 통해 과거의 사건을 현재와 연결하고 있다.
② 관찰자의 입장에서 사건을 전달함으로써 객관성을 높이고 있다.
③ 대화를 통해 이별을 앞둔 인물들의 심리를 구체적으로 드러내고 있다.
④ 서술의 초점을 다양한 인물로 옮겨 가며 갈등을 다각적으로 조명하고 있다.
⑤ 요약적 진술을 통해 앞에서 일어난 사건이 인물의 심리 변화에 끼친 영향을 드러내고 있다.

14 '나'에 대한 설명으로 적절하지 <u>않은</u> 것은?

① '아버지'의 손길을 기분 좋게 받아들이고 있다.
② '어머니'가 먹은 약을 보고 '어머니'의 임신 사실을 알고 있었다.
③ '어머니'가 임신한 사실에 대해 서운한 마음을 가진 적이 있었다.
④ 앞으로 태어날 아기가 자신의 존재를 알아주기를 바라고 있다.
⑤ 점점 다가오는 운명의 시간을 두려움 없이 당당히 맞이하고 있다.

서술형

15 윗글의 구조를 다음과 같이 정리할 때 빈칸에 들어갈 말을 쓰시오.

'미라'와 '대수'가 열일곱 살에 아들 '아름'을 낳음.	+	'아름'은 열일곱 살이지만 조로증에 걸려 여든 살 노인의 모습으로 살다가 죽음을 맞이함.

⬇

16 ㉠과 ㉡에 대한 설명으로 가장 적절한 것은?

① ㉠은 현실 속의 '나'를, ㉡은 '아버지'가 상상한 '나'를 의미한다.
② ㉠에서 드러나는 '아버지'의 결핍감은 ㉡에 대한 인식에서 비롯된 것이다.
③ ㉠은 '나'의 신체적 연약함을, ㉡은 '나'를 생각하는 '아버지'의 마음을 표현한 것이다.
④ ㉠에서 드러나는 '나'에 대한 '아버지'의 집착은 ㉡에서 나타나는 아버지의 잠재의식과 연결된다.
⑤ ㉠에는 '나'를 위로하고자하는 '아버지'의 바람이 드러나 있고, ㉡에는 '나'를 낯설어하는 '아버지'의 심리가 나타나 있다.

학습 활동 응용

17 ⓐ에 관한 설명으로 적절하지 <u>않은</u> 것은?

① '아버지'의 심장 박동 소리이다.
② '나'에 대한 '아버지'의 사랑을 의미한다.
③ '아버지'가 '나'의 죽음에 대해 두려움을 느끼고 있음을 알 수 있다.
④ '나'가 '아버지'와 온전히 합쳐지는 기분이 들도록 하는 매개체이다.
⑤ 급변하는 상황 속에서 새로운 삶에 대한 긴장감을 표현한 것이다.

18 ⓑ의 이유로 가장 적절한 것은?

① 자신이 임신한 사실을 '나'가 알고 있었기 때문에
② '나'가 자신에 대해 오해를 갖는 것이 싫었기 때문에
③ '나'가 자신의 선택에 대해 간섭하는 것이 싫었기 때문에
④ 자신의 임신에 대해 '나'가 불쾌한 기분을 드러냈기 때문에
⑤ 자신이 임신한 사실에 '나'의 원망이 커지는 것이 두려웠기 때문에

서술형

19 윗글에서 주인공 '나'가 '두근두근'하는 심정을 느꼈던 순간을 다음과 같이 정리할 때, 윗글의 제목 '두근두근 내 인생'의 의미를 서술하시오.

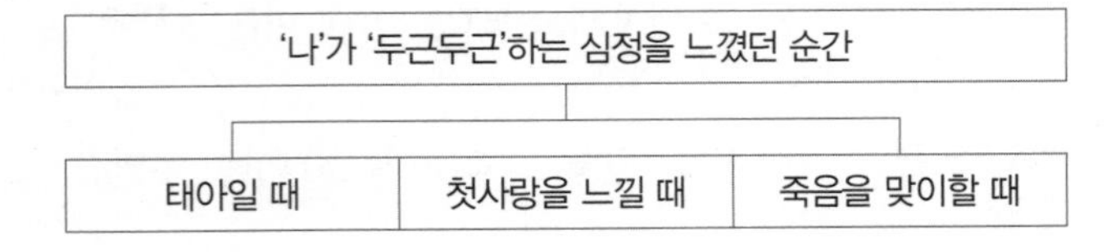

[20~21] 윗글과 〈보기〉를 비교하여 읽고 물음에 답하시오.

〈보기〉

앞부분 줄거리 수남은 시골에서 상경하여 가게 점원으로 일하고 있는 열여섯 살 소년으로, 성실하게 일하여 주인에게 인정을 받고 있다. 그러던 어느 날, 수남의 자전거가 바람에 넘어지면서 남의 자동차에 흠집을 낸다. 자동차 주인은 큰돈을 요구하며 수남의 자전거에 자물쇠를 채운다. 갈등하던 수남은 자물쇠가 채워진 자전거를 들고 도망쳐 가게로 돌아온다.

가게 문을 닫고 주인댁에서 날라 온 저녁밥을 먹고 나면 비로소 수남이 혼자만의 시간이다. 꿀 같은 시간이었다. 책을 펴 놓고 영어 단어를 찾고, 수학 문제를 풀어 보고, 턱을 괴고 소년답게 감미로운 공상에 잠길 수 있는 그런 시간이었다.

그러나 오늘 수남이는 그게 되지를 않았다. 책을 집어던졌다.

낮에 내가 한 짓은 옳은 짓이었을까? 옳을 것도 없지만 나쁠 것은 또 뭔가. 자가용까지 있는 주제에 나 같은 아이에게 오천 원을 우려내려고 그렇게 간악하게 굴던 신사를 그 정도 골려 준 것이 뭐가 나쁜가? 그런데도 왜 무섭고 떨렸던가. 그때의 내 꼴이 어땠으면, 주인 영감님까지 "네놈 꼴이 꼭 도둑놈 꼴이다."라고 하였을까.

그럼 내가 한 짓은 도둑질이었단 말인가. 그럼 나는 도둑질을 하면서 그렇게 기쁨을 느꼈더란 말인가.

수남이는 몸을 부르르 떨면서 낮에 자전거를 갖고 달리면서 맛본 ㉮ <u>공포</u>와 함께 그 까닭 모를 ㉯ <u>쾌감</u>을 회상한다. 마치 참았던 오줌을 내깔길 때처럼 무거운 억압이 갑자기 풀리면서 전신이 날아갈 듯이 가벼워지는 그 상쾌한 해방감 — 한번 맛보면 도저히 잊혀질 것 같지 않은 그 짙은 쾌감, 아아 도둑질하면서도 나는 죄책감보다는 쾌감을 더 짙게 느꼈던 것이다.

혹시 내 핏속에 도둑놈의 피가 흐르고 있기 때문이 아닐까. 순간 수남이는 방바닥에서 송곳이라도 치솟은 듯이 후닥닥 일어서서 ㉰ <u>안절부절을 못하고</u> 좁은 방 안을 헤맸다.

– 박완서, 「자전거 도둑」

학습 활동 응용

20 〈보기〉의 ㉮~㉰에 대한 설명으로 적절하지 <u>않은</u> 것은?

① ㉮, ㉯는 ㉰의 원인에 해당한다.
② '수남'에게는 ㉮보다 ㉯의 심정이 더 컸음을 알 수 있다.
③ 시간상으로 봤을 때, ㉮, ㉯는 동시에 일어난 것으로 볼 수 있다.
④ ㉰는 과거에 있었던 일에 대한, ㉮, ㉯는 현재에 대한 인물의 심정이다.
⑤ ㉮~㉰는 모두 인물이 자전거를 들고 도망친 사건으로 비롯된 것이다.

21 다음을 바탕으로 윗글과 〈보기〉를 감상할 때, 적절하지 <u>않은</u> 것은?

'성장 소설'이란 유년기에서 소년기를 거쳐 성인의 세계로 입문하는 과정에서 한 인물이 겪는 갈등을 통해 정신적 성장과 사회에 대한 각성 등의 과정을 담는 작품을 일컫는 말이다.

① 〈보기〉와 윗글의 주인공이 모두 미성숙한 소년이라는 점에서 성장 소설의 여건을 갖추고 있다.
② 〈보기〉와 윗글의 주인공은 나이에 비해 성숙한 사고를 하고 있다는 점에서 성장 소설로 볼 수 있다.
③ 윗글은 조로증에 걸려 죽어가는 '아름'의 탄생부터 죽음까지의 과정을 보여 준다는 점에서 성장 소설로 볼 수 있다.
④ 윗글은 어린 나이에 아이를 낳은 '대수'와 '미라'가 진정한 부모가 되어 가는 과정을 보여 준다는 점에서 성장 소설로 볼 수 있다.
⑤ 〈보기〉는 주인공 '수남'이 여러 사건을 겪으면서 정신적으로 성장하고 있다는 점에서 성장 소설로 볼 수 있다.

정답과 해설 4쪽

01 흰 바람벽이 있어 백석

출제 포인트	• 화자의 자아 성찰 내용 이해하기 • 화자가 지향하는 삶 파악하기

작품 개관

갈래	자유시, 서정시	성격	회고적, 의지적
제재	타향에서의 고단한 삶		
주제	고단한 삶 속에서도 고결함을 잃지 않으려는 삶의 자세		
특징	• 화자의 내면 풍경과 삶에 대한 성찰 과정을 형상화하고 있음. • 감각적 이미지의 시어를 사용하여 화자의 정서를 선명하게 제시함. • 유사한 성격의 소재를 열거하여 주제 의식을 강조하고 있음.		

'흰 바람벽'의 기능과 내면 의식의 변화

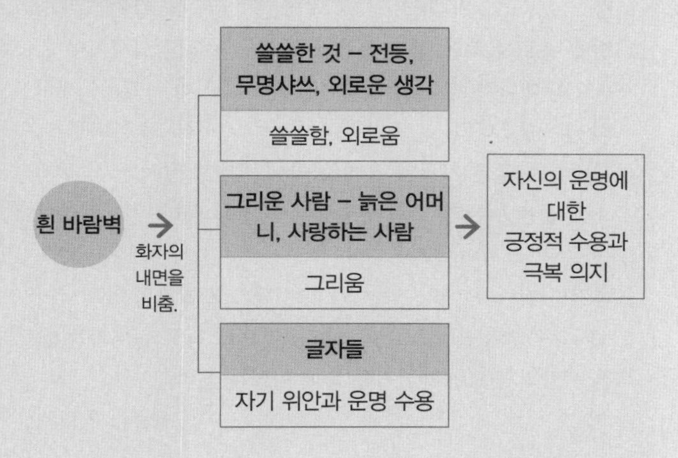

화자가 추구하는 삶의 자세

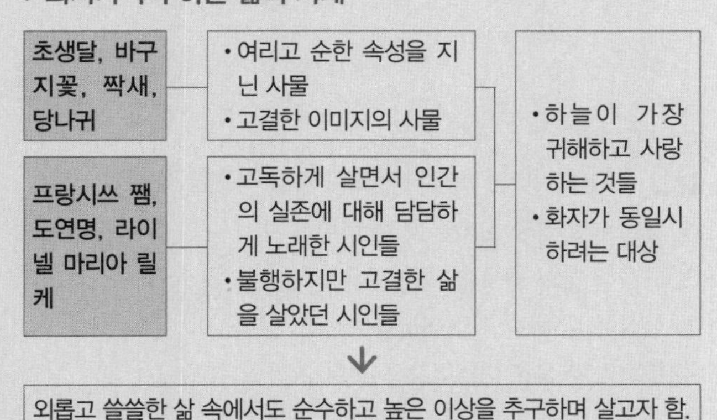

[1~9] 다음 시를 읽고 물음에 답하시오.

오늘 저녁 이 좁다란 방의 흰 바람벽에
어쩐지 쓸쓸한 것만이 오고 간다
이 **흰 바람벽**에
희미한 십오 촉(十五燭) 전등이 지치운 불빛을 내어던지고
때글은 다 낡은 무명샤쓰가 ㉠ 어두운 그림자를 쉬이고
그리고 또 달디단 따끈한 감주나 한잔 먹고 싶다고 생각하는 내 가지가지 외로운 생각이 헤매인다
그런데 이것은 또 어인 일인가
ⓐ 이 흰 바람벽에
내 가난한 늙은 어머니가 있다
내 가난한 늙은 어머니가
이렇게 시퍼러둥둥하니 추운 날인데 차디찬 물에 손은 담그고 무이며 배추를 씻고 있다
또 ㉡ 내 사랑하는 사람이 있다
내 사랑하는 어여쁜 사람이
어늬 먼 앞대 조용한 개포가의 나즈막한 집에서
그의 지아비와 마주앉어 대굿국을 끓여 놓고 저녁을 먹는다
벌써 어린것도 생겨서 옆에 끼고 저녁을 먹는다
그런데 또 이즈막하야 어느 사이엔가
ⓑ 이 흰 바람벽엔
㉢ 내 쓸쓸한 얼굴을 쳐다보며
이러한 글자들이 지나간다

[A]
— 나는 이 세상에서 가난하고 외롭고 높고 쓸쓸하니 살어가도록 태어났다
그리고 이 세상을 살어가는데
내 가슴은 너무도 많이 뜨거운 것으로 호젓한 것으로 사랑으로 슬픔으로 가득찬다

그리고 이번에는 나를 위로하는 듯이 나를 울력하는 듯이
눈질을 하며 주먹질을 하며 ㉣ 이런 글자들이 지나간다
— 하늘이 이 세상을 내일 적에 그가 가장 귀해하고 사랑

하는 것들은 모두

가난하고 외롭고 높고 쓸쓸하니 그리고 언제나 넘치는 사랑과 슬픔 속에 살도록 만드신 것이다

초생달과 바구지꽃과 짝새와 당나귀가 그러하듯이

그리고 또 ㉥ '프랑시쓰 쨈'과 도연명(陶淵明)과 '라이넬 마리아 릴케'가 그러하듯이

01 위 시에 대한 설명으로 적절한 것은?

① 과거 회상을 통해 현재의 삶을 반성하고 있다.
② 이상과 현실의 괴리로 인한 절망감이 표출되어 있다.
③ 감각적 이미지를 통해 시적 화자의 정서를 형상화하고 있다.
④ 냉소적인 어조를 통해 현실에 대한 비판 의식을 드러내고 있다.
⑤ 현실적 고뇌를 종교적으로 극복하고자 하는 의지를 보이고 있다.

02 위 시의 표현상 특징으로 적절하지 않은 것은?

① 현재형 시제로 화자의 현재 상황을 부각하고 있다.
② 동일한 시구를 반복하여 시적 대상을 강조하고 있다.
③ 도치법으로 시상을 종결하여 시적 의미를 강조하고 있다.
④ 유사한 속성의 소재들을 나열하여 주제 의식을 드러내고 있다.
⑤ 역설적 발상을 통해 모순적인 상황에 대한 자조적인 자세를 드러내고 있다.

서술형

03 위 시의 화자가 추구하는 삶의 자세를 〈조건〉에 맞춰 서술하시오.

〈조건〉
- 마지막 부분에 나열된 시어들에서 연상되는 점에 주목할 것

04 다음 밑줄 친 시어 중, 위 시의 '흰 바람벽'과 시적 기능이 가장 유사한 시어로 적절한 것은?

① 풀이 눕는다. / 비를 몰아오는 동풍에 나부껴 / 풀은 눕고 / 드디어 울었다. / 날이 흐려서 더 울다가 / 다시 누웠다.
– 김수영, 「풀」

② 구름은 / 보랏빛 색지 위에 / 마구 칠한 한 다발 장미. // 목장의 깃발도 능금나무도 / 부을면 꺼질 듯이 / 외로운 들길.
– 김광균, 「데생」

③ 밤에 홀로 유리를 닦는 것은 / 외로운 황홀한 심사이어니, / 고흔 폐혈관(肺血管)이 찢어진 채로 / 아아, 늬는 산새처럼 날아갔구나!
– 정지용, 「유리창 Ⅰ」

④ 새하얗게 얼은 자동차 유리창 밖에 / 내지인(內地人) 주재소장 같은 어른과 어린아이 둘이 내임을 낸다. / 계집아이는 운다, 느끼며 운다.
– 백석, 「팔원」

⑤ 밤이면 밤마다 나의 거울을 / 손바닥으로 발바닥으로 닦아 보자. // 그러면 어느 운석(隕石) 밑으로 홀로 걸어가는 슬픈 사람의 뒷모양이 / 거울 속에 나타나 온다.
– 윤동주, 「참회록」

학습 활동 응용

05 [A]에 나타난 화자의 태도로 가장 적절한 것은?

① 절대적 존재에 의지하려 하고 있다.
② 고결한 삶의 태도를 지키려 하고 있다.
③ 현실에 대해 관조적 태도를 취하고 있다.
④ 부정적 현실에 적극적으로 저항하고 있다.
⑤ 자신의 삶을 숙명으로 여기고 받아들이고 있다.

06 다음은 윗글을 영상시로 제작하기 위한 계획서이다. 이에 대한 촬영 계획으로 적절하지 않은 것은?

배경	희미한 전등이 비추는 좁고 어두운 방안 ………… ㄱ
인물	주인공 ………… ㄴ
	어머니 ………… ㄷ
	젊은 여인 ………… ㄹ

① ㄱ은 전등에 비친 화자의 뒷모습이 벽에 드리우도록 촬영한다.
② ㄴ은 생각에 잠긴 인물의 모습을 촬영하여 다른 장면들과 오버랩되도록 편집한다.
③ ㄷ은 푸른색이 두드러지는 영상과 입김 소리의 음향을 사용하여 인물의 상황을 부각한다.
④ ㄹ은 물소리, 바람 소리를 음향 효과로 사용하여 가난을 이기기 위해 힘겹게 노력하는 가족의 모습을 드러낸다.
⑤ ㄷ과 ㄹ은 각각 촬영하여 병치되는 화면으로 편집한다.

07 ㉠~㉤에 대한 설명으로 적절하지 않은 것은?
① ㉠은 생활에 지친 화자의 모습을 빗대어 표현한 것이다.
② ㉡은 화자가 그리워하는 대상으로 화자의 외로움을 심화한다.
③ ㉢은 화자의 정서가 반영된 것으로 화자의 현재 상황을 표상한다.
④ ㉣은 화자의 처지를 위로하는 말로 화자의 태도 변화를 드러 낸다.
⑤ ㉤은 화자와 대비되는 삶을 살았던 인물로 화자가 닮고 싶어 하는 인물이다.

08 ⓐ와 ⓑ에 대한 이해로 가장 적절한 것은?
① ⓐ는 꿈을 간직했던 시절을, ⓑ는 꿈을 상실한 현실을 화자가 응시하도록 한다.
② ⓐ는 타인에 대한 그리움의 정서를, ⓑ는 화자 자신에 대한 운명론적 인식을 드러내고 있다.
③ ⓐ는 과거와 관련된 화자의 기억을, ⓑ는 과거와 관련된 화자의 다짐을 이끌어 낸다.
④ ⓐ는 화자가 이상적으로 생각하는 공간을, ⓑ는 화자가 벗어나고자 하는 공간을 보여 준다.
⑤ ⓐ는 가족과 관련된 화자의 추억을, ⓑ는 가족과 헤어진 화자의 삶을 구체적으로 보여 준다.

학습 활동 응용 고난도

09 위 시와 〈보기〉의 공통점으로 가장 적절한 것은?

〈보기〉

내 얼굴에서 굳이 결점을 잡아내자면 양미간이 좁고 찌부러져서 보는 이는 속이 빽빽하다 하겠으나 기실은 내 속이 빽빽한 것이 아니요 미간의 좁은 내 심저(心底)에 깊이 숨은 우울이 나타난 것이다.

그러나 나는 이 우울이 나로 하여금 그림을 그리게 하고 글을 읽게 하며 부단히 내 불량심을 바로잡아 주는 것이 아닌가 한다.

나는 어느 좌석에서 희한하게도 통쾌한 호(號) 하나를 얻었으니 왈 선부(善夫)라.

평생에 소원이 어찌하였으면 선량하게 살아 볼까 하는 것이었는데, 그러면서 늘 나는 양심에 거리끼는 일을 가끔 저지르고 그러고는 곧 참회하곤 하였다. 하다못해 이름 하나만이라도 선(善) 자를 넣어 볼까 하던 차에 별안간 선부란 이름이 튀어나왔다.

그러나 막상 '선부' 하고 부르고 보니 내가 과연 선 자를 놓을 만한 잽이가 되는가 싶어서 마음이 움츠러진다.

– 김용준, 「선부 자화상」

① 자아 성찰의 태도를 드러내고 있다.
② 부정적 현실을 포용하려는 태도가 나타나 있다.
③ 인간과 자연을 대비하여 주제 의식을 부각하고 있다.
④ 계절적 배경을 통해 애상적 분위기를 환기하고 있다.
⑤ 대상에 대한 관찰이 내용 전개에 바탕을 이루고 있다.

정답과 해설 4쪽

02 비 오는 날이면 가리봉동에 가야 한다 양귀자

출제 포인트	• 등장인물의 성격과 생각의 변화 파악하기 • 배경의 상징적 의미 파악하기 • 작품의 주제와 관련된 문학의 가치 이해하기

작품 개관

갈래	현대 소설, 연작 소설	성격	사실적, 비판적
시점	전지적 작가 시점		
배경	1980년대 서울 주변 소도시의 한 동네(원미동)		
주제	소시민들 사이에서 벌어지는 갈등과 화해		
특징	• 등장인물인 '그'의 생각을 직접 제시하여 공감을 유도함. • 실제 공간을 배경으로 소시민의 삶을 사실적으로 그림. • 비속어와 방언 등 구어적 표현을 통해 현장감을 높임.		

'임 씨'에 대한 '그'의 심리 변화

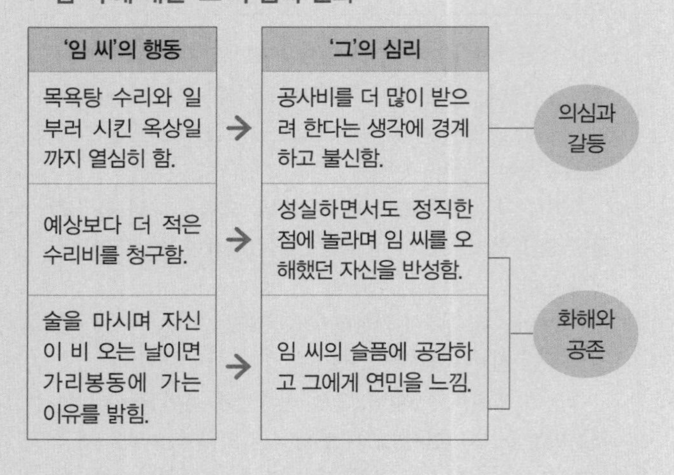

공간적 배경의 의미

원미동	서울 인근의 소도시로, 경제적 어려움 때문에 서울에 정착할 수 없는 이들이 모여 사는 곳. 이로 인해 갈등도 하지만 화해를 통해 진정한 이웃의 의미를 깨닫게 하는 곳.
가리봉동	공장 밀집 지역으로, 자본주의의 냉혹한 삶이 집약된 곳. 가난한 도시 빈민들의 고단한 삶을 드러내는 동시에, 그들을 부당하게 대하는 부유층의 속물적, 비윤리적 면모가 드러나는 곳.

↓

• 가난한 사람들의 진솔한 삶의 모습을 보여 주는 공간
• 부조리와 모순에 가득 찬 1980년대 한국 사회의 모습을 대변하는 공간

[1~5] 다음 글을 읽고 물음에 답하시오.

앞부분 줄거리 '그'의 가족은 원미동에 처음으로 자신의 집을 장만하여 이사한다. 그런데 목욕탕 배수관에 문제가 생겨 지물포 주인의 소개로 임 씨에게 수리 공사를 맡긴다. 임 씨는 원래 연탄장수로, 연탄이 팔리지 않는 여름에만 이런 공사를 한다는 말을 듣고 그는 임 씨에게 목욕탕 공사를 맡긴 것을 후회한다.

몇 번씩이나 옥상에 얼굴을 디밀고 일의 진척 상황을 살피던 아내도 마침내 질렸다는 듯 입을 열었다.

㉠ "대강 해 두세요. 날도 어두워졌는데 어서들 내려오시라구요."

"다 되어 갑니다, 사모님. 하던 일이니 깨끗이 손봐 드려얍지요."

다시 방수액을 부어 완벽을 기하고 이음새 부분은 손가락으로 몇 번씩 문대어 보고 나서야 임 씨는 허리를 일으켰다. 임 씨가 일에 몰두해 있는 동안 그는 숨소리조차 내지 않고 일하는 양을 지켜보았다. 저 열 손가락에 박힌 공이의 대가가 기껏 지하실 단칸방만큼의 생활뿐이라면 좀 너무하지 않나 하는 안타까움이 솟아오르기도 했다. 목욕탕 일도 그러했지만 이 사람의 손은 특별한 데가 있다는 느낌이었다. 자신이 주무르고 있는 일감에 한 치의 틈도 없이 밀착되어 날렵하게 움직이고 있는 임 씨의 열 손가락은 손가락 이상의 그 무엇이었다. 처음에는 이 사내가 견적대로의 돈을 다 받기가 민망하여 우정 지어내 보이는 열정이라고 여겼었다. 옥상 일의 중간에 잠시 집에 내려갔을 때 아내도 그런 뜻을 표했다.

㉡ "예상외로 옥상 일이 힘드나 보죠? 저 사람도 이제 세상에 공돈은 없다는 사실을 깨달았을 거예요."

하지만 우정 지어낸 열정으로 단정한다면 당한 쪽은 되려 그들이었다. 밤 여덟 시가 지나도록 잡역부 노릇에 시달린 그도 고생이었고, 부러 만들어 시킨 일로 심적 부담을 느끼기 시작한 그의 아내 역시 안절부절못했으니까.

아내는 기다리는 동안 술상을 보아 놓고 있었다. 손발을 씻고 계단에 나가 옷의 먼지를 털고 들어온 임 씨는 여덟 시가 넘어선 시간을 보고 오히려 그들 부부에게 미안해하였다.

㉢ "시간이 벌써 이리 되었남요? 우리 사모님 오늘 너무 늦게까지 이거 고생이 많으십니다요. 사장님이야 더 말할 것도 없구, 참 죄송하게 되었습니다."

안방에서 아이들을 보고 있던 노모가 대신 임 씨의 노고를 치하해 주었다.

㉣ "젊은 사람이 일도 엄청 잘하네. 늦으문 낼 하고 쉬었다 하모 좋을 끼고만 일무서븐 줄 모르는 걸 보이 앞으로는 잘 살 끼요."

노모의 덕담을 임 씨는 무릎을 꿇고 두 손을 짚은 채 들었다.

㉤ "내사 예수 믿는 사람이라 남자들 술 마시는 꼴은 앵꼽아서 못 보지만 그렇기 일하고는 안 마실 수 없겠구마는. 나는 고마 들어가 있을 테이 좀 쉬었다 가소."

노모가 방문을 닫고 들어가자 임 씨는 그가 부어 주는 술을 두 손으로 황감히 받쳐 들고 조심스레 목울대로 넘겼다.

01 윗글의 서술상 특징에 대한 설명으로 가장 적절한 것은?

① 작품 속 인물이 자신의 시각에서 사건을 전달하고 있다.
② 작품 밖 서술자가 객관적인 입장에서 사건을 서술하고 있다.
③ 작중 인물이 객관적인 입장에서 작중 상황을 전달하고 있다.
④ 서술자의 논평을 통해 인물의 성격 변화 양상을 드러내고 있다.
⑤ 전지적 서술자가 특정 인물의 시각에서 사건을 서술하고 있다.

02 윗글의 내용과 일치하지 않는 것은?

① '임 씨'는 넉넉하지 못한 환경에 처해 있다.
② '임 씨'는 자신이 맡은 일에 최선을 다하고 있다.
③ 옥상 공사는 '임 씨'가 자발적으로 추진한 일이다.
④ '임 씨'는 일이 끝나기를 기다린 부부에게 오히려 미안해했다.
⑤ '아내'는 '임 씨'가 돈 때문에 열심히 일하는 척하는 것으로 생각했다.

03 윗글에 나타난 '임 씨'의 성격에 대한 평가로 가장 적절한 것은?

① 상대방과 당당하게 이야기하는 태도로 보아 대범한 성격의 인물이겠군.
② 대가 없이 남의 일을 도와주는 모습으로 보아 희생정신이 뛰어난 인물이겠군.
③ 자신에 대한 비난에도 아랑곳하지 않는 모습으로 보아 줏대가 센 인물이겠군.
④ 자신이 맡은 일을 빈틈없이 마무리하려는 모습으로 보아 책임감이 강한 인물이겠군.
⑤ 주변 사람의 불편함은 크게 신경쓰지 않는 모습으로 보아 자기만 아는 인물이겠군.

서술형

04 윗글을 통해 알 수 있는 인물의 심리 변화를 〈보기〉와 같이 정리하고자 할 때, ㉮에 들어갈 알맞은 내용을 쓰시오.

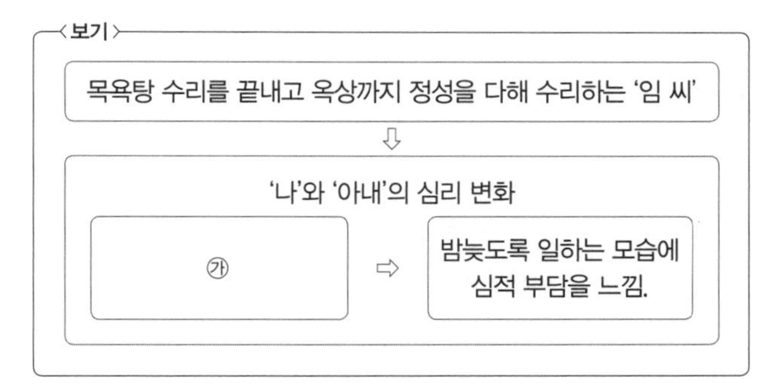
〈보기〉

목욕탕 수리를 끝내고 옥상까지 정성을 다해 수리하는 '임 씨'

⇩

'나'와 '아내'의 심리 변화

㉮ ⇨ 밤늦도록 일하는 모습에 심적 부담을 느낌.

05 ㉠~㉤에 대한 설명으로 적절하지 않은 것은?

① ㉠: 일이 너무 지체되는 것을 달가워하지 않는 마음이 드러나 있다.
② ㉡: '임 씨'의 노력을 순수한 의도로 보지 않는 마음이 담겨 있다.
③ ㉢: 자신의 일이 너무 늦어진 것에 대한 미안함이 드러나 있다.
④ ㉣: 하루 종일 고생한 '임 씨'의 노고를 치하해 주고 싶은 마음이 담겨 있다.
⑤ ㉤: 자신의 진짜 속마음이 드러나는 것을 조심스러워하는 태도가 나타나 있다.

[6~8] 다음 글을 읽고 물음에 답하시오.

"이거 왜 이러십니까. 편히 드십시다. 나이도 서로 엇비슷할 텐데 말이오."

그렇게 말은 했어도 그는 임 씨의 나이가 그보다 훨씬 많으면 왠지 괴롭겠다는 기분을 지울 수가 없었다. 찬바람이 불면 다시 온몸에 검댕 칠을 하는 연탄 배달에 나서야 하고 여름이 오면 정식으로 간판 달고 일하는 설비집 동료들이 손이 딸려야만 넘겨주는 일감에 매달려 하루 벌어 하루 먹고사는 저 사내의 앞날이 창창하다는 게 위안이 될는지 그것도 모를 일이긴 했다.

"사장님은 금년 몇이시지요? 저는 토끼띠, 서른여섯 아닙니까?"

임 씨가 서른여섯에 토끼띠라면 그는 서른다섯의 용띠였다. 옆에 앉아서 지갑을 열었다 닫았다 하던 아내가 얼른 "이 양반은……." 하고 나서는 것을 그가 가로챘다.

ⓐ "그래요? 나도 토끼띠지요. 서로 동갑이군요."

아내가 기가 막히다는 표정으로 그를 쳐다보았지만 그는 아랑곳하지 않고 동갑 기념이라고 또 한 잔의 술을 그의 잔에 넘치도록 부었다. 한 살 정도만 보태는 것으로 거짓말의 양을 줄일 수 있는 것이 몹시 다행스러웠다.

"토끼띠 남자들이 원래 팔자가 드센 편 아닙니까요? 여자 토끼띠는 잘사는데 요상하게 우리 나이 토끼띠 남자들은 신수가 고단터라 이 말씀입니다. 헌데 사장님은 용케 따시게 사시니 복이 많으십니다."

저런. 그는 속으로 머쓱했다.

토끼띠가 어쩌고 해 쌓는 게 아무래도 아슬아슬했던지, 아니면 준비한 술이 바닥나는 게 보였던지 아내가 단호하게 지갑을 열었다.

"돈 드려야지요. 그런데……."

아내는 뒷말을 못 잇고 그의 얼굴을 말끄러미 올려다보았다. 그는 술잔을 들어올리며 ㉠ 짐짓 아내를 못 본 척했다. 역시 여자는 할 수 없어. 옥상 일까지 시켜놓고 돈을 다 내주기가 아깝다는 뜻이렷다. ㉡ 그는 아내가 제발 딴소리 없이 이십만 원에서 이만 원이 모자라는 견적 금액을 다 내놓기를 대신 빌었다. 그때 임 씨가 먼저 손을 휘휘 내젓고 나섰다.

"사모님, 내 뽑아 드린 견적서 좀 줘 보세요. 돈이 좀 틀려질 겁니다."

06 ㉠에 담긴 '그'의 속마음을 표현한 것으로 가장 적절한 것은?

① 내가 모른 척해야 아내가 자신의 주장을 펼치기가 더 수월할 거야.
② 옥상 일까지 시켜 놓고 돈을 깎으려는 아내의 속셈이 마음에 안 드는군.
③ 내가 하고 싶은 말을 아내가 대신 하려고 하니 나는 가만있는 게 좋겠어.
④ 너무 돈에 집착하는 아내의 모습을 보니 오히려 내 모습이 떳떳하게 느껴지는군.
⑤ 아내가 돈을 깎으려는 것은 보기에 안 좋지만 그래도 견적 금액이 좀 과한 것은 사실이야.

07 ㉡의 이유로 가장 적절한 것은?

① 아내 몰래 약속한 견적 금액이 따로 있었기 때문에
② '임 씨'에게 같은 토끼띠라는 연대감을 느꼈기 때문에
③ '임 씨'에게 자신의 나이를 속인 사실이 미안하게 느껴졌기 때문에
④ 돈을 내주는 것을 아깝게 여기고 있는 아내의 모습이 안쓰러웠기 때문에
⑤ '임 씨'가 오늘 한 일이 견적 금액을 다 받아도 될 만하다고 생각했기 때문에

서술형

08 '그'가 ⓐ처럼 말한 이유를 〈조건〉에 맞게 서술하시오.

〈조건〉
• '그'의 입장에서 '임 씨'를 고려하는 마음이 드러나도록 쓸 것

[9~13] 다음 글을 읽고 물음에 답하시오.

아내가 손에 쥐고 있던 ㉠ 견적서를 내밀었다. 인쇄된 정식 견적 용지가 아닌, 분홍 밑그림이 아른아른 내비치는 유치한 편지지를 사용한 그것을 임 씨가 한참씩이나 들여다보았다. 그와 그의 아내는 임 씨의 입에서 나올 말에 주목하여 잠깐 긴장하였다.

"술을 마셨더니 눈으로는 계산이 잘 안 되네요."

임 씨는 분홍 편지지 위에 엎드려 아라비아 숫자를 더하고 빼고, 또는 줄을 긋고 하였다.

그는 빈 술병을 흔들어 겨우 반 잔을 채우고는 서둘러 잔을 비웠다. 임 씨의 머릿속에서 굴러다니고 있을 숫자들에 잔뜩 애를 태우고 있는 스스로가 정말이지 역겨웠다.

"됐습니다, 사장님. 이게 말입니다. 처음엔 파이프가 어디서 새는지 모르니 전체를 뜯을 작정으로 견적을 뽑았지요. 아까도 말씀드렸지만 일이 썩 간단하게 되었다 이 말씀입니다. 그래서 노임에서 사만 원이 빠지고 시멘트도 이게 다 안 들었고, 모래도 그렇고, 에, 쓰레기 치울 용달차도 빠지게 되죠. 방수액도 타일도 반도 못 썼으니 여기서도 요게 빠지고 또……."

임 씨가 볼펜 심으로 쿡쿡 찔러 가며 조목조목 남는 것들을 설명해 갔지만 그의 귀에는 제대로 들리지 않았다. ⓐ 뭔가 단단히 잘못되었다는 기분, 이게 아닌데, 하는 느낌이 어깨의 뻐근함과 함께 그를 짓누르고 있을 뿐이었다.

"그렇게 해서 모두 칠만 원이면 되겠습니다요."

선언하듯 임 씨가 ㉡ 분홍 편지지를 아내에게 내밀었다. 놀란 것은 그보다 아내 쪽이 더 심했다. 그녀는 분명 칠만 원이란 소리가 믿기지 않는 모양이었다.

"칠만 원요? 그럼 옥상은……."

"옥상에 들어간 재료비도 여기에 다 들어 있습니다. 그거야 뭐 몇 푼 되나요."

"그럼 우리가 너무 미안해서……."

아내가 이번에는 호소하는 눈빛으로 그를 쳐다보았다. 할 수 없이 그가 끼어들었다.

"계산을 다시 해 봐요. 처음에는 십팔만 원이라고 했지 않소?"

"이거 돈을 더 내시겠다 이 말씀입니까? 에이, 사장님도. 제가 어디 공일 해줬나요. 조목조목 다 계산에 넣었습니다요. 옥상 일한 품값은 지가 서비스로다가……."

"서비스?"

그는 아연해서 임 씨의 말을 되받았다.

"그럼요. 저도 서비스할 때는 서비스도 하지요."

그는 입을 다물어 버렸다. 뭐라 대꾸할 말이 없었다.

"토끼띠이면서도 사장님이 왜 잘사는가 했더니 역시 그렇구만요. 다른 집에서는 노임 한 푼이라도 더 깎아 보려고 온갖 트집을 다 잡는데 말입니다. 제가요, 이 무식한 노가다가 한 말씀 드리자면요, 앞으로 이 세상 사시려면 그렇게 마음이 물러서는 안 됩니다요. 저는요, 받을 것 다 받은 거니까 이따 겨울 돌아오면 우리 연탄이나 갈아 주세요."

임 씨는 아내가 내민 칠만 원을 주머니에 쑤셔 넣고 자리에서 일어섰다.

09 윗글에 대한 설명으로 가장 적절한 것은?

① 대화와 행동을 통해 인물의 성격이 부각되고 있다.
② 주고받는 대화를 통해 인물 간의 갈등이 표출되고 있다.
③ 서술자의 관찰을 통해 사건이 객관적으로 전달되고 있다.
④ 인물의 고백적 진술을 통해 사건의 전모가 드러나고 있다.
⑤ 서술자의 요약적 진술을 통해 사건이 빠르게 전개되고 있다.

10 '임 씨'에 대한 설명으로 적절하지 않은 것은?

① 옥상 일을 한 품값은 애초부터 받을 생각이 없었다.
② 자신이 일한 품값을 충분히 챙겨 받았다고 여기고 있다.
③ 집주인이 자신이 일한 품값을 더 넉넉히 챙겨 주려 한다고 느끼고 있다.
④ 처음 생각했던 것보다 공사가 간단하게 끝나 품값을 줄여야 한다고 생각했다.
⑤ 자신을 친절하게 대해 준 것에 대한 고마움에 이끌려 품값을 싸게 계산하고 있다.

11 윗글에 나타난 아내의 심리 변화를 다음과 같이 표현할 때, ㉮, ㉯에 들어갈 말로 적절한 것은?

> '아내'는 혹시나 '임 씨'가 공사 비용을 높게 부를까 (㉮)하지만, '임 씨'가 다시 공사 비용을 말하자 자신의 행동이 (㉯)한 것 같아서 '그'에게 '임 씨'에게 값을 더 쳐주겠다고 말하기를 바라는 눈빛을 보내고 있다.

	㉮	㉯
①	풍수지탄(風樹之嘆)	적반하장(賊反荷杖)
②	사면초가(四面楚歌)	파렴치한(破廉恥漢)
③	설상가상(雪上加霜)	견리사의(見利思義)
④	노심초사(勞心焦思)	후안무치(厚顔無恥)
⑤	만시지탄(晩時之歎)	형설지공(螢雪之功)

12 ㉠과 ㉡에 대한 설명으로 가장 적절한 것은?

① ㉠은 '그'가 드러낸 불쾌한 심리로 인해 재조명된다.
② ㉡은 '그'와 '아내'가 지닌 속물근성을 드러내는 계기가 된다.
③ ㉠은 '아내'와 '임 씨' 사이의 갈등을 유발하고, ㉡은 갈등을 해소한다.
④ ㉠은 '임 씨' 개인의 판단에 의해 작성되고, ㉡은 '그'와 '아내'에 의해 수정된다.
⑤ ㉠은 '그'와 '아내'에게 긴장감을 유발하고, ㉡은 '임 씨'의 정직한 성품을 환기한다.

13 ⓐ의 이유로 보기에 적절하지 <u>않은</u> 것은?

① '임 씨'를 의심했던 자신이 부끄러워졌기 때문에
② '임 씨'가 예상에서 벗어난 행동을 하고 있기 때문에
③ 그동안 자신의 생각이 잘못된 오해였음을 깨달았기 때문에
④ 이미 견적의 액수는 의미가 없는 것이라고 생각했기 때문에
⑤ '임 씨'가 내고 있는 견적 내용이 생각한 것과 달랐기 때문에

[14~17] 다음 글을 읽고 물음에 답하시오.

그는 일 층 현관까지 내려가 임 씨를 배웅하기로 했다. 어두워진 계단을 앞서거니 뒤서거니 내려가면서 임 씨는 연장 가방을 몇 번이나 난간에 부딪혔다. 시원한 밤공기가 현관 앞을 나서는 두 사람을 감쌌고 그는 무슨 말로 이 사내를 배웅할 것인가를 궁리해 보았다. ㉠ <u>수고했다라는 말도, 고맙다는 말도 이 사내의 그 '서비스'에 대면 너무 초라하지 않을까.</u> 그때 임 씨가 돌연 그의 팔목을 꽉 움켜잡았다.

"사장님요, 기분도 그렇지 않은데 제가 맥주 한잔 살게요. 가십시다."

임 씨는 백열구로 밝혀 놓은 형제 슈퍼의 노천 의자를 가리키고 있었다.

"맥주는 내가 사지요."

"아니오. 제가 삽니다."

"좋소. 누가 사든 가 봅시다."

그들은 형제 슈퍼의 김 반장에게 맥주 세 병을 시켰다.

"워따메, 두 분이 어디서 그러코롬 일 차를 하셨당가요."

전라도 부안이 고향이라는 김 반장은 기분이 좋았다 하면 진짜 토박이말로 사람을 어르는 재주가 있었다.

"맥주도 좋소만, 임 씨 아저씨 우리 외상값부텀 갚아 주셔야 쓰겄당게."

임 씨는 두말없이 외상값 천삼백 원을 갚아 주고는 기세 좋게 쥐포 세 마리 구워 오라고 이른다.

"사장님요. 뭐 다른 안주도 시키십쇼."

임 씨가 그를 보았다.

"어따, 동갑끼리 사장은 무슨 사장님. 오늘 종일 그 말 듣느라고 혼났어요. 말 놓으십시다."

그가 거품이 넘치는 잔을 내밀며 큰소리를 쳤다. 임 씨가 잠시 아연한 눈길로 그를 바라보았다.

"좋수다, 형씨. ⓐ <u>한잔</u> 하십시다."

임 씨가 호기를 부리며 소리 나게 잔을 부딪쳤다.

"그렇지, 그렇지. 다 같은 토끼 새끼 주제에 무슨 얼어 죽을 사장이야!"

그의 허세도 임 씨 못지않았으므로 이윽고 두 사람은 주거

니 받거니 술잔을 비우기 시작하였다.

"내가 이래 봬도 자식 농사는 꽤 지었지요."

임 씨는 자신의 아들딸이 네 명이란 것, 큰놈은 국민학교 4학년인데 공부를 썩 잘하고 둘째 딸년은 학교 대표 농구 선수인데 박찬숙 못지않을 재주꾼이라고 자랑했다.

14 윗글에 대한 설명으로 가장 적절한 것은?

① 특정한 인물을 희화화하여 풍자하고 있다.
② 과거의 사건이 언급되면서 갈등이 심화되고 있다.
③ 일상에서 특별한 경험을 겪은 사람들의 삶을 그리고 있다.
④ 공간의 이동으로 새로운 사건이 벌어질 것임을 암시하고 있다.
⑤ 방언과 구어적 표현을 사용하여 이야기에 현장감을 부여하고 있다.

15 윗글을 통해 알 수 있는 내용으로 적절하지 않은 것은?

① '임 씨'는 자기 자식들을 자랑스럽게 여기고 있다.
② '그'와 '임 씨'는 술잔을 나누다 서로 말을 놓기로 했다.
③ '그'가 '임 씨'에게 맥주 한잔 더 할 것을 먼저 제안했다.
④ '임 씨'는 형제 슈퍼의 '김 반장'과 알고 지내는 사이이다.
⑤ '그'는 '임 씨'가 자신을 부르는 사장님이라는 호칭에 대해 부담감을 느끼고 있다.

16 ㉠에 담긴 '그'의 심정으로 가장 적절한 것은?

① '임 씨'에 대해 아는 것이 거의 없다.
② '임 씨'를 어떻게 대해야 할지 몰라 난처하다.
③ '임 씨'가 베풀어 준 수고에 큰 고마움을 느끼고 있다.
④ '임 씨'가 베풀어 준 친절에 큰 부담감을 느끼고 있다.
⑤ '임 씨'에게 보답할 것이 없는 자신의 처지가 안타깝다.

17 ⓐ의 서사적 기능으로 적절한 것을 〈보기〉에서 모두 찾아 바르게 묶은 것은?

〈보기〉
ㄱ. 인물의 잠재된 욕망이 분출되는 계기가 된다.
ㄴ. 인물이 가진 재능이 발휘되는 기회가 마련된다.
ㄷ. 인물의 개인적인 사연이 드러나는 계기가 된다.
ㄹ. 인물 간의 친밀한 관계가 형성되는 계기가 된다.

① ㄱ, ㄴ ② ㄴ, ㄹ ③ ㄷ, ㄹ
④ ㄱ, ㄴ, ㄷ ⑤ ㄱ, ㄷ, ㄹ

[18~23] 다음 글을 읽고 물음에 답하시오.

"그놈들 곰국 한번 못 먹인 게 한이오, 형씨. 내 이번에 가리봉동에 가면 그 녀석 멱살을 휘어잡아야지."

㉠ 임 씨가 이빨 사이로 침을 찍 뱉었다. 뭐 맛있는 거나 되는 줄 알고 김 반장의 발발이 새끼가 쪼르르 달려왔다.

"가리봉동에 가면 곰국이 나와요?"

임 씨가 따라 주는 잔을 받으면서 그는 온몸을 휘감는 술기운에 문득 머리를 내둘렀다. 아까부터 비 오는 날에는 가리봉동에 간다는 임 씨의 말이 술기운과 더불어 떠올랐다.

"곰국만 나오나. 큰놈 자전거도 나오고 우리 농구 선수 운동화도 나오지요. 마누라 빠마값도 쑥 빠집니다요. 자그마치 팔십만 원이오, 팔십만 원. 제기랄. 쉐타 공장 하던 놈한테 일 년 내 연탄을 대 줬더니 이놈이 연탄값 떼어먹고 야반도주했어요. 공장이 망했다고 엄살을 까길래, 내 마음인들 좋았겠소. 근데 형씨. 아, 그놈이 가리봉동에 가서 더 크게 공장을 차렸지 뭡니까. 우리네 노가다들, 출신이 다양해서 그런 소식이야 제꺼덕 들어오지, 뭐."

"그럼 받아야지, 암. 받아야 하구말구."

그는 딸꾹질을 시작했다. 임 씨에게 술을 붓는 손도 정처없이 흔들렸다. ㉡ 그에 비하면 임 씨의 기세 좋은 입만큼은 아직 든든하다.

"누군 받기 싫어 못 받수. 줘야 받지. 형씨, 돈 있는 놈은 죄다 도둑놈이오. 좇아가면 지가 먼저 울상이네. 여공들 노임도 밀렸다, 부도가 나서 그거 메우느라 마누라 목걸이까지 팔았다고 지가 먼저 성깔 내."

"죽일 놈."

그는 스웨터 공장 사장을 눈앞에 그려 본다. ㉢ 빤질빤질한 상판에 배는 툭 불거져 나왔겠지.

"그게 작년 일인데, 형씨, 올 여름에 비가 오죽 많았소. 비만 오면 가리봉동에 갔지요. 비만 오면 갔단 말이오."

"아따, 일 년 삼백육십오 일 비 오는 날은 쌔고 쌨는디 머시 그리 걱정이당가요?"

김 반장이 맥주를 새로 가져오며 임 씨를 놀려 먹었다.

"시끄러, 임마. 비가 와야 가리봉동에 가지, 비가 와야……."

"해 뜨는 날은 돈 벌어서 좋고, 비 오는 날은 돈 받아서 좋고, 조오타!"

김 반장이 젓가락으로 장단까지 맞추자 임 씨는 김 반장 엉덩이를 찰싹 갈긴다.

"형씨, 형씨는 집이 있으니 걱정할 것 없소. 토끼띠면 어쩔 거여. 집이 있는데, 어디 집값이 내리겠소?"

"저런 것도 집 축에 끼나……."

이번엔 또 무슨 까탈을 일으킬 것인지, ㉣ 시도 때도 없이 돈을 삼키는 허술한 집이라고 대꾸하려다가 임 씨의 말에 가로채여서 그는 입을 다물었다.

"난 말요, 이 토끼띠 사내는 말요, 보증금 백오십만 원에 월세 삼만 원짜리 ⓐ 지하실 방에서 여섯 식구가 살고 있소. 가리봉동 그 새끼는 곧 죽어도 ⓑ 맨션아파트요, 맨션아파트!"

임 씨는 주먹을 흔들며 맨션아파트라고 외쳤는데 그의 귀에는 꼭 맨손아파트처럼 들렸다.

"돈 받으러 갈 시간도 없다구. 마누라는 마누라대로 벽돌 찍는 공장에 나댕기지, 나는 나대로 이 짓 해서 벌어야지. 그래도 달걀 후라이 한 개 마음 놓고 못 먹는 세상!"

㉤ 임 씨의 목소리가 거칠어졌다. 술이 너무 과하지 않나 해서 그는 선뜻 임 씨에게 잔을 돌리지 못하고 있었다.

18 윗글을 바탕으로 문학의 특징을 설명하고자 할 때, 가장 적절한 것은?

① 문학은 다양한 매체를 통해 창의적으로 확장될 수 있다.
② 문학은 자신을 둘러싼 다양한 인접 영역과 더불어 존재한다.
③ 문학은 작가의 상상력과 비판적 의식을 통해 역사적 사실을 새롭게 조명한다.
④ 문학은 기존의 틀에 안주하지 않고 새로운 실험을 통해 다양한 형식을 창조한다.
⑤ 문학은 공동체에 속한 구성원의 삶에 공감할 수 있는 기회를 제공하여 더불어 살아갈 수 있는 지혜를 얻게 한다.

19 윗글과 일치하는 내용으로 적절한 것은?

① '임 씨'의 부인은 건강 때문에 일을 할 수 없는 처지에 있다.
② '그'는 '임 씨'와 달리 집을 가지고 있는 것에 대해 큰 자부심을 느끼고 있다.
③ '임 씨'는 가족들을 배불리 먹이느라 자신을 위해서는 좀처럼 돈을 쓰지 않았다.
④ '스웨터 공장 사장'은 오히려 돈을 받으러 온 '임 씨'에게 성질을 부리는 일도 허다했다.
⑤ '임 씨'가 비 오는 날에만 가리봉동에 가는 까닭은 비 오는 날에만 사장을 만날 수 있기 때문이다.

20 윗글의 주제 의식과 관련된 창작 의도로 보기에 가장 적절한 것은?

① 자신의 직업에 만족하며 최선을 다하는 삶의 숭고함
② 사회에서 소외된 이웃을 향하는 차가운 눈빛에 대한 비판
③ 어떠한 물질의 유혹에도 물들지 않는 정신적 가치의 승리
④ 힘들고 어려운 삶 속에서 더욱 빛을 발하는 따뜻한 가족애
⑤ 착하고 정직한 노동자가 가난하고 힘들게 살아야 하는 현실 비판

21 ㉠~㉤에 대한 설명으로 적절하지 않은 것은?

① ㉠은 '임 씨'의 불만스러운 심정을 엿볼 수 있게 한다.
② ㉡을 통해 '임 씨'는 술에 취한 기색이 덜함을 알 수 있다.
③ ㉢을 통해 '그' 역시 '스웨터 공장 사장'에 대한 인식이 부정적임을 알 수 있다.
④ ㉣은 '그'가 하고 싶은 말을 '임 씨'가 대신 해 주고 있음을 보여 준다.
⑤ ㉤을 통해 '임 씨'의 분노가 고조되었음을 엿볼 수 있다.

학습 활동 응용

22 ⓐ와 ⓑ에 대한 설명으로 적절하지 않은 것은?

① ⓐ는 '임 씨'의 궁색한 처지를 암시한다.
② ⓐ는 '김 반장'이 '임 씨'에 대해 연민을 느끼는 직접적인 이유가 된다.
③ ⓑ는 '임 씨'의 화를 돋우는 이유로 작용한다.
④ ⓑ는 '스웨터 공장 사장'의 파렴치한 성격을 부각한다.
⑤ ⓐ와 ⓑ는 부조리한 삶의 일면을 고발한다.

서술형 학습 활동 응용

23 윗글의 '임 씨'와 〈보기〉의 '깐쭈'가 처한 상황의 공통점을 파악하여 서술하시오.

〈보기〉

"싸부딘, 사장이 너무 불쌍해."
"난 사장 죽도록 미웠어. 깐쭈, 너 때문에 오늘 일 다 망친 거야."
"난 사장님, 돈 줘 소리 못 하겠어. 사장 돈 없어, 몸 아파, 어머니 아파, 사장 슬퍼."
"그래도 사장한테 말을 해야 했어."
"나는 사장님 돈 줘, 소리 못 해. 왜냐, 사장 돈 없어."
"깐쭈, 언제 떠나?"
"모레. 오늘 밤, 내일 밤 자고 모레. 내일은 시내 가서 음악 시디하고 고무장갑하고 소주하고 옷하고 신발하고 여러 가지를 살 거야."
"깐쭈, 넌 너희 나라 가면 뭐할 거야?"
"모르겠어. 가면, 엄마 아버지 누나 여동생 사촌들 만나고 산에 올라 달을 볼 거야. 우리나라 네팔 달 볼 거야. 내가 뭘 할 건지, 달한테 물어볼 거야. 싸부딘은?"

– 공선옥, 「명랑한 밤길」

[24~26] 다음 글을 읽고 물음에 답하시오.

㉮ 몇 번씩이나 옥상에 얼굴을 디밀고 일의 진척 상황을 살피던 아내도 마침내 질렸다는 듯 입을 열었다.

"대강 해 두세요. 날도 어두워졌는데 어서들 내려오시라구요."

"다 되어 갑니다, 사모님. 하던 일이니 깨끗이 손봐 드려얍지요."

다시 방수액을 부어 완벽을 기하고 이음새 부분은 손가락으로 몇 번씩 문대어 보고 나서야 임 씨는 허리를 일으켰다. 임 씨가 일에 몰두해 있는 동안 그는 숨소리조차 내지 않고 일하는 양을 지켜보았다. 저 열 손가락에 박힌 공이의 대가가 기껏 지하실 단칸방만큼의 생활뿐이라면 좀 너무하지 않나 하는 안타까움이 솟아오르기도 했다. 목욕탕 일도 그러했지만 이 사람의 손은 특별한 데가 있다는 느낌이었다. 자신이 주무르고 있는 일감에 한 치의 틈도 없이 밀착되어 날렵하게 움직이고 있는 임 씨의 열 손가락은 손가락 이상의 그 무엇이었다. 처음에는 이 사내가 견적대로의 돈을 다 받기가 민망하여 우정 지어내 보이는 열정이라고 여겼었다. 옥상 일의 중간에 잠시 집에 내려갔을 때 아내도 그런 뜻을 표했다.

"예상외로 옥상 일이 힘드나 보죠? 저 사람도 이제 세상에 공돈은 없다는 사실을 깨달았을 거예요."

하지만 우정 지어낸 열정으로 단정한다면 당한 쪽은 되려 그들이었다. 밤 여덟 시가 지나도록 잡역부 노릇에 시달린 그도 고생이었고, 부러 만들어 시킨 일로 심적 부담을 느끼기 시작한 그의 아내 역시 안절부절못했으니까.

㉯ "그렇게 해서 모두 칠만 원이면 되겠습니다요."

선언하듯 임 씨가 분홍 편지지를 아내에게 내밀었다. 놀란 것은 그보다 아내 쪽이 더 심했다. 그녀는 분명 칠만 원이란 소리가 믿기지 않는 모양이었다.

"칠만 원요? 그럼 옥상은……."

"옥상에 들어간 재료비도 여기에 다 들어 있습니다. 그거야 뭐 몇 푼 되나요."

"그럼 우리가 너무 미안해서……."

아내가 이번에는 호소하는 눈빛으로 그를 쳐다보았다. 할 수 없이 그가 끼어들었다.

"계산을 다시 해 봐요. 처음에는 십팔만 원이라고 했지 않소?"

"이거 돈을 더 내시겠다 이 말씀입니까? 에이, 사장님도. 제가 어디 공일 해줬나요. 조목조목 다 계산에 넣었습니다요. 옥상 일한 품값은 지가 서비스로다가……."

"서비스?"

그는 아연해서 임 씨의 말을 되받았다.

"그럼요. 저도 서비스할 때는 서비스도 하지요."

그는 입을 다물어 버렸다. 뭐라 대꾸할 말이 없었다.

다 "가리봉동에 가면 곰국이 나와요?"

임 씨가 따라 주는 잔을 받으면서 그는 온몸을 휘감는 술기운에 문득 머리를 내둘렀다. 아까부터 비 오는 날에는 가리봉동에 간다는 임 씨의 말이 술기운과 더불어 떠올랐다.

"곰국만 나오나. 큰놈 자전거도 나오고 우리 농구 선수 운동화도 나오지요. 마누라 빠마값도 쑥 빠집니다요. 자그마치 팔십만 원이오, 팔십만 원. 제기랄. 연탄을 대 줬더니 이놈이 연탄값 떼어먹고 야반도주했어요. 공장이 망했다고 엄살을 까길래, 내 마음인들 좋았겠소. 근데 형씨. 아, 그놈이 가리봉동에 가서 더 크게 공장을 차렸지 뭡니까. 우리네 노가다들, 출신이 다양해서 그런 소식이야 제꺼덕 들어오지, 뭐."

"그럼 받아야지, 암. 받아야 하구말구."

24 (가)~(다)에 대한 설명으로 적절하지 않은 것은?

① 시간의 흐름에 따라 사건을 전개하고 있다.
② 빠른 장면 전환으로 갈등의 긴장감이 고조되고 있다.
③ 서술자가 특정 인물의 시각으로 사건을 서술하고 있다.
④ 등장인물의 대화와 행동을 중심으로 사건이 전개되고 있다.
⑤ 소시민들의 일상에서 벌어지는 갈등과 화해를 사실적으로 그려 내고 있다.

서술형

25 〈보기〉는 윗글에 등장하는 '원미동'과 '가리봉동'에 대한 설명이다. 윗글의 공간적 배경이 지니는 의미가 드러나도록 〈보기〉의 빈칸에 들어갈 내용을 서술하시오.

〈보기〉

'원미동'은 경기도 부천시에 있는 실제 지명으로, 경제적인 어려움 때문에 서울에 정착할 수 없었던 사람들이 밀려와 살던 곳이다. '가리봉동'은 당시 공장들이 밀집해 있던 지역으로 자본주의의 밑바닥 삶이라고 할 수 있는 공장 노동자들의 생활 공간이다. 작가가 이러한 곳을 배경으로 선택한 이유는 ________________

고난도

26 〈보기〉를 참고할 때, 윗글에 대한 감상으로 적절하지 않은 것은?

〈보기〉

이 작품은 도시 변두리에 사는 서민들의 삶을 통해 1980년대의 사회상을 사실적으로 그리고 있다. 이미 자본주의적인 삶에 익숙해진 '그'는 '임 씨'의 성실하고 정직한 모습을 보며 이윤만 따지며 살던 소시민적인 삶을 성찰하게 된다. 또한 받아야 할 돈을 떼인 '임 씨'의 이야기를 통해 자신의 이익만 챙기는 탐욕스러운 현대인들에 대한 반성과 함께, 주변의 소외된 계층에 대한 따뜻한 연민과 공감의 시선이 필요함을 보여 준다.

① '아내'가 '임 씨'의 열정을 돈 때문일 것이라고 여긴 것은 자본주의적 삶에 물든 인물이기 때문이겠군.
② '임 씨'가 옥상 일을 서비스로 해 주었다는 말에 '그'가 대꾸할 말을 잃은 것은 이윤만 따지며 살았던 자신의 삶이 부끄러워졌기 때문이겠군.
③ '임 씨'가 비 오는 날마다 가리봉동에 가는 것은 소외된 계층을 연민의 시선으로 바라볼 수 있었기 때문이라고 할 수 있겠군.
④ '임 씨'의 연탄값을 떼어먹고 야반도주한 '스웨터 공장 사장'은 자신의 이익만 챙기는 탐욕스러운 인물로 볼 수 있겠군.
⑤ '그'가 '임 씨'의 사연을 듣고 '암. 받아야 하구말구.'라고 말한 것은 주변의 소외된 계층에 대한 연민과 공감의 시선이 반영된 말이겠군.

정답과 해설 6쪽

01 광장 최인훈

출제 포인트	• 화자가 인식한 내용과 이를 통해 깨달은 점 파악하기 • 화자의 대상 인식 방법 비교하기

작품 개관

갈래	현대 소설, 사회 소설, 분단 소설	성격	관념적, 철학적
시점	전지적 작가 시점		
배경	• 해방 직후~6·25 전쟁 직후 / • 남한과 북한, 타고르 호 안		
주제	이념 대립의 폭력성과 분단의 현실에 대한 비판		
특징	• 상징적인 소재와 배경이 사용됨. • 관념적이고 철학적인 용어가 많이 사용됨. • 주인공이 회상하는 형식으로 내용을 전개함.		

'광장'과 '밀실'의 의미

광장	밀실
• 사회적인 삶의 공간 • 이데올로기의 허상만 존재하는 북한	• 개인적인 삶의 공간 • 소시민적 삶과 방탕한 자유만 존재하는 남한

북한의 현실	남한의 현실
• 모든 의사 결정이 사회적 합의를 거쳐야 함. • 개인의 자유 부재(밀실의 부재)	• 겉으로는 자유가 넘치는 것처럼 보임. • 사회적 소통 결여(광장의 부재)

진정한 의미의 광장
• 인간적 교감이 이루어지는 자유로운 공간 • 광장과 밀실이 조화롭게 공존하는 사회

주인공 이명준이 처한 상황과 갈등 양상

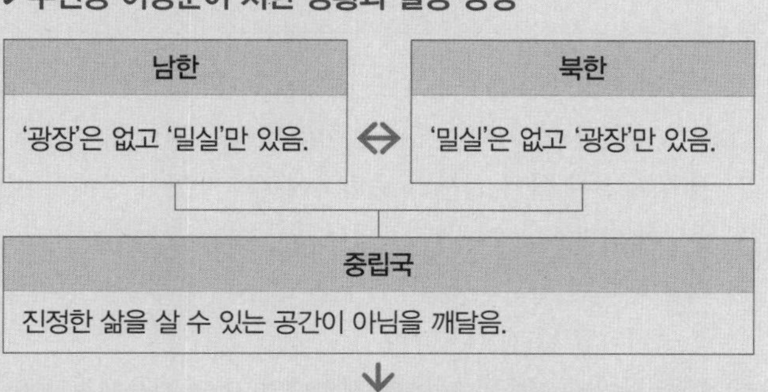

바다에 투신함.

[1~8] 다음 글을 읽고 물음에 답하시오.

전체 줄거리 해방 후 평범한 대학생이었던 명준은 월북한 아버지 때문에 기관에 끌려가 고초를 받는다. 부패한 자본주의와 방탕한 자유만 존재하는 남한 사회에 환멸을 느낀 명준은 이상적인 삶을 찾아 월북한다. 그러나 북한은 이념에 의해 인간다운 삶이 억압되고 자유가 철저히 말살된 곳이었다. 6·25 전쟁이 일어나자 명준은 인민군 장교로 참전하여 낙동강 전선에서 은혜를 극적으로 만나지만, 그녀는 비극적인 죽음을 맞이하고 명준도 포로가 된다. 명준은 포로수용소에서 석방될 때 남한과 북한을 모두 거부하고 중립국으로 가겠다고 결정한다. 하지만 중립국으로 향하는 배에서 명준은 바다에 투신한다.

"중립국."

중국 대표가, 날카롭게 무어라 외쳤다. 설득하던 장교는, 증오에 찬 눈초리로 명준을 노려보면서, 내뱉았다.

"좋아."

㉠ <u>눈길을, 방금 도어를 열고 들어서는 다음 포로에게 옮겨 버렸다.</u>

다음은, 맞은편에 자리 잡은, 유엔 측 테이블로 걸어간다. 그는 아까처럼, 우뚝, 섰다.

"자넨 어디 출신인가?"

"……"

"흠, 서울이군."

설득자는, 앞에 놓인 서류를 뒤적이면서,

"중립국이라지만 막연한 얘기요. 제 나라보다 나은 데가 어디 있겠어요. 외국에 가 본 사람들이 한결같이 하는 얘기지만, 밖에 나가 봐야 조국이 소중하다는 걸 안다구 하잖아요? 당신이 지금 가슴에 품은 울분은 나도 압니다. 대한민국이 과도기적인 여러 가지 모순을 가지고 있는 걸 누가 부인합니까? 그러나 대한민국엔 자유가 있습니다. 인간은 무엇보다도 자유가 소중한 것입니다. 당신은 북한 생활과 포로 생활을 통해서 이중으로 그걸 느꼈을 겁니다. 인간은……."

"중립국."

"허허허, 강요하는 것이 아닙니다. 다만 내 나라 내 민족의 한 사람이, 타향 만리 이국땅에 가겠다고 나서니, 동족으로서 어찌 한 마디 참고 되는 이야길 안할 수 있겠습니까? 우리는 이곳에 남한 2천만 동포의 부탁을 받고 온 것입니다. 한 사람이라도 더 건져서, 조국의 품으로 데려오라는…….”

“중립국.”

“당신은 고등 교육까지 받은 지식인입니다. 조국은 지금 당신을 요구하고 있습니다. 당신은 위기에 처한 조국을 버리고 떠나 버리렵니까?”

“중립국.”

“지식인일수록 불만이 많은 법입니다. 그러나, 그렇다고 제 ⓐ 몸을 없애버리겠습니까? ⓑ 종기가 났다고 말이지요. 당신 한 사람을 잃는 건, 무식한 사람 열을 잃는 것보다 더 큰 민족의 손실입니다. 당신은 아직 젊습니다. 우리 사회에는 할 일이 태산 같습니다. 나는 당신보다 나이를 약간 더 먹었다는 의미에서, 친구로서 충고하고 싶습니다. 조국의 품으로 돌아와서, 조국을 재건하는 일꾼이 돼 주십시오. 낯설은 땅에 가서 고생하느니, 그쪽이 당신 개인으로서도 행복이라는 걸 믿어 의심치 않습니다. 나는 당신을 처음 보았을 때, 대단히 인상이 마음에 들었습니다. 뭐 어떻게 생각지 마십시오. 나는 동생처럼 여겨졌다는 말입니다. 만일 남한에 오는 경우에, 개인적인 조력을 제공할 용의가 있습니다. 어떻습니까?”

명준은 고개를 쳐들고, 반듯하게 된 천막 천정을 올려다보았다. 한층 가락을 낮춘 목소리로 혼잣말 외듯 나직이 말했다.

“중립국.”

설득자는, 손에 들었던 연필 꼭지로, 테이블을 툭 치면서, 곁에 앉은 미군을 돌아보았다. 미군은, 어깨를 추스르며, 눈을 찡긋하고 웃었다.

[A] 나오는 문 앞에서, 서기의 책상 위에 놓인 명부에 이름을 적고 천막을 나서자, 그는 마치 재채기를 참았던 사람처럼 몸을 벌떡 뒤로 젖히면서, 마음껏 웃음을 터뜨렸다. 눈물이 찔끔찔끔 번지고, 침이 걸려서 캑캑거리면서도 그의 웃음은 멎지 않았다.

01 윗글에서 '남한 측 장교'가 사용한 설득의 근거로 적절하지 않은 것은?

① 조국의 위기를 강조한다.
② 과거의 친분을 활용한다.
③ 조국의 소중함을 강조한다.
④ 자유의 중요성을 언급한다.
⑤ 상대방의 지성에 호소한다.

02 윗글에서 '중립국'을 반복하여 외치는 '명준'의 태도로 가장 적절한 것은?

① 가 보지 않았던 국가에 대해 기대감을 가지고 있다.
② 남한으로 가고자 하는 생각을 우회적으로 드러내고 있다.
③ 공산주의와 자본주의에 대해 모두 회의적으로 생각하고 있다.
④ 자신을 알아보는 사람이 없는 곳으로 가고 싶어 하고 있다.
⑤ 북한 측 장교와의 반목으로 자신의 생각과는 다른 대답을 하고 있다.

03 윗글에서 〈보기〉를 뒷받침하기 위한 근거를 찾으려 할 때, 가장 적절한 것은?

〈보기〉
작가가 표현하고자 하는 사상이나 관념 등을 작가의 체험과 심오한 사색을 기초로 구체적으로 형상화하여 전달하려는 소설을 관념 소설이라고 한다. 「광장」은 이념과 현실의 문제를 작가의 머릿속에서 풀어내고 있다는 점에서 관념 소설의 대표작이라고 평가받는다.

① 인물의 회상 형식으로 사건이 전개되고 있다.
② 소설 속의 인물이 자신의 내면 심리를 직접 서술하고 있다.
③ 실제 사건이 아닌 인물의 중립국에서의 생활이 상세히 서술되어 있다.
④ 이념에 대한 작가의 생각이 작중 인물이 생각하는 형식으로 처리되고 있다.
⑤ 인물 사이의 행동과 대화를 서술하기 보다는 구체적 장면 묘사에 치중하고 있다.

04 [A]를 〈보기〉와 같이 바꾸었을 경우 얻을 수 있는 효과로 가장 적절한 것은?

〈보기〉

나오는 문 앞에서, 서기의 책상 위에 놓인 명부에 이름을 적고 천막을 나서자, 나는 나 같은 소박한 사람들에게 행복한 일상을 마련해 주지 못하는 남과 북을 비웃고 보란 듯이 '중립국'을 외친 것이 너무도 통쾌해서, 마치 오래 참았던 재채기를 하듯 몸을 벌떡 뒤로 젖히고 마음껏 웃음을 터뜨렸다. 그러나 웃음이 깊어질수록 이제 내게 조국은 없다는 허전함이 밀려들면서 눈물이 함께 찔끔찔끔 번져 나오고 있었다.

① 극적인 긴장감을 뚜렷하게 느낄 수 있다.
② 작품의 주제를 상징화시켜 문학성이 깊어진다.
③ 사건의 전개 과정을 객관적으로 파악할 수 있다.
④ 인물의 생각과 행동의 의미를 정확하게 알 수 있다.
⑤ 다른 등장인물들의 내면까지 분명히 파악할 수 있다.

서술형

05 ㉠을 통해 알 수 있는 상황을 서술하시오.

• '북한 측 장교는'을 주어로 사용할 것

06 ⓐ, ⓑ가 의미하는 것으로 적절한 것은?

	ⓐ	ⓑ
①	북한	북한 사회의 자유 부재
②	북한	북한 사회의 방탕한 자유
③	남한	남한 사회의 내재된 모순
④	남한	남한 사회의 소통의 결여
⑤	중립국	중립국의 허황된 환상

07 윗글과 〈보기〉의 공통된 갈등 양상으로 가장 적절한 것은?

〈보기〉

"너는 무슨 흥이 있어서 밤이 깊도록 잠을 자지 않느냐?"
길동은 공경하는 자세로 대답했다.
"소인은 마침 달빛을 즐기는 중입니다. 그런데, 만물이 생겨날 때부터 오직 사람이 귀한 존재인 줄 아옵니다만, 소인에게는 귀함이 없사오니, 어찌 사람이라 하겠습니까?"
공은 그 말의 뜻을 짐작은 했지만, 일부러 책망하는 체하며,
"네 무슨 말이냐?"
했다. 길동이 절하고 말씀드리기를,
"소인이 평생 설워하는 바는, 소인이 대감 정기를 받아 당당한 남자로 태어났고, 또 낳아 길러 주신 부모님의 은혜를 입었음에도 불구하고, 아버지를 아버지라 못 하옵고, 형을 형이라 못 하오니, 어찌 사람이라 하겠습니까?"

– 허균, 「홍길동전」

① 개인의 내면적 갈등
② 현실과 이상의 갈등
③ 사회와 사회의 갈등
④ 개인과 사회의 갈등
⑤ 개인의 자연의 갈등

08 〈보기〉의 시적 화자가 윗글의 '명준'의 태도를 비판한다고 할 때, 가장 적절한 것은?

버려진 땅에 돋아난 풀잎 하나에서부터
조용히 발버둥치는 돌멩이 하나에까지
이름도 없이 빈 벌판 빈 하늘에 뿌려진
저 혼에까지 저 숨결에까지 닿도록

우리는 우리의 삶을 불지필 일이다.
우리는 우리의 숨결을 보탤 일이다.

일렁이는 피와 다 닳아진 살결과
허연 뼈까지를 통째로 보탤 일이다.

– 조태일, 「국토 서시」

① 비타협적인 태도
② 현실 도피적인 선택
③ 대안 없는 맹목적인 비난
④ 외세 의존적인 비주체적인 태도
⑤ 현실에 대한 냉정한 인식의 결여

대단원 실전 문제

[1~4] 다음 시를 읽고 물음에 답하시오.

(가) 너무도 여러 겹의 마음을 가진
그 복숭아나무 곁으로
나는 왠지 가까이 가고 싶지 않았습니다
흰꽃과 분홍꽃을 나란히 피우고 서 있는 그 나무는 아마
사람이 앉지 못할 그늘을 가졌을 거라고
멀리로 멀리로만 지나쳤을 뿐입니다
흰꽃과 분홍꽃 사이에 수천의 빛깔이 있다는 것을
나는 그 나무를 보고 멀리서 알았습니다
눈부셔 눈부셔 알았습니다
피우고 싶은 꽃빛이 너무 많은 그 나무는
그래서 외로웠을 것이지만 외로운 줄도 몰랐을 것입니다
그 여러 겹의 마음을 읽는 데 **참 오래 걸렸습니다**

흩어진 꽃잎들 어디 먼 데 닿았을 무렵
조금은 심심한 얼굴을 하고 있는 ㉠ 그 복숭아나무 그늘에서
가만히 들었습니다 저녁이 오는 소리를

(나) 오늘 저녁 이 좁다란 방의 흰 바람벽에
어쩐지 쓸쓸한 것만이 오고 간다 / 이 흰 바람벽에
희미한 십오 촉(十五燭) 전등이 지치운 불빛을 내어던지고
때글은 다 낡은 무명샤쓰가 어두운 그림자를 쉬이고
그리고 또 달디단 따끈한 감주나 한잔 먹고 싶다고 생각하는 내 가지가지 외로운 생각이 헤매인다
그런데 이것은 또 어인 일인가 / 이 흰 바람벽에
내 가난한 늙은 어머니가 있다 / 내 가난한 늙은 어머니가
이렇게 시퍼러둥둥하니 추운 날인데 차디찬 물에 손은 담그고 무이며 배추를 씻고 있다
또 내 사랑하는 사람이 있다 / 내 사랑하는 어여쁜 사람이
어니 먼 앞대 조용한 개포가의 ㉡ 나즈막한 집에서
그의 지아비와 마주앉어 대굿국을 끓여 놓고 저녁을 먹는다.
벌써 어린것도 생겨서 옆에 끼고 저녁을 먹는다
그런데 또 이즈막하야 어느 사이엔가
이 흰 바람벽엔 / 내 쓸쓸한 얼굴을 쳐다보며
이러한 글자들이 지나간다
— 나는 이 세상에서 가난하고 외롭고 높고 쓸쓸하니 살어가도록 태어났다 / 그리고 이 세상을 살어가는데
내 가슴은 너무도 많이 뜨거운 것으로 호젓한 것으로 사랑으로 슬픔으로 가득찬다
그리고 이번에는 나를 위로하는 듯이 나를 울력하는 듯이
눈질을 하며 주먹질을 하며 이런 글자들이 지나간다
— 하늘이 이 세상을 내일 적에 그가 가장 귀해하고 사랑하는 것들은 모두
가난하고 외롭고 높고 쓸쓸하니 그리고 언제나 넘치는 사랑과 슬픔 속에 살도록 만드신 것이다
초생달과 바구지꽃과 짝새와 당나귀가 그러하듯이
그리고 또 '프랑시쓰 쨈'과 도연명(陶淵明)과 '라이넬 마리아 릴케'가 그러하듯이

01 (가)와 (나)의 공통점에 대한 설명으로 적절한 것은?

① 원경에서 근경으로 화자의 시선이 이동하고 있다.
② 대상의 부재에서 느끼는 안타까움을 드러내고 있다.
③ 수미상관의 수법을 통해 정서의 변화를 강조하고 있다.
④ 지시어를 반복적으로 활용하여 중심 화제로 시선을 집중시키고 있다.
⑤ 음성 상징어를 활용하여 대상의 움직임을 구체적으로 포착하고 있다.

02 (가)에 대해 이해한 내용으로 적절하지 않은 것은?

① '사람이 앉지 못할 그늘'을 통해 화자가 대상에 대해 부정적으로 생각한 이유를 암시하고 있다.
② '멀리로 멀리로만 지나쳤을 뿐입니다'를 통해 대상에 대한 화자의 태도를 드러내고 있다.
③ '피우고 싶은 꽃빛이 너무 많은'을 통해 화자가 지닌 소망이 대상에 투영되어 있음을 보여 주고 있다.
④ '참 오래 걸렸습니다'를 통해 화자가 대상의 마음에 공감하는 데 긴 시간이 필요하였음을 드러내고 있다.
⑤ '조금은 심심한 얼굴'은 화자가 대상 가까이에서 새로운 모습을 발견하게 되었음을 알려 준다.

03 ㉠과 ㉡을 비교하여 감상한 것으로 적절한 것은?

① ㉠은 화자의 인식이 전환되는, ㉡은 화자의 감정이 변화하는 장소이다.
② ㉠은 곁에 있는 대상에 대한 이해와 교감을, ㉡은 대상에 대한 그리움을 강화하는 장소이다.
③ ㉠은 만남에 대한 기대감이 충족된, ㉡은 만남에 대한 기대감이 좌절된 장소이다.
④ ㉠은 대상과의 추억이 담겨 있는 장소이고, ㉡은 새로운 추억이 만들어지고 있는 장소이다.
⑤ ㉠은 대상이 화자에게 머물 수 있도록 허락해 준 장소이고, ㉡은 화자의 접근을 막는 장애물이이다.

고난도

04 〈보기〉의 ⓐ～ⓔ를 활용하여 (가)와 (나)를 감상한 내용으로 적절하지 않은 것은?

〈보기〉

[문학의 기능과 가치]
- ⓐ 인식의 폭을 넓히고 수용하는 과정에서 일상의 삶과 세계에 관해 의문을 제기하고 나아가 우리의 삶을 성찰하면서 ⓑ 더 현명하고 가치 있는 삶의 방식을 생각할 수 있음.
- 작품 속 다양한 삶을 간접 체험하고, 인물의 태도나 삶의 방식을 검토함으로써 스스로 자신의 삶을 되돌아보고, ⓒ 무엇을 위해 살아야 할지, 어떻게 살아야 할지 등 바람직한 윤리적 가치에 대해 생각해 보게 함.
- 문학의 언어는 ⓓ 인간의 다양한 감정이나 정서를 일상 언어와 달리 심미적으로 형상화함. 독자는 문학 작품을 통해 정서적 고양을 느끼고, ⓔ 문학의 형식미를 맛보는가 하면 다양한 심미적 체험을 할 수 있음.

① (가)에서 화자가 '복숭아나무'에 대해 새로운 인식을 갖게 되는 것은, ⓐ를 보여 주는 것이라고 할 수 있겠군.
② (가)에서 화자가 대상을 더욱 깊이 이해하고 공감하게 됨으로써 ⓑ를 갖게 된 것으로 볼 수 있겠군.
③ (나)에서 화자가 '흰 바람벽'에 지나가는 '글자'들에 주목하고 있는 모습은 ⓒ를 고민하는 모습으로 볼 수 있겠군.
④ (가)의 '눈부셔 눈부셔 알았습니다'와 (나)의 '어두운 그림자를 쉬이고' 등은 ⓓ를 보여 주는 사례로 볼 수 있겠군.
⑤ (가)와 (나) 모두 화자의 태도나 삶의 방식을 검토하여 독자들의 깊은 성찰을 유도한다는 점에서 ⓔ에 대한 감동이 확산될 수 있겠군.

[5~8] 다음 글을 읽고 물음에 답하시오.

중략 부분 줄거리 어리고 생활 능력도 없었지만 '나'의 부모는 '나'가 크는 것을 보며 행복해한다. 그러나 '나'는 빠른 속도로 신체 나이가 늙어가는 조로증에 걸려 병원에 다니게 된다. 우연히 '나'의 사연이 방송에 소개되면서 많은 이들의 관심을 받고, 암 투병 중이라는 '서하'라는 소녀에게서 한 통의 메일을 받는다.

사실 이곳까지 굳이 산책을 나온 건, 그 애에게 건넬 말을 궁리하기 위해서였다. ⓐ 메일을 받은 지 일주일이 지났지만, 아직 답신을 보내지 않은 상태였다. 일단 회신을 해야겠다고 마음먹기까지의 시간이 오래 걸렸고, 쓴다 해도 뭐라 하나 몰라서였다. 물론 답장을 쓰지 못한 보다 근본적인 이유는 따로 있었다.

그리고 나는 그 까닭을 잘 알고 있었다. 그건, 내가 그 편지를 '잘 쓰려' 한다는 거였다.

'하지만 표가 나서는 안 돼……'

나는 그 애에게 때 이른 만족을 주고 싶지 않았다. 끄덕이고 안도한 뒤 자족해 돌아서 버리게 하고 싶지 않았다. 하지만 동시에 그 애가 바란 것 이상으로 그 애를 기쁘게 해 주고 싶었다. 만족이 임계점을 넘으면 만족이 아니라 감탄이 되니까. '아!' 하는 순간의 탄성이 만들어 내는 반향을 타고, ㉠ 그 반향이 일으키는 가을 물결을 타고, 그 애가 내게 쓸려 오길 바랐다.

'하지만 어떻게?'

그러자 지금까지 쓴 형편없는 메모들이 떠올랐다. 힘이 잔뜩 들어간 게 생각만 해도 얼굴이 화끈해지는 내용들이었다. 관념적이고 현학적인 데다 도통 무슨 말인지 알아들을 수 없는. 종종 인터넷 커뮤니티에서 발견하고, 보는 즉시 ㉡ '어우' 손사래 쳤던 글들을 내가 쓰고 있었다. 그것도 문체가 제각각인 게 어느 것은 도도한 초등학생이 쓴 산문 같고, 또 어떤 것은 인문대 복학생이 쓴 잡문 같았다. 이건 뭐 공작도 아니고, 수컷들 깃털 자랑하듯 구애하는 모양새라니. ㉢ 가장 평범한 소년이 되어 가장 평범한 고민을 하고 있는 스스로가 낯설고 불편했다.

'역시…… 연애를 글로 배워서 그런가?'

누군가 일본 애니메이션을 보고 일본어를 독학한 친구에게 "네 말 속엔 노인과 야쿠자와 여고생의 말투가 다 섞여 있다."라고 촌평한 걸 듣고 깔깔댔었는데, 지금 내 모습이 딱 그거 같았다. 그것은 다시 말해, 내 안에 여러 가지 욕망이 섞여 있다는 뜻이기도 했다. 하지만 ㉣ 그러지 않고, 그걸 다 빼고, 어떻게 나를 설명한단 말인가? 그래도 정말 괜찮단 말인가? 나처럼 괜찮은 아이가? 나는 수심에 잠겨 먼 곳을 바라봤다. 그리고 그 수심이 마음에 든 나머지 놓아주려 하지 않았다.

"이서하……"

사물의 이름을 처음 배우듯 발음하는 세 글자였다. 그러자 한밤중 아무도 모르게, 소나무 가지에 얹혀 있다 제 무게를 이기지 못하고 툭– 떨어지는 눈덩이처럼 가슴속에 조용한 기척이 일었다. 고요라는 이름의 바람이 따로 있기나 한 듯, 쩌렁쩌렁 적막이 울려 퍼졌다. 그래서 이번에는 바람의 열세 계급 중 0계급에 속한다는 '고요'라는 단어를 읊어 보았다. 그것은 곧 세상에서 가장 조용한 기척이 되어, 세상에서 가장 멀리 가는 동그라미를 만들어 냈다. 신기한 일이었다. 0계급은 아무것도 할 수 없는 줄 알았는데, ㉤ 0계급이 무언가 하고 있었다.

05 윗글에 대한 설명으로 가장 적절한 것은?

① 내면의 진술을 통해 인물의 복잡한 심리를 전달하고 있다.
② 반복되는 사건을 제시하여 인물들의 갈등을 심화하고 있다.
③ 시간의 역전을 통해 인과 관계를 재구성한 서사를 전달하고 있다.
④ 어리숙한 인물을 서술자로 내세워 진술의 해학성을 강화하고 있다.
⑤ 과거와 현재를 매개하는 경험을 제시하여 인물이 겪는 인식의 변화를 드러내고 있다.

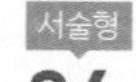

06 친구와 '나' 사이의 공통점에 대해 서술하시오.

07 ㉠~㉤에 대한 설명으로 적절하지 않은 것은?

① ㉠: '서하'와 더 친해지고 싶은 '나'의 마음을 엿볼 수 있다.
② ㉡: '나'는 자신이 쓴 글에 대해 부끄러움을 느끼고 있다.
③ ㉢: '나'는 자신이 평범한 소년이 아니라고 생각해 왔음을 알 수 있다.
④ ㉣: 자신 안에 여러 가지 욕망이 뒤섞여 있다고 생각하는 '나'의 인식이 담겨 있다.
⑤ ㉤: 0계급에 속하는 '고요'로 인해 사랑의 한계를 깨닫게 되었음을 알 수 있다.

08 ⓐ와 같이 행동한 까닭으로 적절하지 않은 것은?

① 뭐라고 써야 할 지 알 수 없었기 때문에
② 답장을 해야겠다고 마음을 먹는 데 오랜 시간이 걸렸기 때문에
③ '그 애'에게 '나'에 대해 설명하는 것이 너무 어렵다고 느꼈기 때문에
④ '나'의 편지를 읽은 '그 애'가 감탄할 만한 특별한 방법을 찾지 못했기 때문에
⑤ 편지를 잘 써서 단번에 '그 애'의 마음을 빼앗고 싶은 욕심이 있었기 때문에

[9~12] 다음 글을 읽고 물음에 답하시오.

가 ㉠ "그렇게 해서 모두 칠만 원이면 되겠습니다요."

선언하듯 임 씨가 분홍 편지지를 아내에게 내밀었다. 놀란 것은 그보다 아내 쪽이 더 심했다. 그녀는 분명 칠만 원이란 소리가 믿기지 않는 모양이었다.

"칠만 원요? 그럼 옥상은……."

"옥상에 들어간 재료비도 여기에 다 들어 있습니다. 그거야 뭐 몇 푼 되나요."

"그럼 우리가 너무 미안해서……."

아내가 이번에는 호소하는 눈빛으로 그를 쳐다보았다. 할 수 없이 그가 끼어들었다.

"계산을 다시 해 봐요. 처음에는 십팔만 원이라고 했지 않소?"

"이거 돈을 더 내시겠다 이 말씀입니까? 에이, 사장님도.

제가 어디 공일 해줬나요. 조목조목 다 계산에 넣었습니다요. 옥상 일한 품값은 지가 서비스로다가……."

"서비스?"

그는 아연해서 임 씨의 말을 되받았다.

"그럼요. 저도 서비스할 때는 서비스도 하지요."

그는 입을 다물어 버렸다. 뭐라 대꾸할 말이 없었다.

(나) "그놈들 곰국 한번 못 먹인 게 한이오, 형씨. 내 이번에 [가리봉동]에 가면 그 녀석 멱살을 휘어잡아야지."

임 씨가 이빨 사이로 침을 찍 뱉었다. 뭐 맛있는 거나 되는 줄 알고 김 반장의 발발이 새끼가 쪼르르 달려왔다.

"가리봉동에 가면 곰국이 나와요?"

임 씨가 따라 주는 잔을 받으면서 그는 온몸을 휘감는 술기운에 문득 머리를 내둘렀다. 아까부터 비 오는 날에는 가리봉동에 간다는 임 씨의 말이 술기운과 더불어 떠올랐다.

"곰국만 나오나. 큰놈 자전거도 나오고 우리 농구 선수 운동화도 나오지요. 마누라 빠마값도 쑥 빠집니다요. 자그마치 팔십만 원이오, 팔십만 원. 제기랄. 쉐타 공장 하던 놈한테 일 년 내 연탄을 대 줬더니 이놈이 연탄값 떼어먹고 야반도주했어요. 공장이 망했다고 엄살을 까길래, 내 마음인들 좋았겠소. 근데 형씨. ㉡ 아, 그놈이 가리봉동에 가서 더 크게 공장을 차렸지 뭡니까. 우리네 노가다들, 출신이 다양해서 그런 소식이야 제꺼덕 들어오지, 뭐."

"그럼 받아야지, 암. 받아야 하구말구."

(다) 문학은 인간의 가치 있는 경험을 다룬다. 그래서 우리는 문학을 통해 인간과 세계에 관한 새로운 인식과 발견을 얻고, 삶의 의미를 깨닫게 되곤 한다. 하지만 문학은 그것을 말과 글로 표현하는 예술이다. 그래서 우리는 문학을 통해 정서를 고양하고 심미적 경험까지 하게 되는 것이다.

오랜 세월 동안 인간은 이러한 인지적·정의적·심미적 활동으로서의 문학 작품을 수용하며 생산해왔다. 우리는 문학 작품의 수용과 생산을 통해 자아를 성찰하고, 타자의 삶을 이해하며, 자신의 문학적 체험을 표현하게 된다. 나아가 문학 활동을 생활화함으로써 공동체 구성원과 정서적으로 교류하며 상호 소통하는 태도를 지니게 된다.

09 (가), (나)와 일치하는 내용으로 적절한 것은?

① '아내'는 '임 씨'가 나중에 제시한 금액에 여전히 불만이 있었다.
② '그'는 '임 씨'가 옥상 일을 서비스로 해 주기를 내심 바라고 있었다.
③ '임 씨'는 더 이상 가리봉동에 갈 수 없는 것에 대해 안타까움을 느끼고 있다.
④ '그'는 불가능한 일에 매달려 세월을 허송하는 '임 씨'에 대해 측은함을 느끼고 있다.
⑤ '임 씨'는 가난 때문에 자식들에게 맛있는 것을 먹이지 못한 것을 한스럽게 여기고 있다.

10 (다)를 참고하여 (가)와 (나)를 읽은 독자의 반응으로 적절하지 않은 것은?

① 정직한 인물이 정당한 대가조차 받지 못하고 힘들게 살아가는 모습을 통해 안타까움의 정서를 느끼게 되는군.
② 이 글을 함께 읽은 우리 반 친구들은 주인공의 처지에 대해 무엇을 느꼈는지 서로 이야기를 나누어 보면 좋겠군.
③ 이 글은 뜻밖의 정직한 인물을 만나 새로운 깨달음을 얻는 소시민의 가치 있는 경험을 다룬 작품으로 볼 수 있겠군.
④ 이 글은 인간의 가치 있는 경험을 다루고 있기에 문학이 아닌 다른 장르로 표현되더라도 동일한 감동을 줄 수 있을 거야.
⑤ 한 인물이 보여 주는 정직함 앞에서 오히려 아연함을 감추지 못하는 인물이 또 다른 나의 모습이 아닌지 나 자신을 성찰하게 되는군.

11 (나)의 [가리봉동]에 대한 설명으로 적절하지 않은 것은?

① 당시 공장들이 밀집해 있던 지역이다.
② 가난한 공장 노동자들의 생활 공간으로 볼 수 있다.
③ 당시 사회의 부조리와 모순을 보여 주기 위해 설정된 공간이다.
④ 실제 지명을 사용하여 사실성을 높이고 있는 공간이다.
⑤ 무분별한 산업화로 인한 자연 파괴를 상징하는 공간이다.

12 ㉠과 ㉡에 대한 설명으로 가장 적절한 것은?

① ㉠은 '임 씨'의 현재 상황을, ㉡은 '임 씨'의 과거 행적을 암시한다.
② ㉠은 '임 씨'의 진실성을, ㉡은 '공장 사장'의 정직하지 못한 성격을 부각한다.
③ ㉠은 '임 씨'의 변화한 심리를, ㉡는 '임 씨' 주변 인물의 변화한 성격을 보여 준다.
④ ㉠은 '임 씨'의 진심을 보여 주는 장치로, ㉡은 '임 씨'의 진심을 왜곡하는 장치로 기능한다.
⑤ ㉠은 '그'가 '임 씨'를 다시 보게 된 계기로, ㉡은 '스웨터 공장 사장'이 '임 씨'를 다시 보게 된 계기로 작용한다.

[13~16] 다음 글을 읽고 물음에 답하시오.

(가) "깐쭈, 넌 너희 나라 가면 뭐할 거야?"

"모르겠어. 가면, 엄마 아버지 누나 여동생 사촌들 만나고 산에 올라 달을 볼 거야. 우리나라 네팔 달 볼 거야. 내가 뭘 할 건지, 달한테 물어볼 거야. 싸부딘은?"

"여동생이 한국 사람과 결혼했어. 시골이야. 동생이 남편한테 맞았어. 동생 많이 슬퍼. 형이 한국 여자랑 결혼했어. 형 여자 도망갔어. 조카 있어. 형이랑 조카 많이 슬퍼. 부모님 돌아가셨어. 우리나라 방글라데시 가도 나는 아무도 없어. 한국에 다 있어. 난 갈 수 없어. 형 다쳤어. 손가락 잘렸어. 조카 살려야 해."

"싸부딘, 난 한국에서 슬플 때 노래했어. 한국 발라드야. 사장이 막 욕해. 나 여기, 심장 막 뛰어. 손가락 막 떨려. 눈물 막 흘러. 그럼 노래했어. 사랑 못했어. 억울했어. 그러면 또 노래했어. 그러면 잠이 왔어. 그러면 꿈속에서 달을 봤어. 크고 아름다운 네팔 ⓐ 달이야."

깐쭈가 다시 노래한다.

가을 우체국 앞에서 그대를 기다리다 노오란 은행잎들이 바람에 날려 가고 지나는 사람들같이 저 멀리 가는 걸 보네…….

㉠ 나는 어둠 속에 몸을 숨긴 채 또다시 따라 했다.

(나) "누군 받기 싫어 못 받수. 줘야 받지. 형씨, 돈 있는 놈은 죄다 도둑놈이오. 쫓아가면 지가 먼저 울상이네. 여공들 노임도 밀렸다, 부도가 나서 그거 메우느라 마누라 목걸이까지 팔았다고 지가 먼저 성깔 내."

"죽일 놈."

그는 스웨터 공장 사장을 눈앞에 그려 본다. 빤질빤질한 상판에 배는 툭 불거져 나왔겠지.

"그게 작년 일인데, 형씨, 올 여름에 비가 오죽 많았소. 비만 오면 가리봉동에 갔지요. ⓑ 비만 오면 갔단 말이오."

"아따, 일 년 삼백육십오 일 비 오는 날은 쌔고 쌨는디 머시 그리 걱정이당가요?"

김 반장이 맥주를 새로 가져오며 임 씨를 놀려 먹었다.

"시끄러, 임마. 비가 와야 가리봉동에 가지, 비가 와야……."

"해 뜨는 날은 돈 벌어서 좋고, 비 오는 날은 돈 받아서 좋고, 조오타!"

김 반장이 젓가락으로 장단까지 맞추자 임 씨는 김 반장 엉덩이를 찰싹 갈긴다.

"형씨, 형씨는 집이 있으니 걱정할 것 없소. 토끼띠면 어쩔 거여. 집이 있는데, 어디 집값이 내리겠소?"

"저런 것도 집 축에 끼나……."

[A] 이번엔 또 무슨 까탈을 일으킬 것인지, 시도 때도 없이 돈을 삼키는 허술한 집이라고 대꾸하려다가 임 씨의 말에 가로채여서 그는 입을 다물었다.

13 (가)와 (나)의 공통점에 대한 설명으로 가장 적절한 것은?

① 사회에서 소외된 인물의 고달픈 삶을 조명하고 있다.
② 인물의 심리를 기상 변화와 조응하여 제시하고 있다.
③ 1인칭 서술자가 자신이 직접 겪은 사건을 서술하고 있다.
④ 자연물에 상징성을 부여하여 주제 의식과 연결하고 있다.
⑤ 공간적 배경이 인물 간의 갈등을 심화하는 요소로 작용하고 있다.

서술형

14 '그'가 [A]처럼 행동한 이유를 서술하시오.

• '임 씨'의 처지와 관련하여 쓸 것

15 <보기>를 참고할 때, ㉠에 대한 설명으로 가장 적절한 것은?

<보기>

소설 작품에 삽입되는 시나 노래에는 인물이 처한 상황이나 정서와 유사한 내용을 담고 있는 경우가 많다. 그렇기 때문에 인물이 부르는 시의 내용이나 노래의 가사는 인물이 처한 상황과 정서를 암시하는 서사적 기능을 하게 된다.

① 깐쭈가 느끼는 외로움과 쓸쓸함에 공감하고 있다.
② 깐쭈처럼 이루지 못한 사랑을 안타깝게 생각하고 있다.
③ 깐쭈가 겪은 고통스러운 시간에 대하여 미안해하고 있다.
④ 깐쭈처럼 지난 시간에 대하여 후회와 아쉬움을 느끼고 있다.
⑤ 깐쭈가 다른 사람을 따라가지 못하는 모습을 안쓰러워하고 있다.

16 ⓐ, ⓑ의 기능에 대한 설명으로 가장 적절한 것은?

① ⓐ와 ⓑ는 모두 그리움의 대상이다.
② ⓐ는 실망감을 주지만, ⓑ는 위로를 건네주는 소재이다.
③ ⓐ는 위안을 주는 소재이고, ⓑ는 힘겨운 삶을 드러내는 소재이다.
④ ⓐ는 부재해서 아쉬운 대상이지만, ⓑ는 부재해서 다행인 대상이다.
⑤ ⓐ는 긍정적인 의미를 지닌 반면에, ⓑ는 부정적인 의미를 지니고 있다.

[17~20] 다음 글을 읽고 물음에 답하시오.

(가) "중립국."

중국 대표가, 날카롭게 무어라 외쳤다. 설득하던 장교는, 증오에 찬 눈초리로 명준을 노려보면서, 내뱉었다. / "좋아."

눈길을, 방금 도어를 열고 들어서는 다음 포로에게 옮겨 버렸다. / 다음은, 맞은편에 자리 잡은, 유엔 측 테이블로 걸어간다. 그는 아까처럼, 우뚝, 섰다.

"자넨 어디 출신인가?" / "……" / "흠, 서울이군."

설득자는, 앞에 놓인 서류를 뒤적이면서,

"중립국이라지만 막연한 얘기요. 제 나라보다 나은 데가 어디 있겠어요. 외국에 가 본 사람들이 한결같이 하는 얘기지만, 밖에 나가 봐야 조국이 소중하다는 걸 안다구 하잖아요? 당신이 지금 가슴에 품은 울분은 나도 압니다. 대한민국이 과도기적인 여러 가지 모순을 가지고 있는 걸 누가 부인합니까? 그러나 대한민국엔 자유가 있습니다. 인간은 무엇보다도 자유가 소중한 것입니다. 당신은 북한 생활과 포로 생활을 통해서 이중으로 그걸 느꼈을 겁니다. 인간은……." / "중립국."

(나) "지식인일수록 불만이 많은 법입니다. 그러나, 그렇다고 제 몸을 없애버리겠습니까? 종기가 났다고 말이지요. 당신 한 사람을 잃는 건, 무식한 사람 열을 잃는 것보다 더 큰 민족의 손실입니다. 당신은 아직 젊습니다. 우리 사회에는 할 일이 태산 같습니다. 나는 당신보다 나이를 약간 더 먹었다는 의미에서, 친구로서 충고하고 싶습니다. 조국의 품으로 돌아와서, 조국을 재건하는 일꾼이 돼 주십시오. 낯설은 땅에 가서 고생하느니, 그쪽이 당신 개인으로서도 행복이라는 걸 믿어 의심치 않습니다. 나는 당신을 처음 보았을 때, 대단히 인상이 마음에 들었습니다. 뭐 어떻게 생각지 마십시오. 나는 동생처럼 여겨졌다는 말입니다. 만일 남한에 오는 경우에, 개인적인 조력을 제공할 용의가 있습니다. 어떻습니까?"

명준은 고개를 쳐들고, 반듯하게 된 천막 천정을 올려다보았다. 한층 가락을 낮춘 목소리로 혼잣말 외듯 나직이 말했다.

"중립국."

17 윗글에 대한 설명으로 가장 적절한 것은?

① 말과 행동을 통해 인물들이 지닌 의도를 드러내고 있다.
② 장면의 빈번한 전환을 통해 긴박한 분위기를 조성하고 있다.
③ 일상적 소재를 나열하여 인물의 복잡한 심리를 보여 주고 있다.
④ 서술자가 자신의 체험을 진술하여 현실에 대한 인식을 드러내고 있다.
⑤ 인물의 행적을 요약적으로 진술하여 갈등의 해결 방향을 제시하고 있다.

18 〈보기〉는 윗글의 일부분이다. 이를 참고할 때, '중립국'을 선택한 '명준'의 태도에 대한 설명으로 가장 적절한 것은?

〈보기〉
환상의 술에 취해 보지 못한 섬에 닿기를 바라며, 그리고 그 섬에서 환상 없는 삶을 살기 위해서, 무서운 것을 너무 빨리 본 탓으로 지쳐 빠진 몸이, 자연의 수명을 다하기 위해서, 그렇게 결정한, 중립국행이었다. 중립국. 아무도 나를 아는 사람이 없는 땅. 하루 종일 거리를 싸다닌대도 어깨 한 번 치는 사람이 없는 거리. 내가 어떤 사람이었던지도 모를 뿐더러 알려고 하는 사람도 없다.

① 눈앞의 위기를 모면하기 위해서 '눈 가리고 아웅' 하는 격으로 중립국을 선택하고 있군.
② 의미 없고 삭막한 삶이 펼쳐질 것을 알면서도 '울며 겨자먹기'로 중립국을 선택한 것이군.
③ 남북한의 실정도 제대로 알지 못한 채 '언 발에 오줌 누는 격'으로 중립국을 선택한 것이군.
④ 양측 설득자가 모두 설득하는 상황에서 '냉수 먹고 이 쑤시는 격'으로 거들먹거리며 중립국을 주장하는군.
⑤ 가 보지도 않은 중립국을 이상적인 공간으로 생각하는 걸 보니 '내 논에 물대기' 식으로 중립국의 의미를 생각하고 있군.

19 (가)에서 북한 측과 남한 측 설득자의 '명준'을 대하는 태도가 적절하게 연결된 것은?

	북한 측	남한 측
①	설득을 포기함.	자유를 보장하며 설득함.
②	동정에 호소하며 설득함.	남한의 문제를 인정하며 회유함.
③	지성에 호소하며 설득함.	지식인의 책임감을 상기하며 설득함.
④	적대감을 드러냄.	개인적인 호감을 드러내며 회유함.
⑤	남한에 대한 증오감을 드러내며 회유함.	북한의 위선을 조롱하며 회유함.

고난도

20 〈보기〉는 윗글을 읽고 한 독서 토의의 한 장면이다. '학생 1'의 대답으로 가장 적절한 것은?

〈보기〉
학생 1: 문학 작품에는 창작 당시의 사회·문화적 상황이 반영되어 있는 경우가 많은데, 이와 관련하여 드러나는 의미를 '상황의 구체적 의미'라고 해. 이를 파악함으로써 창작할 당시의 핵심적인 고민과 과제를 이해할 수 있어. 한편, 이로부터 특정한 시대와 장소를 넘어 공유할 수 있는 의미를 발견할 수도 있는데, 이를 '상황의 보편적 의미'라고 해. 작품이 상황의 보편적 의미를 지닐 수 있는 것은 '상황의 구체적 의미'가 오늘날 우리의 상황과 서로 연결되고 있기 때문이야.
학생 2: 그렇다면 '상황의 구체적 의미'와 '상황의 보편적 의미'를 중심으로 「광장」을 읽으려면, 어떻게 해야 할까?
학생 1: ____________________

① 작품을 구성한 방식이 오늘날의 작품 구성과는 어떠한 차이를 보이는지 살펴보아야겠지.
② 작품에 등장하는 배경이 오늘날 어떻게 변화하였는지 직접 답사를 해 보는 것이 필요하겠지.
③ '이명준'의 선택이 오늘날의 독자들에게 어떠한 감동과 교훈을 주고 있는지 생각해보아야겠지.
④ 당시의 시대적 상황이 이명준의 가치관 형성에 어떻게 개입할 수 있었는지 인물의 심리를 분석해 보아야겠지.
⑤ '이명준'이 겪은 사건이 오늘날의 상황과 어떻게 연결되어 있는지 살펴보고 우리와 공유할 수 있는 의미를 생각해 보아야겠지.

수능 유형의 복합 지문이 내신 평가에서 고득점 판별 문제로 출제되고 있습니다. 단원의 성격에 맞는 작품이나 이론을 묻는 경우가 많으므로 교과서에서 다룬 작품을 파악하는 훈련이 필요합니다.

정답과 해설 8쪽

[01~06] 다음 글을 읽고 물음에 답하시오.

(가) 문학은 공동체 차원의 언어 예술적 소통 행위라 할 수 있다. 작가들은 서로 추구하는 가치가 다른 인물이나 집단 사이의 갈등을 통해 현실 세계의 한계를 드러내기도 하고, 다양한 삶과 인물의 지향을 통해 지배적 가치나 이념과는 다른 새로운 가치의 추구가 가능함을 보여 주기도 한다. 그런 인물들의 삶을 총체적으로 인식하면서 자연스럽게 우리는 다양한 가치관을 지닌 타자를 이해하고 포용하게 되며, 삶의 다양성을 받아들이는 과정에서 옳고 그름을 판단하는 가치관도 가질 수 있게 된다. 이처럼 문학은 우리로 하여금 타인의 삶을 이해하고, 상호 소통하는 태도를 가지게 하며, 나아가 공동체적 조화를 이루며 살아가게 하는 역할을 한다.

(나)
[A]
너무도 여러 겹의 마음을 가진
그 복숭아나무 곁으로
나는 왠지 가까이 가고 싶지 않았습니다

[B]
흰꽃과 분홍꽃을 나란히 피우고 서 있는 그 나무는 아마
사람이 앉지 못할 그늘을 가졌을 거라고
멀리로 멀리로만 지나쳤을 뿐입니다

[C]
흰꽃과 분홍꽃 사이에 수천의 빛깔이 있다는 것을
나는 그 나무를 보고 멀리서 알았습니다
눈부셔 눈부셔 알았습니다

[D]
피우고 싶은 꽃빛이 너무 많은 그 나무는
그래서 외로웠을 것이지만 외로운 줄도 몰랐을 것입니다
그 여러 겹의 마음을 읽는 데 **참 오래 걸렸습니다**

[E]
흩어진 꽃잎들 어디 먼 데 닿았을 무렵
조금은 심심한 얼굴을 하고 있는 그 복숭아나무 그늘에서
가만히 들었습니다 **저녁이 오는 소리**를

(다) 어떤 거사(居士)가 거울 하나를 갖고 있었는데 먼지가 끼어서 흐릿한 것이 마치 구름에 가리운 달빛 같았다. 그러나 그 거사는 아침 저녁으로 이 거울을 들여다보며 얼굴을 가다듬곤 하였다.

한 나그네가 거사를 보고 이렇게 물었다.

"거울이란 얼굴을 비추어 보는 물건이든지, 아니면 군자가 거울을 보고 그 맑은 것을 취하는 것으로 알고 있는데, 지금 거사의 거울은 안개가 낀 것처럼 흐리고 때가 묻어 있습니다. 그럼에도 당신은 항상 그 거울에 얼굴을 비춰 보고 있으니 그것은 무슨 뜻입니까?"

거사는 이렇게 대답했다.

"얼굴이 잘생기고 예쁜 사람은 맑고 아른아른한 거울을 좋아하겠지만, 얼굴이 못생겨서 추한 사람은 오히려 **맑은 거울을 싫어할 것입니다.** 그러나 잘생긴 사람은 적고 못생긴 사람은 많습니다. 만일 한번 보기만 하면 반드시 깨뜨려 버리고야 말 것이니 먼지에 흐려진 그대로 두는 것이 나을 것입니다. 먼지로 흐리게 된 것은 겉뿐이지 거울의 맑은 바탕은 속에 그냥 남아있기 때문입니다. 그러니 잘생기고 예쁜 사람을 만난 뒤에 닦고 갈아도 늦지 않습니다. 아! 옛날에 거울을 보는 사람들은 그 맑은 것을 취하기 위함이었지만, 내가 거울을 보는 것은 오히려 흐린 것을 취하는 것인데, 그대는 어찌 이를 이상스럽게 생각합니까?" 하니,

나그네는 **아무 대답이 없었다.**

01 (가)를 통해 알 수 있는 문학의 특징으로 적절하지 않은 것은?

① 문학에는 작가의 삶이 사실적으로 반영되어 있다.
② 문학은 독자로 하여금 타인의 삶을 이해하게 한다.
③ 문학의 소통은 공동체 차원의 예술적 소통 행위이다.
④ 문학은 가치가 다른 집단 사이의 갈등을 통해 현실 세계의 한계를 드러내기도 한다.
⑤ 문학을 접하는 독자들은 다양한 가치관을 지닌 타자를 이해하고 포용할 수 있게 된다.

02 (가)를 바탕으로 (나)와 (다)를 감상한 내용으로 적절하지 않은 것은?

① (나)의 '사람이 앉지 못할 그늘'은 화자가 대상과 추구하는 가치가 다를 것이라고 여긴 편견이 드러난 것이다.
② (나)의 '참 오래 걸렸습니다'는 화자가 대상의 가치관을 진정으로 이해하는 데 시간이 걸렸음을 의미한다.
③ (나)의 '저녁이 오는 소리'는 화자가 타인의 삶을 이해하고 교감하게 된 상태를 의미한다.
④ (다)에서 '맑은 거울을 싫어할 것입니다.'는 인간의 보편적 심리를 드러내며 서술자가 생각하는 옳고 그름의 가치관이 나타나 있다.
⑤ (다)에서 '아무 대답이 없었다.'는 거사의 말에 공감하면서 독자로 하여금 공동체적 조화를 이루는 방법에 대해 생각하게 한다.

03 (나)와 (다)에 대한 설명으로 가장 적절한 것은?

① (나)와 (다)는 모두 부정적 현실에 대해 좌절하고 있다.
② (나)와 (다)는 모두 내적 갈등으로 인한 괴로움을 토로하고 있다.
③ (나)와 (다)는 모두 분열하는 자아의 모습을 감각적으로 표현하고 있다.
④ (나)는 그리움의 정서를 드러내고 있으며, (다)는 처세에 대한 교훈을 제시하고 있다.
⑤ (나)는 고백적 어조로 자신의 내면을, (다)는 질문과 대답을 통해 바람직한 삶의 자세에 대해 성찰하고 있다.

04 나와 나그네의 공통점으로 가장 적절한 것은?

① 편견을 지니고 있는 인물
② 자신의 미적 가치를 추구하는 인물
③ 자신의 경험을 확장하여 소개하는 인물
④ 삶의 고민을 스스로 해결해 나가는 인물
⑤ 자신과 타인의 경계를 명확히 밝히는 인물

05 [A]~[E]에 대한 이해로 적절하지 않은 것은?

① [A]는 대상에 대한 태도가 드러나며 시상이 촉발되는 부분으로, 대상에 거리감을 가지게 된 이유가 나타난다.
② [B]는 대상에 대한 감정이 행동으로 구체화되는 부분으로, 화자가 대상을 피하고 있음이 드러난다.
③ [C]는 대상에 대한 인식이 전환되는 부분으로, 화자가 깨달음을 얻는 과정이 드러난다.
④ [D]는 대상에 대한 새로운 이해가 나타나는 부분으로, 화자가 외로움을 이겨 낸 상황이 나타난다.
⑤ [E]는 대상에 대한 깨달음 이후의 상황이 나타나는 부분으로, 화자와 대상의 이해와 교감이 나타난다.

06 〈보기〉를 참고할 때, (다)에 대한 설명으로 적절하지 않은 것은?

〈보기〉

「경설」은 ⓐ 처세훈(處世訓)적 성격과 ⓑ 풍자적 성격을 함께 지니고 있는 작품이다. 거사는 흐린 거울을 택하는데, 이것은 흠과 티끌이 있는 사람이 더 많은 세상에서 지나치게 결벽하고 청명한 태도만으로 일관하기 어려움을 뜻한다고 볼 수 있다. 즉 박절하지 않은 인간관계와 허물까지도 수용하는 처세의 필요함을 드러낸 것이다.

한편, 흐린 세태에 결벽의 정신으로만 대결하면 파국에 이를 수밖에 없다는 현실주의적 태도를 풍자적 시각으로 드러낸 것으로 해석할 수도 있다.

① ⓐ의 관점에서 볼 때, '잘 생긴 사람'은 적고 '못 생긴 사람'은 많다고 한 것은, 흠과 티끌이 있는 사람이 더 많은 세상을 비유적으로 표현한 것이겠군.
② ⓐ의 관점에서 볼 때, 한번 보기만 하면 반드시 '깨뜨려 버리고야 말 것'이라고 한 것은, 박절한 인간관계의 모습을 암시하는 것이겠군.
③ ⓐ의 관점에서 볼 때, '먼지에 흐려진 그대로' 두는 것이 나을 것이라고 한 것은 '거사'의 생각이 반영된 '처세훈'으로 볼 수 있겠군.
④ ⓑ의 관점에서 볼 때, '잘생기고 예쁜 사람을 만난 뒤'에 닦고 갈아도 늦지 않는다고 한 것은 흐린 세태에 결벽의 정신으로만 대결하면 안 된다는 태도가 반영된 것이겠군.
⑤ ⓑ의 관점에서 볼 때, 옛날에 '거울을 보는 사람들'은 '그 맑은 것을 취하기 위함'이라고 한 것은, 과거에 집착하지 않고 현재에 집중하려는 현실주의적 태도가 담긴 것이겠군.

2

문학의 소통

1 문학 작품의 구조와 맥락

01 산도화_박목월
02 흥보가_작자 미상 / 김연수 바디
03 소설가 구보 씨의 일일_박태원

2 문학 작품의 수용과 생산

01 즐거운 편지_황동규
02 로디지아발 기차_네이딘 고디머
03 허생전_박지원

3 문학의 확장

01 남한산성_김훈
02 총, 꽃, 시_정재찬
03 만화 토지_박경리 원작 / 오세영 그림

학습 목표 «
- 문학 작품은 내용과 형식이 긴밀하게 연관되어 이루어짐을 이해할 수 있다.
- 작품을 작가, 사회·문화적 배경, 상호 텍스트성 등 다양한 맥락에서 감상할 수 있다.
- 작품을 공감적, 비판적, 창의적으로 수용하고 그 결과를 바탕으로 상호 소통할 수 있다.
- 작품을 읽고 다양한 시각에서 재구성하거나 주체적 관점에서 창작할 수 있다.
- 문학과 인접 분야의 관계를 바탕으로 작품을 이해하고 감상하며 평가할 수 있다.
- 다양한 매체로 구현된 작품의 창의적 표현 방법과 심미적 가치를 문학적 관점에서 수용하고 소통할 수 있다.

(1) 문학 작품의 구조와 맥락

문학 작품의 내용과 형식의 관계

내용	• 문학은 인간의 삶에 관한 탐구에서 비롯된 가치 있는 경험이나 생각을 주된 내용으로 다룸. • 문학의 내용은 작품 속에 주제 의식으로 구현됨.
형식	• 문학 작품의 내용은 문화적·관습적으로 형성된 언어문화 형식을 바탕으로 작가가 그에 덧입힌 개성적이고 창조적인 형식을 통해 표현됨.

→

- 문학 작품은 내용과 형식이 유기적으로 결합하여 작품마다 특유의 구조를 형성함.
- 문학 작품을 감상할 때는 내용과 형식 간의 긴밀한 유기적 연관성을 고려해야 작품 고유의 미적 가치를 발견할 수 있음.

맥락을 고려한 문학 작품의 수용

독자는 문학 작품을 접할 때 여러 가지 맥락을 함께 고려함으로써 더욱 깊은 이해와 수준 높은 감상에 도달할 수 있음.

문학 작품을 둘러싼 맥락

작가적 맥락	사회·문화적 맥락	상호 텍스트적 맥락
작품을 창작한 작가의 삶이나 문학적 경향	작품을 둘러싼 사회적 상황과 문화적 배경	한 작품이 다른 작품들과 맺고 있는 영향 관계

(2) 문학 작품의 수용과 생산

문학 작품의 수용 방법

공감적 수용	• 작품 속 등장인물의 생각·태도·행동 등을 이해하며 수용함. • 작가의 관점·가치관 등에 공감하며 수용함.
비판적 수용	• 독자가 작가의 가치관과 생각을 그대로 받아들이는 것이 아니라 자신의 가치관에 따라 해석하고 평가함. • 작품의 주제와 형식에 대해 평가하고 비판적으로 수용함.
창의적 수용	• 독자가 자신의 개성 있는 안목에 따라 미적 가치를 찾아내며 수용함.

문학 작품의 재구성 및 창작

- 문학 작품을 새로운 시각에서 재구성하는 활동은 문학 작품을 수용하는 과정의 하나이면서 새로운 문학 창작의 방법이 되기도 함.
- 재구성은 변형을 통해 또 다른 유기적 결합체를 창조해 내는 것이라는 점을 고려해야 함.

문학 작품의 재구성 방법

내용
작품의 내용을 바꾸는 것으로, 소설에서는 인물의 성격이나 사건의 전개 과정, 줄거리 등을 바꾸어 볼 수 있고, 시에서는 시구나 시어에 변화를 주어 내용이나 주제를 바꾸어 볼 수 있음.

표현·형식
작품의 표현이나 형식을 바꾸어 보는 것으로, 소설의 시점을 바꾸어 보거나, 시의 운율이나 어조에 변화를 주거나 작품의 갈래를 바꾸어 보는 것 등이 있음.

맥락
맥락이 작품에 미치는 영향을 고려하여 작품의 사회·문화적 배경을 바꾸어 재구성해 볼 수 있음.

매체
작품이 소통되는 매체를 바꾸어 보는 것으로, 인쇄 매체인 원작을 영화, 인터넷, 라디오 등 다양한 매체를 활용하여 바꾸어 볼 수 있음.

3 문학의 확장

문학의 인접 분야

문학과 인문	문학과 사회	문학과 예술
• 문학은 인간의 삶을 탐구하는 언어활동이라는 점에서 인문 분야와 밀접한 관련을 맺음. • 역사와 철학 등 인문 분야의 주요 주제들이 문학 작품 내에 수용되기도 하고, 반대로 문학이 인문 분야에 파급력을 미치기도 함.	• 인간을 둘러싼 시대적·사회적 상황을 반영한다는 점에서 사회·문화 현상 등과 깊은 관련을 맺음. • 정치학, 사회학, 법학, 윤리학, 심리학 등 사회 분야와 관련을 맺음.	• 문학은 예술의 한 갈래임. • 음악, 미술, 연극, 영화, 무용 등 다양한 예술 분야와 밀접한 관련을 맺음. • 문학이 다른 예술로, 다른 예술이 문학으로 전환되기도 함.

↓

문학은 우리 사회와 문화의 여러 분야와 깊은 관련을 맺고 확장됨으로써 우리의 문화적 삶을 더욱 풍성하게 하는 역할을 함.

문학과 매체

문학 작품은 문자 언어를 기반으로 하는 매체에 의존해 왔으나, 오늘날 매체가 다양해지면서 다양한 매체를 통해 소통할 수 있게 됨.

매체 시대의 문학 작품의 소통 방식
신문, 잡지, 단행본 등 기존의 매체와 라디오, 텔레비전, 영화, 애니메이션, 인터넷, 휴대 전화 등 다양한 매체를 통해서 문학 작품이 소통됨.

↓

매체의 다양화로 인한 영향
• 전달 매체의 특성이 작품의 창의적 표현 방법과 심미적 가치에 반영됨. • 전달 매체의 특성을 고려한 작품 감상 능력과 태도를 길러야 함.

문학 작품의 창작 방법

자신이 표현하고 싶은 내용이나 경험한 것 중에서 가치 있는 것 가려내기

↓

상상력을 통해 내용 생성하기

↓

내용에 어울리는 형식, 맥락, 매체 등을 선택하고 결합하여 창작하기

01 산도화(山桃花) 박목월

출제 포인트	• 내용과 형식의 유기적 관련성 파악하기 • 시어의 의미와 이미지의 기능 이해하기

작품 개관

갈래	자유시, 서정시	성격	관조적, 탈속적, 감각적
주제	봄을 맞이한 산의 평화롭고 아름다운 풍경		
특징	• 원경에서 근경으로 시선을 이동하면서 시상을 전개함. • 정적인 대상 묘사에서 동적인 대상 묘사로 변화됨. • 3음보 율격 속에 감정을 절제한 압축적 표현을 구사함.		

시상의 전개

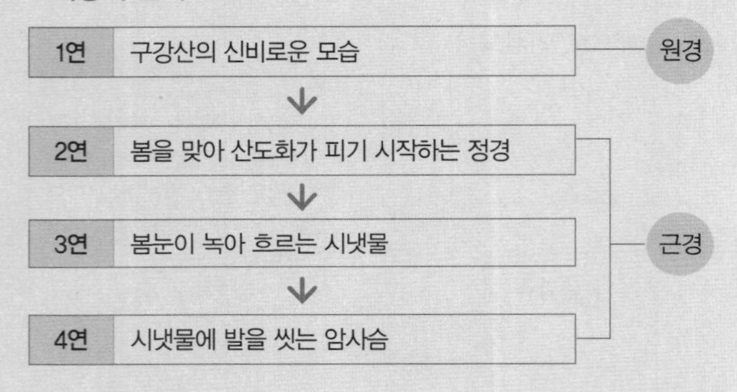

주요 시어의 의미

구강산	• 현실 세계에 존재하지 않는 신비로운 공간, 이상향 • 인간 세계로부터 떨어진 탈속적 공간
산도화	• 동양적 이상향의 상징물 • 생명 탄생의 순수함과 아름다움을 느끼게 하는 존재
암사슴	• 자연적 존재, 순수하고 고결한 존재 • 생동하는 생명체의 모습

시에 나타난 색채 이미지

소재	환기되는 색채	이미지의 효과
구강산	보라색	신비로운 분위기 형성
산도화	연분홍색	아름답고 다사로운 봄의 생명력 환기
봄눈 녹아 흐르는 물	푸른색	맑고 깨끗한 느낌 전달

[1~6] 다음 시를 읽고 물음에 답하시오.

[A]
산은
구강산(九江山)
보랏빛 석산(石山)

[B]
산도화
두어 송이
송이 버는데

[C]
봄눈 녹아 흐르는
옥 같은
물에

[D]
사슴은
암사슴
발을 씻는다.

01 위 시에 대한 설명으로 적절하지 않은 것은?

① 신비한 느낌을 주는 풍경을 한 폭의 동양화처럼 표현하고 있다.
② 꽃이 만발한 정경을 묘사하여 자연의 생명력을 강조하고 있다.
③ 정적인 대상 묘사에서 동적인 대상 묘사로 변화되고 있다.
④ 감정을 절제한 압축적 표현을 통해 평화로운 분위기를 그려 내고 있다.
⑤ 3행으로 구성된 비슷한 시행들을 통해 간결한 형식미를 드러내고 있다.

02 위 시의 시어에 대한 설명으로 가장 적절한 것은?

① '구강산'은 다양한 생명체가 살아가는 역동적 공간이야.
② '보랏빛 석산'이라는 표현을 보니 이 시의 계절적 배경은 겨울이군.
③ '산도화'가 '버는' 모습은 자연의 생명력을 표현하는 것이군.
④ '옥 같은 물'이라는 표현에서 이상향을 현실에 구현하고자 하는 시적 화자의 의지가 느껴져.
⑤ '암사슴'의 '발을 씻는' 행위에는 더러워진 자연에 대한 성찰이 잘 드러나.

학습 활동 응용

03 '내용과 형식의 관계' 측면에서 위 시와 〈보기〉를 감상한 것으로 가장 적절한 것은?

〈보기〉

山

절망의산,
대가리를밀어버
린, 민둥산, 벌거숭이산
분노의산, 사랑의산, 침묵의
산, 함성의산, 증인의산, 죽음의산,
부활의산, 영생하는산, 생의산, 회생의
산, 숨가쁜산, 치밀어오르는산, 갈망하는
산, 꿈꾸는산, 꿈의산, 그러나 현실의산, 피의산,
피투성이산, 종교적인산, 아아너무나너무나 폭발적인
산, 힘든산, 힘센산, 일어나는산, 눈뜬산, 눈뜨는산, 새벽
의산, 희망의산, 모두모두절정을이루는평등의산, 평등한산, 대
지의산, 우리를감싸주는, 격하게, 넉넉하게, 우리를감싸주는어머니

– 황지우, 「무등(無等)」

① 〈보기〉와 달리 위 시는 주제 의식과 모순되는 산문투의 형식을 취하고 있다.
② 〈보기〉와 달리 위 시는 수미 상관의 형식을 통해 자연이 주는 안정감을 표현하고 있다.
③ 위 시와 달리 〈보기〉는 시상의 전개가 '긍정'에서 '부정'의 방향으로 이루어지고 있다.
④ 위 시와 달리 〈보기〉는 시각적 형상을 산의 모양을 닮도록 구성하여 '산'이라는 소재를 구체화하고 있다.
⑤ 위 시와 〈보기〉는 모두 3음보의 형식을 통해 '규칙적인 자연의 순환'이라는 주제 의식을 드러내고 있다.

서술형

04 〈보기〉의 물음에 대한 대답을 서술하오.

〈보기〉

선생님: 위 시의 각 연의 시구 배치를 보면, 첫 행이 가장 짧고 행의 길이가 대체로 길어지는데, 3연만 행의 길이가 점점 짧아지고 있습니다. 이를 통해 얻을 수 있는 효과는 무엇인가요?

학습 활동 응용

05 위 시에서 〈보기〉의 ㉮, ㉯에 해당하는 시어끼리 바르게 묶인 것은?

〈보기〉

이 시에는 대조적인 두 가지 성격의 이미지가 묘하게 어울려 있다. 하나는 ㉮ 차고, 견고하고, 정지되어 있는 이미지이고, 다른 하나는 ㉯ 따뜻하고, 부드럽고, 움직이는 이미지이다. 그러나 이 두 가지 이미지는 서로 대립하는 것이 아니라 신비한 생명력의 기운이 미세하게 감도는 공간을 함께 만들어 낸다.

	㉮	㉯
①	석산	구강산
②	석산	보랏빛
③	석산	물
④	산도화	발
⑤	산도화	암사슴

06 [A]~[D]에 대한 설명으로 적절하지 않은 것은?

① [A]는 색채 이미지를 활용하여 신비로운 분위기를 형성하고 있다.
② [B]는 동양화를 보는 듯한 여백의 아름다움이 드러나 있다.
③ [C]에서는 시의 계절적 배경이 나타나 있다.
④ [D]에서는 시적 화자의 감정 이입의 대상이 나타나 있다.
⑤ [A]의 원경에서 [B] 이후의 근경으로 시선을 이동하면서 시상이 전개되고 있다.

02 흥보가 작자 미상 / 김연수 바디

출제 포인트	• 판소리 사설의 특징 이해하기 • 작품 속 내용과 형식의 유기적 관계 파악하기

작품 개관

갈래	판소리 사설	성격	해학적, 풍자적, 교훈적
제재	흥보네의 박 타기		
주제	• 선행 덕에 복을 받아 가난을 벗어나게 된 흥보네(권선징악) • 빈부의 갈등, 낡은 관념과 새로운 생활 사이의 갈등		
특징	• 산문적 진술과 운문 투의 리듬감 있는 서술이 혼재함. • 생생한 구어, 사투리, 비속어 등과 함께 한문 투의 표현들도 섞여 있음. • 창과 아니리를 계속 교차하면서 서사를 진행시키고 정서도 표출함. • 과장과 해학적 표현이 두드러짐.		

작품 전체의 갈등 구조

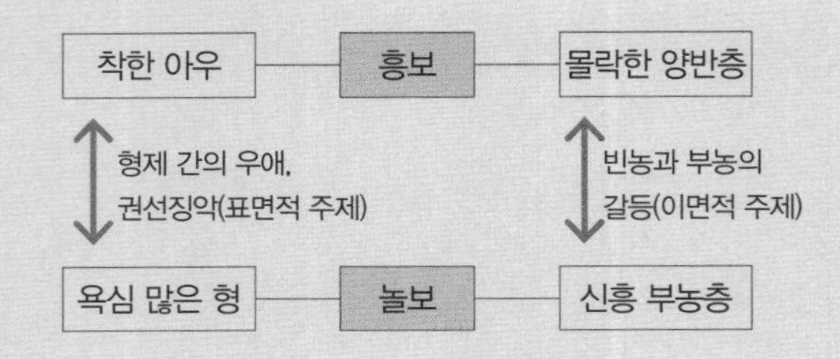

'창'과 '아니리'의 성격과 역할

'창'의 성격과 역할	'아니리'의 성격과 역할
• 심화된 정서와 의미를 다양한 장단을 사용하여 표현함. • 다양한 장단은 내용 전개나 정서적 변화에 조응하여 사용됨. • 장면을 확대 부연, 극대화하여 청중이 정서적으로 긴장·몰입하게 하고, 감흥을 유발함.	• 창을 하는 중간중간에 가락 없이 이야기하듯 엮어 나가는 부분 • 사건의 전개를 요약적으로 서술하고 인물의 심리나 인물 간의 대화를 전달함. • 청중의 긴장을 완화시키고, 청자가 다음 창을 준비할 수 있게 해 줌.

↓

창과 아니리를 교차하여 긴장과 이완을 반복함.

[1~4] 다음 글을 읽고 물음에 답하시오.

가난타령

[아니리]

그때는 어느 땐고 팔월 추석 가절이라. 다른 집에서는 술을 거른다, 떡을 친다, 지지고 볶느라고 피 피 - 이놈의 냄새가 코 난간을 무너내는데, 흥보집은 냉랭허여 곤신풍이 디리부는 지라. 자식들은 밥을 달라, 떡을 달라. 흥보는 가슴이 미어질 듯, 마음 달랠 길 없어 어디론지 나가버리고, 흥보 마누라는 졸고 앉았다가 설움이 복받치어 신세 자탄 울음을 우는데, 이것이 가난타령이 되었것다.

[진양조]

[A] "가난이야, 가난이야. 원수녀르 가난이야. 복이라 하는 것은 어이하면 잘 타는고. 북두칠성님이 복 마련을 하셨는가. 삼신제왕님이 짚자리에 떨어칠 제 명과 수복을 점지하느냐. 어떤 사람 팔자 좋아 부귀영화로 잘 사는데, 이 년의 팔자는 어이하여 이지경이 웬일이냐. 몹쓸 년의 팔자로다."

흥보 아들 수모

[아니리]

이렇듯 울고 있을 적에, 흥보 열일곱째 아들놈이 유혈이 낭자해 가지고 울고 들어오며, "어머니! 나 송편 세 개만 해 주시오." "아니, 이놈아. 어째서 하필 떡을 세 개만 해 달라고 그러느냐?" "동리로 놀러갔다가 애들이 송편을 먹기에 내가 좀 달랬더니, 가래 속으로 기어 나오면 송편을 주마기에, 송편 얻어먹을 욕심으로,"

[중모리]

[B] "엎져 기어 나갈 적에 뒤엣 놈 떨어져 앞에 와 서고, 그 뒤엣 놈 떨어져 앞에 와 서고, 담 담 놈 떨어져 앞에 와 서서, 한정 없이 기어가자 하니, 무릎이 모두 해지고 유혈이 낭자하였기로 내가 욕설을 좀 하였더니, 송편일랑 고사하고 뺨만 죽게 때려 주니, 송편 세 개만 하여 주면, 한 개는 입에 물고, 두 개는 양손에 갈러 쥐고 조롱하여 가면서 먹을라요." 흥보 마누라 기가 막혀, 목이 메어 하는 말이, "내 자식아. 쯔쯔쯔쯔쯔. 무엇하러 나갔더냐? 천하 몹쓸 애들이지. 못 먹이는 이 어미는 일촌간장이 다 녹는데, 굶어 죽게 생긴 자식을 그리 몹시 하드란 말이냐. 우지 마라, 우지 마라, 불쌍한 내 새끼야, 우지를 마라."

흥보 첫째 박을 탐

[아니리]

이때 흥보는 친구 덕분에 술이 얼근히 취해 가지고, 집 안을 들어와 보니 자기 마누라가 울거늘, "여보, 이게 웬일이오? 배고픈 걸 한을 해 가지고 이렇듯 울음을 우니, 부인이 울어서 우리 집안 식구가 배가 부를 지경이면, 권속대로 늘어앉어, 한 평생허고라도 울어 보지마는, 아, 남 보기 챙피만 하고, 또 동네 사람들이 보면 어찌 흥볼 울음을 운단 말이오? 울지 말고 우리는 있는 박이니, 박이나 타서 박속은 끓여 먹고, 바가지는 부잣집에 팔아다가 목숨 보명해 살아갑시다." 흥보 내외 박을 한 통을 따다 놓고, 톱 빌려다 박을 탈 제,

[진양조]

[C] "시르렁 실건, 톱질이야. 어여루, 톱질이로고나. 몹쓸 놈의 팔자로구나. 원수 놈의 가난이로구나. 어떤 사람 팔자 좋아 일대 영화 부귀헌데, 이놈의 팔자는 어이하여 박을 타서 먹고 사느냐. 에여루, 당거 주소. 이 박을 타거들랑 아무것도 나오지를 말고, 밥 한 통만 나오너라. 평생에 밥이 포한이로구나. 시르렁 시르렁, 당거 주소, 톱질이야. 으흐어어어 시르렁 실근, 당거 주소, 톱질이야. 여 보소, 마누라. 톱 소리를 맞어 주소." "톱 소리를 내가 맞자 해도 배가 고파서 못 맞겄소." "배가 정 고프거든 허리띠를 졸라매고, 어여루, 당거 주소. 시르르 르르르르르 시르르르 르르르렁 시르렁 시르렁 실건 시르렁 실건 당그여라, 톱질이야. 큰 자식은 저리 가고, 작은 자식은 이리 오너라. 우리가 이 박을 타서 박속일랑 끓여 먹고, 바가지는 부잣집에 가 팔아다가 목숨 보명허여 볼거나. 에여 루, 톱질이로고나."

[휘모리]

[D] "실건 실건, 당기어라. 시르렁 실건, 톱질이야. 실근 실근 실근 실근 실근 실근 실근 실근 실근 실근 실근 실건 뚝딱."

01 윗글에 대한 설명으로 적절하지 않은 것은?

① 과장과 해학적 표현을 통해 웃음을 유발한다.
② 긴 이야기를 노래와 말을 교차하면서 진행한다.
③ 산문적 진술과 운문투의 리듬감 있는 서술이 혼재한다.
④ 직업적 소리꾼이 관중들 앞에서 대본을 보고 구연하는 기록 문학적 속성이 강하다.
⑤ 생생한 구어, 사투리 등과 함께 한문투의 표현들이 섞여 있어 중층적 성격의 언어 사용 양상을 보여 준다.

02 윗글에 대한 이해로 적절하지 않은 것은?

① '가난 타령'에서 '흥보'는 집을 비운 상태이다.
② '가난 타령'에서 '흥보 마누라'는 자신이 가난한 까닭을 흥보 때문이라고 생각한다.
③ '흥보 아들 수모'에서 '흥보 아들'은 송편을 얻어먹으려다 무릎에 상처를 입었다.
④ '흥보 아들 수모'에서 '흥보 아들'은 자신을 때린 애들을 조롱하며 송편을 먹고자 한다.
⑤ '흥보 첫째 박을 탐'에서 '흥보'는 '흥보 마누라'가 울고 있는 모습을 부끄럽게 생각한다.

학습 활동 응용

03 〈보기〉를 참고하여, [A]~[D]를 감상한 내용으로 적절하지 않은 것은?

〈보기〉

판소리의 주요 장단

[진양조] 사설의 극적 상황이 한가하고 이완되어 장중한 장면에 많이 쓰이는 가장 느린 장단
[중모리] 사설의 극적 상황이 서정적인 장면이나 서술하는 대목에 많이 쓰이는 보통 빠르기의 장단
[자진 모리] 사설의 극적 상황이 어떤 일을 길게 서술하거나 나열하는 대목, 또는 어느 일이 차례로 길게 벌어지는 대목, 극적이고 긴박한 대목에서 많이 쓰이는 빠른 장단
[휘모리] 사설의 극적 상황이 매우 분주하게 벌어지는 대목에서 많이 쓰이는 매우 빠른 장단

① [A]는 비극적인 분위기 속에서 '흥보 마누라'가 신세 한탄을 하는 장중한 부분이므로 진양조를 쓴 것 같아.
② [B]의 '아들'이 이야기하는 부분은 극적 상황을 서술하는 대목이므로 중모리 장단이 어울리는 것 같아.
③ [B]의 '흥보 마누라'의 사설 부분은 자신의 아들이 겪은 일에 대한 애달픔이 느껴지므로 서정적인 장면에 어울리는 중모리 장단을 쓴 것 같아.
④ [C]는 흥보네 가족의 박을 타는 즐거움이 나열되어 있으므로 극적 긴장감이 이완되는 장면에서 쓰이는 진양조가 어울리는 것 같아.
⑤ [D]는 박을 타는 모습을 빠르게 표현하여 긴장감과 기대감을 조성하고 있으므로 극적 상황이 매우 분주하게 벌어지는 대목에 사용되는 휘모리 장단이 어울리는 것 같아.

서술형

04 〈보기〉를 참고하여 '긴장과 이완'이라는 측면에서 판소리의 '창'과 '아니리'의 역할을 서술하시오.

〈보기〉

판소리에서 구술로써 판소리의 내용을 이야기하듯 서술하는 부분을 '아니리'라고 한다. 반면, '창'은 판소리의 전개에 있어서 인물의 정서가 고양되었을 때 음악의 가락으로써 그 정서를 표현하는 부분을 말한다.

[5~10] 다음 글을 읽고 물음에 답하시오.

쌀과 돈이 든 궤짝이 나옴

[아니리]

박을 딱 타 노니, 박속이 텡 비었거던. 흥보 기가 막혀, "허, 복 없는 놈은 계란에도 유골이라더니, 어떤 놈이 박속은 쏵 긁어다 먹고, 아 여, 남의 조상궤 훔쳐다 넣어 놨구나, 여." 흥보 마누라 보더니, "아이고, 영감. 궤 뚜껑 위에가 뭔 글씨가 쓰여 있소, 예." 흥보 보더니, "음? '박흥보 씨 ㉠ 개탁'이라. 날 보고 열어 보라는 말인디." "아, 그러면 한번 열어 보시오." "열어 봤다가 좋은 것이 들었으면 몰라도, 만일 궂은 것이 들었으면 어쩔 것인가?" "영감, 우리가 시방 이 팔자보다 더 궂게야 되겠소? 근개 그냥 한번 열어 버리시오." "그러면 열어 볼까?" 흥보가 한 궤를 가만히 열고 보니, 아, 쌀이 하나 수북이 들고, 또 한 궤를 딱 열고 본께, 거기는 그냥 돈이 하나 가뜩 들었는데, 궤 뚜껑 속에다가, 쌀은 평생을 두고 퍼내 먹어도 줄지 않는 '취지무궁지미'라 씌었으며, 또 돈궤에도, 이 돈은 평생을 두고 꺼내서 써도 줄지 않는 '용지불갈지전'이라 하였거늘, 흥보가 좋아라고 궤 두 짝을 떨어 붓기 시작을 하는데,

[휘모리]

흥보가 좋아라고, 흥보가 좋아라고, 궤 두 짝을 떨어 붓고 닫쳐 놨다 열고 보면, 도로 하나 가득하고, 쌀과 돈을 떨어 붓고 닫쳐 놨다 열고 보면, 도로 하나 가득하고, 툭툭 떨고 돌아섰다, 돌아보면 도로 하나 가득하고, 떨어 붓고 나면 도로 수북, 떨어 붓고 나면 도로 가득. "아이고, 좋아 죽것다. 일년 삼백육십일 을 그저 꾸역꾸역 나오니라!"

흥보 밥타령

[아니리]

어찌 떨어 부어 놨던지 돈이 일만 구만 냥이요, 쌀이 일만 구만 석이나 되던가 보더라. "자, 우리가 쌀 본 김에 밥부터 좀 해 먹고 궤짝을 떨어 붓든지 박을 타든지 해 봅시다. 우리 권속이 모두 몇이냐? 자식놈들 스물아홉, 우리 내외 ㉡ 도통합이 서른한 명이로구나. 우리가 그렇게 굶주리다가 한 앞에 쌀 한 섬씩 덜 먹겄냐? 쌀 서른한 섬만 밥을 지어라." 동네 가

마솥 있는 집을 찾아다니며, 밥을 꼬두밥 찌듯 쪄서 삯꾼을 사다 져다 붓고, 붓고 한 것이, 밥 더미가 거짓말 좀 보태면 남산 더미만 하던 것이었다. 흥보가 밥 먹으라는 영을 내리는데, "네 이놈들, 체할라. 조심해 먹으렷다. 자, 먹어라!" 해 노니, 이놈들이 '우-' 하더니, 온 데 간 데가 없지. "아이고, 이놈들 다 어디 갔느냐?" 흥보 내외 자식들을 찾느라고 야단이 났는데, 조금 있다가 본깨, 이놈들이 모도 밥 속에서 튕기쳐 나오는데, ⓐ 어찌하여 밥 속에서 나오는고 허니, 어떻게 밥에 환장이 되었던지 밥 속에 가 총 철환 박히듯 콱 박혀 가지고, 당창 벌거지 콧속 파먹듯 저 속에서 밥을 파먹고 나오던 것이었다. 흥보는 자식들같이 그렇게 ㉢ 조백 없이 밥을 먹을 수가 없어, 밥 보고 인사를 하는데, ㉣ 노담부터 나오던 것이었다. "밥님, 너 참 본 지 오래다. 네 소행을 생각하면은 대면도 하기 싫지마는, 그래도 그럴 수가 없어 대면은 하거니와, 원 세상에 사람을 그렇게 괄시한단 말이냐? 에이 손. 섭섭타. 섭섭혀!"

[자진모리]

[A] "세상 인심 간사하여 ㉤ 추세를 한다 한들, 너같이 심할쏘냐? 세돗집 부잣집만 기어코 찾아가서 먹다 먹다 못다 먹으면, 돼야지, 개를 주고, 떼 거위 학두루미와 심지어 오리 떼를 모두 다 먹이고도, 그래도 많이 남아 쉬네 썩네 하지 않더냐? 날과 무삼 원수로서 사흘 나흘 예사 굶겨, 뱃가죽이 등에 붙고, 갈빗대가 따로 나서, 두 눈이 캄캄하고, 두 귀가 멍멍하여, 누웠다 일어나면 정신이 아찔아찔, 앉았다 일어서면 두 다리가 벌렁벌렁, 말라 죽게 되었으되 찾는 일 전혀 없고, 냄새도 안 맡이니, 그럴 수가 있단 말이냐? 에라, 이 괘씸한 손, 그런 법이 없느니라!" 한참 이리 준책터니 도로 슬쩍 달래는데, "히히히, 그것 참. 내가 이리 했다 해서 노여워 아니 오랴느냐? 어여뻐 한 말이지, 미워 한 말 아니로다. 친구가 조만 없어 정지후박에 매였으니, 하상견지만만야오, 떨어져 살지 말자. 애개개, 내 밥이야. 옥을 준들 널 바꾸며, 금을 준들 널 바꿀쏘냐. 애개개, 내 밥이야. 제발 덕분에 다정히 살자!" 새 정이 붙게 하느라 이런 야단이 없었구나.

05 윗글의 내용으로 적절하지 않은 것은?

① '흥보'는 궤를 열어 보는 것을 망설인다.
② 박을 타서 나온 궤에는 쌀과 돈이 계속 차오른다.
③ '흥보'는 박속에 궤가 든 것을 보고 처음에는 실망한다.
④ '흥보'는 집에 있는 큰 가마솥에 밥을 지어 굶주린 가족을 먹게 한다.
⑤ '흥보 마누라'는 궤를 열기 전의 상황을 더 나빠질 것이 없는 부정적 상황으로 인식하고 있다.

학습 활동 응용

06 〈보기〉를 참고하여 윗글의 '아니리' 부분을 감상한 것으로 가장 적절한 것은?

〈보기〉
창에 비해 대체로 평범한 일상어로 구성되는 '아니리'는 주로 사건의 전개를 요약적으로 서술하고 인물의 심리나 인물 간의 대화를 전달함으로써 장면의 상황 설정을 제시하는 기능을 한다.

① '아이고, 영감. 궤 뚜껑 위에가 뭔 글씨가 쓰여 있소, 예.'라는 부분에서는 사건을 요약적으로 서술하여 사건의 전개 속도를 빠르게 하고 있어.
② '쌀은 평생을 두고 퍼내 먹어도 줄지 않는 '취지무궁지미'라 씌었으며, 또 돈궤에도, 이 돈은 평생을 두고 꺼내서 써도 줄지 않는 '용지불갈지전'이라 하였거늘.'이라는 부분에서는 인물의 심리를 표현하여 '흥보'의 비극적 현실을 강조하고 있어.
③ '밥을 꼬두밥 찌듯 쪄서 삯꾼을 사다 져다 붓고, 붓고 한 것이'라는 부분에서는 '흥보 가족'이 밥을 잔뜩 해대는 과정을 요약적으로 서술하고 있어.
④ '네 이놈들, 체할라. 조심해 먹으렷다. 자, 먹어라!'라고 하는 부분에는 인물 간의 대화를 통해 서로 자신의 몫만 챙기려고 하는 '흥보 가족'의 갈등 상황이 잘 드러나.
⑤ '밥님, 너 참 본 지 오래다. 네 소행을 생각하면은 대면도 하기 싫지마는' 하는 부분을 통해 밥을 멀리할 수밖에 없었던 '흥보'의 사정이 요약적으로 드러나 있어.

07 [A]에 드러난 흥보의 말하기 방식에 대한 설명으로 가장 적절한 것은?

① 대상의 과거 행적을 칭찬하고 있다.
② 대상이 없이도 자신이 잘 지낼 수 있음을 강조하고 있다.
③ 자신을 비난하는 대상의 논리가 이치에 맞지 않음을 지적하고 있다.
④ 대상에 대한 원망과 애정이라는 상반된 태도를 함께 드러내고 있다.
⑤ 대상의 노여움을 불러일으킨 원인이 자신과 관련이 없다고 주장하고 있다.

08 ㉠~㉤의 뜻을 풀이한 것으로 적절하지 않은 것은?

① ㉠: 봉한 편지나 서류 따위를 뜯어보라는 뜻으로, 주로 손아랫사람에게 보내는 편지의 겉봉에 쓰는 말.
② ㉡: 모두 합한 셈.
③ ㉢: 옳고 그름을 비유적으로 이르는 말.
④ ㉣: 성나서 하는 말.
⑤ ㉤: 어떤 현상이 일정한 방향으로 나아가는 경향.

09 ⓐ에 대한 설명으로 적절하지 않은 것은?

① 밥 더미가 산만큼 커서 흥보 자식들이 그 속에 박혀 먹는다는 과장된 표현이다.
② 늘 굶주리다가 많은 밥을 보고 흥분한 흥보 자식들의 모습을 해학적으로 표현하고 있다.
③ 빈곤이라는 심각하고 절망스러운 현실을 웃음으로 극복하려고 한 당대 서민들의 의식을 알 수 있다.
④ 가난한 현실에서 벗어나 배불리 먹기를 바라는 서민들의 소망을 상상 속에서나마 실현시킨 것이다.
⑤ 당대 부자들과 가난한 사람들의 모습을 극대화하여 비교함으로써 부자들의 행태를 비판하는 주제 의식을 담고 있다.

학습 활동 응용

10 윗글과 〈보기〉를 비교하여 감상한 내용으로 가장 적절한 것은?

〈보기〉

흥부 부부가 박 덩이를 사이하고
가르기 전에 건넨 웃음살을 헤아려 보라.
금이 문제리,
황금 벼 이삭이 문제리,
웃음의 물살이 반짝이며 정갈하던
그것이 확실히 문제다.

없는 떡방아 소리도
있는 듯이 들어내고
손발 닮은 처지끼리
같이 웃어 비추던 거울 면(面)들아.

웃다가 서로 불쌍해
서로 구슬을 나누었으리.
그러다 금시
절로 면(面)에 온 구슬까지를 서로 부끄리며
먼 물살이 가다가 소스라쳐 반짝이듯
서로 소스라쳐
본(本)웃음 물살을 지었다고 헤아려 보라.
그것은 확실히 문제다.

– 박재삼, 「흥부 부부상」

① 윗글과 달리 〈보기〉에는 가난한 현실에 대한 과장적이고 해학적인 진술이 드러난다.
② 윗글과 달리 〈보기〉에는 물질적 가치보다 사랑과 연민 같은 정신적 가치에 집중하는 삶의 태도가 드러난다.
③ 〈보기〉와 달리 윗글에는 가족 간의 갈등과 화해의 과정이 세밀하게 그려지고 있다.
④ 〈보기〉와 달리 윗글에는 현실을 자신의 능력으로 적극적으로 극복하려는 인물의 의지가 강조되고 있다.
⑤ 윗글과 〈보기〉는 모두 가난의 고달픔에 대한 한탄이 중심 내용을 이루고 있다.

03 소설가 구보 씨의 일일 박태원

출제 포인트	• 작품의 서술상·문체상의 특징 파악하기 • 1930년대의 사회·문화적 맥락 고려하여 작품 감상하기

작품 개관

갈래	중편 소설, 심리 소설, 세태 소설, 모더니즘 소설	성격	심리적, 사색적, 관찰적
시점	전지적 작가 시점		
제재	• 1930년대 경성 거리의 일상사 • 소설가 구보 씨의 하루 생활		
주제	1930년대를 사는 무기력한 소설가의 내면 의식과 그의 눈에 비친 경성의 일상		
특징	• 의식의 흐름 기법을 사용함. • 하루에 걸쳐 원점으로 회귀하는 여로 형식을 취함. • 1930년대 서울의 모습과 세태를 구체적으로 묘사함. • 몽타주 기법의 활용, 잦은 쉼표의 사용, 첫 어절을 소제목으로 처리하는 방법의 활용 등 실험성을 가미함.		

서술상의 특징

관찰한 내용	내면 의식
당대의 세태와 풍속, 도시의 사소한 풍경들, 주변 인물들의 모습	자신에게 결여된 일상적인 행복과 지식인의 고독 사이에서의 갈등

문체상의 특징

만연체 문장	쉼표의 빈번한 사용
간명하게 정돈되지 않은 사유의 과정을 논리적 조성 없이 그대로 보여 줌.	긴 문장을 끊어 리듬감을 주고, 인물의 심리를 섬세하게 드러냄.

↓

• 주인공의 내면적 동요를 잘 드러나게 함.
• 일제 강점하에서 돌파구가 없었던 지식인들의 고독감과 도시인의 쓸쓸한 내면 풍경을 잘 드러냄.

구보의 인물 유형

일본 유학을 다녀온 근대적 지식인임에도 무위도식하는 무기력한 자신에게 부끄러움을 느끼는 한편, 소설가로서의 자부심이 강해 일반인을 속물로 치부하는 인물 → 식민지 지식인이 느끼는 무력감과 고뇌, 회의감이 투영된 인물

[1~5] 다음 글을 읽고 물음에 답하시오.

앞부분 줄거리 스물 여섯 살의 소설가 구보는 동경 유학까지 다녀왔지만, 일정한 직업도 없고 아직 결혼도 하지 않았다. 구보는 어머니의 걱정을 뒤로한 채 무작정 집을 나서 길을 걷는다.

구보는

갑자기 걸음을 걷기로 한다. 그렇게 우두커니 다리 곁에 가 서 있는 것의 무의미함을 새삼스러이 깨달은 까닭이다. 그는 종로 네거리를 바라보고 걷는다. 구보는 종로 네거리에 아무런 사무도 갖지 않는다. 처음에 그가 아무렇게나 내어놓았던 바른발이 공교롭게도 왼편으로 쏠렸기 때문에 지나지 않는다.

갑자기 한 사람이 나타나 그의 앞을 가로질러 지난다. 구보는 그 사내와 마주칠 것 같은 착각을 느끼고, 위태롭게 걸음을 멈춘다.

그리고 다음 순간, 구보는, 이렇게 대낮에도 조금의 자신을 가질 수 없는 자기의 시력을 저주한다. 그의 코 위에 걸려 있는 이십사 도의 안경은 그의 근시를 도와주었으나, 그의 망막에 나타나 있는 무수한 맹점을 제거하는 재주는 없었다. 총독부 병원 시대의 구보의 시력 검사표는 그저 그 우울한 '안과 재래(眼科再來)'의 책상 서랍 속에 들어 있을지도 모른다.

R, 4　L, 3

구보는, 이 주일간 열병을 앓은 끝에, 갑자기 쇠약해진 시력을 호소하러 처음으로 안과의와 대하였을 때의, 그 조그만 테이블 위에 놓여 있던 '시야 측정기'를 지금 기억하고 있다. 제 자신 강도(強度)의 안경을 쓰고 있던 의사는, 백묵을 가져, 그 위에 용서 없이 무수한 맹점을 찾아내었었다.

그래도, 구보는, 약간 자신이 있는 듯싶은 걸음걸이로 전차 선로를 두 번 횡단하여 화신 상회 앞으로 간다. 그리고 저도 모를 사이에 그의 발은 백화점 안으로 들어서기조차 하였다.

젊은 내외가, 너덧 살 되어 보이는 아이를 데리고 그곳에

가 승강기를 기다리고 있었다. 이제 그들은 식당으로 가서 그들의 오찬을 즐길 것이다. ㉠ 흘낏 구보를 본 그들 내외의 눈에는 자기네들의 행복을 자랑하고 싶어 하는 마음이 엿보였는지도 모른다. 구보는, 그들을 업신여겨 볼까 하다가, 문득 생각을 고쳐, 그들을 축복해 주려 하였다. 사실, 사오 년 이상을 같이 살아왔으면서도, 오히려 새로운 기쁨을 가져 이렇게 거리로 나온 젊은 부부는 구보에게 좀 다른 의미로서의 부러움을 느끼게 하였는지도 모른다. 그들은 분명히 가정을 가졌고, 그리고 그들은 그곳에서 당연히 그들의 행복을 찾을 게다.

승강기가 내려와 서고, 문이 열리고, 닫히고, 그리고 젊은 내외는 수남(壽男)이나 복동(福童)이와 더불어 구보의 시야를 벗어났다.

구보는 다시 밖으로 나오며, 자기는 어디 가 행복을 찾을까 생각한다. 발 가는 대로, 그는 어느 틈엔가 안전지대에 가 서서, 자기의 두 손을 내려다보았다. 한 손의 단장과 또 한 손의 공책과 — 물론 구보는 거기에서 행복을 찾을 수는 없다.

안전지대 위에, 사람들은 서서 전차를 기다린다. 그들에게, 행복은 알 수 없다. 그러나 그들은 분명히, 갈 곳만은 가지고 있었다.

전차가 왔다. 사람들은 내리고 또 탔다. 구보는 잠깐 멍하니 그곳에 서 있었다. 그러나 자기와 더불어 그곳에 있던 온갖 사람들이 모두 저 차에 오른다 보았을 때, 그는 저 혼자 그곳에 남아 있는 것에, 외로움과 애달픔을 맛본다. 구보는, 움직인 전차에 뛰어올랐다.

01 윗글의 서술상 특징으로 가장 적절한 것은?

① 과거와 현재의 교차를 통해 주제를 구체화하고 있다.
② 간결한 문장을 바탕으로 사건을 긴박하게 진행하고 있다.
③ 첨예한 대립 구조를 바탕으로 인물 간의 갈등을 심화하고 있다.
④ 내화와 외화를 넘나드는 액자식 구조를 이용해 사건을 전개하고 있다.
⑤ 첫 어절을 소제목으로 처리하는 방법을 통해 이야기를 전개하고 있다.

02 윗글의 '구보'에 대한 이해로 적절하지 않은 것은?

① '구보'는 단장과 공책을 가지고 서울 거리를 오가고 있다.
② '구보'는 젊은 내외를 보며 그들이 오찬을 즐길 것이라 예상하고 있다.
③ '구보'는 다리 옆에 우두커니 서 있다가 별다른 사무 없이 종로 네거리로 나서고 있다.
④ '구보'는 안과에서 안경을 맞춘 뒤로 주위를 세밀하게 관찰하는 데에 자신감을 가지게 된다.
⑤ '구보'는 안전지대 위에서 사람들이 전차에 오르자 외로움과 애달픔을 느낀다.

고난도

03 윗글은 〈보기〉의 ㉮의 시점으로 서술되어 있다. ㉠을 ㉯의 시점으로 서술한다고 할 때, 가장 적절한 것은?

〈보기〉

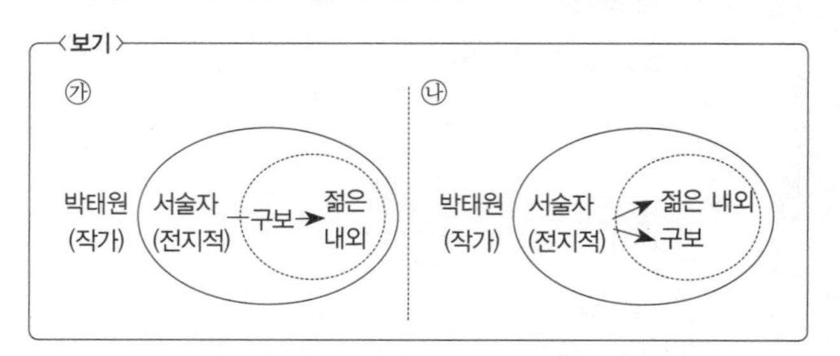

① 흘낏 '구보'를 본 그들 내외의 눈에는 웃음기가 있었다.
② 흘낏 그들 내외를 보며 '구보'는 행복한 표정을 짓고 있었다.
③ 흘낏 '구보'를 본 그들 내외는 자기네들의 행복을 자랑하고 싶어 하였다.
④ 흘낏 나를 본 그들 내외는 자기네들의 행복을 자랑하고 싶어하는 지도 모른다.
⑤ 흘낏 나를 본 그들 내외는 자기네들의 행복을 자랑하고 싶어하는 듯한 표정을 지었다.

학습 활동 응용

04 다음은 '구보'가 바라본 대상과 그에 대한 '구보'의 생각과 느낌을 정리한 것이다. 가장 적절한 것은?

대상	생각과 느낌
종로 네거리의 사내	① 목적 없이 걷는 모습에 동질감을 느낌.
젊은 내외와 아이	② 업신여기려다가 부러움을 느낌. ③ 축복을 해 주려 하였지만 마음을 고쳐 먹음.
안전지대 위의 사람들	④ 갈 곳 없어 하는 사람들의 모습에 연민 의식을 드러냄. ⑤ 움직이는 전차에 뛰어오르는 사람들의 모습에 행복을 찾을 수는 없다고 생각함.

학습 활동 응용

05 〈보기〉를 바탕으로 윗글을 감상한 내용으로 적절하지 않은 것은?

〈보기〉

박태원은 이태준, 김기림, 정지용 등이 주도한 구인회(九人會)에 이상과 함께 가입하면서 본격적인 작품 활동을 시작하였는데, 1934년 「소설가 구보 씨의 일일」을 발표하며 당대 모더니즘 소설을 대표하는 작가로 떠오른다. 옆구리에 대학 노트를 끼고 근대화가 진행 중인 경성 도심의 거리를 할 일 없이 떠돌다가 밤늦게 집으로 돌아오는 것으로 끝나는 이 하루 동안의 이야기는 작가 박태원의 일기이자, 당대에 살던 무력한 지식인들의 일일 보고서이다. 일반적이지 않은 이 소설의 전개 방식은 독특한 근대성을 구성하는 요소로 작용한다. 무료하게 이리저리 기웃거리며 작가가 스케치하는 풍경을 따라가다 보면 근대 문명이 가져온 야릇한 새로움과 함께, 현대인의 소외된 심리를 만나게 되는 것이다.

① 현재형 어미를 사용한 서술은 독자가 인물의 움직임을 진행형으로 따라가게 만드는군.
② 구보는 일제 강점하 무기력한 지식인으로서의 작가인 박태원 자신을 투영시킨 인물이군.
③ '화신 상회'는 당대 조선의 현실과 다소 괴리된 서양식 백화점으로 근대화된 경성의 분위기를 보여 주는군.
④ '구보'는 과거에 대한 여러 생각을 동시에 떠올리는데, 이러한 기법은 모더니즘 소설의 특징이라 할 수 있겠군.
⑤ 안전지대 위에서 전차를 기다리는 사람들과 달리 목적지가 없는 '구보'의 모습에서 현대인의 소외감을 엿볼 수 있군.

[6~9] 다음 글을 읽고 물음에 답하시오.

전차 안에서

구보는, 우선, 제자리를 찾지 못한다. 하나 남았던 좌석은 그보다 바로 한 걸음 먼저 차에 오른 젊은 여인에게 점령당했다. 구보는, 차장대(車掌臺) 가까운 한구석에 가 서서, 자기는 대체, 이 동대문행 차를 어디까지 타고 가야 할 것인가를, 대체 어느 곳에 행복은 자기를 기다리고 있을 것인가를 생각해 본다.

이제 이 차는 동대문을 돌아 경성 운동장 앞으로 해서…… 구보는, 차장대, 운전대로 향한, 안으로 파란 융을 받쳐 댄 창을 본다. 전차과(電車課)에서는 그 곳에 '뉴스'를 게시한다. 그러나 사람들은 요사이 축구도 야구도 하지 않는 모양이었다.

장충단으로, 청량리로, 혹은 성북동으로……. ㉠ 그러나 요사이 구보는 교외를 즐기지 않는다. 그곳에는, 하여튼 자연이 있었고, 한적(閑寂)이 있었다. 그리고 고독조차 그곳에는, 준비되어 있었다. 요사이, 구보는 고독을 두려워한다.

일찍이 그는 고독을 사랑한 일이 있었다. 그러나 고독을 사랑한다는 것은 그의 심경의 바른 표현이 못 될 게다. 그는 결코 고독을 사랑하지 않았는지도 모른다. 아니 도리어 그는 그것을 그지없이 무서워하였는지도 모른다. 그러나 그는 고독과 힘을 겨루어, 결코 그것을 이겨 내지 못하였다. 그런 때, 구보는 차라리 고독에게 몸을 떠맡겨 버리고, 그리고, 스스로 자기는 고독을 사랑하고 있는 것이라고 꾸며 왔었는지도 모를 일이다……

표, 찍읍쇼 ── 차장이 그의 앞으로 왔다. 구보는 단장을 왼팔에 걸고, 바지 주머니에 손을 넣었다. 그러나 그가 그 속에서 다섯 닢의 동전을 골라내었을 때, 차는 종묘 앞에 서고, 그리고 차장은 제자리로 돌아갔다.

구보는 눈을 떨어뜨려, 손바닥 위의 다섯 닢 동전을 본다. 그것들은 공교롭게도 모두가 뒤집혀 있었다. 대정(大正) 12년. 11년. 11년. 8년. 12년. 대정 54년 ──, 구보는 그 숫자에서 어떤 한 개의 의미를 찾아내려 들었다. 그러나 그것은 부질없는 일이었고, 그리고 또 설혹 그것이 무슨 의미를 가지고 있었다 하더 라도, 그것은 적어도 '행복'은 아니었을 게다.

차장이 다시 그의 옆으로 왔다. 어디를 가십니까. 구보는 전차가 향해 가는 곳을 바라보며 문득 창경원에라도 갈까, 하고 생각한다. 그러나 그는 차장에게 아무런 사인도 하지 않았다. 갈 곳을 갖지 않은 사람이, 한번, 차에 몸을 의탁하였을 때, 그는 어디서든 섣불리 내릴 수 없다.

차는 서고, 또 움직였다. 구보는 창밖을 내다보며, 문득, 대학병원에라도 들를 것을 그랬나 해 본다. 연구실에서, 벗은, 정신병을 공부하고 있었다. 그를 찾아가, 좀 다른 세상을 구경하는 것은, 행복은 아니어도, 어떻든 한 개의 일일 수 있다……

구보가 머리를 돌렸을 때, 그는 그곳에, 지금 막 차에 오른 듯싶은 한 여성을 보고, 그리고 신기하게 놀랐다. 집에 돌아가, 어머니에게 오늘 전차에서 '그 색시'를 만났죠 하면, 어머니는 응당 반색을 하고, 그리고, "그래서 그래서," 뒤를 캐어 물을 게다. 그가 만약, 오직 그뿐이라고라도 말한다면, 어머니는 실망하고, 그리고 그를 주변머리 없다고 책할지도 모른다. 그러나 누가 그 일을 알고, 그리고 아들을 졸(拙)하다고라도 말한다면, 어머니는, 내 아들은 원체 얌전해서…… 그렇게 변호할 게다.

구보는 여자와 시선이 마주칠까 겁(怯)하여, 얼토당토않은 곳을 보며, 저 여자는 내가 여기 있는 것을 보았을까, 하고 생각한다.

중략 부분 줄거리 여자와의 단 한 번 만남에 관해 회상하는 동안 여자가 시야에서 멀어지자, 구보는 여자에게 알은체하지 않은 것을 뒤늦게 후회한다. 예전에 자신이 좋아했던 어떤 여자를 떠올리며 행복에 관한 상념에 잠겼던 구보는 다방에서 차를 마시고 벗을 찾아가기로 한다. 거리를 걷던 구보는 우연히 마주친 옛 벗에게 용기를 내어 인사하지만 냉랭하게 외면을 당하고 울 것 같은 감정을 느낀다.

서술형 학습 활동 응용

06 ㉠의 이유에 대해 〈조건〉에 맞게 서술하시오.

〈조건〉
• '고독'에 관한 구보의 태도와 관련지을 것

07 윗글의 '어머니'에 대한 추론으로 가장 적절한 것은?

① '그 색시'는 '어머니'도 이미 알고 있는 사람이다.
② '어머니'는 방정맞은 '구보'의 성격을 걱정하고 있다.
③ '어머니'는 '구보'가 서울에서 며느리감을 얻어오기를 원하였다.
④ '어머니'는 '구보'에게 여자를 만날 때는 과묵해야 한다고 가르쳤다.
⑤ '어머니'는 며느리 감으로 적당한 여자를 '구보'와 마주치게 계획하였다.

08 '그 색시'에 대한 구보의 심리 변화로 가장 적절한 것은?

① 신기한 만남에 반색함. → 행복한 상념에 잠김.
② 우연한 만남에 놀람. → 외면을 당할까 걱정함.
③ 시야에서 멀어지기를 바람. → 용기를 내어 인사함.
④ 마주칠까 겁이 남. → 알은체하지 않은 것을 후회함.
⑤ 오랜만의 만남에 신기함. → 주변머리 없다고 자신의 태도를 질책함.

고난도

09 윗글에서 〈보기〉에서 설명하는 서술 기법이 나타난 부분으로 보기 어려운 것은?

〈보기〉
이 소설은 일반적인 소설에서 나타나는 사건 중심의 인과적이고 통일된 서술과 달리, 등장인물의 의식, 즉 생각의 흐름에 따라 이야기를 전개하고 있다. 즉 외부적인 사건을 따라 이야기를 전개하기 보다는 등장인물의 사고, 기억, 연상 등과 같은 내부적인 계기를 중심으로 이야기를 전개함으로써 등장인물이 보고 들은 것보다 그것을 계기로 해서 생각하게 되는 내용이 서술의 중심 내용이 된다.

① 어디를 갈지 고민하다 창에 있는 뉴스에 대한 생각으로 옮겨 가는 부분
② 버스의 행로에 대한 생각을 하다가 고독에 대해 생각하는 부분
③ '차장'이 자신에게 다가오자 '구보'가 자신의 바지 주머니의 손을 넣어 동전을 세는 부분
④ 동전을 보며 동전의 숫자에서 의미를 찾아내려 하는 부분
⑤ 전차에 탄 여성을 보다가 '어머니'의 반응을 생각하는 부분

[10~14] 다음 글을 읽고 물음에 답하시오.

조그만

한 개의 기쁨을 찾아, 구보는 남대문을 안으로 밖으로 나가 보기로 한다. 그러나 그곳에는 불어 드는 바람도 없이 양옆에 웅숭그리고 앉아 있는 서너 명의 지게꾼들의 그 모양이 맥없다.

구보는 고독을 느끼고, 사람들 있는 곳으로, 약동하는 무리들이 있는 곳으로, 가고 싶다 생각한다. 그는 눈앞에 경성역을 본다. ㉠ 그곳에는 마땅히 인생이 있을 게다. 이 낡은 서울의 호흡과 또 감정이 있을 게다. 도회의 소설가는 모름지기 이 도회의 항구와 친해야 한다. 그러나 물론 그러한 직업의식은 어떻든 좋았다. 다만 구보는 고독을 삼등 대합실 군중 속에 피할 수 있으면 그만이다.

㉡ 그러나 오히려 고독은 그곳에 있었다. 구보가 한옆에 끼어 앉을 수도 없게시리 사람들은 그곳에 빽빽하게 모여 있어도, 그들의 누구에게서도 인간 본래의 온정을 찾을 수는 없었다. 그네들은 거의 옆의 사람에게 한마디 말을 건네는 일도 없이, 오직 자기네들 사무에 바빴고, 그리고 간혹 말을 건네도, 그것은 자기네가 타고 갈 열차의 시각이나 그러한 것에 지나지 않았다. 그네들의 동료가 아닌 사람에게 그네들은 변소에 다녀올 동안의 그네들 짐을 부탁하는 일조차 없었다. 남을 결코 믿지 않는 그네들의 눈은 보기에 딱하고 또 가엾었다.

구보는 한구석에 가 서서, 그의 앞에 앉아 있는 **노파**를 본다. 그는 뉘 집에 드난을 살다가 이제 늙고 또 쇠잔한 몸을 이끌어, 결코 넉넉하지 못한 어느 시골, 딸 네 집이라도 찾아가는지 모른다. 이미 굳어 버린 그의 안면 근육은 어떠한 다행한 일에도 펴질 턱없고, 그리고 그의 몽롱한 두 눈은 비록 그의 딸의 그지없는 효양(孝養)을 가지고도 감동시킬 수 없을지 모른다. 노파 옆에 앉은 **중년의 시골 신사**는 그의 시골서 조그만 백화점을 경영하고 있을 게다. 그의 점포에는 마땅히 주단포목도 있고, 일용 잡화도 있고, 또 흔히 쓰이는 약품도 갖추어 있을 게다. 그는 이제 그의 옆에 놓인 물품을 들고 자랑스러이 차에 오를 게다. 구보는 그 시골 신사가 노파와 사이에 되도록 간격을 가지려고 노력하는 것을 발견하고, 그리고 그를 업신여겼다. 만약 그에게 얕은 지혜와 또 약간의 용기를 주면 그는 삼등 승차권을 주머니 속에 간수하고, 일, 이등 대합실에 오만하게 자리 잡고 앉을 게다.

문득 구보는 그의 얼굴에 부종(浮腫)을 발견하고 그의 앞을 떠났다. 신장염. 그뿐 아니라, 구보는 자기 자신의 만성 위 확장을 새삼스러이 생각해 내지 않으면 안 되었다. 그러나 구보가 매점 옆에까지 갔었을 때, 그는 그곳에서도 역시 병자를 보지 않으면 안 되었다. **사십여 세의 노동자.** 전경부(前頸部)의 광범한 팽륭(澎隆). 돌출한 안구. 또 손의 경미한 진동. 분명히 '바세도우'씨병. 그것은 누구에게든 결코 깨끗한 느낌을 주지는 못한다. 그의 좌우에는 좌석이 비어 있어도 사람들은 그곳에 앉으려 들지 않는다. 뿐만 아니라, 그에게서 두 칸 통 떨어진 곳에 있던 **아이 업은 젊은 아낙네**가 그의 바스켓 속에서 꺼내다 잘못하여 시멘트 바닥에 떨어뜨린 한 개의 복숭아가, 굴러 병자의 발 앞에까지 왔을 때, 여인은 그것을 쫓아와 집기를 단념하기조차 하였다.

구보는 이 조그만 사건에 문득, 흥미를 느끼고, 그리고 그의 '대학 노트'를 펴 들었다. 그러나 그가 문 옆에 기대어 섰는 캡 쓰고 린네르 쓰메에리 **양복 입은 사내**의, 그 온갖 사람에게 의혹을 갖는 두 눈을 발견하였을 때, 구보는 또다시 우울 속에 그곳을 떠나지 않으면 안 된다.

학습 활동 응용

10 윗글에서 '구보'의 눈에 비친 대상들에 대한 설명으로 적절하지 않은 것은?

① 노파 – 늙고 쇠잔하여 딸의 효양으로도 감동시키기 어려움.
② 중년의 시골 신사 – 건강하고 의기양양하며 노파와 거리를 유지하려고 함.
③ 사십여 세의 노동자 – 전경부의 팽륭과 돌출한 안구, 손을 떠는 증상으로 보았을 때 질병을 앓고 있는 것으로 생각됨.
④ 아이 업은 젊은 아낙네 – 병을 앓고 있는 노동자를 멀리하려 하고 있음.
⑤ 양복 입은 사내 – 대합실의 모든 사람들에게 의혹을 갖는 두 눈을 보이고 있음.

11 '구보'가 경성역을 찾은 이유로 가장 적절한 것은?

① 변해 가는 시대의 흐름을 확인하기 위해서
② 자신이 살고 있는 도시를 벗어나기 위해서
③ 오랜만에 찾아오는 친구를 마중하기 위해서
④ 고독을 피해 무의미한 삶에 활기를 찾기 위해서
⑤ 대합실에 있는 사람들의 모습을 관찰하기 위해서

12 윗글의 내용을 다음과 같이 정리할 때, A~C에 대한 설명으로 적절하지 않은 것은?

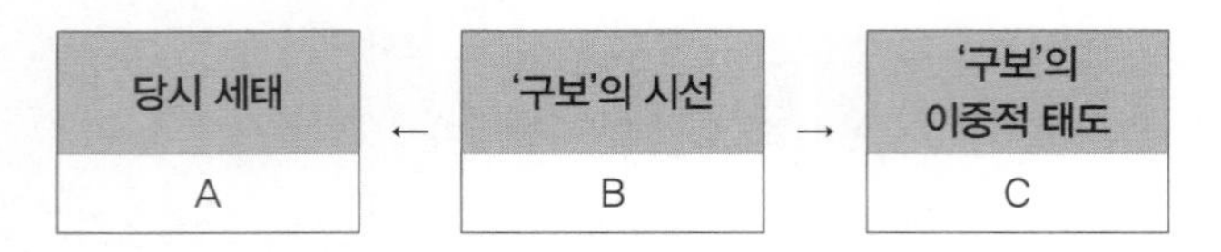

① A~C는 경성역 대합실에서 벌어지는 사건이다.
② 근대화로 인해 병들어가는 사람들의 모습을 통해 A를 드러낸다.
③ B는 '구보'가 A의 모습을 냉소적으로 관찰하는 내용이다.
④ C는 B의 '구보'의 시선이 한 사람에게만 머물러 있는 것의 결과이다.
⑤ '구보' 자신도 병자를 피해 자리에서 일어나는 모습을 통해 C의 모습을 확인할 수 있다.

13 ㉠과 ㉡의 '그곳'에 대한 '구보'의 심리 변화를 나타낸 것으로 가장 적절한 것은?

① ㉠의 그곳에서 갖은 기대감이 ㉡의 그곳에서 실망으로 바뀐다.
② ㉠의 그곳에서 대한 추측이 ㉡의 그곳에서 슬픔으로 드러난다.
③ ㉠의 그곳에서 허무감을 느끼지만, ㉡의 그곳에서는 감동을 받는다.
④ ㉠의 그곳에서 포기했던 감정이, ㉡의 그곳에서는 동경으로 바뀐다.
⑤ ㉠의 그곳에서 고립감을 느끼지만, ㉡의 그곳에서 공간과 동화되는 기분을 느낀다.

학습 활동 응용

14 윗글과 〈보기〉의 공통점에 대한 설명으로 적절하지 않은 것은?

〈보기〉

여러 번 자동차에 치일 뻔하면서 나는 그대로 경성역을 찾아갔다. 빈자리와 마주 앉아서 이 쓰디쓴 입맛을 거두기 위하여 무엇으로나 입가심을 하고 싶었다. / 커피 — 좋다. 그러나 경성역 홀에 한 걸음을 들여놓았을 때 나는 내 주머니에는 돈이 한 푼도 없는 것을, 그것을 깜빡 잊었던 것을 깨달았다. 또 아뜩하였다. 나는 어디선가 그저 맥없이 머뭇머뭇하면서 어쩔 줄을 모를 뿐이었다. 얼빠진 사람처럼 그저 이리 갔다 저리 갔다 하면서…….

나는 어디로 어디로 들입다 쏘다녔는지 하나도 모른다. 다만 몇 시간 후에 내가 미쓰코시 옥상에 있는 것을 깨달았을 때는 거의 대낮이었다.

나는 거기 아무 데나 주저앉아서 내 자라 온 스물여섯 해를 회고하여 보았다. 몽롱한 기억 속에서는 이렇다는 아무 제목도 불거져 나오지 않았다.

나는 또 내 자신에게 물어보았다. 너는 인생에 무슨 욕심이 있느냐고. 그러나 있다고도 없다고도, 그런 대답은 하기가 싫었다. 나는 거의 나 자신의 존재를 인식하기조차도 어려웠다.

허리를 굽혀서 나는 그저 금붕어나 들여다보고 있었다. 금붕어는 참 잘들 생겼다. 작은 놈은 작은 놈대로 큰 놈은 큰 놈대로 다 싱싱하니 보기 좋았다. 내리비치는 오월 햇살에 금붕어들은 그릇 바탕에 그림자를 내려뜨렸다. 지느러미는 하늘하늘 손수건을 흔드는 흉내를 낸다. 나는 이 지느러미 수효를 헤아려 보기도 하면서 굽힌 허리를 좀처럼 펴지 않았다. 등어리가 따뜻하다.

나는 또 회탁의 거리를 내려다보았다. 거기서는 피곤한 생활이 똑 금붕어 지느러미처럼 흐늑흐늑 허비적거렸다. 눈에 보이지 않는 끈적끈적한 줄에 엉켜서 헤어나지들을 못한다. 나는 피로와 공복 때문에 무너져 들어가는 몸뚱이를 끌고 그 회탁의 거리 속으로 섞여 들어가지 않는 수도 없다 생각하였다.

— 이상, 「날개」

① 1930년대 일제 강점기를 배경으로 하고 있다.
② 중심인물이 모두 고독과 무기력감을 느끼고 있다.
③ 중심인물이 모두 뚜렷한 목적지 없이 거리를 배회하고 있다.
④ 의식의 흐름 기법을 사용해 중심인물의 내면세계를 그려내고 있다.
⑤ 무기력한 삶에서 벗어나 본래의 자아를 회복하려는 의지를 드러내고 있다.

[15~20] 다음 글을 읽고 물음에 답하시오.

개찰구 앞에

두 명의 사내가 서 있었다. 낡은 파나마에 모시 두루마기 노랑 구두를 신고, 그리고 손에 조그만 보따리 하나도 들지 않은 그들을, 구보는, 확신을 가져 무직자라고 단정한다. 그리고 이 시대의 무직자들은, 거의 다 금광 중개상에 틀림없었다. ⓐ 구보는 새삼스러이 대합실 안팎을 둘러본다. 그러한 인물들은, 이곳에도 저곳에도 눈에 띄었다.

황금광 시대(黃金狂時代).

저도 모를 사이에 구보의 입술은 무거운 한숨이 새어 나왔다. 황금을 찾아, 황금을 찾아, 그것도 역시 숨김없는 인생의, 분명히, 일면이다. ㉠ 그것은 적어도, 한 손에 단장과 또 한 손에 공책을 들고, 목적 없이 거리로 나온 자기보다는 좀 더 진실한 인생이었을지도 모른다. 시내에 산재한 무수한 광무소(鑛務所). 인지대 백 원. 열람비 오 원. 수수료 십 원. 지도대 십팔 전…… 출원 등록된 광구, 조선 전토(全土)의 칠 할. 시시각각으로 사람들은 졸부가 되고, 또 몰락해 갔다. 황금광 시대. 그들 중에는 평론가와 시인, 이러한 문인들조차 끼어 있었다. 구보는 일찍이 창작을 위해 그의 벗의 광산에 가 보고 싶다 생각하였다. 사람들의 사행심, 황금의 매력, 그러한 것들을 구보는 보고, 느끼고, 하고 싶었다. 그러나, 고도의 금광열은, 오히려, 총독부 청사, 동측 최고층, 광무과 열람실에서 볼 수 있었다…….

문득, ⓑ 한 사내가 둥글넓적한, 그리고 또 비속한 얼굴에 웃음을 띠고, 구보 앞에 그의 모양 없는 손을 내민다. 그도 벗이라면 벗이었다. 중학 시대의 열등생. 구보는 그래도 약간 웃음에 가까운 표정을 지어 보이고, 그리고, 단장 든 손을 그대로 내밀어 그의 손을 가장 엉성하게 잡았다. 이거 얼마 만이야. 어디, 가나. 응, 자네는 ─.

구보는 친하지 않은 사람에게 '자네' 소리를 들으면 언제든 불쾌하였다. '해라'는, 해라는 오히려 나았다. 그 사내는 주머니에서 금시계를 꺼내 보고, 다음에 구보의 얼굴을 쳐다보며, 저기 가서 차라도 안 먹으려나. 전당포 집의 둘째 아들. 구보는 그러한 사내와 자리를 같이해 차를 마실 생각은 없었다. 그러나, 그러한 경우에 한 개의 구실을 지어, 그 호의를 사절할 수 있도록 구보는 용감하지 못하다. 그 사내는 앞장을 섰다. 자아 그럼 저리로 가지. 그러나 그것은 구보에게만 한 말이 아니었다.

구보는 자기 뒤를 따라오는 ⓒ 한 여성을 보았다. 그는 한 번 흘낏 보기에도, 한 사내의 애인 된 티가 있었다. 어느 틈엔가 이런 자도 연애를 하는 시대가 왔나. 새삼스러이 그 천한 얼굴이 쳐다보였으나, 그러나 ㉡ 서정 시인조차 황금광으로 나서는 때다.

의자에 가 가장 자신 있이 앉아, 그는 주문 들으러 온 소녀에게, 나는 가루삐스. 그리고 구보를 향해, 자네두 그걸루 하지. 그러나 구보는 거의 황급하게 고개를 흔들고, 나는 홍차나 커피로 하지.

음료 칼피스를, 구보는, 좋아하지 않는다. 그것은 외설한 색채를 갖는다. 또, 그 맛은 결코 그의 미각에 맞지 않았다. 구보는 차를 마시며, 문득, 끽다점(喫茶店)에서 사람들이 취하는 음료를 가져, 그들의 성격, 교양, 취미를 어느 정도까지 알 수 있을 것이 아닌가, 하고 생각하여 본다. 그리고 그것은 동시에, 그네들의 그때, 그때의 기분조차 표현하고 있을 게다.

구보는 맞은편에 앉은 사내의, 그 교양 없는 이야기에 건성 맞장구를 치며, 언제든 그러한 것을 연구해 보리라 생각한다.

15 윗글에 대한 설명으로 적절하지 않은 것은?

① 1930년대 지식인의 내면세계를 상세히 그리고 있다.
② 경성을 배경으로 1930년대의 도회지의 삶의 풍경이 잘 드러난다.
③ 쉼표를 의도적으로 사용하여 읽기 속도에 변화를 주고 있다.
④ 허무주의적이고 냉소적인 등장인물을 내세워 당대 세태를 비판적으로 바라보고 있다.
⑤ 전지적 시점의 서술자가 다양한 인물의 시각을 통해 세상의 다양한 모습을 묘사하고 있다.

16 윗글에 나타난 '구보'의 성격을 설명한 것으로 가장 적절한 것은?

① 겉과 속이 다른 위선적인 인물이다.
② 고독을 즐길 줄 아는 낭만적인 인물이다.
③ 유교적 사고방식을 중시하는 보수적 인물이다.
④ 생각이 많으며 소심하고 우유부단한 인물이다.
⑤ 약자의 편에서 생각하고, 이를 행동으로 옮기는 이타적 인물이다.

17 ㉠에서 알 수 있는 '구보'의 심리로 가장 적절한 것은?

① 황금으로 대변되는 물질과 공책으로 대변되는 이상 사이에서 갈등하고 있다.
② 황금을 찾는 사람들이 보이는 돈에 대한 욕망을 가식 없는 진실한 태도라 생각한다.
③ 황금을 찾는 사람들의 허황된 꿈을 비판하며, 문학을 하는 자신의 삶에 자부심을 느끼고 있다.
④ 많은 사람들이 황금을 찾는 데 참여하고 있는데, 자신은 그 열풍에 참여하지 못하는 것에 대해 쓸쓸한 고독감을 느끼고 있다.
⑤ 황금을 찾는 사람들이 삶에 대한 목적의식 없이 방황하는 자신보다 낫다고 생각하며, 자신의 처지에 대한 자조적 태도를 드러낸다.

18 ㉡에 대한 독자의 반응으로 가장 적절한 것은?

① 암울한 시대 상황에 대하여 전전반측(輾轉反側)하고 있음이 드러나 있군.
② 친한 친구들과의 관포지교(管鮑之交)조차 사라지는 세태에 대한 아쉬움이 느껴지는군.
③ 금권만능(金權萬能)이 만연한 당시 시대 상황에 대한 비판적 의식이 드러나 있군.
④ 대기만성(大器晩成)을 이해해 주지 못하는 당시 시대에 대한 부정적 인식이 나타나 있군.
⑤ 자신의 주장을 스스로 부인하는 자가당착(自家撞着)의 상황에 대한 냉소가 나타나 있군.

19 ⓐ~ⓒ에 대한 설명으로 적절하지 않은 것은?

① ⓐ는 ⓑ와의 만남을 달가워하지 않고 있다.
② ⓑ는 ⓐ에게 자신의 재력을 과시하고 있다.
③ ⓑ는 ⓐ와의 뜻하지 않은 만남에 당황하면서도 최대한 반가운 척하며 호의를 베풀고 있다.
④ ⓐ는 ⓑ와 ⓒ의 관계에 대해 경멸적으로 생각하고 있다.
⑤ ⓐ는 ⓒ가 ⓑ의 재력 때문에 그의 애인이 되었다고 생각한다.

학습 활동 응용

20 <보기>를 참고하여 윗글이 창작된 시대상에 대해 이해한 것으로 적절하지 않은 것은?

<보기>

역사적 관점에서 '황금광 시대'의 황금 열기가 일제의 금 수탈 정책으로 조작된 것임을 부정할 수 없다. 삼림이든 논이든 콩밭이든 조선의 땅은 금을 찾기 위해 여지없이 파헤쳐졌고, 그렇게 발견된 금들은 대부분 일본 은행 금 비축고로 갔다. 그리고 1930년대 대규모 금광들은 대부분 일본 재벌의 소유였고, 헐벗고 굶주린 대다수의 광부들은 평생 일확천금을 꿈꾸다 늙어 갔다.

금광 주변의 수많은 인간 군상 중에는 금광 중개 상인들도 있었다. 사람 사이를 매개하는 직업적 특성 때문에 주로 가난한 지식인이었던 그들은 연장을 잡고 광맥을 파는 대신, 금광 산업에 종사하는 사람과 사람 사이를 파 들어간 사람들이다. 그들의 존재 의미를 일방적으로 폄하할 수만은 없지만, 그들이 다루는 것은 '금'이 아니라 '사람'이었기 때문에 정도 일탈의 유혹이 많았고, 또 그 유혹에 쉽게 넘어갔다.

① 사람들이 황금에 광적으로 몰두해 있었다.
② 황금광을 개발하다가 몰락하는 사람들이 많았다.
③ 많은 지식인들이 취재와 창작을 위해 광산을 찾았다.
④ 황금을 추구하는 속물근성에 대해 부정적인 시각을 가진 사람도 있었다.
⑤ 자본을 앞세운 일본의 대재벌에 비해 조선인들은 금광 사업에서 큰 이득을 보지 못하였다.

정답과 해설 11쪽

01 즐거운 편지 황동규

출제 포인트	• 작품에 사용된 다양한 수사법 이해하기 • 시적 화자의 인식과 태도 파악하기

작품 개관

갈래	산문시, 서정시	성격	서정적, 고백적, 사색적
주제	사랑의 간절함과 불변성에 대한 고백		
특징	• 반어적 표현을 통해 사랑의 간절함을 표현함. • 사랑의 감정을 자연 현상에 빗대어 표현함.		

'사랑'에 대한 화자의 인식

사랑

내가 그대를 사랑하는 것은 '해가 지고 바람이 부는 일처럼 사소한 일'임.	• '내 사랑도 어디쯤에선 반드시 그칠 것'임. • '눈이 그치고 꽃이 피어나고 낙엽이 떨어지고 또 눈이 퍼붓고 할 것'임.

• 사소하지만 중요하고 변함없는 자연 현상처럼 '그대'를 오랫동안 사랑해 옴. • '그대'에 대한 사랑이 소중한 것임을 강조하기 위한 반어적 표현	• 기다림의 자세를 생각할 것이며, 기다림으로 승화된 사랑이 계절의 순환처럼 지속될 것임. • 끊임없이 반복되는 계절의 순환에 빗대어 영원한 사랑을 강조함.

화자의 인식	'그대'를 향한 소중하고 영원한 사랑에 대한 다짐

표현상의 특징

시어, 문장 구조의 반복	'그대' 등의 시어와 '…을 믿는다.' 등 문장 구조의 반복으로 운율을 형성함.
반어	'사소한 일' 등의 반어적 표현을 통해 사랑의 간절함을 표현함.
비유	'해가 지고 바람이 부는 일처럼' 등에서 자신의 사랑을 자연에 빗대어 표현함.

[1~6] 다음 글을 읽고 물음에 답하시오.

1

[A] 내 그대를 생각함은 항상 그대가 앉아 있는 배경에서 해가 지고 바람이 부는 일처럼 [사소한 일]일 것이나 언젠가 그대가 한없이 괴로움 속을 헤매일 때에 오랫동안 전해오던 그 사소함으로 그대를 불러보리라.

2

진실로 진실로 내가 그대를 사랑하는 까닭은 내 나의 사랑을 한없이 잇닿은 그 기다림으로 바꾸어 버린 데 있었다. ㉠ 밤이 들면서 골짜기엔 눈이 퍼붓기 시작했다. 내 사랑도 어디쯤에선 반드시 그칠 것을 믿는다. 다만 그때 내 기다림의 자세를 생각하는 것뿐이다. ㉡ 그 동안에 눈이 그치고 꽃이 피어나고 낙엽이 떨어지고 또 눈이 퍼붓고 할 것을 믿는다.

01 위 시에 대한 설명으로 적절하지 않은 것은?

① 비슷한 시어와 문장 구조를 반복하여 운율감을 형성하고 있다.
② 반어적 표현을 통해 '그대'를 사랑하는 화자의 간절함을 표현하고 있다.
③ 비유적 표현을 사용하여 '그대'를 생각하는 화자의 태도를 드러내고 있다.
④ 행을 나누지 않고 산문 형식을 취해 화자의 정서를 고백적으로 드러내고 있다.
⑤ 순환하는 자연 현상을 예로 들어 자연과의 합일을 추구하는 화자의 의지를 드러내고 있다.

02 위 시의 화자에 대한 설명으로 가장 적절한 것은?

① 자신의 태도에 대한 다짐을 드러내고 있다.
② 이타적인 태도로 문제 상황을 분석하고 있다.
③ 자신이 깨달은 바를 타인과 공유하고자 한다.
④ 외로움에서 벗어나고자 적극적으로 노력하고 있다.
⑤ 모든 문제를 시간의 흐름에 맡겨 해결하고자 한다.

서술형

03 〈보기〉를 참고하여, 위 시의 화자가 자신의 사랑을 '사소한 일'이라고 한 까닭을 서술하시오.

〈보기〉

'해가 지고 바람이 부는 일'은 일상적으로 반복되기에 별것 아닌 것처럼 보이지만, 실상 이것보다 더 근원적이고 오래된 것은 없을 것이다. 따라서 '사소한 일'은 흔하고 매일같이 반복되지만 무엇보다 영속적이고 중요한 일이라고 할 수 있다.

04 시적 상황과 관련하여 화자의 의도를 드러내는 방법이 [A]와 가장 유사한 것은?

① 꽃가루와 같이 부드러운 고양이의 털에 / 고운 봄의 향기(香氣)가 어리우도다. — 이장희, 「봄은 고양이로다」
② 나는 떠난다. 청동(靑銅)의 표면에서 / 일제히 날아가는 진폭(振幅)의 새가 되어 / 광막한 하나의 울음이 되어 — 박남수, 「종소리」
③ 가난하다고 해서 외로움을 모르겠는가. / 너와 헤어져 돌아오는 / 눈 쌓인 골목길에 새파랗게 달빛이 쏟아지는데. - 신경림, 「가난한 사랑 노래」
④ 먼 훗날 당신이 찾으시면 / 그때에 내 말이 '잊었노라'// 당신이 속으로 나무라면 / '무척 그리다가 잊었노라' — 김소월, 「먼 후일」
⑤ 어데다 무릎을 꿇어야 하나 / 한 발 재겨 디딜 곳조차 없다. // 이러매 눈 감아 생각해 볼밖에 / 겨울은 강철로 된 무지갠가 보다. — 이육사, 「절정」

학습 활동 응용

05 〈보기〉의 화자(㉮)와 위 시의 화자(㉯)가 대화를 나눈다고 가정할 때 적절하지 않은 것은?

〈보기〉

흔들리는 나뭇가지에 꽃 한번 피우려고
눈은 얼마나 많은 도전을 멈추지 않았으랴

싸그락 싸그락 두드려 보았겠지
난분분 난분분 춤추었겠지
미끄러지고 미끄러지길 수백 번,

바람 한 자락 불면 휙 날아갈 사랑을 위하여
햇솜 같은 마음을 다 퍼부어 준 다음에야
마침내 피워 낸 저 황홀 보아라

봄이면 가지는 그 한 번 덴 자리에
세상에서 가장 아름다운 상처를 터뜨린다

— 고재종, 「첫사랑」

① ㉮: 사랑이라는 것은 참 이루기 어려운 것이군요.
② ㉯: 그렇습니다. 그래서 저는 오랜 기다림으로 저의 사랑을 완성하고자 합니다.
③ ㉮: 사랑을 이루려면 기다리기만 하지 말고, 눈처럼 계속 도전하셔야 합니다.
④ ㉯: 아니요. 사랑은 영원한 감정이고 기다림은 그치는 눈처럼 언젠가는 끝날 것이기에 저는 기다림을 택하겠습니다.
⑤ ㉮: 그렇군요. 하지만 사랑의 실패를 통해 얻은 상처는 더 아름다운 것입니다.

06 ㉠과 ㉡에 대한 설명으로 적절하지 않은 것은?

① ㉠은 기다림의 고통을 형상화하고 있다.
② ㉠의 '밤'과 '골짜기'는 외롭고 견디기 힘든 시간을 나타낸다.
③ ㉠은 화자의 사랑이 기다림으로 승화되었음을 나타내고 있다.
④ ㉡은 화자의 사랑이 변함없이 지속될 것임을 나타내고 있다.
⑤ ㉡에서 '눈 → 꽃 → 낙엽 → 눈'으로 이어지는 표현은 자연의 순환을 상징하는 것이다.

정답과 해설 12쪽

02 로디지아발 기차 네이딘 고디머 / 이석호 옮김

출제 포인트	• 비판적 시각으로 작품 속의 인물을 이해하기 • 사회·문화적 맥락을 고려하여 작품 감상하기

› 작품 개관

갈래	현대 소설, 단편 소설	성격	사실적, 현실 비판적
제재	사자상을 두고 벌인 흥정		
주제	아프리카인들의 힘겨운 삶과 서양인들의 자기중심적 가치관에 대한 비판		
특징	• 배경과 인물들의 행동을 세밀하게 묘사함. • 인물 간의 갈등을 통해 현실에 대한 비판 의식을 드러냄. • 아프리카인들의 혼과 전통을 '사자상'을 통해 상징적으로 드러냄.		

› 이 작품에 드러나는 주제 의식

현실에 대한 비판 의식

• 기차역 주변의 황량한 풍경
• 가난한 아프리카 원주민들의 모습

식민지 상황에서 벗어났지만 여전히 궁핍하게 살아가는 아프리카인들의 비참한 모습

원주민 상인과 백인 여행객 사이에 이루어진 불공정한 거래

아프리카인들의 문화와 전통의 가치에 대한 백인들의 그릇된 이해와 자기중심적 가치관

› '기차 안 승객'과 '원주민'의 차이

	기차 안 승객	원주민
처한 상황	기차를 타고 여행하면서 넉넉하고 풍요로운 생활을 즐김.	승객들에게 물건을 팔거나 구걸이라도 해야 하는 궁핍한 처지임.
거래의 의미	여행의 즐거움을 위한 구매 행위	생계유지를 위한 절박한 행위
사자상에 대한 인식	• 아내: 정교한 예술품, 아프리카의 전통과 정신 • 남편: 흥정의 대상, 거래 물품	• 아프리카인의 혼이 담긴 전통적인 공예품 • 생계의 수단

[1~4] 다음 글을 읽고 물음에 답하시오.

기차는 붉은 지평선을 뒤로하고 직단선 선로를 따라 빠른 속도로 달려오고 있었다. 자그마한 벽돌로 지어진 역사(驛舍)는 **뾰족한 스위스 풍의 지붕**을 얹고 있었다. 역사 안에서는 **주름이 반듯한 제복을 차려입은 역장**이 기차를 맞을 채비를 차리고 있었고, **역사 밖**에서는 먼지를 뒤집어쓰고 앉아 있던 원주민 상인들이 물건 팔 준비를 하느라 한바탕 소란이 일었다. 망연히 놀란 표정을 하고 있는 사자 목각상이 한 원주민의 자루 밖으로 얼굴을 쑥 내밀었다. 역장의 아이들은 맨발로 이곳저곳을 뛰어다녔다. **너저분한 지붕**을 머리에 얹은 한 토담집에서 뛰쳐나온 닭들과 **앙상한 뼈만 남은 개들**이 선로를 따라 늘어선 흑인 원주민 아이들의 뒤를 바싹 좇고 있었다. 붉게 물든 노을은 역사와 '잡화점'이라는 간판을 단 양철 창고, 그리고 사방으로 울타리가 쳐진 오두막과 역장의 양철집뿐만 아니라 모래 위의 모든 것을 휘감으며 하늘 저 너머로 열기가 식은 빛을 반사하고 있었다. 희미하게 남아 있는 복사열 속에서 모래벌판은 바다처럼 울렁거리기도 했다. 어느새 노을은 흑인 원주민 아이들의 새까만 발 가까이까지 와 있었다.

역장의 아내는 베란다에 쳐진 망사 뒤에 앉아 있었고 그녀의 머리 위에 매달린 양고기 한 덩이가 바람에 살랑대고 있었다.

그들은 기다렸다.

기차는 다가오며 하늘을 향해 우렁찬 울음을 울었다.

"지금 내가 가고 있어요…… 내가 간다구요."

기차는 갈수록 작아지는 몸체를 흔들며 뜨거운 화염을 후끈하게 내뿜었다. 선로는 뜨겁게 달아오르고 있었다.

삐꺽거리는 소리 뒤로 급격한 요동이 한 번 치더니 기차는 헐떡이는 숨을 들이마시며 마침내 역전 안에 정차했다.

열차의 창문이 일제히 열렸다. / "마님!"

한 소년이 ㉠ <u>손에 들고 있는 물건을 보이며 한 여자 승객을 향해 미소를 지었다.</u> 소년의 손에는 잘 짜인 바구니가 들려 있었다. 소년은 '마님! 사세요?' 하고 묻듯 바구니를 그녀를 향해 들어 올렸다.

"아니, 됐어요."

여자는 옆에 앉아 있는 남자를 향해 몸을 돌렸다. 그러고는 선로 밖의 일행과는 다소 떨어진 곳에 누더기를 걸치고 있는 한 촌로를 가리켰다. / "바로 저거예요."

그녀가 길고 흰 손가락으로 가리킨 것은 스펀지처럼 부드러운 건조 목에 새겨 만든 ㉡ 사자상이었다. 검고 흰 문장이 있는 인상적인 조각상이었다.

사자상을 들고 있던 노인은 그녀를 향해 미소를 지으며 물건을 들어 보였다. 떡 벌어진 입 밖으로 우렁찬 포효 소리가 들릴 듯했다. 그리고 뾰족한 이빨 사이로는 검은 혀가 언뜻언뜻 내비쳤다. / "아주 멋진데!"

사자상의 목 주변에 진짜 갈기처럼 붙어 있는 털을 보며 남편이 말했다.

"아주 심혈을 기울여서 만들었구먼."

먼지를 뒤집어쓴 상인들은 기차를 따라 위아래로 늘어서 있었다. 그들은 마치 공연 중인 동물들처럼 구부정하게 일어서서 기차 안을 향해 이것저것 그럴듯한 물건들을 쳐들었다. 화들짝 놀라 희고 검은 동공을 크게 열어 놓은 수사슴을 비롯해 꼿꼿하게 곧추서서 무언가를 강력하게 제압한 듯한 사자상들이 눈에 띄었다. 쭉 째진 눈으로 단단히 창을 잡아 쥔 채 두려움 없이 서 있는 기다란 전사상들도 보였다. / "얼마요?"

열린 차창으로 여기저기에서 흥정이 붙었다.

"한 푼만 줍쇼."

아무것도 팔지 않고 구걸하는 아이들도 있었다. 걔들은 양파에 절인 고기 냄새를 풍기는 식당차 아래에서 진을 치고 있었다.

01 윗글에 대한 설명으로 적절하지 않은 것은?

① 대립적 인물들의 갈등이 해소되고 있다.
② 대화를 통해 인물들의 처지가 드러나고 있다.
③ 작품 밖에 위치한 서술자가 이야기를 서술하고 있다.
④ 비유적 표현을 사용하여 특정 장면을 구체화하고 있다.
⑤ 공간적 배경을 세밀하게 묘사하여 소설의 분위기를 표현하고 있다.

서술형

02 한 소년이 ㉠처럼 행동한 의도를 〈조건〉에 맞춰 서술하시오.

〈조건〉
• 행동의 근거를 본문에서 찾아 제시할 것

03 ㉡에 대한 설명으로 적절하지 않은 것은?

① 정교하고 사실적으로 제작된 물건이다.
② '남편'이 심혈을 기울여 만들었다고 생각하는 물건이다.
③ '촌로'에겐 생계를 이어가는 수단 중 하나이다.
④ '촌로'가 자신의 예술적 재능에 대한 자부심을 드러내는 물건이다.
⑤ '여자'가 관심을 보이고 있는 물건이다.

고난도

04 〈보기〉를 참고하여 윗글을 감상한 내용으로 적절하지 않은 것은?

〈보기〉
이 작품은 남아프리카의 현실에 대해 깊이 고민하고 인종 차별 정책에 대한 분노를 꾸준히 표출해 온 작가 네이딘 고디머의 문제의식이 잘 반영된 소설이다. 작가는 식민지 상황에서 벗어났지만 여전히 가난과 싸우며 힘겹게 살아가는 아프리카인들의 비참한 삶을 담담하게 그려 내었다.

① '뾰족한 스위스 풍의 지붕'은 아프리카인들의 모습과 대비되는 모습을 하고 있다.
② '주름이 반듯한 제복을 차려입은 역장'은 고된 노동을 하며 힘겹게 살아가는 아프리카인의 가난을 드러낸다.
③ '역사 밖'은 아프리카인들의 삶이 잘 드러나는 공간이다.
④ '너저분한 지붕'과 '앙상한 뼈만 남은 개들'은 가난한 아프리카인들의 비참한 삶의 모습을 연상시키는 부분이다.
⑤ '아무것도 팔지 않고 구걸하는 아이들'은 아프리카인들의 불쌍한 처지를 떠올리게 만든다.

[5~9] 다음 글을 읽고 물음에 답하시오.

한 철도원이 돈과 조각상들이 교환되느라 얽혀 있는 검은 팔과 흰 팔들의 아치를 뚫고 지나가고 있었다. 그는 식당차 밑에 얌전히 앉아 있는 개들을 지나, 한결같은 모양의 꽃병을 사이에 두고 삼삼오오 마주 앉아 맥주잔을 들이켜는 식당 칸의 사람들을 창 너머로 보았다. 역장의 아이들은 어머니가 건네준 두 덩어리의 빵을 가지고 사라지는 철도원의 뒤를 따라 방금 들어온 기차에 대해 이런저런 이야기를 나누고 있는 역장과 기관사가 서 있는 쪽을 향해 갔다.

철도원이 뒤따라오는 아이들에게 무언가 큰 소리로 농담을 하자 아이들은 돌아보고 웃으며 한 손에 빵 조각을 움켜쥔 채 황량한 들판 쪽으로 내달렸다. ㉠ 열차 객실은 돈을 가지러 오가는 사람들로 분주했다. 열차 안에 남아 있는 사람들은 흡사 갇혀 있고 단절된 것 같았다.

"저 친구들이 좋아할 만한 오렌지가 있었는데……."

"그 초콜릿은 어쨌지?" / "그거 별로야."

한 어린 소녀가 초콜릿을 한 움큼 움켜쥐더니 식당 칸 옆의 개들에게 던져 주었다. 그러나 초콜릿이 개들의 입에 닿기도 전 닭들이 달려와 빠르고 정교한 동작으로 그것들을 낚아채었다. 황당한 개들은 어리숙한 표정으로 그 상황을 담담하게 지켜보고만 있었다.

"안 돼. 내버려 둬. 너희들은 저리 가." / 소녀가 외쳤다.

㉡ "좀 비싼데요."

사자상을 두고 흥정을 하던 백인 여자는 그 조각품을 물리면서 말했다. 원주민 상인이 그 물건을 다시 들어 보이며 살 것을 권유했지만, 그녀의 결심은 굳은 듯했다.

ⓐ "삼 실링 육 펜스요?"

옆에 있던 남편이 과장된 표정으로 크게 되물었다.

"예, 나리." / 그가 웃으며 대답했다.

"삼 실링 육 펜스라!"

남편은 못 믿겠다는 표정이었다.

"다음에 사요." / 여자가 채근했다.

"당신이 그렇게 갖고 싶어 하던 거잖아."

남편은 의아하다는 듯 말했다.

"아니에요. 다음에 살래요."

여자가 마지막 결정을 내리자 원주민 상인은 사자상을 들고 머리를 갸우뚱한 채로 그들을 올려다보았다.

"삼 실링 육 펜스라!"

여전히 남편은 나이 든 노인처럼 혼잣말로 중얼거렸다.

여자는 머리를 차창 안으로 집어넣고 열차 뒤쪽에 가서 앉았다. 반대편 차창으로는 아무것도 보이지 않았다. ㉢ 모래 들판과 덤불 그리고 가시가 돋은 관목들뿐이었다. 남편이 앉은 뒤편으로는 마지막 객차의 출입구가 있었다. 그 출입구의 문을 열면 역전의 모습과 춤추듯 흔들거리는 동물 조각상들의 모습이 한눈에 보였고, 원주민들의 웅성거리는 소리도 들렸다. 여자의 눈은 역사의 지붕을 소용돌이치듯 휘감은 나무에 고정되어 있었다. 그러다가 ㉣ 문득 사자상이 생각났는지 미소를 머금었다. 특히 목 부분의 갈기를 떠올리고 있는 것 같았다.

이미 여자가 타고 있는 객차의 선반에는 사자상은 물론이고 수사슴이며 하마 그리고 코끼리상 등이 넘쳐나고 있었다. 이 조각상들을 집에 모셔 두는 것이 무슨 의미가 있는가? 원래 있어야 할 장소를 떠나 다른 곳으로 옮겨진다는 것은 무엇을 뜻할까? 지난 몇 주 동안 보았던 [비현실]로부터 [현실] 속으로 옮겨진다면 말이다. 여자에게 지난 몇 주 동안 보았던 풍경들은 익숙한 현실의 일부가 아니었다. 그것은 비현실 그 자체였다. 그러나 밖에 있는 남편은 비현실의 일부가 아니었다. 참으로 이상했다. 언제부턴가 남편이, 아니 그와 함께 있는 모든 것들이 생전 처음 와 보는 어떤 곳에서 만나는 휴가의 일부처럼 느껴졌다.

밖에서 종소리가 들렸다. ㉤ 역장이 말려 있는 녹색 깃발을 들고 기차 끝에 기대서 있었다. 다리를 폈다 접었다 가볍게 몸을 푼 사람들이 기차 위로 다시 뛰어 올랐다. 사람들은 철제 계단에 서 있거나 난간을 붙잡고 있었고 심지어 플랫폼에 매달려 있기도 하였다.

덜컹거리는 소리가 나더니 기차가 한 차례 요동을 쳤다. 맥주를 마시던 사람들은 하나같이 창밖을 내다보았다. 막사 뒤 역장의 아내는 기차를 등지고 거무칙칙한 고깃덩어리 밑에 앉아 있었다.

고난도

05 〈보기〉를 참고하여 윗글의 '사자상'에 대해 이해한 내용으로 적절하지 않은 것은?

〈보기〉

사자는 어느 나라에서든 맹위와 위엄을 지닌 동물로 인식되어 왔다. 그리고 아프리카와 같이 모든 자연물에는 영혼이 깃들어 있다는 토테미즘을 가지고 있는 지역에서 사자상은 원시 토속인들의 토테미즘이 반영된 소재이자 자신들의 전통문화를 드러내는 대상이라 할 수 있다. 생명력을 가진 것과 같이 조각된 섬세한 사자 조각상은 여행객을 위한 단순한 상품이 아니라 그들의 예술혼이 담긴 대상인 것이다. 즉 아프리카 원주민의 신앙이자 토속적인 전통문화를 효과적으로 드러내는 소재라 할 수 있다. 윗글의 사자상은 가난과 싸우며 살아가는 아프리카인들의 처지를 비유적으로 드러내는 소재이며 아프리카인들의 문화와 전통을 물질적 가치만으로 환산하려는 백인들의 물질 중심적인 사고를 비판하기 위한 소재이기도 하다.

① 아프리카인의 토테미즘을 표현하고 있다.
② 원주민의 상업적 수완으로 전락되어 기성품화되는 이미지를 담고 있다.
③ 아프리카 문화에 대한 서양인의 자기중심적 시각을 반성하게 하는 소재이다
④ 자신의 전통문화를 헐값에 팔아넘겨야 하는 아프리카인의 힘겨운 현실을 떠올리게 한다.
⑤ 아프리카의 예술품 및 아프리카 민족 고유의 전통문화에 대한 올바른 인식을 유도하는 소재이다.

서술형

06 윗글의 '여자'에게 현실과 비현실이 의미하는 바가 무엇인지 서술하시오.

현실	㉮
비현실	㉯

07 윗글에 나타난 공간을 다음과 같이 표현하고자 할 때, 이에 대한 설명으로 적절하지 않은 것은?

㉮	↔	㉯
기차 안		기차 밖

① ㉮와 ㉯는 서로 대비되는 공간이다.
② ㉮는 비판의 대상이 되고, ㉯는 연민의 대상이 된다.
③ ㉮와 ㉯의 공간이 분주한 것은 매매와 관련한 흥정으로 인한 것이다.
④ ㉮의 인물들은 ㉯의 인물들을 불쌍하게 여기고 음식을 밖으로 던져 준다.
⑤ ㉮는 물건을 사고자 하는 사람들의 공간이고, ㉯는 물건을 팔고자 하는 사람들의 공간이다.

08 윗글의 ㉠~㉤에 대한 이해로 적절하지 않은 것은?

① ㉠: 원주민들에게 물건을 사기 위한 승객들의 모습이다.
② ㉡: 사자상의 작품성이 떨어진다고 판단한 여성의 마음이 드러난다.
③ ㉢: 역 주변의 황량한 풍경을 통해 원주민들의 힘든 삶을 추론할 수 있다.
④ ㉣: 여성이 사지 않은 사자상에 아직 미련이 남아 있음을 알 수 있다.
⑤ ㉤: 기차의 출발을 준비하는 모습으로 곧 기차가 떠날 것이다.

09 ⓐ에 담겨 있는 남편의 속마음으로 가장 적절한 것은?

① 사자상의 정확한 가격을 확인해 봐야겠어.
② 사자상이 살 만한 가치가 없는 물건임을 알려 줘야겠군.
③ 허무맹랑한 가격에 물건을 파는 상대방의 태도를 지적해야겠어.
④ 사자상의 가격에 지나치게 높다는 것을 상대방에게 알려 줘야겠어.
⑤ 과장된 말투로 깜짝 놀라는 척하여 물건 가격을 흥정해 봐야겠어.

[10~13] 다음 글을 읽고 물음에 답하시오.

고함 소리가 들리고 깃발이 날렸다. 열차가 선열에 잘 맞춰져 있지 않았는지 몸체들끼리 부딪히는 소리를 냈다. 기차가 마침내 움직이기 시작했다. 서서히 샬레 풍의 역사 지붕이 움직였다. 기차를 따라 달리는 원주민들의 고함 소리가 가팔라졌다. 물건값이 뚝 떨어지고 있었다. 나무 조각상 얼굴들이 마지막으로 승객들의 구매 의향을 묻는 듯 차창 너머로 튀어 올랐다 사라졌다. / ㉠ "일 실링 육 펜스에 가져가세요, 나리!"

흡사 날아오는 공을 잡듯 사람들의 손이 바빠졌다. 한 남자가 황급히 주머니를 뒤져 일 실링 육 펜스를 꺼내 던졌다. 따라오던 한 늙은 원주민이 숨을 헐떡 거리며 마른 발가락으로 모랫바닥을 세차게 차 내면서 사자상을 던져 주었다.

흑인 아이들이 손을 흔들어 주었다. 개들도 떠나는 기차를 배웅하듯 꼬리를 살살 흔들었다. 토담집의 한 여자가 허리에 손을 얹고 떠나는 기차를 바라보았고 역장은 서서히 샬레 지붕의 역사 안으로 들어갔다.

늙은 원주민은 갈빗대 사이로 가쁜 숨을 몰아쉬며 서 있었다. 모래 속에서 불안한 균형을 잡은 채 미소를 지으며 머리를 흔들고 있었다. 무언가를 받는 자세로 떠받쳐진 손바닥에는 조각품의 값으로 받은 일 실링 육 펜스가 놓여 있었다.

이제는 어찌해 볼 도리도 없이 기차는 꼬리를 흔들거리며 역 밖으로 빠져나가고 있었다. / 남편이 숨을 몰아쉬며 객실로 돌아왔다. 그는 의기양양해 있었다. / "자, 이걸 보시라."

그가 사자상을 흔들며 말했다. / "일 실링 육 펜스에 샀어." "뭐라구요" / 그녀가 어이가 없는 듯 말했다. / "장난삼아 마지막으로 값을 흥정했지. 그랬더니 기차가 막 떠나려고 할 때 그 노인이 기차를 따라오며 일 실링 육 펜스에 가져가라고 하더군." / 그가 만면에 희색을 띠며 말했다.

"자, 이거 당신 선물이야."

여자는 조각상을 받아들었다. 떡 벌어진 입, 뾰족한 이빨, 검은 혀 그리고 섬세한 갈기! 여자는 마치 다른 어떤 것을 생각하듯 초점을 잃은 두 눈으로 조각상을 바라보았다. 생각대로 일이 잘되어 가지 않을 때 아이들이 짓는 표정처럼 여자는 얼굴을 찡그리고 있었다. 눈썹은 위로 치켜 올라가 있었고 입가장자리는 신경질적으로 기울어져 있었다. 아주 천천히 그리고 조심스럽게여자는 손가락을 들어 올려 사자의 갈기를 어루만졌다.

"당신, 어떻게 그럴 수가 있죠" / 여자의 얼굴에 분노의 빛이 역력했다. / "뭐가. 도대체 왜 그래" / 당황한 남편이 물었다. / "이걸 그렇게 사고 싶었으면……." / 흥분한 여자의 목소리가 날카롭게 갈라졌다. / "왜 처음부터 사지 않고 그렇게 뜸을 들였죠? 왜 기차가 떠날 때까지 기다렸다 샀냔 말이에요. 그것도 일 실링 육 펜스에 말이죠."

여자는 사자상을 남편에게 떠다밀었다.

"이거 당신이 갖고 싶어 했던 것 아니야? 무척 맘에 들어 했잖아."

"물론이에요. 그렇지만 이건 아주 훌륭한 조각품이라구요."

여자는 마치 조각품을 보호하려는 것처럼 맹렬하게 말했다.

"당신이 이 조각품이 아주 맘에 드는데 너무 비싸다고 혼잣말로 중얼거리는 소리를 들었다구." / "이봐요." / 여자가 참을 수 없다는 듯이 격하게 말을 내뱉었다. / "당신……."

여자는 사자상을 바닥에 내동댕이쳐 버렸다. / 남편은 망연자실 여자를 바라보고 서 있을 뿐이었다.

여자는 모퉁이에 앉아 두 손으로 얼굴을 감싸 쥔 채 창밖을 무표정하게 응시했다. 갖가지 생각들이 그녀의 머릿속에서 교차하는 것 같았다. 일 실링 육 펜스라! 나뭇조각과 다리의 근육과 채찍 같은 꼬리를 사는 데 일 실링 육 펜스라! 그렇게 늠름하게 벌려져 있는 입과 파도처럼 말려 있는 검은 혀에 그토록 정교한 목의 갈기까지 얻는 데 일 실링 육 펜스라! 분노로 인한 열기가 여자의 다리를 타고 목까지 올라와 귀에 모래를 쓸어 내는 소리를 쏟아부었다. 그 소리는 한동안 계속되었다. 여자는 속이 메스꺼워짐을 느꼈다. 피로와 무기력함과 불현듯 찾아든 공허감이 여자의 사지로 퍼져 나갔다. 여자의 육신에서 소중한 그 무언가가 빠져나가는 듯했다. 여자는 그것이 오랫동안 지속된 외부와의 단절감 때문이라고 생각했다.

여자는 다시 평상심을 회복했다. / 자는 자신의 감정을 다시 요동치게 할지도 모를 물건과 말 그리고 풍경을 보지도 듣지도 않으려는 듯 입을 꼭 다문 채 무념무상한 상태로 앉아 있었다. 차창 밖에서 검은 잿가루가 날아와 여자의 손등에 내려

앉았다. 여자는 다리를 쭉 뻗은 채 손을 늘어뜨리고 앉아 있는 남편과 구석 한 편에 모로 쓰러져 있는 사자상을 등 뒤로 한 채 돌아앉아 있었다.

기차는 허물을 벗듯 역을 빠져나갔다. 그러고는 하늘을 향해 큰 소리로 외쳤다.

"자, 갑니다. 내가 간다구요."

언제나 그랬듯이 아무런 응답도 없었다.

10 윗글에 대한 설명으로 가장 적절한 것은?

① 인물의 허위의식을 풍자를 통해 드러내고 있다.
② 과거와 현재를 대비하여 사건을 입체적으로 서술하고 있다.
③ 인물의 외양 묘사를 통해 인물의 성격을 간접적으로 드러내고 있다.
④ 시대적 배경을 묘사하여 사회 현실의 문제를 실감나게 드러내고 있다.
⑤ 인물 간의 갈등을 통해 작가가 말하고자 하는 주제 의식을 암시하고 있다.

학습 활동 응용

11 〈보기〉를 참고하여 남편의 '사자상' 거래를 비판적으로 평가한 것으로 적절하지 않은 것은?

〈보기〉

공정 무역은 개발도상국 생산자의 경제적 자립과 지속 가능한 발전을 위해 생산자에게 더 유리한 무역 조건을 제공하는 무역 형태를 말한다. 공정 무역은 공정한 가격에 거래하고, 생산자를 배려하며, 환경 보호를 위해 노력하고, 여성과 아동의 인권을 지켜야 한다는 지침에 따라 이루어진다.

① 남편과 원주민의 거래는 공정 무역이라 보기 어렵다.
② 남편은 사자상 생산자의 상황을 고려하여 배려했어야 했다.
③ 거래의 최종적 결과는 남편에게 만족스러웠을지 몰라도 판매자에게는 그렇지 못했다.
④ 남편은 궁핍한 원주민들의 자립을 위해 돈만 지불하고 사자상을 받아 와서는 안됐다.
⑤ 물건을 팔던 사람이 대부분 여성, 아동, 노인이었다는 점에서 이들의 인권을 존중하는 거래가 이루어졌다면 좋았을 것이다.

서술형

12 ㉠에 담긴 인물의 심리를 서술하시오.

학습 활동 응용

13 〈보기〉의 화자가 윗글의 '남편'에게 해줄 수 있는 말로 가장 적절한 것은?

〈보기〉

나는 이제 너에게도 슬픔을 주겠다.
사랑보다 소중한 슬픔을 주겠다.
겨울밤 거리에서 귤 몇 개 놓고
살아온 추위와 떨고 있는 할머니에게
귤값을 깎으면서 기뻐하던 너를 위하여
나는 슬픔의 평등한 얼굴을 보여 주겠다.
내가 어둠 속에서 너를 부를 때
단 한 번도 평등하게 웃어 주질 않은
가마니에 덮인 동사자(凍死者)가 다시 얼어 죽을 때
가마니 한 장조차 덮어 주지 않은
무관심한 너의 사랑을 위해
흘릴 줄 모르는 너의 눈물을 위해
나는 이제 너에게도 기다림을 주겠다.
이 세상에 내리던 함박눈을 멈추겠다.
보리밭에 내리던 봄눈들을 데리고
추워 떠는 사람들의 슬픔에게 다녀와서
눈 그친 눈길을 너와 함께 걷겠다.
슬픔의 힘에 대한 이야길 하며
기다림의 슬픔까지 걸어가겠다.

– 정호승, 「슬픔이 기쁨에게」

① 웃음을 잃은 당신의 고된 삶을 제가 따뜻하게 안아 주고 싶군요.
② 당신의 아내는 당신의 노력은 생각 안하고 자신의 체면만 중시하는 이기적인 사람이군요.
③ 현재의 상황을 해결하기 위해서는 시간을 두고 조금 더 기다리세요. 그러면 아내의 화도 풀릴 것입니다.
④ 당신도 사자상의 예술적 가치를 알고 있었는데, 이렇게 가격을 깎은 것은 아프리카 예술을 무시하는 행동입니다.
⑤ 원주민들의 심정을 이해하지 못 하고 조각상의 값을 깎았다고 좋아하는 당신에게 그들이 느꼈을 슬픔을 생각해 보게 하고 싶군요.

03 허생전 박지원

출제 포인트	• 시대 상황을 바탕으로 주제 의식 파악하기 • 등장인물의 행동에 대해서 비판적으로 해석하기

작품 개관

갈래	고전 소설, 한문 소설, 풍자 소설	성격	풍자적, 현실 비판적
주제	사대부의 무능과 허위의식 비판 및 지배층의 각성 촉구		
특징	• 실학사상을 바탕으로 당대 사회의 모순을 풍자함. • 허생이라는 영웅적 인물의 행적을 중심으로 사건을 전개함. • 실존 인물을 등장시켜 작품에 현실성을 부여함. • 일반적인 고전 소설과는 달리 미완의 결말 구조를 취함.		

작품에 반영된 당대 현실

정치	이완 대장과 같은 집권층에서 북벌론을 내세우며 친명 배청 정책을 펼침.
경제	• 만 냥으로 과일과 말총을 매점매석할 수 있을 정도로 경제 구조가 취약함. • 상업을 천시하고 교통 여건이 갖추어지지 못하여 경제가 발전하지 못함.
사회·문화	• 상업을 기반으로 한 신흥 부자가 출현하고, 평민 의식의 성장으로 무능한 양반에 대한 비판 의식이 나타나는 등 신분 질서의 동요가 심화됨. • 양반들은 제사에 쓰이는 과일과 의관을 갖추기 위해 망건을 사는 등 허례허식에 얽매여 있음. • 평민들이 기본적인 생계조차 꾸리기 어려워 도둑이 되는 경우가 많았음.

'허생'의 행위에 담긴 작가의 비판 의식

허생의 행위		작가의 비판 의식
• 글만 읽고 경제적으로는 무능력함.	→	• 선비의 허위적인 삶 비판
• 변 씨에게 돈을 빌려 매점매석으로 돈을 벌게 됨.	→	• 취약한 조선의 경제 구조 비판 • 양반의 허례허식 비판
• 도둑이 된 양민들(군도)을 데리고 빈 섬으로 가 이상국을 건설함.	→	• 무능력한 지배층 비판 • 이용후생의 정책 부재 비판
• 이완 대장에게 시사 삼책을 제시함.	→	• 북벌론의 허구성 비판 • 집권층의 무능력과 허례허식 비판

[1~7] 다음 글을 읽고 물음에 답하시오.

허생은 묵적골(墨積洞)에 살았다. 곧장 남산(南山) 밑에 닿으면, 우물 위에 오래 된 은행나무가 서 있고, 은행나무를 향하여 사립문이 열렸는데, 두어 칸 초가는 비바람을 막지 못할 정도였다. 그러나 허생은 글 읽기만 좋아하고, 그의 처가 남의 바느질품을 팔아서 입에 풀칠을 했다.

하루는 그 처가 몹시 배가 고파서 울음 섞인 소리로 말했다.

"당신은 평생 과거(科擧)를 보지 않으니, 글을 읽어 무엇합니까" / 허생은 웃으며 대답했다.

"나는 아직 독서를 익숙히 하지 못하였소."

"그럼 장인바치 일이라도 못 하시나요"

"장인바치 일은 본래 배우지 않은 걸 어떻게 하겠소"

"그럼 장사는 못 하시나요"

"장사는 밑천이 없는 걸 어떻게 하겠소"

처는 왈칵 성을 내며 소리쳤다.

"밤낮으로 글을 읽더니 기껏 '어떻게 하겠소' 소리만 배웠단 말씀이오? 장인바치 일도 못 한다. 장사도 못 한다면, ㉠ 도둑질이라도 못 하시나요"

허생은 읽던 책을 덮어 놓고 일어나면서,

"아깝다. 내가 당초 글 읽기로 십 년을 기약했는데, 인제 칠 년인걸……."

하고 휙 문밖으로 나가 버렸다.

허생은 거리에 서로 알 만한 사람이 없었다. 바로 운종가(雲從街)로 나가서 시중의 사람을 붙들고 물었다.

"누가 서울 성중에서 제일 부자요?"

변 씨(卞氏)를 말해 주는 이가 있어서, 허생이 곧 변 씨의 집을 찾아갔다. 허생은 변 씨를 대하여 길게 읍(揖)하고 말했다.

[A] "내가 집이 가난해서 무얼 좀 해 보려고 하니, 만 냥(兩)을 꿔어 주시기 바랍니다." / 변 씨는 "그러시오." / 하고 당장 만 냥을 내주었다. 허생은 감사하다는 인사도 없이 가 버렸다.

01 윗글에 대한 설명으로 적절하지 않은 것은?

① 한문으로 쓰인 작품이다.
② 조선 후기의 시대상을 반영한 작품이다.
③ 전지적 작가 시점으로 내용을 전개하고 있다.
④ 실학사상을 바탕으로 사회 모순을 비판한 작품이다.
⑤ 실존 인물을 주인공으로 설정하여 이야기를 전개하고 있다.

02 다음은 독서에 대한 '허생'과 '허생의 처'의 관점을 정리한 것이다. ⓐ, ⓑ의 내용으로 적절한 것은?

	ⓐ 허생의 관점	ⓑ 처의 관점
①	학문 성취	입신양명
②	사회봉사	자아 실현
③	제도 개혁	사회봉사
④	생활 개선	인격 수양
⑤	기술 습득	제도 개혁

03 윗글에 나타난 '허생의 처'를 현재의 사회·문화적 상황에 비추어 적절하게 평가한 것은?

① 경제적 문제에 얽매이지 않고 남편이 뜻을 펼칠 수 있도록 격려하고 있다.
② 실용적인 관점에서 남편의 무능을 질책하며 남편의 변화를 유도하고 있다.
③ 경제적 궁핍에서 벗어나기 위해 자신이 직접 구체적인 행동을 취하고 있다.
④ 경제적인 궁핍을 이기지 못해 아내의 도리를 저버리고 남편을 질책하고 있다.
⑤ 양반임에도 가난을 면치 못하는 사회 구조의 문제점을 신랄하게 비판하고 있다.

04 [A]에 대한 설명으로 적절하지 않은 것은?

① '변 씨'와 '허생'은 모두 대범하고 과감한 모습을 보인다.
② '변 씨'는 당시 신흥 부유층을 상징하는 인물로 나타나 있다.
③ '변 씨'는 모르는 사람에게 큰 돈을 빌려주는 모습에서 대상다운 호탕함이 드러난다.
④ '변 씨'와 '허생'의 갈등은 이후에 새로운 사건을 벌어질 것임을 예고하는 기능을 한다.
⑤ '허생'은 부탁을 하는 입장이면서도 당당한 행동을 하는 등 이인다운 풍모를 드러낸다.

[5~7] 〈보기〉는 윗글을 창의적으로 재구성한 작품이다. 두 작품을 비교하며 읽고 아래의 물음에 답하시오.

〈보기〉

사람들은 남편은 뛰어난 인재라고 했다. 능히 천하를 경영할 재주가 있다고 하는 이도 있었다. 그러나 남편이 죽는지 사는지 아내가 모르고, 아내가 죽는지 사는지 남편이 모르면서 뛰어난 인재가 되는 거라면 그 뛰어난 인재라는 말은 분명 이 세상에서 쓸모없는 존재라는 뜻이리라. 이 세상이 돌아가는 법칙이란 성현들이 주장하는 것처럼 그렇게 복잡하고 어려운 것은 아닐 것이다. [중략]

저녁 밥상을 부엌으로 내가려는데 남편이 불렀다.

"잠시만 이리 와 앉으오. 내 할 이야기가 있소."

남편은 말을 꺼내기가 어려운 듯 잠시 묵묵해 있었다.

"내 또다시 출유하려 하오. 그러니 당신은 이 집을 정리하여 수래벌 큰댁에 몸을 의탁해 있으시오. 이미 사촌 큰형님과 상의해 두었소."

"이 집을 정리하려 하신다면…… 아주 안 돌아오실 겁니까?"

"나도 모르오. 내 뜻이 이곳에 있지 아니하니 장담하기가 어렵소."

"그렇다면 차라리 저와 ㉮ 절연하시지요."

"무슨 해괴망측한 소리를 하오? 우리는 혼인한 사이인데 그걸 어찌 쉽게 깨뜨릴 수 있단 말이오. 사람에게는 신의가 중요한 것이오."

"남자들은 저 편리한 대로 신의니 뭐니 잘도 갖다 대더군요. 우리가 혼인한 것이 약속이니 지켜야 한다고 합시다. 하지만 어찌 그 약속을 여자 홀로 지켜야 하는 것입니까? 당신이 그 약속을 저버리고 저를 돌보지 않으니 제가 약속을 지켜야 할 상대는 어디 있는 겁니까? 차라리 전 팔자를 고쳤으면 합니다."

–이남희, 「허생의 처」

학습 활동 응용

05 〈보기〉에 대한 설명으로 가장 적절한 것은?

① 인물 간의 대립을 계기로 사건의 시간적 순서가 역전되고 있다.

② 사건의 요약적 제시를 중심으로 사건이 긴박하게 진행되고 있다.

③ 인물 간의 대화를 통해 등장인물들의 대립 구조가 명확하게 제시되고 있다.

④ 입체적 인물을 제시하여 인물의 성격이 변화해 가는 과정을 상세히 밝히고 있다.

⑤ 공간적 배경을 세밀하게 묘사하여 인물이 장차 마주하게 될 사건을 암시하고 있다.

학습 활동 응용

06 윗글과 〈보기〉를 비교하여 감상한 것으로 적절하지 않은 것은?

① 두 작품 모두 당대 지배 이데올로기를 비판하고 있군.

② 〈보기〉에는 양성 평등을 지향하는 가치관이 반영되어 있군.

③ 〈보기〉는 주인공을 바꾸어 원작과는 다른 시각을 제시하고 있군.

④ 윗글과 〈보기〉 모두 '허생'의 태도 변화를 통해 바람직한 삶의 모습을 전하고 있군.

⑤ 윗글과 〈보기〉에 나오는 '허생의 처'는 모두 '허생'에 비해 현실적인 가치를 추구하고 있군.

07 윗글의 ㉠과 〈보기〉의 ㉮를 비교한 내용으로 적절하지 않은 것은?

① ㉠과 ㉮는 모두 '허생'에 대한 반감이 최고조에 다다른 표현이다.

② ㉠과 ㉮는 모두 '허생'의 무책임함에 대한 비판 의식을 드러낸다.

③ ㉠과 ㉮는 모두 당시 사회가 신분 질서의 동요가 심화되고 있었음을 보여 준다.

④ ㉮와 달리 ㉠은 '허생'의 경제 활동과 관련한 표현이다.

⑤ ㉠은 '허생'이 밖으로 나가기를 바라는 발화인 반면에, ㉮는 나가지 않기를 바라는 발화이다.

[8~16] 다음 글을 읽고 물음에 답하시오.

변 씨 집의 자제와 손들이 허생을 보니 거지였다. 실띠의 술이 빠져 너덜너덜하고, 갖신의 뒷굽이 자빠졌으며, ㉠ 쭈그러진 갓에 허름한 도포를 걸치고, 코에서 맑은 콧물이 흘렀다. 허생이 나가자, 모두들 어리둥절해서 물었다.

"저이를 아시나요?"

"모르지."

"아니, 이제 하루아침에, ㉡ 평생 누군지도 알지 못하는 사람에게 만 냥을 그냥 내던져 버리고 성명도 묻지 않으시다니, 대체 무슨 영문인가요?"

변 씨가 말하는 것이었다.

"이건 너희들이 알 바 아니다. 대체로 남에게 무엇을 빌리러 오는 사람은 ㉢ 으레 자기 뜻을 대단히 선전하고, ㉣ 신용을 자랑하면서도 ㉤ 비굴한 빛이 얼굴에 나타나고, 말을 중언부언하게 마련이다. 그런데 저 객은 형색은 허술하지만, 말이 간단하고, 눈을 오만하게 뜨며, 얼굴에 부끄러운 기색이 없는 것으로 보아, 재물이 없어도 스스로 만족할 수 있는 사람이다. 그 사람이 해 보겠다는 일이 작은 일이 아닐 것이매, 나 또한 그를 시험해 보려는 것이다. 안 주면 모르되, 이왕 만 냥을 주는 바에 성명은 물어 무엇을 하겠느냐?"

허생은 만 냥을 입수하자, 다시 자기 집에 들르지도 않고 바로 안성(安城)으로 내려갔다. 안성은 경기도, 충청도 사람들이 마주치는 곳이요, 삼남(三南)의 길목이기 때문이다. 거기서 대추, 밤, 감, 배며 석류, 귤, 유자 등속의 과일을 모조리 두 배의 값으로 사들였다. 허생이 과일을 몽땅 쓸었기 때문에 온 나라가 잔치나 제사를 못 지낼 형편에 이르렀다. 얼마 안 가서, 허생에게 두 배의 값으로 과일을 팔았던 상인들이 도리어 열 배의 값을 주고 사 가게 되었다. 허생은 길게 한숨을 내쉬었다.

"만 냥으로 온갖 과일의 값을 좌우했으니, ⓐ 우리나라의 형편을 알 만하구나."

그는 다시 칼, 호미, 포목 따위를 가지고 제주도(濟州島)에 건너가서 말총을 죄다 사들이면서 말했다.

"몇 해 지나면 나라 안의 사람들이 머리를 싸매지 못할 것이다."

허생이 이렇게 말하고 얼마 안 가서 과연 망건값이 열 배로 뛰어올랐다. [중략]

[A] 중략 부분 줄거리 이후 허생은 도적의 소굴로 찾아가 도적들을 설득한 뒤, 이들을 이끌고 미리 보아 둔 빈 섬으로 들어가 농사를 지으며 살도록 한다. 그곳에서 농사와 무역을 통해 부를 축적한 허생은 자신의 이상국 건설의 시험을 마친 뒤 섬에서 나와 나라 안의 빈민을 구제한다. 한편 변 씨로부터 허생에 관한 이야기를 전해 들은 이완 대장이 허생에게 찾아와 인재를 구할 방법을 묻는다.

08 윗글을 통해 확인할 수 있는 당시의 사회 모습으로 적절하지 않은 것은?

① 안성은 교통의 요지이며 상품의 집산지였다.
② 특정 상품을 매점매석하는 행위가 성행하였다.
③ 나라 안에서만 팔고 사는 행위가 활발하게 이루어졌다.
④ 잔치를 하거나 제사를 지낼 때 여러 과일이 사용되었다.
⑤ 양반들은 말총으로 만든 망건을 이용하여 상투를 틀었다.

09 다음 중, 윗글의 '변 씨'에 대해 토론한 내용으로 적절하지 않은 것은?

① 진아: 많은 재산을 가지고 있지만 사람들에게 '변 씨'라고 불리는 것으로 보아 신분은 높지 않았던 것 같아.
② 인성: '허생'이 누구인지도 모르면서 그를 시험하기 위해 큰돈을 내준 것을 보면 경솔한 사람임이 틀림없어.
③ 수연: '허생'의 차림새보다는 행동을 통해 사람됨을 판단하는 것으로 보아 자기 나름의 사람 보는 기준이 있는 것 같아.
④ 진욱: 이왕 만 냥을 주는 바에야 성명 따위를 물어 무엇하겠냐는 모습에서 부자로서의 호탕한 성격을 엿볼 수 있어.
⑤ 유진: 평생 한 번도 본 적 없는 사람에게 큰돈을 빌려준 것을 보면 배포가 두둑하고 대범한 사람인 듯해.

서술형

10 윗글에서 '변 씨'가 '허생'에게 돈을 빌려주는 이유를 〈조건〉에 맞게 50자 내외의 한 문장으로 서술하시오.

〈조건〉
• 돈을 빌리는 '허생'의 태도와 관련하여 쓸 것

11 윗글을 다음과 같은 수행 평가 과제로 작성하려고 한다. 가장 적절한 것은?

일반적인 고전 소설과 다른
「허생전」만의 특징 찾아보기

① 사건: 현실에서는 벌어지지 않을 법한 사건으로 내용이 전개되고 있다.
② 구성: 일대기적 구성에서 탈피하여 역순행적 구성이 나타나고 있다.
③ 배경: 현실이 아닌 상상 속의 장소를 배경으로 하고 있다.
④ 인물: 입체적, 개성적 인물을 중심인물로 설정하였다.
⑤ 주제: 유교적 삶에서의 탈피를 주제 의식으로 삼고 있다.

12 윗글에 나타난 '허생'의 상행위를 비판하는 속담으로 가장 적절한 것은?

① 바늘 도둑이 소 도둑 된다.
② 아니 땐 굴뚝에 연기 날까.
③ 윗물이 맑아야 아랫물도 맑다.
④ 어물전 망신은 꼴뚜기가 시킨다.
⑤ 모로 가도 서울만 가면 그만이다.

13 ㉠~㉤의 상황을 나타내는 한자 성어로 적절하지 않은 것은?

① ㉠: 폐포파립(敝袍破笠)이 이를 두고 한 말이로군.
② ㉡: 생면부지(生面不知)인 사람에게 돈을 빌려준 것이군.
③ ㉢: 이런 것을 허장성세(虛張聲勢)라 하지.
④ ㉣: 지나치게 호언장담(豪言壯談)하는 것이로군.
⑤ ㉤: 면종복배(面從腹背)의 태도로군.

서술형

14 윗글의 내용을 바탕으로 ⓐ가 가리키는 것 두 가지를 서술하시오.

고난도

15 〈보기〉를 바탕으로 윗글을 감상한 내용으로 가장 적절한 것은?

〈보기〉

북학파란 조선 후기 청나라 문명의 우수성을 인식하고 그것을 배우자고 주장한 일련의 실학자들을 지칭하는 말이다. 북학이란 본래 『맹자(孟子)』 「등문공장(藤文公章)」에 나오는 말로 17, 18세기 청에서 일어난 학문을 가리켜 우리나라에서 불렀던 용어인데 박제가의 『북학의』에서 비롯된 '북학'은 '이용후생지학(利用厚生之學)'이라고도 하며, 이 때문에 북학파를 이용후생학파로 분류하기도 한다. 여기서 이용후생이란 풍요로운 경제와 행복한 의·식·주 생활을 뜻한다. 대표적 북학파로는 박제가, 박지원, 홍대용 등이 있다.

북학파에 속하는 학자들은 일반적으로 상업을 중시했으며 대외 무역을 강조했다. 또한 수레와 벽돌의 사용 등 청나라의 기술·생활 양식·교통수단 등을 도입해 생활을 개선하자고 주장했다. 이들이 제시한 농업 진흥책은 토지 제도나 세제의 개혁보다 농기구 개량, 관개 시설 확충, 영농 기술의 도입, 상업적 농업의 장려 등 생산력의 증대를 보다 강조하는 것이었다. 또한 서양의 과학 기술과 자연 과학을 배울 것을 주장했다.

① 윗글에 나타난 '허생'의 행위에는 서양의 과학 기술과 자연 과학적 지식이 반영되어 있군.
② 북학파인 박지원의 입장에서 청나라의 어떤 제도를 도입해야 하는지가 윗글에 제시되어 있군.
③ 북학파는 윗글의 현실을 개선하기 위해서 상업 발달과 대외 무역 등이 필요하다고 주장했겠군.
④ 〈보기〉를 보면 박지원은 망건 값이 폭등한 원인으로 잘못된 토지 제도를 원인으로 제시하겠군.
⑤ 이용후생을 중요시하는 박지원의 입장에서 윗글의 현실은 의식주 중에서 '주'가 해결되지 못한 상황을 집중적으로 비판한 것이군.

16 〈보기〉는 [A]의 일부이다. 〈보기〉에 대한 설명으로 적절하지 <u>않은</u> 것은?

〈보기〉

"너희들, 힘이 한껏 백 냥도 못 지면서 무슨 도둑질을 하겠느냐? 인제 너희들이 양민(良民)이 되려고 해도, 이름이 도둑의 장부에 올랐으니, 갈 곳이 없다. 내가 여기서 너희들을 기다릴 것이니, 한 사람이 백 냥씩 가지고 가서 여자 하나, 소 한 필을 거느리고 오너라."

허생의 말에 군도들은 모두 좋다고 흩어져 갔다.

허생은 몸소 이천 명이 1년 먹을 양식을 준비하고 기다렸다. 군도들이 빠짐없이 모두 돌아왔다. 드디어 다들 배에 싣고 그 빈 섬으로 들어갔다. 허생이 도둑을 몽땅 쓸어 가서 나라 안에 시끄러운 일이 없었다.

그들은 나무를 베어 집을 짓고, 대[竹]를 엮고 울을 만들었다. 땅 기운이 온전하기 때문에 백곡이 잘 자라서, 한 해나 세 해만큼 걸러 짓지 않아도 한 줄기에 아홉 이삭이 달렸다. 3년 동안의 양식을 비축해 두고, 나머지를 모두 배에 싣고 장기도(長崎島)로 가져가서 팔았다. 장기라는 곳은 삼십만여 호나 되는 일본(日本)의 속주(屬州)이다. 그 지방이 한참 흉년이 들어서 구휼하고 은 백만 냥을 얻게 되었다.

허생이 탄식하면서, / "이제 나의 조그만 시험이 끝났구나." / 하고, 이에 남녀 이천 명을 모아 놓고 말했다.

"내가 처음에 너희들과 이 섬에 들어올 때엔 먼저 부(富)하게 한 연후에 따로 문자를 만들고 의관(衣冠)을 새로 제정하려 하였더니라. 그런데 땅이 좁고 덕이 없으니, 나는 이제 여기를 떠나련다. 다만, 아이들을 낳거들랑 오른손에 숟가락을 쥐고, 하루라도 먼저 난 사람이 먼저 먹도록 양보케 하여라." / 다른 배들을 모조리 불사르면서,

"가지 않으면 오는 이도 없으렷다." / 하고 돈 오십만 냥을 바다 가운데 던지며, / "바다가 마르면 주워 갈 사람이 있겠지. 백만 냥은 우리 나라에도 용납할 곳이 없거늘, 하물며 이런 작은 섬에서랴!"

① 〈보기〉에서 '허생'은 유교 문화를 완전히 부정한 것이 아님을 알 수 있다.
② 〈보기〉에서 '허생'은 실천적 방법을 통해 문제를 해결하고 있다.
③ 〈보기〉를 통해 '허생'이 이상적으로 생각한 사회는 가정을 기반으로 한 농경 사회임을 알 수 있다.
④ 윗글과 〈보기〉를 함께 고려할 때, '허생'은 실학에 바탕을 둔 이상 사회를 실현하고자 함을 알 수 있다.
⑤ 윗글의 내용을 고려할 때, 〈보기〉에서 '허생'이 돈을 바다에 던지는 이유는 후일을 도모하기 위해서이다.

03 허생전

[17~21] 다음 글을 읽고 물음에 답하시오.

이 대장이 방에 들어와도 허생은 자리에서 일어서지도 않았다. 이 대장은 몸둘 곳을 몰라하며 나라에서 어진 인재를 구하는 뜻을 설명하자, 허생은 손을 저으며 막았다.

"밤은 짧은데 말이 길어서 듣기에 지루하다. 너는 지금 무슨 벼슬에 있느냐?" / "대장이오."

"그렇다면 너는 나라의 신임받는 신하로군. 내가 와룡 선생(臥龍先生) 같은 이를 천거하겠으니, 네가 임금께 아뢰어서 [ⓐ]를 하게 할 수 있겠느냐?"

이 대장은 고개를 숙이고 한참 생각하더니,

㉠ "어렵습니다. 제이(第二)의 계책을 듣고자 하옵니다."

했다.

"나는 원래 '제이'라는 것은 모른다."

하고 허생은 외면하다가, 이 대장의 간청을 못 이겨 말을 이었다.

㉡ "명(明)나라 장졸들이 조선은 옛 은혜가 있다고 하여, 그 자손들이 많이 우리나라로 망명해 와서 정처 없이 떠돌고 있으니, 너는 조정에 청하여 종실(宗室)의 딸들을 내어 모두 그들에게 시집보내고, 훈척(勳戚) 권귀(權貴)의 집을 빼앗아서 그들에게 나누어 주게 할 수 있겠느냐?"

이 대장은 또 머리를 숙이고 한참을 생각하더니,

"어렵습니다." / 했다.

"이것도 어렵다, 저것도 어렵다 하면 도대체 무슨 일을 하겠느냐? 가장 쉬운 일이 있는데, 네가 능히 할 수 있겠느냐?"

"말씀을 듣고자 하옵니다."

"무릇, 천하에 대의(大義)를 외치려면 먼저 천하의 호걸들과 접촉하여 결탁하지 않고는 안 되고, 남의 나라를 치려면 먼저 첩자를 보내지 않고는 성공할 수 없는 법이다. 지금 만주 정부가 갑자기 천하의 주인이 되어서 중국 민족과는 친근해지지 못하는 판에, 조선이 다른 나라보다 먼저 섬기게 되어 저들이 우리를 가장 믿는 터이다. 진실로 당(唐)나라, 원(元)나라 때처럼 ㉢ 우리 자제들이 유학 가서 벼슬까지 하도록 허용해 줄 것과, 상인의 출입을 금하지 말도록 할 것을 간청하면, 저들도 반드시 자기네에게 친근해지려 함을 보고 기뻐 승낙할 것이다. 국중의 자제들을 가려 뽑아 머리를 깎고 되놈의 옷을 입혀서, 그중 선비는 가서 빈공과(賓貢科)에 응시하고, 또 서민은 멀리 강남(江南)에 건너가서 장사를 하면서, 저 나라의 실정을 정탐하는 한편, 저 땅의 호걸들과 결탁한다면 한번 천하를 뒤집고 국치(國恥)를 씻을 수 있을 것이다. 그리고 만약 명나라 황족에서 구해도 사람을 얻지 못할 경우, 천하의 제후(諸侯)를 거느리고 적당한 사람을 하늘에 천거한다면, 잘 되면 대국(大國)의 스승이 될 것이고, 못 되어도 백구지국(伯舅之國)의 지위를 잃지 않을 것이다."

이 대장은 힘없이 말했다.

㉣ "사대부들이 모두 조심스럽게 예법(禮法)을 지키는데, 누가 변발(辮髮)을 하고 호복(胡服)을 입으려 하겠습니까?"

허생은 크게 꾸짖어 말했다.

"소위 사대부란 것들이 무엇이란 말이냐? 오랑캐 땅에서 태어나 자칭 사대부라 뽐내다니 이런 어리석을 데가 있느냐? 의복은 흰 옷을 입으니 그것이야말로 상인(喪人)이나 입는 것이고, 머리털을 한데 묶어 송곳같이 만드는 것은 남쪽 오랑캐의 습속에 지나지 못한데, 대체 무엇을 가지고 예법이라 한단 말인가? 번오기(樊於期)는 원수를 갚기 위해서 자신의 머리를 아끼지 않았고, 무령왕(武靈王)은 나라를 강성하게 만들기 위해서 되놈의 옷을 부끄럽게 여기지 않았다. ㉤ 이제 대명(大明)을 위해 원수를 갚겠다 하면서, 그까짓 머리털 하나를 아끼고, 또 장차 말을 달리고 칼을 쓰고 창을 던지며 활을 당기고 돌을 던져야 할 판국에 넓은 소매의 옷을 고쳐 입지 않고 딴에 예법이라고 한단 말이냐? 내가 세 가지를 들어 말하였는데, 너는 한 가지도 행하지 못한다면서 그래도 신임받는 신하라 하겠는가? 신임받는 신하라는 게 참으로 이렇단 말이냐? 너 같은 자는 칼로 목을 잘라야 할 것이다."

하고 좌우를 돌아보며 칼을 찾아서 찌르려 했다. 이 대장은 놀라서 일어나 급히 뒷문으로 뛰쳐나가 도망쳐서 돌아갔다.

이튿날, 다시 찾아가 보았더니, 집이 텅 비어 있고, 허생은 간 곳이 없었다.

17 윗글의 '이 대장'에 대해 바르게 평가한 것은?

① 행동은 하지 않고 명분만을 중시하고 있다.
② '허생'의 주장에 동의하지만 실천을 망설이고 있다.
③ 허례허식을 일삼는 사대부의 각성을 촉구하고 있다.
④ 백성들의 입장에서 해결책을 찾지 못함을 아쉬워하고 있다.
⑤ 실질적인 해결안을 제시하지 못한 채 다른 해결책을 모색하고 있다.

18 윗글의 결말에 대한 설명으로 적절하지 않은 것은?

① 여운을 남겨 독자의 궁금증을 유발하는 미완의 결말이다.
② 갈등이 완전히 해소되었음을 보여 주는 행복한 결말이다.
③ 보수적인 지배 계층의 비난을 피하기 위한 개방적 결말이다.
④ '허생'의 이인(異人)다운 모습에 어울리는 설화적인 결말이다.
⑤ 작가의 현실 개혁 의지가 당시에는 수용 불가능함을 보여 주는 결말이다.

19 윗글의 ㉠~㉤에 대한 설명으로 적절하지 않은 것은?

① ㉠: '허생'이 제시한 제안을 받아들이기 힘들다는 이 대장의 생각을 드러낸다.
② ㉡: 조선의 실리를 위해서 일단 청나라에게 고개를 숙이자는 '허생'의 생각을 드러낸다.
③ ㉢: 청나라와의 교류를 통해 나라의 부흥을 도모하자는 '허생'의 의중이 담겨있다.
④ ㉣: 사대부들이 숭상하는 기존의 법도를 이유로 '허생'의 제안이 힘들다고 주장하고 있다.
⑤ ㉤: 현실을 멀리한 채 명분만 중시하는 사대부들의 태도를 비판하고 있다.

20 〈보기〉를 참고하여, ⓐ에 들어갈 한자 성어를 쓰시오.

〈보기〉
- 중국 삼국 시대 촉한의 유비가 제갈량을 맞아들이기 위해 그의 초가에 세 번이나 찾아갔다는 데에서 유래했다.
- 훌륭한 인재를 맞아들이기 위해서는 참을성 있게 노력해야 한다는 뜻을 나타내는 말이다.

고난도

21 〈보기〉의 '선생님'의 입장에서 윗글의 '허생'을 비판한 내용으로 가장 적절한 것은?

〈보기〉

갑자기 동철이가 벌떡 일어서며 말했다.
"허생이 졌다는 건, 누구한테 졌다는 말씀입니까? 작품에는 허생이 그냥 어딘가로 가 버렸다고 되어 있잖습니까? 선생님께서는 투쟁을 강조하시는데, 어떤 선입견을 가지고 보시는 것 같습니다."
아이들이 수군거렸다. 동철이의 말투에 화가 났고, 걔가 말하고픈 내용이 짐작되어 가슴이 졸아들었다. 선생님은 동철이가 서 있는 걸 그대로 둔 채 천천히 말씀하셨다.
"허생이 졌다는 말은, 허생의 행동 전체를 놓고 독자인 우리가 평가하느라고 쓴 말입니다. 허생은 확고한 이상과 탁월한 능력을 지녔지만 그걸 다 실현하지 못했고, 그러니 불만스러운 현실과 그 현실을 지배하는 사람들한테 졌다고 본 겁니다. 도피했다고 할 수도 있겠죠."

― 최시한, 「허생전을 배우는 시간」

① 확고한 이상을 지니지 못하고 시류에 영합하여 변절했다.
② 지배층의 입장에서 상황을 바라보며 조선의 현실을 외면했다.
③ 자신이 제안하는 해결책들을 직접 실천하려는 시도를 하지 않았다.
④ 불만스러운 현실에 대해 불평만 했을 뿐 구체적인 해결책을 제시하지 못했다.
⑤ 자신의 탁월한 능력을 조선보다는 청나라와 명나라를 위해 사용하려 했다.

정답과 해설 14쪽

01 남한산성 김훈

출제 포인트	• 문학 작품과 인접 분야와의 관계를 바탕으로 작품 감상하기 • 작품에 드러난 인물 간의 갈등 양상 파악하기

작품 개관

갈래	장편 소설, 역사 소설	성격	역사적, 비판적
시점	전지적 작가 시점		
배경	• 시간적: 17세기 병자호란 / • 공간적: 남한산성 안		
주제	병자호란의 치욕과 남한산성에서의 항쟁		
특징	• 인물 간의 대립과 인물의 내적 갈등이 중심이 됨. • 간결하면서도 힘 있는 문체로 서술함. • 역사적 사실을 바탕으로 당시의 상황을 실감 나게 제시함.		

등장인물의 성격과 갈등 관계

최명길	↔	김상헌
• 이조 판서 • 당장의 치욕을 감내하고서라도 피해를 최소화하고 살 수 있는 길을 찾아야 한다고 주장함. • 논리적이고 현실적임. • 명분보다는 실리를 중시함.		• 예조 판서 • 우리 민족과 임금의 자존심을 버려서는 안 되며, 청과 맞서 싸워야 한다고 주장함. • 논리적이고 호전적임. • 실리보다는 명분을 중시함.

인조
• 둘의 의견에 모두 공감하여 어떠한 결정도 내리지 못하고 갈등함. • 주관이 뚜렷하지 못해 쉽게 결단을 내리지 못함.

쟁점별로 본 '최명길'과 '김상헌'의 대립

적과 화친을 해야 하는가?	
최명길	지금은 전(戰)이 아니라 화(和)를 해야 할 상황임.
김상헌	지금은 화(和)가 아니라 전(戰)을 해야 할 상황임.
공론을 따라야 하는가?	
최명길	공론에 따르지 말고 임금의 판단을 결행해야 함.
김상헌	대의를 향한 공론을 중시해야 함.
의(義)와 이(利) 가운데 어떤 것이 우선되어야 하는가?	
최명길	청과 싸우는 것은 이(利)를 버리는 일임.
김상헌	청과의 화친은 의(義)도 이(利)도 아님.

[1~5] 다음 글을 읽고 물음에 답하시오.

앞부분 줄거리 1636년(인조 14) 청의 대군이 조선을 침략하자 임금과 조정은 남한산성으로 피란한다. 절대적인 군사적 열세 속에서 추위와 굶주림에 시달리던 가운데 인조는 청의 장수 [용골대의 문서]를 받게 된다.

일몰 후 영의정 김류가 홀로 청대한 자리에서 임금에게 문서의 일을 아뢰었다. 임금이 신료들을 내행전 마루로 불러들였다. 내관이 용골대의 문서를 쟁반에 담아 서안에 올렸다. 임금은 신료들 쪽으로 서안을 밀쳐 냈다.

"들어 보자. 읽어라."

당상들은 고개를 깊이 숙였다. 가까운 성첩에서 총소리가 서너 번 터졌다. 조선병인지 청병인지 알 수 없었다. 총소리에 산과 산 사이가 울렸다. 소리의 끝자락이 산악 속으로 잦아들었다. 신료들의 귀가 소리의 끝자락을 따라갔다. 바람이 들이쳐서 그림자들이 흔들렸다.

"읽어라. 들어 보자."

병조 판서 이성구가 울음 섞인 목소리로 말했다.

㉠ "신들은 차마 망측하여 읽을 수가 없나이다, 전하."

"당상의 벼슬이 무거워서 적의 문서를 못 읽는가. 과인이 경들에게 읽어 주랴?"

"전하, 무슨 그런 말씀을……."

임금이 승지를 불렀다. 승지가 당상의 뒷전에 꿇어앉아 용골대의 문서를 소리내어 읽었다.

너희가 선비의 나라라더니 손님을 대하여 어찌 이리 무례하냐. 내가 군마를 이끌고 의주에 당도했을 때 너희 관아는 비어 있었고, 지방 수령이나 군장 중에 나와서 맞는 자가 없었다. ……너희가 나를 깊이 불러들여서 결국 너희의 마지막 성까지 이르렀으니, 너희 신료들 중에서 물정을 알고 말귀가 터진 자가 마땅히 나와서 나를 맞아야 하지 않겠느냐. 나의 말이 예에 비추어 어긋나는 것이냐…….

승지가 마저 읽기를 머뭇거렸다.

너희 군신이 그 춥고 궁벽한 토굴 속으로 들어가 한사코 웅크리고 내다보지 않으니 답답하다.

승지가 읽기를 마치고 물러갔다. 임금이 혼잣말처럼 중얼거렸다.

"적들이 답답하다는구나."

이조 판서 최명길이 헛기침으로 목청을 쓸어내렸다. 최명길의 어조는 차분했다.

"전하, 적의 문서가 비록 무도하나 신들을 성 밖으로 청하고 있으니 아마도 화친할 뜻이 있을 것이옵니다. 적병이 성을 멀리서 둘러싸고 서둘러 취하려 하지 않음도 화친의 뜻일 것으로 헤아리옵니다. 글을 닦아서 응답할 일은 아니로되 신들을 성 밖으로 내보내 말길을 트게 하소서."

예조 판서 김상헌이 손바닥으로 마루를 내리쳤다. 김상헌의 목소리가 떨려 나왔다.

"화친이라 함은 국경을 사이에 두고 논할 수 있는 것이온데, 지금 적들이 대병을 몰아 이처럼 깊이 들어왔으니 화친은 가당치 않사옵니다. 심양에서 예까지 내려온 적이 빈손으로 돌아갈 리도 없으니 화친은 곧 투항일 것이옵니다.

화친으로 적을 대하는 형식을 삼더라도 지킴으로써 내실을 돋우고 싸움으로써 맞서야만 화친의 길도 열릴 것이며, 싸우고 지키지 않으면 화친할 길은 마침내 없을 것이옵니다. 그러므로 ㉡ 화(和), 전(戰), 수(守)는 다르지 않사옵니다. 적의 문서를 군병들 앞에서 불살라 보여서 싸우고 지키려는 뜻을 밝히소서."

01 윗글의 서술상 특징으로 가장 적절한 것은?

① 작품 속 서술자가 자신의 경험과 내면 심리를 서술하고 있다.
② 시간의 흐름에 따라 서술 시점을 달리하여 입체감을 주고 있다.
③ 작품 밖 서술자가 인물들의 말과 행동을 관찰하여 전달하고 있다.
④ 장면과 서술자를 빈번하게 전환하여 긴박한 분위기를 조성하고 있다.
⑤ 작품 밖 서술자가 특정 인물의 시각에서 사건을 관찰하여 서술하고 있다.

02 용골대의 문서에 대한 설명으로 적절하지 않은 것은?

① 저항하지 말고 순순히 항복하라는 의도가 담겨 있다.
② 조선의 조정에 대한 멸시와 조롱의 태도를 담고 있다.
③ 조선의 임금과 신료들에게 굴욕감을 느끼도록 하고 있다.
④ 청의 대군이 조선을 침략한 까닭을 구체적으로 밝히고 있다.
⑤ '김상헌'과 '최명길' 사이의 의견 대립이 표출되는 계기가 되었다.

03 윗글을 영화로 만들 때, 고려해야 할 점으로 적절하지 않은 것은?

① 음향: 비장하고 긴박한 배경 음악으로 당시의 분위기를 표현해야겠어.
② 촬영 장소: 겨울의 남한산성의 모습을 사실적으로 재현한 세트장이 필요하겠어.
③ 배우 섭외: '최명길'과 '김상헌'은 신뢰할 만한 이미지를 가진 목소리와 외모를 가진 사람이 좋겠어.
④ 의상 및 분장: 17세기 조선의 의복을 재구성한 화려한 의상과 분장으로 볼거리를 제공해야겠어.
⑤ 촬영 기법: '김상헌'과 '최명길'이 목소리를 높일 때는 클로즈업해서 단호한 표정을 잡아줘야겠어.

04 윗글에서 신료들이 ㉠처럼 말한 까닭으로 가장 적절한 것은?

① '임금'도 모두 알고 있는 내용이라고 생각했기 때문이다.
② 문서를 담당하는 '승지'가 아직 도착하지 않았기 때문이다.
③ 신료들의 의견이 하나로 통일되지 않은 상황이기 때문이다.
④ '임금' 앞에서 읽기에는 '용골대'의 요구가 이치에 어긋나고 민망한 일이기 때문이다.
⑤ '임금'이 싫어할 내용을 잘못 읽었다가는 자신의 지위를 잃을 수도 있다고 생각했기 때문이다.

서술형

05 윗글에 나타난 '김상헌'의 말을 참고할 때, ㉡을 통해 주장하고자 하는 바를 〈조건〉에 맞게 서술하시오.

〈조건〉
- '화', '전', '수'의 의미가 드러나도록 쓸 것

[6~9] 다음 글을 읽고 물음에 답하시오.

최명길은 더욱 낮은 목소리로 말했다.

"예판의 말은 말로써 옳으나 그 헤아림이 얕사옵니다. 화친을 형식으로 내세우면서 적이 성을 서둘러 취하지 않음은 성을 말려서 뿌리 뽑으려는 뜻이온데, 앉아서 말라죽을 날을 기다릴 수는 없사옵니다. 안이 피폐하면 내실을 도모할 수 없고, 내실이 없으면 어찌 나아가 싸울 수 있겠사옵니까? 싸울 자리에서 싸우고, 지킬 자리에서 지키고, 물러설 자리에서 물러서는 것이 사리일진대 ⓐ 여기가 대체 어느 자리이겠습니까. 더구나……."

김상헌이 최명길의 말을 끊었다.

"이거 보시오, 이판. 싸울 수 없는 자리에서 싸우는 것이 전이고, 지킬 수 없는 자리에서 지키는 것이 수이며, 화해할 수 없는 때 화해하는 것은 화가 아니라 항(降)이오. 아시겠소? ⓑ 여기가 대체 어느 자리요?"

최명길은 김상헌의 말에 대답하지 않고 임금을 향해 말했다.

"예판이 화해할 수 있는 때와 화해할 수 없는 때를 말하고 또 성의 내실을 말하나, 아직 내실이 남아 있을 때가 화친의 때이옵니다. 성안이 다 마르고 시들면 어느 적이 스스로 무너질 상대와 화친을 도모하겠나이까."

김상헌이 다시 손바닥으로 마루를 때렸다.

"이판의 말은 몽매하여 본말이 뒤집힌 것이옵니다. 전이 본(本)이고 화가 말(末)이며 수는 실(實)이옵니다. 그러므로 전이 화를 이끌어 내는 것이지 그 반대가 아니옵니다. 더구나 천도가 전하께 부응하고, 전하께서 실덕(失德)하신 일이 없으시며 또 이만한 성에 의지하고 있으니 반드시 싸우고 지켜서 회복할 길이 있을 것이옵니다."

최명길의 목소리는 더욱 가라앉았다. 최명길은 천천히 말했다.

"상헌의 말은 지극히 의로우나 그것은 말일 뿐입니다. 상헌은 말을 중히 여기고 생을 가벼이 여기는 자이옵니다. 갇힌 성안에서 어찌 말의 길을 따라가오리까."

김상헌의 목소리에 울음기가 섞여 들었다.

"전하, 죽음이 가볍지 어찌 삶이 가볍겠습니까? 명길이 말하는 생이란 곧 죽음입니다. 명길은 삶과 죽음을 구분하지 못하고, 삶을 죽음과 뒤섞어 삶을 욕되게 하는 자이옵니다. 신은 가벼운 죽음으로 무거운 삶을 지탱하려 하옵니다."

최명길의 목소리에도 울음기가 섞여 들었다.

"전하, 죽음은 가볍지 않사옵니다. 만백성과 더불어 죽음을 각오하지 마소서. 죽음으로써 삶을 지탱하지는 못할 것이옵니다."

임금이 주먹으로 서안을 내리치며 소리 질렀다.

"어허, 그만들 하라. 그만들 해."

최명길은 계속 말했다.

"전하, 그만할 일이 아니오니 신의 말을 막지 마옵소서. 장마가 지면 물이 한 골로 모이듯 말도 한곳으로 쏠리는 것입니다. 성안으로 들어오기 전부터 묘당의 말들은 이른바 대의로 쏠려서 사세를 돌보지 않으니, 대의를 말하는 목소리는 크고 사세를 살피는 목소리는 조심스러운 것입니다. 사세가 말과 맞지 않으면 산목숨이 어느 쪽을 좇아야 하겠습니까. 상헌은 우뚝하고 신은 비루하며, 상헌은 충직하고 신은 불민한 줄 아오나 상헌을 충렬의 반열에 올리시더라도 신의 뜻을 따라 주시옵소서."

김상헌이 다시 고개를 들었다.

"묘당의 말들이 그동안 화친을 배척해 온 것은 말이 쏠린 것이 아니옵고 강토를 보전하고 군부를 지키려는 대의를 향해 공론이 아름답게 모인 것이옵니다. 뜻이 뚜렷하고 근본이 굳어야 사세를 살필 수 있을 것이온데, 명길이 저토록 조정의 의로운 공론을 업신여기고 종사를 호구(虎口)에 던지려 하니 명길이 과연 전하의 신하이옵니까?"

임금이 다시 주먹으로 서안을 내리쳤다.

"이러지들 마라. 그만하라지 않느냐."

신료들은 입을 다물었다. 영의정 김류는 말없이 어두운 마당을 바라보고 있었다. 처마 끝에서 고드름이 떨어져 내렸다. ㉠ 성첩에서 다시 총소리가 두어 번 터졌다. 임금이 김류에게 물었다.

학습 활동 응용

06 윗글에서 '화(和)'와 '전(戰)'에 대한 최명길과 김상헌의 관점으로 적절하지 않은 것은?

① 최명길: '화'는 내실이 남아 있을 때에나 가능하다.
② 김상헌: '전'을 통해 '화'를 이끌어 낼 수 있다.
③ 최명길: 무모한 '전'은 '화'를 취할 기회를 상실하게 할 수 있다.
④ 김상헌: '화'는 화해할 수 없을 때에 취해도 늦지 않다.
⑤ 최명길: 싸울 자리에서는 '전', 물러설 자리에서는 '화'가 사리에 맞다.

07 '최명길'과 '김상헌'의 말하기 방식에 대한 공통점으로 적절한 것은?

① 논리를 반박하며 상대를 비하하고 있다.
② 상대의 심리를 자극하여 회유하고 있다.
③ 온화한 태도이나 단호하게 말하고 있다.
④ 희망적 미래를 예측하며 설득하고 있다.
⑤ 위급한 상황을 들어 동정에 호소하고 있다.

서술형

08 ㉠이 조성하는 효과를 〈조건〉에 맞게 한 문장으로 쓰시오.

〈조건〉
• ㉠의 배경 묘사가 전쟁 중인 당시의 상황에 어떤 효과를 주는지 쓸 것

09 ⓐ, ⓑ에 대한 설명으로 적절하지 않은 것은?

① ⓐ는 '최명길'이 '임금'에게 하는 말이다.
② ⓐ는 지금이 싸울 때인지, 물러설 때인지를 묻는 말이다.
③ ⓐ는 현재의 상황에서 일의 이치에 맞는 쪽으로 결정해야 한다는 의미가 담긴 말이다.
④ ⓑ는 '김상헌'이 '임금'에게 하는 말이다.
⑤ ⓑ는 항(降)의 의미를 밝히며 '최명길'의 말을 반대하고자 하는 말이다.

[10~17] 다음 글을 읽고 물음에 답하시오.

ⓐ "영상은 어찌 말이 없는가?"
김류가 이마를 마루에 대고 말했다.
"말을 하기에는 이판이나 예판의 자리가 편안할 것이옵니다. 신은 참람하게도 체찰사의 직을 겸하여 군부를 총괄하고 있으니 소견이 있다 한들 어찌 전과 화의 일을 아뢸 수 있겠사옵니까."
최명길이 말했다.
"영상의 말이 한가하여 태평연월인 듯하옵니다. 전하, 적들이 성을 깨뜨리려 덤벼들면 사세는 더욱 위태로워질 것이옵니다. 전하, 늦추어야 할 일이 있고 당겨야 할 일이 있는 것이옵니다. 적의 공성을 늦추시고, 늦추시는 일을 당기옵소서. 시간을 벌기 위해서라도 우선 신들을 적진에 보내 말길을 열게 하소서. 지금 묘당이라 해도 오활한 유자(儒者)의 찌꺼기들이옵고 비국 또한 다르지 않사옵니다. 헛된 말들은 소리가 크고 한 골로 쏠리는 법이옵니다. 중론을 묻지 마시고 오직 전하의 성단으로 결행하소서."
김상헌이 말했다.
"명길의 몸에 군은이 깊어서 그 품계가 당상인데, 어가를 추운 산속에 모셔놓고 어찌 임금에게 성단, 두 글자를 들이미는 것이옵니까. 화친은 불가하옵니다. 적들이 여기까지 소풍을 나온 것이겠습니까. 크게 한번 싸우는 기세를 보이지 않고 화 자를 먼저 꺼내 보이면 적들은 우리를 더욱 깔보고 감당할 수 없는 요구를 해 올 것이옵니다. 무도한 문서를 성안에 들인 수문장을 벌하시고 적의 문서를 불살라 군병들을 격발케 하옵소서. 애통해 하시는 교지를 성 밖으로 내보내 삼남(三南)과 양서(兩西)의 군사를 서둘러 부르셔야 하옵니다. 이백 년 종사가 신민을 가르쳐서 길렀으니 반드시 의분하는 창의의 무리들이 달려올 것입니다."
최명길이 말했다.
"상헌의 답답함이 저러하옵니다. 창의를 불러 모은다고 꼭 화친의 말길을 끊어야 하는 것이겠사옵니까? 군신이 함께 피를 흘리더라도 적게 흘리는 편이 이로울 터인데, 의(義)를 세운다고 이(利)를 버려야 하는 것이겠습니까?"

김상헌이 말했다.

"지금 묘당의 일을 성안의 아이들도 알고 있는데, 조정이 화친하려는 기색을 보이면 성첩은 스스로 무너질 것이옵니다. 화자를 깃발로 내걸고 군병을 격발시키며 창의의 군사를 불러 모을 수 있겠사옵니까? 명길의 말은 의도 아니고 이도 아니옵니다. 명길은 ㉠ 울면서 노래하고 웃으면서 곡하려는 자이옵니다."

최명길이 또 입을 열었다.

"웃으면서 곡을 할 줄 알아야……."

임금이 소리 질렀다.

ⓑ "어허."

임금은 옆으로 돌아앉았다. 달이 능선 위로 올라 내행전 마루를 비추었다. 쌓인 눈이 달빛을 빨아들여서 먼 성벽이 부풀었다. 달빛은 눈 속으로 깊이 스몄고, 성벽은 땅 위의 달무리처럼 보였다. 추위가 맑아서 밤하늘이 새파랬다. 동장대 쪽 성벽이 별에 닿아 있었다.

뒷부분 줄거리 인조의 명령으로 용골대를 만난 최명길이 청나라의 요구를 전하고, 김상헌은 원군을 요청하러 대장장이 서날쇠를 산성 밖으로 보낸다. 전투가 계속되는 와중에 강화도가 함락되었다는 소식이 전해지자, 인조는 항복을 결심하고 김상헌은 자결을 시도한다. 이듬해 1월 30일 인조는 삼전도에서 청나라에 항복하고, 많은 사람이 청나라에 인질로 끌려간다.

10 다음은 윗글의 '김상헌'과 '최명길'의 주장을 재구성한 것이다. 적절하지 않은 것은?

① 최명길: 청과 싸우는 것은 의를 세운다고 이를 버리는 일에 불과합니다.
② 최명길: 화친의 문제는 공론에 휩쓸리지 말고 성단으로 결정해야 합니다.
③ 김상헌: 화친하는 것은 실리를 취하는 것일 뿐 대의를 잃는 것입니다.
④ 김상헌: 임금에게 결정을 강요하는 것은 신하로서 무책임한 행동입니다.
⑤ 김상헌: 크게 한번 싸우는 기세를 보여야 적이 우리를 무시하지 못합니다.

학습 활동 응용

11 윗글을 통해 알 수 있는 '임금'의 성격으로 가장 적절한 것은?

① 언행이 가볍고 일관성이 부족한 편이다.
② 실리보다는 명분을 중시하며 논리적이다.
③ 주관이 뚜렷하지 못하고 결단력이 부족하다.
④ 지나치게 낙관적으로 상황을 파악하는 편이다.
⑤ 사세를 냉정하게 파악할 수 있으며 현실적이다.

고난도

12 〈보기〉는 병자호란 당시에 지은 수필이다. 윗글과 〈보기〉를 비교한 내용으로 가장 적절한 것은?

〈보기〉

24일에 큰비가 내리니 성첩을 지키던 군사가 모두 옷을 적시어 얼어 죽은 사람이 많았다. 그러자 임금께서 세자와 함께 뜰 가운데 서서 이렇게 하늘에 비셨다.

"오늘날 이에 이르기는 우리 부자(父子)가 죄를 지음이요, 성안의 군사와 백성에게 무슨 죄가 있겠습니까? 하느님은 우리 부자에게 죄를 내리시고 원컨대 만민을 살리소서."

여러 신하들이 들어가시기를 청했으나 허락하지 않으셨다. 얼마 후에 비가 그치고 기후가 차지 않으니 성안의 사람들 중에 감읍(感泣)하지 않은 사람이 없었다.

– 작자 미상, 「산성일기」

① 윗글과 〈보기〉는 모두 초자연적 존재의 힘을 빌어 위기를 극복하고 있다.
② 윗글과 달리 〈보기〉는 백성을 아끼는 '임금'의 마음이 구체적으로 드러나 있다.
③ 윗글과 달리 〈보기〉는 '임금'과 신하들 사이의 갈등이 첨예하게 일어나고 있다.
④ 윗글과 〈보기〉는 모두 신하들의 갈등으로 인해 '임금'이 고민하는 모습이 나타나 있다.
⑤ 윗글과 〈보기〉는 모두 '임금'과 '세자'가 상황을 타개하기 위해 노력하는 모습이 나타나 있다.

서술형

13 '김상헌'이 '최명길'을 일컬어 ㉠과 같이 말한 까닭을 〈조건〉에 맞게 서술하시오.

〈조건〉

• '김상헌'의 입장에서 '최명길'의 주장에 대한 평가가 드러나도록 쓸 것

학습 활동 응용

14 〈보기〉를 고려하여 역사적 사실이 윗글에 형상화된 방식에 대한 설명으로 적절하지 <u>않은</u> 것은?

〈보기〉

청제 사실을 알리려 후금 사신 용골대 일행이 입국하자 조선 조야는 정신적으로 공황상태에 빠진다. '중화국 명의 천자(天子)만이 천지간에 군림하는 유일한 황제'라는 조선 지식인들의 믿음과 원칙에 엄청난 충격을 받았기 때문이다. 조선 조정은 격앙되었다.

대다수 신료는 "명은 부모의 나라이고 후금은 부모의 원수인 데다, 명은 왜란 때 조선을 도왔으므로 절대로 배신할 수 없다."라며 용골대 일행의 상경을 막으라고 촉구했다. "용골대 일행의 목을 베어 명으로 보내고 전쟁을 불사하자."라는 초강경론을 펼치는 사람도 있었다. 김상헌은 그 같은 주장을 폈던 척화파(斥和派)의 만형 격인 인물이었다. 천자국 명을 섬겨 온 예의와 명분을 수호하기 위해서라도 후금과의 모든 관계를 끊고 결전의 길로 나아가야 한다는 입장이었다. '명을 위해서라면 종사가 망하는 것도 감수할 수 있다.'라는 주장이기도 했다.

① 실존했던 역사적 인물들을 등장시켜 사실성을 살렸다.
② 실제 벌어졌던 역사적 사건을 있는 그대로 서술하였다.
③ 상상력으로 공간의 특성을 묘사하여 분위기를 형성하였다.
④ 두 인물의 논쟁을 통해 척화파와 주화파의 의견 차이를 드러내었다.
⑤ 짧고 힘 있는 문체를 사용하여 당대 신료들의 갈등 양상을 실감 나게 묘사하였다.

15 윗글을 시나리오로 각색한다고 할 때, ⓐ와 ⓑ에 들어갈 지시문으로 가장 적절한 것으로 묶인 것은?

	ⓐ	ⓑ
①	당황하는 기색으로	불안한 목소리로
②	의아한 표정으로	길게 한숨을 내쉬며
③	답답해하는 표정으로	불편하다는 기색으로
④	날카롭고 큰 목소리로	서안을 내리치며
⑤	퉁명스러운 태도로	이해했다는 표정으로

[16~17] 〈보기〉는 윗글을 영화로 제작한 감독과 인터뷰한 내용이다. 이를 바탕으로 물음에 답하시오.

〈보기〉

기자: 원작의 대사나 내용뿐만 아니라 김훈 특유의 힘 있는 문체나 냉정함까지 영화에 옮겼더라. 김훈 작가가 만족했을 것 같다.
감독: 원작의 시적이면서 철학이 담긴 대사를 정말 좋아해서 거의 그대로 살렸다. 풍경 묘사도 카메라의 움직임을 주지 않고 기교 없이 찍었다. 대신 클로즈업과 롱숏을 극단적으로 교차했다. 넓고 관조적인 풍경과 인물의 표정을 가깝게 들여다보는 접사를 직접 붙였는데 그 충돌에서 오는 힘이 김훈 작가의 문장과 비슷하게 느껴졌을 것 같다.
기자: 영화는 척화파 김상헌과 주화파 최명길의 논쟁이 중심이다. 감독은 어느 편인가?
감독: ㉮ <u>이성적으로는 최명길 편이다.</u> 당시 조선군의 지리멸렬한 상황을 보면 싸워서는 안 됐다. 더 버텼기 때문에 오히려 강화도가 무너지면서 많은 백성이 죽었다. 그런데 감정적으로는 김상헌에게 더 끌린다. 그가 겪는 번민 때문인 것 같다. 우리가 자주적으로 청을 막았다면 얼마나 좋았을까. [중략] 그래서 김상헌이 환상을 보고, 환청을 듣는 장면을 넣었다. 근왕병이 봉화를 올리고 산골을 하얗게 빛내며 달려오는 장면을.

학습 활동 응용

16 〈보기〉를 참고할 때, 윗글을 영화로 재구성하는 과정에서 감독이 사용한 방법 중 적절하지 <u>않은</u> 것은?

① 내용 전개의 필요에 따라 원작에 없는 장면을 추가하였다.
② 클로즈업한 인물의 표정을 교차시켜 긴장감을 조성하였다.
③ 원작의 대사를 가급적 거의 그대로 사용하여 시나리오를 썼다.
④ 풍경을 묘사할 때 카메라의 움직임을 주지 않고 기교 없이 촬영했다.
⑤ 롱 숏을 피하고 장면을 짧게 짧게 편집하여 속도감을 느끼게 하였다.

학습 활동 응용 서술형

17 〈보기〉에서 감독이 ㉮와 같이 말한 까닭을 〈조건〉에 맞춰 서술하시오.

〈보기〉

• 윗글에 나타난 '최명길'의 주장과 관련지을 것

02 총, 꽃, 시 정재찬

출제 포인트	• 문학 작품과 예술 분야와의 관련성 이해하기 • 글에 쓰인 다양한 매체들의 표현 방식과 주제 파악하기

작품 개관

갈래	현대 수필	성격	상징적, 사색적
제재	총, 꽃, 시		
주제	작은 것이 큰 것을 고치고, 부드러운 것이 강한 것을 이긴다.		
특징	• 동영상, 시, 동요, 사진, 카툰 등 다양한 매체를 활용하여 글을 입체적으로 전개함. • 상징적인 소재들을 활용하여 주제를 전달함.		

'총', '꽃', '시'의 상징성

	총	꽃 = 시
의미	강한 것, 큰 것, 폭력적인 것	약한 것, 작은 것, 부드러운 것
사례	전쟁, 거친 남성, 어른의 폭력, 주류의 횡포, 지배 언어	평화, 여성, 아이, 장애, 변방의 언어

"총은 꽃을 이기지 못한다."
··· 작은 것이 큰 것을 고치고, 부드러운 것이 강한 것을 이긴다는 의미

작품에 활용된 다양한 소재

영상	앙겔과 브랑동의 대화 영상	테러 현장을 찾아온 어린 아들과 아버지가 대화하는 영상. '꽃'이 '총'을 이기고, '촛불'이 떠난 이들을 잊지 않게 해 준다는 메시지를 전달함.
문학(시)	박남수, 「할머니 꽃씨를 받으시다」	방공호에 핀 꽃씨를 받으시는 할머니의 모습을 통해 생명의 소중함과 미래에 대한 희망을 노래함.
음악(동요)	어효선 작사, 권길상 작곡, 「꽃밭에서」	1953년 피란 시절에 작곡함. 아빠와 함께 만든 꽃밭에 채송화, 봉숭아, 나팔꽃이 피었다는 내용의 노래.
사진	마크 리부, 「꽃을 든 여인」	1967년 워싱턴의 반전 시위 현장에서 군인에게 꽃을 건네는 17세 소녀의 모습을 담은 사진. 반전 평화 시위의 상징이 됨.
만화	지현곤, 「병사와 꽃 3」	전장의 폐허 속에서 어린아이가 군인에게 꽃을 건네는 모습을 그림. 총보다 꽃이 강하다는 주제 의식을 드러냄.

[1~4] 다음 글을 읽고 물음에 답하시오.

2015년 11월 13일 금요일, 유럽의 한 도시가 충격에 빠졌다. 테러였다. 130명의 무고한 시민이 목숨을 잃었다. 죽은 자의 아픔과 산 자의 슬픔이 온 세계를 뒤덮었다. 며칠 후, 유럽의 방송 매체 〈르프티주르날(Le Petit Journal)〉이 올린 동영상이 떴다. 비통과 절망에 빠진 도시, 희생자들을 추모하기 위해 꽃다발과 촛불이 가득 놓인 광장에서 이민자인 아빠 앙겔과 아들 브랑동이 대화하는 모습을 찍은 영상이었다. 순진하게만 보이는 어린 아들이 어디서 무슨 소리를 들었는지 테러를 피해 이사 갈 걱정까지 한다. 그러자 아버지가 따스한 표정으로 그에게 말한다.

"아니야, 걱정할 필요 없어. 집은 옮기지 않아도 된단다. 프랑스가 우리 집이야."
"그렇지만 나쁜 사람들이 있잖아요? 아빠."
"나쁜 사람들은 어디에나 있단다."

[A]
"나쁜 사람들은 총이 있고 우리를 쏠 수도 있어요. 나쁘고 총이 있으니까요, 아빠."
"봐봐. 그들은 총을 갖고 있지만 우리에겐 꽃이 있잖니?"
"하지만 꽃으로는 아무것도 할 수 없잖아요? 그들은 우리들을, 우리들을……."
"사람들이 놓아둔 저 꽃들이 보이지? 총에 맞서 싸우기 위한 거란다."
"꽃이 우리를 보호해 준다고요?"
"그렇고말고!"
"촛불도요?"
"그래, 그건 우리를 떠난 사람들을 잊지 않기 위한 거야."

꽃이 우리를 지켜 주고 촛불이 떠나간 이들을 잊지 않게 해 준다는 말에 브랑동은 비로소 안심한 듯 미소를 짓는다. 하지만 이 인과 관계에는 엄청난 비약이 존재한다. 꽃이 총을 이기고, 그래서 사람들이 꽃을 바치고, 꽃을 바치는 사람이 저렇게 많으니, 우리는 안전하게 보호될 거라는 비약. 어린아이라서 순진한 탓일까, 아니면 어린아이이기에 현자(賢者)인 탓일까. 브랑동은 이 비약을 가뿐히 넘어선다.

정말 이 야만의 시대에 꽃이 과연 총을 이길 수 있는가. 그 답을 시에게 묻는다.

[B]

할머니 꽃씨를 받으신다. / 방공호(防空壕) 위에
어쩌다 된 / 채송화 꽃씨를 받으신다.

호(壕) 안에는 / 아예 들어오시덜 않고
말이 수째 적어지신 / 할머니는 그저 누여우시다.

— 진작 죽었더라면 / 이런 꼴
저런 꼴 / 다 보지 않았으련만……

글쎄 할머니, / 그걸 어쩌란 말씀이서요.
수째 말이 적어지신 / 할머니의 노여움을
풀 수는 없었다.

할머니 꽃씨를 받으신다.
인제 지구(地球)가 깨어져 없어진대도
할머니는 역시 살아 계시는 동안은
그 작은 꽃씨를 털으시리라.

– 박남수, 「할머니 꽃씨를 받으시다」

평양이 고향인 시인 박남수. 이 작품은 1951년 월남한 그가 피난민의 생활을 갈매기의 생태에 비겨 그려 낸 『갈매기 소묘』(1958)라는 시집에 실려 있다. 그러니까 이 시인도 난민이었던 셈. 마침 이 시의 화자도 브랑동처럼 어린이다. 한데 이 어린 손주가 보건대 전쟁터의 할머니는 노여우시기만 하다. 진작 죽지 못해 못 볼 꼴 다 보고 산다고. 저간에 숨겨진 사연이야 짐작할 수밖에 없다. 이웃들이 학살당하는 걸 봤는지도, 당신 아들이 먼저 저세상에 갔는지도, 전쟁 통에 세상이 바뀌며 위아래도 없고 경우도 사라져 억울한 해코지를 당했는지도 모른다.

이렇든 저렇든 할머니는 분에 겨워 말수조차 줄어드셨고, 이제 당신 목숨은 상관조차 않으신다. 방공호에 아예 들어오시지도 않으니 말이다. 그런데 그런 분이 하찮은 채송화, 그것도 '어쩌다' 핀 채송화, 자잘하기 이를 데 없어 거두기 힘들고 짜증만 잔뜩 나는 그 채송화 꽃씨를 손수 받으시는 것이다. 채송화라? 혹시 동요 「꽃밭에서」를 기억하는가.

01 윗글과 같은 글을 읽는 방법으로 적절하지 않은 것은?

① 실제로 있었던 내용과 허구의 내용을 구분한다.
② 글쓴이가 글을 통해 말하고자 하는 바를 파악한다.
③ 글쓴이의 경험 속에 나타난 생각과 느낌을 살펴본다.
④ 글이 쓰인 시대 상황과 관련하여 그 내용을 이해한다.
⑤ 글에 나타난 글쓴이의 성격이나 삶의 태도를 살펴본다.

학습 활동 응용

02 [A]에 대한 이해로 적절하지 않은 것은?

① '총'은 폭력적인 힘을, '꽃'은 평화의 힘을 의미한다.
② '촛불'은 희생자들을 잊지 않겠다는 다짐을 의미한다.
③ 아들은 '총'에 의해 벌어진 비극적인 상황을 슬퍼하고 있다.
④ 아들은 '꽃'으로도 '총'을 이길 수 있다는 순진함을 지니고 있다.
⑤ 아버지는 어떠한 폭력도 사람들의 진심이 담긴 마음을 이길 수 없다고 말하고 있다.

03 [B]에 나타난 '할머니'에 대한 설명으로 적절하지 않은 것은?

① 전쟁의 상처로 인해 말수가 줄어들었다.
② 살아서 전쟁의 참혹성을 체험한 것을 한스러워 한다.
③ 목숨이 위태로운데도 방공호에 들어가려 하지 않는다.
④ 손주의 목숨을 지켜 주기 위해 자신을 희생하고자 한다.
⑤ 자신의 목숨은 돌보지 않으면서도 작은 생명체를 소중히 여긴다.

서술형 학습 활동 응용

04 윗글에 활용된 인접 분야를 다음과 같이 정리할 때, ㉮에 들어갈 적절한 내용을 윗글의 주제와 관련지어 서술하시오.

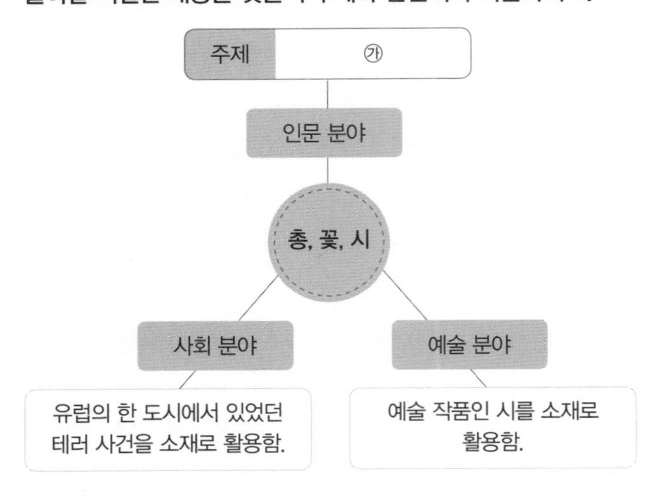

[5~8] 다음 글을 읽고 물음에 답하시오.

아빠하고 나하고 만든 꽃밭에
채송화도 봉숭아도 한창입니다.
아빠가 매어 놓은 새끼줄 따라
나팔꽃도 어울리게 피었습니다.

– 어효선 작사·권길상 작곡, 「꽃밭에서」

맑고 밝게 즐겨 불렀던 노래지만 사실 이 노래는 「스승의 은혜」로 유명한 권길상 선생이 1953년 피란 시절에 작곡한 것이다. 아, 피란 시절 그 난리 통에 아빠는 뭐하러 꽃밭을 만들었을꼬. 놀랄 만하지 않은가. 전쟁 통에 할머니는 채송화 씨를 거두고 아빠는 그걸 심었단 말이다. 게다가 그걸 박남수는 시로 남기고 권길상은 노래로 만들었단 말이다. ㉠ 혹여나 아빠와 할머니가 키웠던 채송화가 '나' 아니었을까, 채송화 꽃씨는 내 자식이 아닐까. 그 덕에 지금 우리가 꽃밭에서 시와 노래를 즐기며 살고 있는 게 아니겠는가.

그래, 전쟁 통에도 꽃은 피었고, 사람들은 꽃을 키웠다. 채송화 꽃밭은 환상이나 낭만이 아닌 실재 세계였던 것이다. 하지만 현실이든 상상이든 그게 무슨 대수랴. 중요한 것은 군화 자국 옆에 꽃들을 피우고, 총자루에 꽃을 매며, 총구에 꽃을 꽂는 일 아니겠는가.

현실의 장면 하나, 거장 ㉮ 마크 리부(Marc Riboud)의 사진 「꽃을 든 여인」을 찾아보라. 1967년 10월 21일, 미국의 수도 워싱턴, 펜타곤 앞에서 베트남전 반대 시위가 열렸다. 착검까지 되어 있는 군인들의 총 앞으로 꽃문양 옷차림의, 중간 이름까지 장미꽃(rose)인 잔 로즈 캐즈미어(Jan Rose Kasmir)라는 17세 여고생이 꽃 한 송이를 들고 다가선다. 총을 든 군인보다 꽃을 든 여인이 더 강하다. 당당하기 때문이다.

상상의 장면 하나, ㉯ 카투니스트 지현곤의 그림을 보라. 척추 결핵을 앓아 하반신 마비 중증 장애로 초등학교 1학년 이후 40년간 바깥 외출도 못 한 채 쪽방에 누워 지내면서 왼손 하나만으로, 아니 피와 땀으로 한 점 한 점 찍어 낸 그림. 아름다운 작가의 눈물겨운 그림. 보기만 해도 마음이 열리고 미소가 번져 나오는 그림이다. 평시보다 더 평화로운 전장의 폐허, 심장보다 더 붉은 저 빛나는 꽃 한 송이. 그 꽃을 든 저 꼬마는 의심도 두려움도 없다. 순수하기 때문이다.

▲ 지현곤, 「병사와 꽃 3」

총은 꽃을 이기지 못한다. 총이 이기면 사람이 죽는다. 더 큰 총은 더 많은 사람을 죽인다. 그래서 거친 남성, 어른의 폭력, 주류의 횡포에 맞서는 것은 늘 여성, 아이, 장애다. 아픈 자만이 아픔을 안다. 작은 것이 큰 것을 고치고, 부드러운 것이 강한 것을 이긴다. 그러므로 꽃이 총을 이긴다. 그리고 ㉡ 그런 꽃을 시는 닮고자 한다. 시는 지배 언어의 자기도취를 일깨우는 변방의 언어이기 때문이다.

05 윗글에 대한 설명으로 가장 적절한 것은?

① 다양한 매체를 활용하여 주제를 깊이 있게 전달하고 있다.
② 우화의 형식을 빌려 주제 의식을 간접적으로 제시하고 있다.
③ 과거와 현재를 대비하여 현재의 부정적 상황을 풍자하고 있다.
④ 글쓴이가 체험한 사건을 제시하여 글의 내용에 흥미를 더하고 있다.
⑤ 상징적인 소재들을 통해 글쓴이가 처한 상황을 생생하게 제시하고 있다.

06 ㉠을 참고할 때, 윗글에서 채송화가 상징하는 의미로 가장 적절한 것은?

① 답답하고 고달픈 현실 상황으로부터의 도피
② 언제 어디서나 편안하게 의지할 수 있는 존재
③ 불우한 처지에 있는 사람들에 대한 연민의 정
④ 누군가의 보살핌을 필요로 하는 여리고 약한 존재
⑤ 극한 상황에서도 포기할 수 없는 미래에 대한 희망

07 ㉡과 관련 있는 '시'의 특징으로 가장 적절한 것은?

① 운율이 느껴지는 언어로 개인의 서정을 표현한다.
② 시적 화자의 목소리를 통해 시인의 생각을 드러낸다.
③ 인류가 추구해야 할 보편적 가치를 언어로 형상화한다.
④ 마음속에 떠오르는 생각과 느낌을 함축적으로 드러낸다.
⑤ 다양한 심상을 사용하여 시적 상황을 생생하게 드러낸다

서술형

08 ㉮와 ㉯에 공통적으로 담긴 주제 의식을 서술하시오.

학습 활동 응용

09 〈보기〉의 작품을 소개하는 영상을 만들고자 한다. 토의의 내용으로 적절하지 않은 것은?

〈보기〉

텔레비전을 끄자
풀벌레 소리
어둠과 함께 방 안 가득 들어온다
어둠 속에서 들으니 벌레 소리들 환하다
별빛이 묻어 더 낭랑하다
귀뚜라미나 여치 같은 큰 울음 사이에는
너무 작아 들리지 않는 소리도 있다
그 풀벌레들의 작은 귀를 생각한다
내 귀에는 들리지 않는 소리들이 드나드는
까맣고 좁은 통로들을 생각한다
그 통로의 끝에 두근거리며 매달린
여린 마음들을 생각한다
발뒤꿈치처럼 두꺼운 내 귀에 부딪쳤다가
되돌아간 소리들을 생각한다
브라운관이 뿜어낸 현란한 빛이
내 눈과 귀를 두껍게 채우는 동안
그 울음소리들은 수없이 나에게 왔다가
너무 단단한 벽에 놀라 되돌아갔을 것이다
하루살이들처럼 전등에 부딪쳤다가
바닥에 새카맣게 떨어졌을 것이다
크게 밤공기 들이쉬니
허파 속으로 그 소리들이 들어온다
허파도 별빛이 묻어 조금은 환해진다

– 김기택, 「풀벌레들의 작은 귀를 생각함」

① 동주: 잔잔하고 고요한 음악을 배경 음악으로 사용하는 것이 좋겠어.
② 민희: 영상이 시작되면 풀벌레 소리와 텔레비전 소리 등의 효과음이 나와야겠지?
③ 태현: 검은 밤하늘을 배경으로 환하게 텔레비전 불빛이 나오는 창문과 그 아래에 있는 화단과 화단의 풀벌레들을 영상으로 구성해야겠어.
④ 은지: 처음에는 텔레비전 소리가 거의 안 들리다가 분위기가 고조되면서 텔레비전 소리와 불빛은 더욱 현란해 지도록 해야겠어.
⑤ 정은: 마무리엔 텔레비전과 방의 불들이 꺼지자 풀벌레들도 하나하나 땅으로 떨어지는 연출을 해야지.

03 만화 토지 박경리 원작/오세영 그림

출제 포인트	• 매체 변용의 효과와 심미적 특성 파악하기 • 매체 환경의 변화와 소통 방식의 특징 파악하기

작품 개관

갈래	만화	성격	사실적, 역사적, 민중적
주제	토지를 삶의 근거로 살아가는 사람들의 강인한 삶		
특징	• 대하소설 「토지」를 만화로 각색한 작품임. • 원작에 충실하면서도 만화적 특성을 잘 살림. • 사실적인 장면 설정과 세밀한 그림체로 인물의 심리와 작품의 상황을 실감 나게 표현함.		

인물 소개

최서희 (딸)	최 참판 가문의 혈통을 잇는 유일한 인물로, 독립적이고 강인한 성격으로 자라난다. 훗날 빼앗긴 집안의 토지를 되찾고 은밀하게 남편 길상의 항일 운동을 돕는다. 땅을 되찾은 후에는 평사리 사람들의 정신적 지주로 살게 된다.
최치수 (아버지)	한때 촉망 받는 지식인이었으나 삶 자체에 허무감을 느끼며 피해 의식과 열등감 속에서 병든 모습으로 지내게 된다.

「토지」를 소설로 읽었을 때와 만화로 읽었을 때의 차이점

소설로 읽었을 때	만화로 읽었을 때
• 글을 통해 서술자가 직접 인물의 행동과 심리를 비교적 자세하게 묘사하거나 서술함. • 독자가 소설을 읽으며 장면을 상상하고 의미를 이해해야 함.	• 글의 사용을 최대한 절제하면서 그림을 통해 인물의 행동과 심리를 표현하고 사건을 진행함. • 대상을 시각적으로 생생하게 표현하기 때문에 상황을 구체적으로 이해하고, 더욱 생동감 있게 수용할 수 있음.

만화 매체의 장단점

장점	• 대상을 시각적으로 생생하게 표현하기 때문에 상황을 구체적으로 이해할 수 있음. • 생략, 변형, 과정 등의 표현이 자유로움.
단점	• 독자의 상상력을 제한함. • 많은 부분이 생략되어 아주 세밀한 부분까지 이해하는 것이 어려움. • 상세하고 세밀한 묘사를 하기에는 분량상의 제한이 있음.

[1~4] 다음 글을 읽고 물음에 답하시오.

(가) 앞부분 줄거리 경상남도 하동 평사리의 대지주 최 참판 댁의 외동딸 서희는 할머니 윤씨 부인의 분부에 따라 병을 앓고 있는 아버지 최치수에게 문안을 드리게 된다.

(나) "바깥 날씨가 차냐?"

길게 찢어진 눈이 서희를 응시하며 물었다. 서희는 그 말이 귀에 닿지도 않았던 것처럼 붉은 치마를 활짝 펴면서 나붓이 절을 한다.

"요즘에는 아버님 병환에 차도가 있으신지 문안드리옵니다."

봉순이가 그랬던 것처럼 목청을 가다듬고 외는 투의 억양 없는 소리를 질렀다.

"괜찮다. 서희도 밥 잘 먹고 감기는 안 들었느냐?"

갈기갈기 갈라진 여러 개의 쇠가 서로 부딪칠 때 나는 것 같은 목소리는 여전히 음산했다. 그는 서희의 공포심을 충분히 알고 있는 것 같았다. 그러면서도 그것을 풀어 주려는 노력이 없는 싸늘하고 비정한 눈이 서희를 응시하고 있는 것이다. 서희는 아버지의 눈을 피하기만 하면 당장에 천둥이 치고 벼락이 떨어질 것처럼 애처롭게 그를 마주 본 채 고개를 저었다. 치수는 웃었다. 그 웃음은 도리어 서희의 마음을 얼어붙게 했다. 서희로부터 시선을 돌린 치수는 서안 위에 펼쳐 놓은 책의 갈피를 넘긴다. 허약한 체질에 비하면 뼈마디는 굵은 편이었다. 그러나 가엾을 만큼 여위고 창백한 그의 손이 책갈피를 누르면서 눈은 글자를 더듬어 내려간다. 손뿐인가, 뜰 아래 물기 잃은 목련의 앙상한 가지처럼, 그러나 동정을 받을 수 있는 비참한 느낌이기보다는 도리어 상대에게 견딜 수 없는, 숨 막혀서 견딜 수 없어 결국은 공포심을 불러일으키게 하는 강한 분위기를 그는 내어 뿜고 있었다. 어떤 일에도 감동되지 않을 눈빛, 철저하게 스스로를 거부하는 눈빛, 눈빛에서만 그랬던 것이 아니다. 뼈만 남은 몸 전체가 거부로써 남을 학대하는 분위기의 응결이었다.

일단 방에 들어온 뒤에는 나가도 좋다는 말이 떨어지지 않는 이상 서희는 일어설 수 없다. 숨소리를 죽이며, 그래서 가냘픈 가슴이 더 뛰고 양어깨로 숨을 쉴 수밖에 없었는데 움직이지 못한다는 것은 어린것에게 얼마나 큰 고통인가.

이따금 책장 넘기는 소리가 났다.

01 (가)와 (나)의 매체 특성을 비교한 것으로 적절하지 않은 것은?

① (가)는 (나)에 비해 상황을 구체적으로 이해할 수 있다.
② (가)는 (나)에 비해 변형이나 과장 등의 표현이 자유롭다.
③ (가)는 (나)에 비해 생략된 부분이 많아 세세한 부분까지 이해하는 것이 어렵다.
④ (나)는 (가)에 비해 독자의 상상력의 폭을 제한할 수 있다.
⑤ (나)는 (가)에 비해 인물의 성격과 심리를 세밀하게 파악할 수 있다.

02 (가)에서 '아버지'를 대하는 서희의 태도로 가장 적절한 것은?

① '아버지'를 무서워하며 함께 있는 것을 꺼리고 있다.
② 병환으로 야윈 '아버지'의 모습을 애처롭게 여기고 있다.
③ 자신을 무시하는 '아버지'에 대해 적대감을 느끼고 있다.
④ '아버지'의 기대에 미치지 못해서 부끄러움을 느끼고 있다.
⑤ 예상하지 못한 '아버지'의 반응을 흥미롭게 생각하고 있다.

학습 활동 응용

03 〈보기〉를 참고할 때, (나)를 (가)로 재구성하는 과정에서 고려했을 내용으로 적절하지 않은 것은?

〈보기〉

만화는 이야기의 줄거리만을 전달하는 도구가 아니라 그 속의 정황과 등장인물의 삶이 빚어내는 감정을 정지된 화면 안에 일일이 구현해 내야 한다. 그림의 언어를 충분히 확보하지 못했거나 시대의 고증을 사실에 가깝게 설명해 내지 못한다면, 단 한 장면에서도 독자들에게 새로운 감동을 불러일으킬 수 없다.

① 등장인물의 감정은 표정을 통해 짐작할 수 있도록 그려야겠어.
② 정지된 화면이지만 내용이 자연스럽게 연결될 수 있도록 해야겠어.
③ 상황이 잘 드러날 수 있도록 적절한 음성 상징어를 써 넣어야겠어.
④ 배경을 그림으로 제시해야 하니 당시 가옥의 구조를 알아봐야겠어.
⑤ 등장인물의 말투를 충실히 구현해 내기 위해 지시문을 따로 제시할 필요가 있겠어.

학습 활동 응용

04 ㉠의 표정을 통해 표현하고자 하는 인물의 심리를 〈조건〉에 맞게 서술하시오.

〈조건〉

- (나)의 내용을 참고하여 쓸 것.
- 40자 내외의 한 문장으로 쓸 것.

학습 활동 응용

05 〈보기〉와 같은 매체의 특성을 설명한 것으로 적절하지 않은 것은?

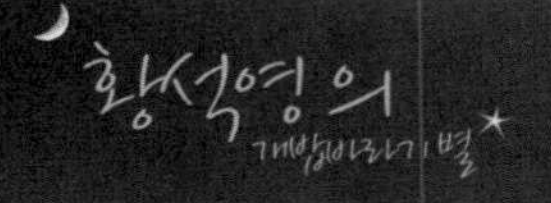

개밥바라기 별 (42회) 2008. 4. 21.

[전략]

춥지, 누나……

그랬더니 그녀는 내게 한쪽 손을 내밀며 말했다.

그래, 좀 녹여 줄래?

나는 누나의 손을 잡아 내 점퍼 주머니에 함께 넣었다. 그러는데 새삼스럽게 몸이 떨려 왔다. 추워서 그런 게 아니라, 나는 어쩐지 이 어둠 속에 그녀와 함께 있다는 것이며 손을 잡고 살을 맞붙이고 있다는 사실 때문에 더욱 떨렸을 것이다.

어떤 연극에서 두 배우가 서로 전혀 다른 대사를 하는 거야. 끝까지 말이 통하지 않는 다른 대사를 해. 그런데 한참 듣고 있다 보면 그들은 서로 대화하구 있어. 그리고 관객들만 모르지 자기들끼리는 알아듣고 있었던 거야. 그런 연극 재미있겠지?

내가 긴장에서 벗어나려고 얘기를 했더니 로사 누나는 정직하게 말했다. [후략]

▶다음 회(43회) 보러 가기 ▶지난 회(41회) 보러 가기 ▶1회부터 다시 보기

태그: #개밥바라기 별

댓글 41개 | 엮인 글 | 공감하기

ㄴ, 서쪽 하늘: 두 사람은 서로 다른 이야기를 하네요. 그런데 나중에 보면 서로 대화를 나누고 있는게 신기해요.

ㄴ, 작은 별: 잘 읽었습니다. 그런데 '어머니하구 사랑방 손님은 답답하잖아.' 부분이 이해가 안 되네요. 이 부분 설명해 주실 분 안 계신가요?

① 독자들의 단편적인 생각은 공유하기 힘들다.
② 작품의 생산과 수용이 즉각적으로 이루어진다.
③ 작품을 읽는 도중 궁금증이 생기면 해결해 주기도 한다.
④ 독자와 작가 사이에 소통이 용이하게 이루어질 수 있다.
⑤ 해당 매체에 접근할 수 있는 사람이라면 누구나 감상할 수 있다.

[1~3] 다음 글을 읽고 물음에 답하시오.

(가) 산은
구강산(九江山)
보랏빛 석산(石山)

산도화
두어 송이
송이 버는데

봄눈 녹아 흐르는
옥 같은
물에

사슴은
암사슴
발을 씻는다.

(나)

1

내 그대를 생각함은 항상 그대가 앉아 있는 배경에서 ㉠ 해가 지고 바람이 부는 일처럼 사소한 일일 것이나 ㉡ 언젠가 그대가 한없이 괴로움 속을 헤매일 때에 오랫동안 전해 오던 그 사소함으로 그대를 불러보리라.

2

진실로 진실로 내가 그대를 사랑하는 까닭은 ㉢ 내 나의 사랑을 한없이 잇닿은 그 기다림으로 바꾸어 버린 데 있었다. 밤이 들면서 골짜기엔 눈이 퍼붓기 시작했다. ㉣ 내 사랑도 어디쯤에선 반드시 그칠 것을 믿는다. 다만 그때 내 기다림의 자세를 생각하는 것뿐이다. ㉤ 그 동안에 눈이 그치고 꽃이 피어나고 낙엽이 떨어지고 또 눈이 퍼붓고 할 것을 믿는다.

01 (가)와 (나)에 대한 설명으로 적절하지 않은 것은?

① (가)와 (나)는 모두 서정성을 띠고 있다.
② (가)는 (나)와 달리 3음보 율격을 통해 운율을 형성하고 있다.
③ (가)는 (나)와 달리 관조적 태도로 대상을 바라보고 있다.
④ (나)는 (가)와 달리 반어적 표현을 사용하고 있다.
⑤ (나)는 (가)와 달리 색체 이미지를 사용하여 시의 분위기를 형성하고 있다.

02 (가)의 시상 전개에 대한 설명으로 적절하지 않은 것은?

① 정적인 대상 묘사에서 동적인 대상 묘사로 변화되고 있다.
② 원경에서 근경으로 시선을 이동하면서 시상이 전개되고 있다.
③ 2연의 '산도화'는 아름답고 다사로운 봄의 생명력을 환기하고 있다.
④ 3연의 '물'은 옥에 비유될 만큼 깨끗하고 맑은 이미지를 형상화해 준다.
⑤ 4연의 '암사슴'이 홀로 발을 씻는 모습을 통해 화자의 고독감을 부각하고 있다.

03 ㉠~㉤에 대한 이해로 적절하지 않은 것은?

① ㉠: 일상적이기 때문에 사소해 보이지만 무척 중요한 일을 뜻한다.
② ㉡: 그대를 향한 사랑이 더 이상 지속되기 어려운 때를 가리킨다.
③ ㉢: '사랑'을 영원성을 지닌 '기다림'으로 승화시키겠다는 의지가 담겨 있다.
④ ㉣: 자신의 사랑이 영원하지 않을 수 있음을 솔직하게 고백하고 있다.
⑤ ㉤: 계절이 순환하듯이 자신의 사랑도 계속되기를 바라고 있다.

[4~8] 다음 글을 읽고 물음에 답하시오.

(가) 전차 안에서

구보는, 우선, 제자리를 찾지 못한다. 하나 남았던 좌석은 그보다 바로 한 걸음 먼저 차에 오른 젊은 여인에게 점령당했다. 구보는, 차장대(車掌臺) 가까운 한구석에 가 서서, ㉠ 자기는 대체, 이 동대문행 차를 어디까지 타고 가야 할 것인가를, 대체 어느 곳에 행복은 자기를 기다리고 있을 것인가를 생각해 본다.

이제 이 차는 동대문을 돌아 경성 운동장 앞으로 해서…… 구보는, 차장대, 운전대로 향한, 안으로 파란 융을 받쳐 댄 창을 본다. 전차과(電車課)에서는 그곳에 '뉴스'를 게시한다. 그러나 사람들은 요사이 축구도 야구도 하지 않는 모양이었다.

장충단으로, 청량리로, 혹은 성북동으로……. 그러나 요사이 구보는 교외를 즐기지 않는다. 그곳에는, 하여튼 자연이 있었고, 한적(閑寂)이 있었다. 그리고 ㉡ 고독조차 그곳에는, 준비되어 있었다. 요사이, 구보는 고독을 두려워한다.

일찍이 그는 고독을 사랑한 일이 있었다. 그러나 고독을 사랑한다는 것은 그의 심경의 바른 표현이 못 될 게다. 그는 결코 고독을 사랑하지 않았는지도 모른다. 아니 도리어 그는 그것을 그지없이 무서워하였는지도 모른다. 그러나 그는 고독과 힘을 겨루어, 결코 그것을 이겨 내지 못하였다. 그런 때, 구보는 차라리 고독에게 몸을 떠맡겨 버리고, 그리고, 스스로 자기는 고독을 사랑하고 있는 것이라고 꾸며 왔었는지도 모를 일이다……

표, 찍읍쇼 ── 차장이 그의 앞으로 왔다. 구보는 단장을 왼팔에 걸고, 바지 주머니에 손을 넣었다. 그러나 그가 그 속에서 다섯 닢의 동전을 골라내었을 때, 차는 종묘 앞에 서고, 그리고 차장은 제자리로 돌아갔다.

구보는 눈을 떨어뜨려, 손바닥 위의 다섯 닢 동전을 본다. ㉢ 그것들은 공교롭게도 모두가 뒤집혀 있었다. 대정(大正) 12년. 11년. 11년. 8년. 12년. 대정 54년──, 구보는 그 숫자에서 어떤 한 개의 의미를 찾아내려 들었다. 그러나 그것은 부질없는 일이었고, 그리고 또 설혹 그것이 무슨 의미를 가지고 있었다 하더라도, 그것은 적어도 '행복'은 아니었을 게다.

차장이 다시 그의 옆으로 왔다. 어디를 가십니까. 구보는 [전차]가 향해 가는 곳을 바라보며 문득 창경원에라도 갈까, 하고 생각한다. 그러나 그는 차장에게 아무런 사인도 하지 않았다. 갈 곳을 갖지 않은 사람이, 한번, 차에 몸을 의탁하였을 때, 그는 어디서든 섣불리 내릴 수 없다.

(나) 여러 번 자동차에 치일 뻔하면서 나는 그대로 경성역을 찾아갔다. 빈자리와 마주 앉아서 이 쓰디쓴 입맛을 거두기 위하여 무엇으로나 입가심을 하고 싶었다.

커피 ─ 좋다. 그러나 경성역 홀에 한 걸음을 들여놓았을 때 ㉣ 나는 내 주머니에는 돈이 한 푼도 없는 것을, 그것을 깜빡 잊었던 것을 깨달았다. 또 아뜩하였다. 나는 어디선가 그저 맥없이 머뭇머뭇하면서 어쩔 줄을 모를 뿐이었다. 얼빠진 사람처럼 그저 이리 갔다 저리 갔다 하면서…….

나는 어디로 어디로 들입다 쏘다녔는지 하나도 모른다. 다만 몇 시간 후에 내가 미쓰코시 옥상에 있는 것을 깨달았을 때는 거의 대낮이었다.

나는 거기 아무 데나 주저앉아서 내 자라 온 스물여섯 해를 회고하여 보았다. 몽롱한 기억 속에서는 이렇다는 아무 제목도 불거져 나오지 않았다.

나는 또 내 자신에게 물어보았다. 너는 인생에 무슨 욕심이 있느냐고. 그러나 있다고도 없다고도, 그런 대답은 하기가 싫었다. 나는 거의 나 자신의 존재를 인식하기조차도 어려웠다.

㉤ 허리를 굽혀서 나는 그저 금붕어나 들여다보고 있었다. 금붕어는 참 잘들 생겼다. 작은 놈은 작은 놈대로 큰 놈은 큰 놈대로 다 싱싱하니 보기 좋았다. 내리비치는 오월 햇살에 금붕어들은 그릇 바탕에 그림자를 내려뜨렸다. 지느러미는 하늘하늘 손수건을 흔드는 흉내를 낸다. 나는 이 지느러미 수효를 헤아려 보기도 하면서 굽힌 허리를 좀처럼 펴지 않았다. 등어리가 따뜻하다.

나는 또 [회탁의 거리]를 내려다보았다. 거기서는 피곤한 생활이 똑 금붕어 지느러미처럼 흐늑흐늑 허비적거렸다. 눈에 보이지 않는 끈적끈적한 줄에 엉켜서 헤어나지들을 못한다. 나는 피로와 공복 때문에 무너져 들어가는 몸뚱이를 끌고 그 회탁의 거리 속으로 섞여 들어가지 않는 수도 없다 생각하였다.

04 (가)와 (나)의 서술상 공통점을 〈보기〉에서 모두 골라 바르게 묶은 것은?

〈보기〉

ㄱ. 장소의 이동에 따라 관찰하고 떠올린 것들을 주로 드러내고 있다.
ㄴ. 작품 밖의 서술자가 특정 등장인물의 시선을 빌려 사건을 서술하고 있다.
ㄷ. 쉼표를 자주 사용하여 호흡을 조절하면서 인물의 심리를 드러내고 있다.
ㄹ. 주인공의 생각을 논리적으로 재배열하지 않고 있는 그대로 전달하고 있다.
ㅁ. 장면에 따라 서술자를 달리하여 같은 사건에 대한 다양한 시각을 제시하고 있다.

① ㄱ, ㄴ ② ㄱ, ㄹ ③ ㄴ, ㄷ
④ ㄴ, ㅁ ⑤ ㄷ, ㄹ

05 (가)에서 구보가 타고 있는 전차가 지닌 의미로 가장 적절한 것은?

① '구보'가 지난 일들을 떠올리며 추억에 젖는 공간
② '구보'가 목적지를 가는 동안 머무는 무의미한 공간
③ '구보'가 다른 이들과 다른 자신의 모습을 깨닫는 공간
④ '구보'가 목적의식의 부재로 섣불리 벗어날 수 없는 공간
⑤ '구보'가 다양한 사람들을 바라보며 사회 분위기를 읽어 내는 공간

06 (나)에서 회탁의 거리에 대한 '나'의 인식으로 가장 적절한 것은?

① 힘겹고 고단한 일상을 살아가는 현실적 공간이다.
② 다른 생명체와 공존하기 어려운 무생명의 공간이다.
③ 답답한 현실로부터 벗어날 수 있는 도피의 공간이다.
④ 자신의 지난 삶을 되짚어 보게 해주는 성찰의 공간이다.
⑤ 실재하지 않고 상상 속에서만 존재하는 이상적 공간이다.

서술형

07 (가)의 '구보'와 (나)의 '나'의 공통점을 〈조건〉에 맞게 서술하시오.

〈보기〉

• '세계에 관한 인물의 태도'를 중심으로 쓸 것
• 두 인물의 현재 행동과 정서가 드러나게 쓸 것

08 ㉠~㉤에 대한 이해로 적절하지 않은 것은?

① ㉠: '구보'가 특정한 목적지 없이 전차에 탔음을 짐작하게 한다.
② ㉡: '구보'가 최근 들어 교외에 나가는 것을 즐기지 않는 까닭에 해당한다.
③ ㉢: '구보'의 호기심을 일시적으로 자극했지만 아무런 의미도 주지 못한다.
④ ㉣: '나'가 아무런 계획이나 준비 없이 외출하였음을 알 수 있게 한다.
⑤ ㉤: '나'가 자신에 대해 깊이 회고해 보기 위해 선택한 행동이다.

[9~12] 다음 글을 읽고 물음에 답하시오.

"좀 비싼데요."

사자상을 두고 흥정을 하던 백인 여자는 그 조각품을 물리면서 말했다. **원주민 상인**이 그 물건을 다시 들어 보이며 살 것을 권유했지만, 그녀의 결심은 굳은 듯했다.

㉠ "삼 실링 육 펜스요?"

옆에 있던 **남편**이 과장된 표정으로 크게 되물었다.

㉡ "예, 나리."

그가 웃으며 대답했다.

㉢ "삼 실링 육 펜스라!"

남편은 못 믿겠다는 표정이었다.

"다음에 사요."

여자가 채근했다.

㉣ "당신이 그렇게 갖고 싶어 하던 거잖아."

남편은 의아하다는 듯 말했다.

㉤ "아니에요. 다음에 살래요."

여자가 마지막 결정을 내리자 원주민 상인은 사자상을 들고 머리를 갸우뚱한 채로 그들을 올려다보았다.

"삼 실링 육 펜스라!"

여전히 남편은 나이 든 노인처럼 혼잣말로 중얼거렸다.

[중략]

남편이 숨을 몰아쉬며 객실로 돌아왔다. 그는 의기양양해 있었다.

"자, 이걸 보시라." / 그가 사자상을 흔들며 말했다.

"**일 실링 육 펜스**에 샀어." / "뭐라구요?"

그녀가 어이가 없는 듯 말했다.

"장난삼아 마지막으로 **값을 흥정**했지. 그랬더니 기차가 막 떠나려고 할 때 그 노인이 기차를 따라오며 일 실링 육 펜스에 가져가라고 하더군." / 그가 만면에 희색을 띠며 말했다.

"자, 이거 당신 선물이야."

여자는 조각상을 받아들었다. 떡 벌어진 입, 뾰족한 이빨, 검은 혀 그리고 섬세한 갈기! 여자는 마치 다른 어떤 것을 생각하듯 초점을 잃은 두 눈으로 조각상을 바라보았다. 생각대로 일이 잘되어 가지 않을 때 아이들이 짓는 표정처럼 여자는 얼굴을 찡그리고 있었다. 눈썹은 위로 치켜 올라가 있었고 입가장자리는 신경질적으로 기울어져 있었다. 아주 천천히 그리고 조심스럽게 여자는 손가락을 들어 올려 사자의 갈기를 어루만졌다.

"당신, 어떻게 그럴 수가 있죠?"

㉠ 여자의 얼굴에 분노의 빛이 역력했다.

"뭐가. 도대체 왜 그래?" / 당황한 남편이 물었다.

"이걸 그렇게 사고 싶었으면……."

흥분한 여자의 목소리가 날카롭게 갈라졌다.

[A]

"왜 처음부터 사지 않고 그렇게 뜸을 들였죠? 왜 기차가 떠날 때까지 기다렸다 샀냔 말이에요. 그것도 일 실링 육 펜스에 말이죠."

여자는 사자상을 남편에게 떠다밀었다.

"이거 당신이 갖고 싶어 했던 것 아니야? 무척 맘에 들어 했잖아."

"물론이에요. 그렇지만 이건 아주 훌륭한 조각품이라구요."

여자는 마치 조각품을 보호하려는 것처럼 맹렬하게 말했다.

"당신이 이 조각품이 아주 맘에 드는데 너무 비싸다고 혼잣말로 중얼거리는 소리를 들었다구."

"이봐요." / 여자가 참을 수 없다는 듯이 격하게 말을 내뱉었다.

"당신……."

여자는 사자상을 바닥에 내동댕이쳐 버렸다.

남편은 망연자실 여자를 바라보고 서 있을 뿐이었다.

여자는 모퉁이에 앉아 두 손으로 얼굴을 감싸 쥔 채 창밖을 무표정하게 응시했다. 갖가지 생각들이 그녀의 머릿속에서 교차하는 것 같았다. 일 실링 육 펜스라! 나뭇조각과 다리의 근육과 채찍 같은 꼬리를 사는 데 일 실링 육 펜스라! 그렇게 늠름하게 벌려져 있는 입과 파도처럼 말려 있는 검은 혀에 그토록 정교한 목의 갈기까지 얻는 데 일 실링 육 펜스라! 분노로 인한 열기가 여자의 다리를 타고 목까지 올라와 귀에 모래를 쓸어 내는 소리를 쏟아부었다. 그 소리는 한동안 계속되었다. 여자는 속이 메스꺼워짐을 느꼈다. 피로와 무기력함과 불현듯 찾아든 **공허감**이 여자의 사지로 퍼져 나갔다. 여자의 육신에서 소중한 그 무언가가 빠져나가는 듯했다. 여자는 그것이 오랫동안 지속된 외부와의 단절감 때문이라고 생각했다.

09 윗글에 반영된 시대적·사회적 배경으로 적절하지 않은 것은?

① 아프리카인들의 전통 문화를 폄하하는 서구인들이 있었다.
② 많은 아프리카인들이 경제적으로 궁핍한 삶을 살고 있었다.
③ 서구인들이 자기중심적 가치관에서 벗어나지 못하고 있었다.
④ 서구인들에 대한 아프리카인들의 편견과 불신이 극심하였다.
⑤ 아프리카와 선진국 사이에 불공정한 거래가 행해지고 있었다.

서술형

10 [A]에서 여자가 남편에게 화를 낸 까닭을 〈조건〉에 맞게 서술하시오.

〈보기〉
• 사자상에 대한 남편의 가치관과 구매 방법이 드러나게 쓸 것
• 남편의 태도에 대한 여자의 심정이 드러나게 쓸 것

11 ㉠~㉤에 대한 이해로 적절하지 않은 것은?

① ㉠: 여자의 말에 동조하기 위해 일부러 크게 말한 것이다.
② ㉡: 사자상을 팔기 위해 공손한 태도로 응답하고 있다.
③ ㉢: 물건에 비해 가격이 너무 비싸다고 여기고 있다.
④ ㉣: 여자가 사자상의 구입을 포기한 이유를 이해하지 못하고 있다.
⑤ ㉤: 남편의 마음을 확인한 것만으로도 만족해 하고 있다.

12 윗글과 〈보기〉를 비교하여 감상한 내용으로 적절하지 않은 것은?

〈보기〉

나는 이제 **너**에게도 슬픔을 주겠다.
사랑보다 소중한 슬픔을 주겠다.
겨울밤 거리에서 귤 몇 개 놓고
살아온 추위와 떨고 있는 **할머니**에게
귤값을 깎으면서 기뻐하던 너를 위하여
나는 슬픔의 평등한 얼굴을 보여 주겠다.
내가 어둠 속에서 너를 부를 때
단 한 번도 평등하게 웃어 주질 않은
가마니에 덮인 동사자(凍死者)가 다시 얼어 죽을 때
가마니 한 장조차 덮어 주지 않은
무관심한 너의 사랑을 위해
흘릴 줄 모르는 너의 눈물을 위해
나는 이제 너에게도 기다림을 주겠다.

– 정호승, 「슬픔이 기쁨에게」

① 윗글의 '남편'과 〈보기〉의 '너'는 남을 돌아볼 줄 모르는 이기적인 인물이라고 볼 수 있겠군.
② 윗글에서 '원주민 상인'은 〈보기〉의 '할머니'처럼 생활고를 겪는 사람이겠군.
③ 윗글에서 '남편'이 '값을 흥정'하는 행동은 〈보기〉에서 '귤값을 깎으려는' 행동과 목적이 같다고 할 수 있겠군.
④ 윗글에서 '일 실링 육 펜스'는 〈보기〉의 '가마니 한 장'과 같이 무가치한 존재를 의미하겠군.
⑤ 윗글에서 '여자'가 '공허감'을 느낀 것은 〈보기〉의 '무관심한 너의 사랑'과 같은 태도 때문이겠군.

[13~16] 다음 글을 읽고 물음에 답하시오.

(가) 허생은 묵적골[墨積洞]에 살았다. 곧장 남산(南山) 밑에 닿으면, 우물 위에 오래 된 은행나무가 서 있고, 은행나무를 향하여 사립문이 열렸는데, 두어 칸 초가는 비바람을 막지 못할 정도였다. 그러나 허생은 글 읽기만 좋아하고, 그의 처가 남의 바느질품을 팔아서 입에 풀칠을 했다.

하루는 그 처가 몹시 배가 고파서 울음 섞인 소리로 말했다.

"당신은 평생 과거(科擧)를 보지 않으니, 글을 읽어 무엇합니까?"

허생은 웃으며 대답했다.

"나는 아직 독서를 익숙히 하지 못하였소."

"그럼 장인바치 일이라도 못 하시나요?"

"장인바치 일은 본래 배우지 않은 걸 어떻게 하겠소?"

"그럼 장사는 못 하시나요?"

"장사는 밑천이 없는 걸 어떻게 하겠소?"

처는 왈칵 성을 내며 소리쳤다.

"밤낮으로 글을 읽더니 기껏 '어떻게 하겠소?' 소리만 배웠단 말씀이오? 장인바치 일도 못 한다, 장사도 못 한다면, ㉠ 도둑질이라도 못 하시나요?"

허생은 읽던 책을 덮어 놓고 일어나면서,

"아깝다. 내가 당초 글 읽기로 십 년을 기약했는데, 인제 칠 년인걸……." / 하고 휙 문밖으로 나가 버렸다.

(나) 저녁 밥상을 부엌으로 내가려는데 남편이 불렀다.

"잠시만 이리 와 앉으오. 내가 할 이야기가 있소."

남편은 말을 꺼내기가 어려운 듯 잠시 묵묵해 있었다.

"내 또다시 출유하려 하오. 그러니 당신은 이 집을 정리하여 수래벌 큰댁에 몸을 의탁해 있으시오. 이미 사촌 큰형님과 상의해 두었소."

"이 집을 정리하려 하신다면…… 아주 안 돌아오실 겁니까?"

"나도 모르오. 내 뜻이 이곳에 있지 아니하니 장담하기가 어렵소."

"그렇다면 차라리 저와 **절연**하시지요."

"무슨 해괴망측한 소리를 하오? 우리는 혼인한 사이인데 그걸 어찌 쉽게 깨뜨릴 수 있단 말이오. 사람에게는 신의가 중요한 것이오."

"남자들은 저 편리한 대로 **신의**니 뭐니 잘도 갖다 대더군요. 우리가 혼인한 것이 약속이니 지켜야 한다고 합시다. 하지만 어찌 그 약속을 여자 홀로 지켜야 하는 것입니까? 당신이 그 약속을 저버리고 저를 돌보지 않으니 제가 약속을 지켜야 할 상대는 어디 있는 겁니까? 차라리 전 팔자를 고쳤으면 합니다."

"사대부집 아녀자가 어찌 입에 담아선 안 될 험한 소리를 하오? 당신이 인륜을 저버리고 예의, 염치도 모르는 행동을 하리라곤 생각할 수 없소."

"**인륜**? **예의**? 염치? 그게 무엇이지요? 하루 종일 무릎이 시도록 웅크리고 앉아 삯바느질을 하는 게 인륜입니까? 남편이야 무슨 짓을 하든 서속이라도 꾸어다가 조석을 봉양하고, 그것도 부족해서 술친구 대접까지 해야 그게 예의라는 말입니까? 하루에 열두 번도 더 청소하고 빨래하고 설거지하는 게 염치를 아는 겁니까? 아무리 굶주려도 끽 소리도 못 하고 **눈이 짓무르도록 바느질**을 하고 그러다 아무 쓸모없는 노파가 되어 죽는 게 바로 인륜이라는 거지요? 나는 그런 터무니없는 짓 않겠습니다. 분명 하늘이 사람을 내실 때 행복하게 살며 번성하라고 내셨지, 어찌 누구는 밤낮 서럽게 기다리고 굶주리다 자식도 없이 죽어 버리라고 하셨겠는가 말이에요?" / "기다리는 게 우리네 **부녀자들의 아름다운 미덕**이 아니오……."

"미덕요? 난 꼬박 오 년이나 당신을 기다렸지요. 그전엔 굶기를 밥 먹듯 한 게 몇 해였지요? 우리가 입에 풀칠이라도 할 수 있었던 것은 오로지 내 두 손이 바삐 움직이고 두 눈이 호롱불 빛에 짓물렀기 때문이에요. 그런데 전 뭔가요? 앞으로도 뒤로도 어둠뿐이에요. 그런데도 당신은 여전히 유유자적 더러운 세상을 경멸하며 가슴에 품은 경륜을 뽐낼 뿐이지요. 당신은 친구들과 담화할 때 학문이란 쓰임이 있어야 하고 실이 없으면 안 되고, 만물은 서로 이롭도록 운용되어야 한다고 하셨지요. 그런데 당신은 세상에 있는 소이(所以)가 없고 당신을 따르는 한 나 역시 그러해요."

13 (가)와 (나)를 비교하여 감상한 내용으로 적절하지 <u>않은</u> 것은?

① (가)는 (나)와 달리 '허생'과 '허생의 처'가 갈등하는 원인이 겉으로 드러나 있다.
② (나)는 (가)와 달리 '허생의 처'를 중심으로 사건을 전개하고 있다.
③ (가)와 (나)의 '허생'은 모두 가부장적인 의식을 지닌 인물이다.
④ (가)와 (나)의 '허생'은 모두 가정을 돌보는 것을 등한시하는 인물이다.
⑤ (가)와 (나)의 '허생의 처'는 모두 남편의 행동으로 인해 힘들어 한다.

서술형

14 (가)에서 '허생'이 생각하는 독서를 (나)의 내용을 바탕으로 비판하여 〈조건〉에 맞게 서술하시오.

〈조건〉
• (나)의 '허생의 처'의 말을 바탕으로 '허생'의 모순된 모습을 비판할 것

15 ㉠에 대한 이해로 가장 적절한 것은?

① 글 읽기가 도둑질과 다를 바 없다는 인식을 담고 있다.
② 도둑질밖에 할 것이 없는 비참한 현실을 탄식하고 있다.
③ 가장의 책임을 다하기 위해 노력해 줄 것을 촉구하고 있다.
④ 사대부 계층의 횡포에 대한 서민들의 불만과 반발심을 내포하고 있다.
⑤ 장인바치 일과 장사를 천시하던 당시 사람들의 관점이 반영되어 있다.

16 〈보기〉를 바탕으로 (나)를 감상한 것으로 적절하지 않은 것은?

〈보기〉

「허생의 처」는 1987년 여성 운동이 활기를 띨 무렵에 발표된 작품이다. 이 작품에서는 원전인 「허생전」의 주인공 '허생'의 행태를 통해 남성 중심 이데올로기를 비판하는 한편, '허생의 처'를 통해 봉건적인 여성상에서 벗어나 능동적인 삶을 살고자 하는 주체적인 여성상을 보여 주고 있다.

① 남편의 무책임한 요구에 '절연'을 말하는 것에서 주체적으로 자신의 삶을 살아가려는 의지를 엿볼 수 있군.
② '신의'는 여자뿐만 아니라 남자도 지켜야 함을 강조하면서 성 평등 의식을 드러내고 있군.
③ 여성의 '인륜'과 '예의'만을 강조하는 남성 중심의 가부장적 사회를 비판하고 있군.
④ '눈이 짓무르도록 바느질'을 하며 집안을 꾸려 가는 모습을 통해 주체적 여성의 능동적인 삶을 보여 주고 있군.
⑤ '부녀자들의 아름다운 미덕'을 부정적으로 보고 있는 것을 통해 여성을 옭아매던 봉건 질서에 대한 반발심을 드러내고 있군.

[17~18] 다음 글을 읽고 물음에 답하시오.

"밤은 짧은데 말이 길어서 듣기에 지루하다. 너는 지금 무슨 벼슬에 있느냐?"

"대장이오."

"그렇다면 너는 나라의 신임 받는 신하로군. 내가 와룡 선생 같은 이를 천거하겠으니, 네가 임금께 아뢰어서 삼고초려를 하게 할 수 있겠느냐?"

이 대장은 고개를 숙이고 한참 생각하더니,

"어렵습니다. 제이(第二)의 계책을 듣고자 하옵니다."

했다. [중략]

"명(明)나라 장졸들이 조선은 옛 은혜가 있다고 하여, 그 자손들이 많이 우리나라로 망명해 와서 정처 없이 떠돌고 있으니, 너는 조정에 청하여 종실(宗室)의 딸들을 내어 모두 그들에게 시집보내고, 훈척(勳戚) 권귀(權貴)의 집을 빼앗아서 그들에게 나누어 주게 할 수 있겠느냐?"

이 대장은 또 머리를 숙이고 한참을 생각하더니,

"어렵습니다."

했다. [중략]

"무릇, 천하에 대의(大義)를 외치려면 먼저 천하의 호걸들과 접촉하여 결탁하지 않고는 안 되고, 남의 나라를 치려면 먼저 첩자를 보내지 않고는 성공할 수 없는 법이다. 지금 만주 정부가 갑자기 천하의 주인이 되어서 중국 민족과는 친근해지지 못하는 판에, 조선이 다른 나라보다 먼저 섬기게 되어 저들이 우리를 가장 믿는 터이다. 진실로 당(唐)나라, 원(元)나라 때처럼 우리 자제들이 유학 가서 벼슬까지 하도록 허용해 줄 것과 상인의 출입을 금하지 말도록 할 것을 간청하면, 저들도 반드시 자기네에게 친근해지려 함을 보고 기뻐 승낙할 것이다. 국중의 자제들을 가려 뽑아 머리를 깎고 되놈의 옷을 입혀서, 그중 선비는 가서 빈공과에 응시하고, 또 서민은 멀리 강남(江南)에 건너가서 장사를 하면서, 저 나라의 실정을 정탐하는 한편, 저 땅의 호걸들과 결탁한다면 한번 천하를 뒤집고 국치(國恥)를 씻을 수 있을 것이다. 그리고 만약 명나라 황족에서 구해도 사람을 얻지 못할 경우, 천하의 제후를 거느리고 적당한 사람을 하늘에 천거한다면, 잘되면 대국의 스승이 될 것이고, 못되어도 백구지국(伯舅之國)의 지위를 잃지 않을 것이다."

17 윗글에서 '허생'이 제시한 계책이 아닌 것은?

① 삼고초려를 해서라도 인재를 등용해라.
② 국중의 자제들을 명나라로 유학을 보내라.
③ 청나라와의 문물 교류를 적극적으로 하라.
④ 종실의 딸들을 명나라 장졸의 자손들과 혼인시켜라.
⑤ 권귀의 집을 빼앗아 명나라 망명객들에게 나누어 주어라.

서술형

18 윗글에서 '이완'을 등장시킨 이유를 〈조건〉에 맞게 서술하시오.

〈조건〉

• 주제 의식과 관련하여 쓸 것

[19~21] 다음 글을 읽고 물음에 답하시오.

[A]
최명길의 목소리는 더욱 가라앉았다. 최명길은 천천히 말했다.
"상헌의 말은 지극히 의로우나 그것은 말일 뿐입니다. 상헌은 말을 중히 여기고 생을 가벼이 여기는 자이옵니다. **갇힌 성안**에서 어찌 말의 길을 따라가오리까."
김상헌의 목소리에 울음기가 섞여 들었다.
"전하, 죽음이 가볍지 어찌 삶이 가볍겠습니까? 명길이 말하는 생이란 곧 죽음입니다. 명길은 삶과 죽음을 구분하지 못하고, 삶을 죽음과 뒤섞어 삶을 욕되게 하는 자이옵니다. 신은 가벼운 죽음으로 무거운 삶을 지탱하려 하옵니다."
최명길의 목소리에도 울음기가 섞여 들었다.
"전하, 죽음은 가볍지 않사옵니다. 만백성과 더불어 죽음을 각오하지 마소서. 죽음으로써 삶을 지탱하지는 못할 것이옵니다."

임금이 주먹으로 서안을 내리치며 소리 질렀다.
"어허, 그만들 하라. 그만들 해." [중략]
신료들은 입을 다물었다. 영의정 김류는 말없이 어두운 마당을 바라보고 있었다. 처마 끝에서 고드름이 떨어져 내렸다. 성첩에서 다시 **총소리**가 두어 번 터졌다. 임금이 김류에게 물었다. / "영상은 어찌 말이 없는가?"
김류가 이마를 마루에 대고 말했다.
"말을 하기에는 이판이나 예판의 자리가 편안할 것이옵니다. 신은 참람하게도 체찰사의 직을 겸하여 군부를 총괄하고 있으니 소견이 있다 한들 어찌 전과 화의 일을 아뢸 수 있겠사옵니까." / 최명길이 말했다.
"영상의 말이 한가하여 태평연월인 듯하옵니다. 전하, 적들이 성을 깨뜨리려 덤벼들면 사세는 더욱 위태로워질 것이옵니다. 전하, 늦추어야 할 일이 있고 당겨야 할 일이 있는 것이옵니다. 적의 공성을 늦추시고, 늦추시는 일을 당기옵소서. 시간을 벌기 위해서라도 우선 신들을 적진에 보내 말길을 열게 하소서. 지금 묘당이라 해도 오활한 **유자(儒者)의 찌꺼기**들이옵고 비국 또한 다르지 않사옵니다. 헛된 말들은 소리가 크고 한 골로 쏠리는 법이옵니다. 중론을 묻지 마시고 오직 전하의 성단으로 결행하소서."

19 윗글에 드러난 인물들의 말하기 방식을 설명한 것으로 적절하지 않은 것은?

① '김상헌'과 '최명길'은 모두 임금을 설득하기 위해 논리적으로 말하고 있다.
② '최명길'은 비유를 사용하여 많은 신하들의 의견을 따라야 함을 강조하였다.
③ '김상헌'은 상대방의 주장을 반박하는 방식으로 자신의 의견을 내세우고 있다.
④ '임금'은 결단을 내리기 힘든 답답한 심정에 논쟁을 중지시키려 하고 있다.
⑤ '김류'는 자신의 직책을 이유로 첨예한 사안에 대해 의견을 말하는 것을 회피하려 하고 있다.

20 〈보기〉를 참고하여 윗글을 이해한 내용으로 적절하지 않은 것은?

〈보기〉
1636년 12월 청 태종은 2만 대군을 이끌고 조선을 침략하였다. 인조는 강화도로 가려고 하였으나 피란길이 끊겨 남한산성으로 피할 수밖에 없었다. 청군에 포위당한 채 고립되자, 성안의 조정에서는 차차 주화파와 주전파의 대립이 격화되었다.

① '최명길'은 주화파, '김상헌'은 주전파를 대표하는 인물이겠군.
② '갇힌 성안'은 청의 대군에 포위된 남한산성을 가리키겠군.
③ '임금'은 강화도로 가지 못하고 남한산성으로 피신한 인조를 가리키는군.
④ '총소리'는 조선과 청이 군사적으로 대치중인 상황을 짐작하게 하는군.
⑤ '유자의 찌꺼기들'은 청을 오랑캐라고 멸시했던 사대부 계층의 시각을 보여 주는 말이군.

서술형
21 [A]에서 삶과 죽음에 대한 '최명길'과 '김상헌'의 의견이 어떻게 다른지 서술하시오.

[22~23] 다음 글을 읽고 물음에 답하시오.

(가) 할머니 꽃씨를 받으신다.
방공호(防空壕) 위에
어쩌다 된
채송화 꽃씨를 받으신다.

호(壕) 안에는
아예 들어오시덜 않고
말이 수째 적어지신
할머니는 그저 누여우시다.

— 진작 죽었더라면 / 이런 꼴
저런 꼴 / 다 보지 않았으련만……

글쎄 할머니,
그걸 어쩌란 말씀이서요.
수째 말이 적어지신
할머니의 노여움을
풀 수는 없었다.

할머니 꽃씨를 받으신다.
인제 지구(地球)가 깨어져 없어진대도
할머니는 역시 살아 계시는 동안은
그 작은 꽃씨를 털으시리라.

(나) 이렇든 저렇든 할머니는 분에 겨워 말수조차 줄어드셨고, 이제 당신 목숨은 상관조차 않으신다. 방공호에 아예 들어오시지도 않으니 말이다. 그런데 그런 분이 하찮은 채송화, 그것도 '어쩌다' 핀 채송화, 자잘하기 이를 데 없어 거두기 힘들고 짜증만 잔뜩 나는 그 채송화 꽃씨를 손수 받으시는 것이다. 채송화라? 혹시 ㉠ 동요 「꽃밭에서」를 기억하는가.

아빠하고 나하고 만든 꽃밭에 / 채송화도 봉숭아도 한창입니다.
아빠가 매어 놓은 새끼줄 따라 / 나팔꽃도 어울리게 피었습니다.

— 어효선 작사·권길상 작곡, 「꽃밭에서」

맑고 밝게 즐겨 불렀던 노래지만 사실 이 노래는 「스승의 은혜」로 유명한 권길상 선생이 1953년 피란 시절에 작곡한 것이다. 아, 피란 시절 그 난리 통에 아빠는 뭐하러 꽃밭을 만들었을꼬. 놀랄 만하지 않은가. 전쟁 통에 할머니는 채송화 씨를 거두고 아빠는 그걸 심었단 말이다. 게다가 그걸 박남수는 시로 남기고 권길상은 노래로 만들었단 말이다. 혹여나 아빠와 할머니가 키웠던 채송화가 '나' 아니었을까, 채송화 꽃씨는 내 자식이 아닐까. 그 덕에 지금 우리가 꽃밭에서 시와 노래를 즐기며 살고 있는 게 아니겠는가.

22 (가)에 대한 설명으로 적절하지 않은 것은?

① 과거 회상을 통해 대상에 대한 그리움을 심화시키고 있다.
② 상징적인 소재를 통해 부정적인 시대 상황을 암시하고 있다.
③ 같은 구절을 반복하여 인물의 특별한 행위를 부각하고 있다.
④ 두 인물의 현실 대응 태도를 대비하여 주제를 강조하고 있다.
⑤ 인물 간의 대화 내용을 인용하여 시적 상황을 사실적으로 전달하고 있다.

23 ㉠과 〈보기〉에 공통적으로 반영된 주제 의식으로 가장 적절한 것은?

〈보기〉

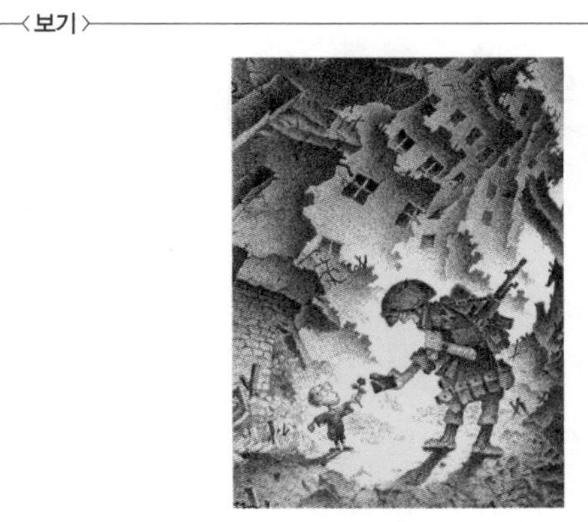

▲ 지현곤, 「병사와 꽃 3」

① 주류의 횡포에 굴하지 말고 굳세게 맞서자.
② '총'과 '꽃' 중에 사람들이 더 좋아하는 것은 '꽃'이다.
③ 순수함만으로는 폭력을 이길 수 없으므로 스스로 강해져야 한다.
④ 힘들고 어려운 상황에서 살아남는 길은 미래 세대에 대한 투자뿐이다.
⑤ 어떠한 폭력과 갈등도 사랑과 평화를 바라는 마음을 이길 수 없다.

[24~25] 다음 글을 읽고 물음에 답하시오.

(가)

(나) 갈기갈기 갈라진 여러 개의 쇠가 서로 부딪칠 때 나는 것 같은 목소리는 여전히 음산했다. 그는 서희의 공포심을 충분히 알고 있는 것 같았다. 그러면서도 그것을 풀어 주려는 노력이 없는 싸늘하고 비정한 눈이 서희를 응시하고 있는 것이다. 서희는 아버지의 눈을 피하기만 하면 당장에 천둥이 치고 벼락이 떨어질 것처럼 애처롭게 그를 마주 본 채 고개를 저었다. 치수는 웃었다. 그 웃음은 도리어 서희의 마음을 얼어붙게 했다. 서희로부터 시선을 돌린 치수는 서안 위에 펼쳐 놓은 책의 갈피를 넘긴다. 허약한 체질에 비하면 뼈마디는 굵은 편이었다. 그러나 가엾을 만큼 여위고 창백한 그의 손이 책갈피를 누르면서 눈은 글자를 더듬어 내려간다. 손뿐인가, 뜰 아래 물기 잃은 목련의 앙상한 가지처럼, 그러나 동정을 받을 수 있는 비참한 느낌이기보다는 도리어 상대에게 견딜 수 없는, 숨 막혀서 견딜 수 없어 결국은 공포심을 불러일으키게 하는 강한 분위기를 그는 내어 뿜고 있었다. 어떤 일에도 감동되지 않을 눈빛, 철저하게 스스로를 거부하는 눈빛, 눈빛에서만 그랬던 것이 아니다. 뼈만 남은 몸 전체가 거부로써 남을 학대하는 분위기의 응결이었다.

24 (가)와 (나)에 나타난 매체적 특징에 대한 설명으로 적절하지 않은 것은?

① (가)에서는 글로 자세하게 설명해 주는 것을 최대한 절제하고 있다.
② (가)에서는 음성 상징어를 그림의 일부처럼 표현하여 인물의 심리를 그대로 전달하고 있다.
③ (나)에서는 서술자가 비유를 통해 인물의 특성을 상세하게 설명하고 있다.
④ (나)에서는 작중 상황을 독자들이 상상할 수 있도록 세밀하게 장면을 묘사하고 있다.
⑤ (가)에서는 (나)에서 상세하게 묘사된 대상을 시각적으로 생생하게 표현하고 있다.

25 (나)를 참고할 때, ㉠에 묘사된 '서희'의 심리를 나타낸 한자 성어로 가장 적절한 것은?

① 좌불안석(坐不安席)
② 와신상담(臥薪嘗膽)
③ 목불인견(目不忍見)
④ 동병상련(同病相憐)
⑤ 이심전심(以心傳心)

[1~3] 다음 글을 읽고 물음에 답하시오.

(가) 판소리 사설은 '창'과 '아니리'가 연속적으로 교체되며 이야기의 긴장과 이완을 반복한다. '창'은 심화된 정서와 의미를 다양한 음률에 실어 노래하는 운문으로, 대개 청중의 정서적 몰입을 유발한다. 창에는 가장 느린 진양조부터 가장 빠른 휘모리까지 다양한 장단(長短)이 있어 내용 전개나 정서적 변화에 조응한다. 진양조는 슬픈 느낌을 주고, 중모리는 태연한 맛과 안정감을 주며, 중중모리는 흥취를 돋우고 우아한 맛이 있다. 자진모리는 명랑하고 상쾌한 느낌을 주고, 휘모리는 흥분과 긴박감을 준다.

한편 대체로 평범한 일상어로 구성되는 산문인 '아니리'는 주로 사건의 전개를 요약적으로 서술하고 장면의 상황 설정을 제시하는 기능을 하는데, 한동안 지속되던 청중의 긴장을 완화시키고 창자가 호흡을 조정하면서 다음 창을 준비할 수 있게 해 준다.

가창 형식에서 발견되는 이러한 '긴장 – 이완'의 구조는 내용 면에서도 유사하게 나타난다. 비장한 대목에서 청중의 정서적 일치를 유도하다가 해학적인 대목에서 정서적 거리를 확보하며 긴장을 해소하는 것이다. 그래서 판소리의 특징을 지적할 때 흔히 청중을 '울리고 웃기고' 한다는 말을 쓰는 것이다.

(나) [아니리]

[A] 이때 흥보는 친구 덕분에 술이 얼근히 취해 가지고, 집 안을 들어와 보니 자기 마누라가 울거늘, "여보, 이게 웬일이오? 배고픈 걸 한을 해 가지고 이렇듯 울음을 우니, 부인이 울어서 우리 집안 식구가 배가 부를 지경이면, 권속대로 늘어앉어, 한평생허고라도 울어 보지마는, 아, 남 보기 챙피만 하고, 또 동네 사람들이 보면 어찌 흥볼 울음을 운단 말이오? 울지 말고 우리는 있는 박이니, 박이나 타서 박속은 끓여 먹고, 바가지는 부잣집에 팔아다가 목숨 보명해 살아갑시다." 흥보 내외 박을 한 통을 따다 놓고, 톱 빌려다 박을 탈 제,

[진양조]

[B] "시르렁 실건, 톱질이야. 어여루, 톱질이로고나. 몹쓸 놈의 팔자로구나. 원수놈의 가난이로구나. 어떤 사람 팔자 좋아 일대 영화 부귀헌데, 이놈의 팔자는 어이하여 박을 타서 먹고 사느냐. 에여루, 당거 주소. 이 박을 타거들랑 아무것도 나오지를 말고, 밥 한 통만 나오너라. 평생에 밥이 포한이로구나. 시르렁 시르렁, 당거 주소, 톱질이야. 으흐어어어 시르렁 실근, 당거 주소, 톱질이야. 여보소, 마누라. 톱 소리를 맞어 주소." "톱 소리를 내가 맞자 해도 배가 고파서 못 맞겄소." "배가 정 고프거든 허리띠를 졸라매고, 어여루, 당거 주소. 시르르르르르르르 시르르르르르르렁 시르렁 시르렁 실건 시르렁 실건 당그여라, 톱질이야. 큰자식은 저리 가고, 작은 자식은 이리 오너라. 우리가 이 박을 타서 박속일랑 끓여 먹고, 바가지는 부잣집에 가 팔아다가 목숨 보명허여 볼거나. 에여루, 톱질이로고나."

[휘모리]

[C] "실건 실건, 당기어라. 시르렁 실건, 톱질이야. 실근 실근 실근 실근 실근 실근 실근 실근 실근 실근 실근 실근 실건 뚝딱."

쌀과 돈이 든 궤짝이 나옴

[아니리]

[D] 박을 딱 타 노니, 박속이 텡 비었거던. 흥보 기가 막혀, "허, 복 없는 놈은 계란에도 유골이라더니, 어떤 놈이 박속은 싹 긁어다 먹고, 아 여, 남의 조상궤 훔쳐다 넣어 놨구나, 여." 흥보 마누라 보더니, "아이고, 영감. 궤 뚜껑 위에가 뭔 글씨가 쓰여 있소, 예." 흥보 보더니, "음? '박흥보 씨 개탁'이라. 날 보고 열어 보라는 말인디." "아, 그러면 한번 열어 보시오." "열어 봤다가 좋은 것이 들었으면 몰라도, 만일 궂은 것이 들었으면 어쩔 것인가?" "영감, 우리가 시방 이 팔자보다 더 궂게야 되겄소? 근개 그냥 한번 열어 버리시오." "그러면 열어 볼까?" 흥보가 한 궤를 가만히 열고 보니, 아, 쌀이 하나 수북이 들고, 또 한 궤를 딱 열고 본께, 거기는 그냥 돈이 하나 가뜩 들었는데, 궤 뚜껑 속에다가, 쌀은 평생을 두고 퍼내 먹어도

줄지 않는 '취지무궁지미'라 씌었으며, 또 돈궤에도, 이 돈은 평생을 두고 꺼내서 써도 줄지 않는 '용지불갈지전'이라 하였거늘, 흥보가 좋아라고 궤 두 짝을 떨어 붓기 시작을 하는데,

[휘모리]

[E] 흥보가 좋아라고, 흥보가 좋아라고, 궤 두 짝을 떨어 붓고 닫쳐 놨다 열고 보면, 도로 하나 가득하고, 쌀과 돈을 떨어 붓고 닫쳐 놨다 열고 보면, 도로 하나 가득하고, 툭툭 떨고 돌아섰다, 돌아보면 도로 하나 가득하고, 떨어 붓고 나면 도로 수북, 떨어 붓고 나면 도로 가득. "아이고, 좋아 죽것다. 일년 삼백육십일을 그저 꾸역꾸역 나오너라!"

01 (가)의 내용을 이해한 것으로 적절하지 않은 것은?

① 판소리 사설은 '창'과 '아니리'의 연속적인 교체로 진행된다.
② '아니리'는 어려운 한문 투 대신 대체로 평범한 일상어로 구성된다.
③ 휘모리는 '창'에서 가장 빠른 장단으로 내용 전개에 긴박감을 준다.
④ 가장 느린 장단인 '진양조'는 청중의 긴장을 완화시켜 주는 기능을 한다.
⑤ 청중을 울리고 웃기는 판소리의 특성은 '긴장 – 이완'의 구조와 관련이 있다.

고난도

02 (가)를 참고하여, (나)의 [A]~[E]를 이해한 것으로 적절하지 않은 것은?

① [A]에서는 평범한 일상어로 박을 타는 계기가 되는 상황을 전달하고 있군.
② [B]에서는 느린 장단을 통해 가난으로 인한 흥보 부부의 한의 정서를 느끼게 하고 있군.
③ [C]에서는 갑자기 장단이 빨라지면서 한의 정서를 고조시켜 청중을 긴장하게 하고 있군.
④ [D]에서는 흥보 부부의 대화를 중심으로 사건을 이야기하듯이 전달하고 있군.
⑤ [E]에서는 빠른 장단을 통해 '흥보'의 흥분된 심리를 효과적으로 나타내고 있군.

03 〈보기〉가 (나)의 내용을 창의적으로 재구성한 것이라 할 때, 창작 과정에서 구상한 내용으로 적절하지 않은 것은?

〈보기〉

흥부 부부가 박 덩이를 사이하고
가르기 전에 건넨 웃음살을 헤아려 보라.
금이 문제리,
황금 벼 이삭이 문제리,
웃음의 물살이 반짝이며 정갈하던
그것이 확실히 문제다.

없는 떡방아 소리도
있는 듯이 들어내고
손발 닳은 처지끼리
같이 웃어 비추던 거울 면(面)들아.

웃다가 서로 불쌍해
서로 구슬을 나누었으리.
그러다 금시
절로 면(面)에 온 구슬까지를 서로 부끄리며
먼 물살이 가다가 소스라쳐 반짝이듯
서로 소스라쳐
본(本)웃음 물살을 지었다고 헤아려 보라.
그것은 확실히 문제다.

– 박재삼, 「흥부 부부상」

① 부부의 외면적 상황보다 내면적 상태에 더 관심을 기울여야겠어.
② 박을 자르기 직전의 장면에 초점을 맞추어 부부의 사랑을 강조해야겠어.
③ 물질적 풍요보다 정신적 행복을 추구하는 소박한 인간상을 보여 줘야겠어.
④ 초현실적 요소보다는 '거울'이나 '구슬' 같은 현실적 사물들을 소재로 삼아야겠어.
⑤ 해학적으로 표현하기보다는 가난한 삶을 부끄러워하며 눈물을 흘리는 비극적인 장면도 넣어야겠어.

3 한국 문학의 성격

학습 목표 《
- 한국 문학의 개념과 범위를 이해할 수 있다.
- 대표적인 문학 작품을 통해 한국 문학의 전통과 특질을 파악하고 감상할 수 있다.
- 지역 문학과 한민족 문학, 전통 문학과 현대적 문학 등 다양한 양태를 중심으로 한국 문학의 발전상을 탐구할 수 있다.
- 한국 문학과 외국 문학을 비교해서 읽고 한국 문학의 보편성과 특수성을 파악할 수 있다.

한국 문학
- 창작과 향유의 주체: 한국인
- 수단이 되는 언어: 한국어
- 작품에 담긴 주제: 한국인의 사상과 감정

(1) 한국 문학의 개념과 범위

▶ 한국 문학의 개념

한국 문학	우리 민족이 한반도와 그 주변에 살면서 각 시대의 역사적 생활 공간에서 지금껏 이루어 온 문학의 총체

▶ 한국 문학의 범위

구비 문학		• 사람들의 입에서 입을 통해 전해 온 문학 • 주로 민중에 의해 창작, 향유됨. • 한글 창제 이후에도 지속적으로 생산되어 민중들의 감정과 생활상을 담아냄. • 민요, 설화, 무가, 판소리, 민속극 등이 있음.
기록 문학	한문 문학	• 한자의 수입 이후 한자로 창작·기록된 문학 • 중국의 문자를 사용한 것이지만 한글이 창제되기 전에는 한자 사용이 불가피했고, 19세기 이전까지 한자가 동아시아 문화권의 보편 문어 역할을 했으므로 한국 문학에 속함. • 한시, 한문 소설 등이 있음.
	국문 문학	• 한글로 기록된 모든 문학 • 한자를 빌려 우리말을 표기한 향가 등의 차자(借字) 문학을 포함함. • 개화기 이후 한국 문학의 중심이 됨.

(2) 한국 문학의 전통과 특질

▶ 한국 문학의 전통과 특질

우리 민족의 정서, 사상, 풍습, 미의식 → 한국 문학

↓

- 오랜 역사와 함께 발전해 왔으며, 그 과정에서 한국 문학의 전통을 형성함.
- 한국 문학의 전통은 항구적, 고정적, 배타적, 객관적 특질로 보기는 어려움.

한국 문학의 특질

주제 의식, 가치관의 측면	• 한(恨)의 정서: 주어진 운명에 순응하면서 슬픔을 정화함. • 신명: 감정의 응어리를 집단으로 발산하고 표출함. • 해학과 풍자: 현실의 모순과 불합리성을 폭로하고 웃음을 유발함. • 자연 친화 의식: 자연과 조화를 이루며 살아가려 함. • 지조와 절개: 불의한 현실에 타협하지 않으려 함. • 멋의 양식: 격식에 얽매이지 않으면서도 균형과 조화를 추구하는 멋
표현 형식의 측면	• 형식적 정제미 • 음보율 중심의 운율 감각 • 함축과 여운

한국 문학의 전통과 특질에 관한 이해가 갖는 의의

• 과거 우리 선조들의 삶에 깃들어 있던 사상, 정서, 관습, 문화를 두루 살피는 일임.
• 우리 문학의 현재와 미래를 위해서 필수적인 일임.
• 우리 문학의 다양한 미적 특질을 발굴하는 작업이 현대의 시대감각과 결합하면 세계 문학을 선도할 수도 있음.

3 한국 문학의 양상과 발전

한국 문학의 특수성과 보편성

한국 문학의 특수성	한국의 역사적 발전에 따른 한국 문학의 고유한 특성
한국 문학의 보편성	여러 나라의 문학과 주제 의식, 표현 방식 면에서의 공통점

→ 한국 문학은 역사적으로 인접 문화권과 끊임없이 상호 교섭하며 창조적 변용을 시도하여 왔으므로, 한국 문학을 세계의 문학과 비교해 보면 한국 문학을 더 잘 이해할 수 있음.

문학의 보편성과 특수성

• 문학의 보편성: 어느 나라의 문학이든 문학은 인간의 문제를 언어로 형상화한 예술임.
• 문학의 특수성: 그 나라만의 역사적·문화적·사회적 전개 과정에서 형성된 고유한 문학적 특성

한국 문학의 다양성

시간적 다양성	과거의 전통적 문학부터 오늘날의 디지털화된 문학까지를 아우름. → 고정된 실체가 아니라 역동적으로 전개되고 있음.
공간적 다양성	한반도의 각 지역에서 생산되는 지역 문학의 총체인 동시에, 분단 이후의 북한 문학과 해외 국민이 한국어로 생산한 문학을 포괄함.

→ 문학의 범주를 전향적으로 이해하는 것은 향후 한국 문학의 발전 방향을 모색하는 데 매우 필요한 일임.

한국 문학의 발전 방향

우리 문학의 고유한 특질을 이어 나가고 외국의 문학과도 다채롭게 만나 그 다양성과 보편성을 함께 공유해 나아가야 우리 문학을 더욱 발전시킬 수 있음.

01 어미 말과 새끼 말 작자 미상

출제 포인트	•구비 전승된 이야기에 드러나는 민중들의 의식과 구어체의 효과 파악하기

작품 개관

갈래	구비 설화	성격	구어적, 서사적, 허구적
배경	•시간적 – 조선 시대 •공간적 - 궁궐, 원 정승의 집		
주제	•새끼를 향한 어미의 사랑 •영리한 발상을 통한 국가 위기의 극복		
특징	•충청도 사투리가 생생하게 살아 있음. •군말 사용, 내용의 반복 같은 구어 담화의 특성이 드러남. •개연성 있는 허구의 이야기를 통해 보편적 주제인 모성애를 환기함.		

한국 문학의 범위와 「어미 말과 새끼 말」

「어미 말과 새끼 말」은 입말로 전승되는 구비 문학 중 설화에 속함.

'자식을 향한 부모의 사랑과 헌신'이라는 보편적 주제가 사람들의 공감을 이끌어 오랫동안 전승될 수 있었음.

기록 문학이 생기기 이전부터 민중의 삶과 정서를 생동감 있게 표현해 온 한국 문학의 출발점이자 기반이 되므로 한국 문학의 범위에 포함됨.

민담의 특징과 「어미 말과 새끼 말」

	민담의 일반적 특징	「어미 말과 새끼 말」
개념	재미와 교훈을 위해 흥미 위주로 꾸며 낸 이야기	원 정승의 아들이 꾀를 내어 국가의 위기를 극복하는 과정이 흥미를 주고, 모성애라는 교훈을 전달하는 꾸며 낸 이야기임.
배경	뚜렷한 시간과 장소가 제시되지 않음.	조선 시대, 궁궐 등 배경이 제시되기는 하나 구체적이지는 않음.
전승 태도	흥미성	흥미를 위주로 구비 전승됨.
증거물	없음.	없음.

[1~5] 다음 글을 읽고 물음에 답하시오.

옛날 대국 천자가 조선에 인재가 있나 없나아, 이걸 알기 위해서 말을 두 마리를 보냈어. 말. 대국서 잉? 조선 잉금게루 보내먼서,

"이 말이 어떤 놈이 새끼구 어떤 놈이 에밍가 이것을 골라 내라아." 하구서…….

똑같은 놈여. 똑같어 그게 둘 다. 그러구서 보냈어. 조선에 인자가 있나 읎나. 인자가 많었억거던? 조선에? 내력이루. 자아 그러니 워트켜 이걸?

원 정승이라는 사램이 있어. 그래 아침 조회 때 들어가닝께,

"이 원 정승 이놈 갖다가 이걸 골러내쇼오." 말여. 보낸다능 게 원 정승에게다 보냈어. 응. 인제 가서 골라내라능 기여.

원 정승이 갖다 놓구서, 이거 어떤 놈이구 다 같은 놈인디 말여, 색두 똑같구 워떵 게 어민지 워떵 게…… 똑같어어? 그저어? / "새끼가 워떵 겐지 에미가 워떵 겐지 그거 모른다." 그러닝께, / "그려요?"

그러구 가마안히 생각해 보닝깨 도리가 있으야지? 그래 앓구 두러눴네? 머리 싸매구 두러눴느라니까, 즈이 아들이, 어린 아들이, / "아버지 왜 그러십니까아?" 그러거든.

"야? 아무 날 조회에 가닝까아, 이 말을 두 마리를 주면서 골르라구 허니이, 이 일을 어트가야 옳은단 말이냐아?"

"아이구, 아버지. 걱정 말구 긴지 잡수시라구. 내가 골라 디리께." / "니가 골러?" / "예에. 걱정 말구 긴지 잡수시요."

그래, 아침을 먹었어. 먹구서 그 이튿날 갔는디, ㉠ <u>이넘이 콩을 잔뜩, 쌂어 가지구설랑은 여물을 맨들어. 여물을. 여물을 대애구 맨들어 놓는단 말여. 여물을 맨들어 가지구서는 갖다 항곳이다가 떠억 놓거든</u>. 준담 말여. 구유다가 여물을. 여물을 주닝께, 잘 먹어어? 둘이 먹기를. ㉡ <u>썩 잘 먹더니 주둥패기루 콩을 대애구 요롷게 제쳐 주거든?</u> 옆있 놈을? 콩을 제쳐 줘. ㉢ <u>저는 조놈만 먹구. 짚만 먹구 인저, 콩을 대애구 저쳐 준단 말여.</u> / 새끼 주는 쇡(셈)이지 그러닝께. 대애구 요롷게,

"아버지, 아버지. 이거 보시교. 이루 오시교." / "왜냐?"
나가 보닝깨, / "요게 새낍니다. 요건 에미구. 포를 허시교."
포를 했어. / "음. 왜 그러냐?" 그러닝깨,

[A] "아 이거 보시교. 콩을 골라서 대애구 에미라 새끼 귀해서 새끼를 주지 않습니까? 새끼 귀헌 중 알구. 그래 콩 중 게 이게 새끼요오. 이건 에미구."

㉣ 아, 그 이튿날 아닝 것두 아니라 가주 가서, "이건 새끼구 이건 에미라구." 그러닝깨, 그러구서는 대국으로 떠억 포해서 보냈단 말여. 그러닝깨.

㉤ "하하아, 한국에 연대까장 조선에 인자가 연대 익구나아." 그러드랴.

01 윗글을 통해 알 수 있는 내용으로 가장 적절한 것은?

① 대국의 천자는 문제를 풀 사람으로 원 정승을 지목했다.
② 원 정승의 아들은 우연한 계기로 난제를 해결하게 되었다.
③ 대국은 조선의 인재에게 선물하려고 말 두 마리를 보냈다.
④ 조선의 임금은 원 정승이 마련해 온 답안에 타당성이 있다고 여겼다.
⑤ 원 정승의 아들이 어미 말이라고 지목한 것은 실제로는 새끼 말이었다.

서술형 학습 활동 응용

02 윗글이 설화의 종류 중 어디에 해당하는지 그 이유와 함께 서술하시오.

03 [A]에 대한 설명으로 가장 적절한 것은?

① 아들이 원 정승에게 던져 준 고민거리이다.
② 원 정승의 발상이 아들의 판단에 확신을 주었다.
③ 기이한 능력을 갖춘 아들이 원 정승을 놀라게 하였다.
④ 새끼에 대한 어미의 본능이 지닌 보편성에 착안하여 아들이 시험, 관찰한 결과이다.
⑤ 원 정승과 달리 아들이 섬세한 관찰로 두 말의 생김새가 지닌 차이를 판별해 낸 것이다.

04 ㉠~㉤을 통해 〈보기〉의 내용을 확인한 것으로 적절하지 않은 것은?

〈보기〉

문자 언어를 통한 의사소통과 달리, 음성 언어를 통한 의사소통은 비언어적·준언어적 표현의 영향을 받기도 하고, 청자와의 관계를 고려한 표현을 사용하기도 한다. 또 같은 말을 과도하게 반복하거나 비문법적 표현을 사용하는 경우, 불필요한 말인 군말을 하는 경우도 흔하다.

① ㉠: 필요 이상으로 같은 말이 반복되고 있군.
② ㉡: 어미 말의 행동을 흉내 내는 비언어적 표현을 가미할 수 있겠군.
③ ㉢: 청자와의 관계를 고려하여 자신을 낮추는 표현을 쓰고 있군.
④ ㉣: 내용상 필요하지 않은 군말이 포함되어 있군.
⑤ ㉤: 한 문장 안에서 같은 말이 반복되고 있군.

학습 활동 응용

05 윗글과 〈보기〉의 공통점으로 가장 적절한 것은?

〈보기〉

"신라의 선비들 중엔 글재주가 뛰어난 이들이 이루 헤아릴 수 없을 정도로 많습니다. 그중에 특히 빼어난 이는 저희 같은 사람 백 명이 있다 하더라도 대적할 수 없습니다."

황제가 이 말을 듣고 매우 노하여 신라를 침공하고자 했다. 그리하여 황제는 계란을 솜으로 싸서 돌로 만든 함에 가득 채운 뒤 그 속에 밀랍을 녹여 부어 움직이지 않게 하고, 다시 함 밖에 구리와 철을 녹여 부어 함을 열어 볼 수 없게 했다. 그러고는 함을 가져가는 사신에게 옥새를 찍은 문서를 주었다. 문서에는 이런 글귀가 적혀 있었다.

함 속에 든 물건을 알아맞혀 이에 대한 시를 지어 바치지 못한다면 장차 너희 나라를 쑥대밭으로 만들 것이다.

– 작자 미상, 「최고운전」

① 다른 나라가 보낸 문서의 내용이 직접 인용되어 있다.
② 우리나라에 대한 다른 나라의 겸손한 태도가 드러나 있다.
③ 우리나라에 재주가 뛰어난 사람이 많다는 자부심이 반영되어 있다.
④ 다른 나라의 왕이 우리나라를 향해 분노를 드러내는 부분을 확인할 수 있다.
⑤ 다른 나라가 어려운 과제를 부여하며 우리 조정을 궁지로 몬다는 모티프가 활용되어 있다.

02 송인(送人) 정지상

출제 포인트	• 시적 상황과 화자의 정서 파악하기 • 표현상의 특징과 그 효과 이해하기

작품 개관

갈래	한시(칠언 절구)	성격	애상적, 서정적
제재	임과의 이별		
주제	사랑하는 임과의 이별로 인한 정한(情恨)		
특징	• 자연사와 인간사의 대비를 통해 주제를 부각함. • 도치법, 과장법, 설의법 등 다양한 수사법을 활용함. • 감각적 이미지를 선명하게 제시함.		

시상 전개 양상과 정서 표현

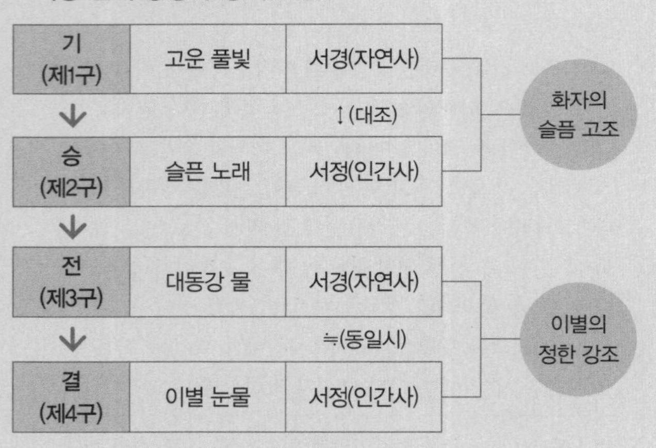

한국 문학의 범위와 「송인」

「송인」의 화자의 상황과 정서	봄날 비 갠 남포에서 임을 떠나보내며 눈물을 흘리고 있음. → 이별로 인한 슬픔에 젖어 있음.

↓

「송인」은 비록 한문으로 쓰인 한시이나, 창작 당시(고려 시대)가 한글 창제 이전이라 불가피하게 한자를 사용하였고, '이별의 정한'을 주제로 한 우리나라의 전통적인 정서와 사상을 담고 있는 작품이므로 한국 문학의 범위에 포함시킬 수 있음.

[1~6] 다음 시를 읽고 물음에 답하시오.

비 개인 긴 둑에 풀빛이 고운데

남포에서 임 보내며 슬픈 노래 부르네.

[A] 『대동강 물이야 언제나 마르려나

이별 눈물 해마다 푸른 물결 보태나니.』

雨歇長堤草色多 / 送君南浦動悲歌

大同江水何時盡 / 別淚年年添綠波

01 위 시에 대한 설명으로 적절하지 않은 것은?

① 전반적으로 애상적 분위기와 어조를 띠고 있다.
② 서경과 서정을 함께 사용하여 주제를 형상화하고 있다.
③ 감각적 이미지를 활용하여 시적 상황을 구체화하고 있다.
④ 서사적 전개를 통해 자아와 세계의 갈등을 표면화하고 있다.
⑤ 자연의 모습과 인간사를 대조함으로써 서정성을 강화하고 있다.

02 밑줄 친 시어 중, 위 시의 물과 유사한 이미지를 지닌 대상으로 가장 적절한 것은?

① 말간 가람 한 고배 마을을 안아 흐르나니,
긴 녀름 강촌애 일마다 유심(幽深)하도다. ─두보, 「강촌」

② 선인교 나린 믈이 자하동에 흐르나니
반 천년 왕업이 물소리 뿐이로다. ─정도전

③ 구룸빗치 조타 ᄒᆞ나 검기ᄅᆞᆯ ᄌᆞ로ᄒᆞᆫ다
ᄇᆞ람소리 ᄆᆞᆰ다 ᄒᆞ나 그칠적이 하노매라
조코도 그츼뉘 업기는 믈뿐인가 ᄒᆞ노라 ─윤선도, 「오우가」

④ 믈 아래 그림재 디니 다리 우해 중이 간다.
뎌 중아 게 잇거라 너 가는데 믈어 보자.
막대로 흰구름 가라치고 도라아니보고 가노매라. ─정철

⑤ 바쁜 잔 잦은 피리 이별에 감겨
술맛도 나지 않고 시(詩)도 안 되네.
저 강물 서쪽으로 흘러만 가나
날 위해 동쪽으로 돌려 댔으면. ─신위, 「서경 차정지상운」

03 〈보기 1〉을 바탕으로 〈보기 2〉에서 위 시의 시상 전개에 관한 내용끼리 바르게 묶인 것은?

〈보기 1〉

'기승전결(起承轉結)'은 한시의 시상 전개에 많이 사용되는 구성법이다. 대체로 '기'는 시상을 일으키고, '승'은 일으킨 시상을 발전시키는 역할을 한다. '전'에서는 시상을 전환하거나 시상에 변화를 주고, '결'에서는 통찰을 드러내면서 시상을 마무리하게 된다.

〈보기 2〉

ㄱ. '기'에서 싱그러운 봄의 풍경을 환기하며 시상을 일으키고 있군.
ㄴ. '승'에서는 '기'와 유사한 분위기의 상황 제시를 통해 슬픔의 정서를 발전시키고 있군.
ㄷ. '전'에서는 대동강에 관한 언급을 통해 시상을 전환하고 있군.
ㄹ. '결'에서는 재회에 대한 화자의 의지를 드러내며 시상을 마무리하고 있군.

① ㄱ, ㄴ ② ㄱ, ㄷ ③ ㄴ, ㄷ
④ ㄴ, ㄹ ⑤ ㄷ, ㄹ

서술형 고난도

04 〈보기〉의 밑줄 친 부분과 공통되는 [A]의 표현상 특징을 쓴 후, 위 시의 주제와 관련지어 그 효과를 쓰시오.

〈보기〉

개야미 불개야미 준등 쪽 부러진 불개야미,
압발에 정종* 나고 뒷발에 죵귀 난 불개야미, <u>광릉 쉽재 너머 드러 가람*의 허리를 ᄀ로 무러 추혀들고 북해(北海)를 건너닷 말</u>이 이셔이다. 님아 님아.
온 놈이 온 말을 ᄒ여도 님이 짐쟉ᄒ소셔.

– 작자 미상

* **정종**: 단단하고 뿌리가 깊으며 형태가 못과 같은 부스럼.
* **가람**: 호랑이를 이르는 말.

학습 활동 응용

05 〈보기〉를 참고할 때, 위 시에 대한 이해로 적절하지 <u>않은</u> 것은?

〈보기〉

「송인」은 이별의 정한을 다룬 고려 시대 한시 중 대표작으로 꼽힌다. 이는 선명한 시각적 이미지의 활용을 통한 감각적 형상화, 자연과 인간사의 효과적 대비를 통한 지배적 정서 형상화, 기발한 착상을 통한 시적 묘미의 성취 등으로 인한 것이라고 할 수 있다.

① '슬픈 노래'를 통해 지배적 정서가 효과적으로 환기되고 있다.
② '풀빛이 고운' 풍경을 제시하여 상황을 감각적으로 형상화하고 있다.
③ '푸른 물결'을 통해 자연의 아름다움에 경탄하는 지배적 정서가 제시되고 있다.
④ 비 온 뒤 '둑'의 모습과 '남포'에서의 애달픈 이별을 통해 자연과 인간사를 대비하고 있다.
⑤ '이별 눈물' 때문에 '대동강'이 마르지 않는다는 기발한 착상을 통해 정서를 부각하는 묘미를 성취하고 있다.

서술형 학습 활동 응용

06 〈보기〉의 [조선의 시]가 의미하는 바와 관련 지어, 한문으로 지어진 위 시가 한국 문학의 일부일 수 있는 까닭을 서술하시오.

〈보기〉

늙은이의 한 가지 통쾌한 일은	老人一快事
붓 가는 대로 시를 마구 쓰는 것	縱筆寫狂詞
압운에 꼭 매일 것 없고	競病不必拘
퇴고를 꼭 오래 할 것도 없다네.	推敲不必遲
흥이 나면 곧바로 뜻을 실어 내고	興到卽運意
뜻이 이르면 곧바로 쓰면 그뿐.	意到卽寫之
나는 바로 조선 사람인지라	我是朝鮮人
즐겨 [조선의 시]를 짓노라.	甘作朝鮮詩
당신은 당신의 법을 따르라	卿當用卿法
시원찮다 따질 자 누구이겠나?	迂哉議者誰
구구한 격이니 법이니 하는 것을	區區格與律
먼 데 사람이 어찌 알 수 있으랴?	遠人何得知

– 정약용, 「송파에서 시를 주고받으며[松坡酬酢]」

정답과 해설 19쪽

01 사미인곡(思美人曲) 정철

〔 출제 포인트 | • 화자의 정서와 표현상 특징 파악하기
• 충신연주지사의 특성 이해하기 〕

> 작품 개관

갈래	서정 가사, 양반 가사	성격	서정적, 연모적
제재	임금에 대한 그리움과 충정		
주제	임금을 향한 일편단심(연군지정)		
특징	• 시간(계절)의 흐름에 따라 시상을 전개함. • 여성의 목소리에 의탁하여 임금에 대한 그리움과 충절을 호소력 있게 전달함. • 다양한 비유와 상징적 기법을 통해 정서를 효과적으로 드러냄으로써, 후편 격인 「속미인곡」과 더불어 가사 문학의 백미로 꼽힘.		

> 시상 전개

구성		내용
서사		임과의 인연과 이별 후의 그리움
본사	춘원(春怨)	임을 향한 변함없는 충정을 알리고 싶은 마음
	하원(夏怨)	외로운 심사와 임을 향한 정성을 전하고 싶은 마음
	추원(秋怨)	임의 선정(善政)을 기원하는 마음
	동원(冬怨)	임에 대한 염려와 자신의 외로움
결사		죽어서라도 임을 따르고 싶은 간절한 마음

> 계절별 소재와 그 상징적 의미

계절	계절감을 드러내는 시어	소재	상징적 의미
봄	동풍	미화	임금에 대한 충정
여름	녹음	옷	임금에 대한 지극한 정성
가을	서리	청광	임금의 선정에 대한 소망
겨울	빅셜	양춘	임금에 대한 염려

> 작품에 나타나는 한국 문학의 전통

형식	4음보 율격	우리 시가의 대표적 율격으로, 시조와 가사에 주로 나타남.
주제	충신연주지사	신하가 임금을 사모하는 노래라는 형식의 전통을 이어받음.

[1~4] 다음 글을 읽고 물음에 답하시오.

이 몸 삼기실 제 님을 조차 삼기시니
흔싱 연분(緣分)이며 하늘 모를 일이런가
나 ᄒᆞ나 졈어 잇고 ㉠ 님 ᄒᆞ나 날 괴시니
이 ᄆᆞ음 이 ᄉᆞ랑 견졸 ᄃᆡ 노여 업다.
㉡ 평싱(平生)애 원(願)ᄒᆞ요ᄃᆡ ᄒᆞᆫᄃᆡ 녜쟈 ᄒᆞ얏더니,
늙거야 므ᄉᆞ 일로 ㉢ 외오 두고 그리ᄂᆞᆫ고
엇그제 님을 뫼셔 광한뎐(廣寒殿)의 올낫더니
그 더ᄃᆡ 엇디ᄒᆞ야 ㉣ 하계(下界)예 ᄂᆞ려오니
올 저긔 비슨 머리 헛틀언디 삼 년(三年)일쇠
㉤ 연지분(臙脂粉) 잇ᄂᆡ마ᄂᆞᆫ 눌 위ᄒᆞ야 고이 홀고
ᄆᆞ음의 ᄆᆡ친 실음 텹텹(疊疊)이 ᄡᅡ혀 이셔
짓ᄂᆞ니 한숨이오 디ᄂᆞ니 눈믈이라
인싱(人生)은 유ᄒᆞᆫ(有限)ᄒᆞᆫᄃᆡ 시름도 그지업다
무심(無心)ᄒᆞᆫ 셰월(歲月)은 믈 흐르듯 ᄒᆞᄂᆞᆫ고야
염냥(炎凉)이 ᄯᅢ를 아라 가ᄂᆞᆫ 듯 고텨 오니
듯거니 보거니 ⓐ 늣길 일도 하도 할샤

01 윗글을 읽고 화자의 상황과 태도를 파악한 것으로 적절하지 <u>않은</u> 것은?

① 근심과 걱정에 휩싸여 있다.
② 임과의 사랑을 운명으로 여긴다.
③ 이별 전에는 임과의 사랑이 깊다고 여겼다.
④ 임과 헤어진 후 외모를 꾸밀 필요를 못 느낀다.
⑤ 이별 후로 시간이 유난히 더디게 흐른다고 생각한다.

02 윗글의 표현상 특징에 대한 설명으로 적절하지 않은 것은?

① 대구를 활용하여 리듬감을 형성하고 있다.
② 대립적 공간을 제시하여 화자의 처지를 나타내고 있다.
③ 의문형 종결 표현을 통해 화자의 정서를 부각하고 있다.
④ 비유적 표현을 통해 화자가 느끼는 감정을 드러내고 있다.
⑤ 반어적 표현을 통해 대상에 대한 화자의 원망을 강조하고 있다.

학습 활동 응용

03 〈보기〉를 참고할 때, 윗글의 ㉠~㉤에 대한 설명으로 적절하지 않은 것은?

〈보기〉

정철은 과열된 붕당 정치로 인해 중앙 정계를 떠나 전남 창평에 은거하게 되었는데, 「사미인곡」은 그가 임금을 그리워하는 마음을 떠나간 임을 그리워하는 여성의 목소리에 의탁한 충신연주지사이다.

① ㉠: 정철이 중앙 정계에 있을 때 임금의 총애를 받던 것을 가리킨다.
② ㉡: 은거하는 삶이야말로 정철이 평생 원하던 것이었음을 드러낸다.
③ ㉢: 임금에 대한 정철 자신의 간절한 그리움을 언급한 것이다.
④ ㉣: 정철이 창평으로 내려오게 된 것을 가리킨다.
⑤ ㉤: 정철이 자신의 상황을 여성의 목소리에 의탁한 것과 관련이 있다.

04 맥락에 비추어 볼 때 ⓐ의 의미로 가장 적절한 것은?

① 임에 대한 상념과 그리움
② 정세에 대한 분석적 평가
③ 희망찬 미래에 대한 계획
④ 강호자연에 대한 이념적 지향
⑤ 부귀공명에 대한 비판적 인식

[5~10] 다음 글을 읽고 물음에 답하시오.

(가) 동풍(東風)이 건듯 부러 젹셜(積雪)을 헤텨 내니
창(窓) 밧긔 심근 ᄆᆡ화(梅花) 두세 가지 픠여셰라
ᄀᆞᆺ득 ᄂᆡᆼ담(冷淡)ᄒᆞᆫᄃᆡ 암향(暗香)은 므ᄉᆞ 일고
황혼(黃昏)의 ᄃᆞᆯ이 조차 벼마ᄐᆡ 빗최니
㉠ 늣기ᄂᆞᆫ ᄃᆞᆺ 반기ᄂᆞᆫ ᄃᆞᆺ 님이신가 아니신가
뎌 ᄆᆡ화(梅花) 것거 내여 님 겨신 ᄃᆡ 보내오져
님이 너ᄅᆞᆯ 보고 엇더타 너기실고

(나) ᄭᅩᆺ 디고 새닙 나니 녹음(綠陰)이 ᄭᆞᆯ렷ᄂᆞᆫᄃᆡ
나위(羅幃) 적막(寂寞)ᄒᆞ고 슈막(繡幕)이 뷔여 잇다
부용(芙蓉)을 거더 노코 공쟉(孔雀)을 둘러 두니
㉡ ᄀᆞᆺ득 시ᄅᆞᆷ 한ᄃᆡ 날은 엇디 기돗던고
원앙금(鴛鴦衾) 버혀 노코 오ᄉᆡᆨ션(五色線) 플텨 내여
금자ᄒᆡ 견화이셔 님의 옷 지어 내니
ⓐ 슈품(手品)은ᄏᆞ니와 제도(制度)도 ᄀᆞᄌᆞᆯ시고
산호수(珊瑚樹) 지게 우ᄒᆡ ᄇᆡᆨ옥함(白玉函)의 다마 두고
님의게 보내오려 님 겨신 ᄃᆡ ᄇᆞ라보니,
㉢ 산(山)인가 구롬인가 머흐도 머흘시고.
쳔리(千里) 만리(萬里) 길ᄒᆡ 뉘라셔 ᄎᆞ자갈고
니거든 여러 두고 날인가 반기실가

(다) ᄒᆞᄅᆞ밤 서리 김의 **기러기** 우러 녤 제
위루(危樓)에 혼자 올나 슈정념(水晶簾) 거든 마리
동산(東山)의 **ᄃᆞᆯ**이 나고, 북극(北極)의 별이 뵈니
님이신가 반기니, 눈믈이 절로 난다
청광(淸光)을 믜워 내여 **봉황누(鳳凰樓)**의 븟티고져
누(樓) 우ᄒᆡ 거러 두고 **팔황(八荒)**의 다 비최여
심산궁곡(深山窮谷) 졈낫ᄀᆞ티 ᄆᆡᆼ그쇼셔

(라) 건곤(乾坤)이 폐색(閉塞)ᄒᆞ야 ᄇᆡᆨ셜(白雪)이 ᄒᆞᆫ 비친 제
㉣ 사ᄅᆞᆷ은ᄏᆞ니와 ᄂᆞᆯ새도 긋쳐 잇다
쇼샹남반(瀟湘南畔)도 치오미 이러커든
옥루(玉樓) 고쳐(高處)야 더옥 닐러 므ᄉᆞᆷᄒᆞ리
양츈(陽春)을 부쳐 내여 님 겨신 ᄃᆡ 쏘이고져
모쳠(茅簷) 비쵠 ᄒᆡᄅᆞᆯ 옥누(玉樓)의 올리고져
홍샹(紅裳)을 니믜ᄎᆞ고 취슈(翠袖)를 반(半)만 거더

ⓜ 일모슈듁(日暮脩竹)의 혬가림도 하도 할샤

댜ᄅᆞᆫ ᄒᆡ 수이 디여 긴 밤을 고초 안자

청등(靑燈) 거ᄅᆞᆫ 겻ᄐᆡ 뎐공후(鈿箜篌) 노하두고

ᄭᅮᆷ의나 님을 보려 ᄐᆞᆨ 밧고 비겨시니

앙금(鴦衾)도 ᄎᆞ도 ᄎᆞᆯ샤 이 밤은 언제 샐고

05 윗글의 시상 전개 방식에 대한 설명으로 가장 적절한 것은?

① 계절을 환기하는 시어들을 활용하여 시간의 흐름에 따라 시상을 드러내었다.
② 자연과 대비되는 인간의 속성을 활용하여 대립적 방식으로 시상을 펼쳐 나갔다.
③ 구체적인 지명을 활용하여 출발에서 도착까지의 여정에 따라 내용을 제시하였다.
④ 관념적인 한자어들을 활용하여 논리적 인과 관계에 따라 화자의 사상을 표출하였다.
⑤ 복수의 화자를 설정하는 방법을 활용하여 인물끼리 대화하는 방식으로 내용을 전달하였다.

고난도

06 (가)~(라)의 중심 소재와 그것이 나타내는 화자의 심리를 〈보기〉와 같이 표로 정리한다고 할 때, Ⓐ와 Ⓑ에 들어갈 말로 적절한 것은?

〈보기〉

	중심 소재	화자의 심리
(가)	Ⓐ	임금에 대한 충정
(나)	옷	임금에 대한 지극한 정성
(다)	청광	Ⓑ
(라)	양춘	임금에 대한 염려

	Ⓐ	Ⓑ
①	매화	임금의 선정에 대한 소망
②	매화	임금을 향한 변치 않는 마음
③	황혼	임금을 흔드는 간신배
④	황혼	임금의 선정에 대한 소망
⑤	달	임금의 은혜에 대한 감사

서술형 학습 활동 응용

07 윗글이 속한 갈래의 율격적 특성을 간략히 서술하시오.

08 (다)의 소재에 대한 설명으로 적절하지 않은 것은?

① '기러기'는 화자의 정서와 조응하는 대상이다.
② '위루'는 화자의 고독감이 부각되는 공간이다.
③ '돌'은 외로운 화자의 처지를 표상하는 대상이다.
④ '봉황누'는 그리운 임이 계시는 공간이다.
⑤ '팔황'은 맑은 빛으로 비추기를 바라는 온 세상이다.

09 ㉠~ⓜ의 뜻풀이로 적절하지 않은 것은?

① ㉠: 흐느끼는 듯도 하고 반기는 듯도 하니 임이신가 아니신가.
② ㉡: 가뜩이나 근심이 많은데 날은 어찌 그리 길던가.
③ ㉢: 산인지 구름인지 멀기도 멀구나.
④ ㉣: 사람은 말할 것도 없고 나는 새도 자취를 감추었다.
⑤ ⓜ: 저녁 무렵 대나무에 기대어 서니 생각이 많기도 많구나.

10 ⓐ에 드러나는 화자의 태도와 가장 관련이 깊은 것은?

① 견문발검(見蚊拔劍)
② 수주대토(守株待兎)
③ 연목구어(緣木求魚)
④ 자화자찬(自畵自讚)
⑤ 전전긍긍(戰戰兢兢)

[11~13] 다음 글을 읽고 물음에 답하시오.

ᄒᆞᄅᆞ도 열두 ᄣᅢ ᄒᆞᆫ ᄃᆞᆯ도 셜흔 날
져근덧 ᄉᆡᆼ각 마라, 이 시ᄅᆞᆷ 닛쟈 ᄒᆞ니
ᄆᆞᄋᆞᆷ의 ᄆᆡ쳐 이셔 골슈(骨髓)의 ᄢᅦ텨시니
편쟉(扁鵲)이 열히 오다 이 병을 엇디ᄒᆞ리

[A]
어와, 내 병이야 이 님의 타시로다
출하리 싀어디여 범나븨 되오리라
곳나모 가지마다 간 ᄃᆡ 죡죡 안니다가
향 므틴 ᄂᆞᆯ애로 님의 오ᄉᆡ 올므리라
님이야 날인 줄 모ᄅᆞ셔도 내 님 조ᄎᆞ려 ᄒᆞ노라

학습 활동 응용 고난도

11 〈보기〉를 바탕으로 [A]의 가치를 설명한 것으로 가장 적절한 것은?

〈보기〉

지금 우리나라의 시문은 자기 말을 버리고 다른 나라의 말을 흉내 내어 쓴 것이니 설령 아주 비슷하다 하더라도 앵무새가 사람의 말을 흉내 내는 것에 지나지 않는다. 나무하는 아이들이나 물 긷는 아낙네들이 서로 화답하며 노래하는 것이 비록 천하고 속되다 할지라도, 그 참과 거짓을 따진다면 공부하는 선비들의 이른바 시부(詩賦)라고 하는 것과는 비교가 되지 않는다. 게다가 이 세 편의 노래(「관동별곡」, 「사미인곡」, 「속미인곡」)는 하늘로부터 받은 본성이 담겨 있으면서도 천박함은 없다.

– 김만중, 「서포만필」

① 비록 천박한 구석이 있지만 하늘로부터 받은 본성을 담았다.
② 공부하는 선비가 지은 시부의 전형적인 특징을 고루 지녔다.
③ 나무하는 아이들이 주고받는 노래의 형식을 띠도록 창작되었다.
④ 이전의 작품들에서 찾을 수 없는 개성적인 인물형을 제시했다.
⑤ 한자어가 거의 사용되지 않았을 정도로 우리말의 아름다움을 잘 살렸다.

12 윗글에서 화자의 감정 변화로 적절한 것은?

① 연정 → 원한
② 한탄 → 의지
③ 애상 → 추모
④ 좌절 → 연민
⑤ 후회 → 희망

학습 활동 응용

13 화자의 태도 측면에서 윗글과 〈보기〉가 보이는 공통점으로 가장 적절한 것은?

〈보기〉

님은 갔습니다. 아아 사랑하는 나의 님은 갔습니다.
푸른 산빛을 깨치고 단풍나무 숲을 향하여 난 작은 길을 걸어서 차마 떨치고 갔습니다.
황금의 꽃같이 굳고 빛나던 옛 맹세는 차디찬 티끌이 되어서 한숨의 미풍(微風)에 날아갔습니다.
날카로운 첫 키스의 추억은 나의 운명의 지침(指針)을 돌려놓고 뒷걸음쳐서 사라졌습니다.
나는 향기로운 님의 말소리에 귀먹고 꽃다운 님의 얼굴에 눈멀었습니다.
사랑도 사람의 일이라 만날 때에 미리 떠날 것을 염려하고 경계하지 아니한 것은 아니지만, 이별은 뜻밖의 일이 되고 놀란 가슴은 새로운 슬픔에 터집니다.
그러나 이별을 쓸데없는 눈물의 원천을 만들고 마는 것은 스스로 사랑을 깨치는 것인 줄 아는 까닭에 걷잡을 수 없는 슬픔의 힘을 옮겨서 새 희망의 정수박이에 들어부었습니다.
우리는 만날 때에 떠날 것을 염려하는 것과 같이 떠날 때에 다시 만날 것을 믿습니다.
아아 님은 갔지마는 나는 님을 보내지 아니하였습니다.
제 곡조를 못 이기는 사랑의 노래는 님의 침묵을 휩싸고 돕니다.

– 한용운, 「님의 침묵」

① 임이 자신을 다시 만나러 찾아올 것을 굳게 믿고 있다.
② 멀리 떨어져 있는 임에게 변함없는 사랑을 느끼고 있다.
③ 자신을 버리고 떠난 임에 대해 원망의 감정을 드러내고 있다.
④ 임에 대한 생각을 잊고 정상적인 일상생활을 영위하기 위해 애쓰고 있다.
⑤ 임의 사랑보다 자신의 사랑이 더 깊었다는 사실에 대해 억울해하고 있다.

02 태평천하(太平天下) 채만식

출제 포인트	• 인물의 성격과 사건의 전개 양상 파악하기 • 서술상의 특징과 주제가 지닌 관련성 이해하기

작품 개관

갈래	중편 소설, 풍자 소설, 가족사 소설	성격	비판적, 풍자적, 반어적
시점	전지적 작가 시점		
배경	1930년대 서울		
주제	일제 강점기의 한 지주 집안의 세대 간 갈등과 가족의 붕괴		
특징	• 왜곡된 의식을 지닌 인물을 등장시켜 당대 현실을 풍자함. • 경어체를 구사하고, 판소리 창자와 유사한 서술자를 설정함. • 방언과 비속어를 활용하여 인물과 상황 형상화에 사실감을 높임. • 과장, 반어, 희화화 등을 통해 대상을 풍자하고 독자의 웃음을 유발함.		

주요 인물의 성격

1대	윤 직원	완고하고 독선적인 성격으로, 돈과 권력의 결탁을 통해 일제 강점기에 적응하는 처세술을 지님. 조국이 식민지가 된 현실을 '태평천하'로 여기는 왜곡된 의식의 인물임.
2대	윤창식	개화기에 교육을 받았으나 현실에 적응하지 못하고 향락에 빠진 인물임.
3대	윤종수	군수가 되기를 바라는 할아버지 윤 직원의 기대와 달리 방탕한 생활을 하는 인물임.
	윤종학	경찰서장이 되기를 바라는 할아버지 윤 직원의 기대를 배반하고, 동경에 유학 중에 사회주의 운동을 하다가 경시청에 피검됨으로써 집안의 몰락을 촉진하게 되는 인물임.

판소리 기법의 도입

마치 판소리 창자와 같은 경어체 문장을 구사하여 독자와 가까운 거리에서 작중 인물을 조롱하고 희화화하는 효과를 높인 점, 그리고 판소리가 이면적 주제를 가지듯이 이 작품 역시 윤 직원 영감의 의식이 일제에 의해 주입된 것임을 풍자하는 이면적 주제를 담고 있는 점 등이 이 작품에 도입된 판소리 기법이라고 할 수 있다. 이 작품에 도입된 판소리 기법은 전통적 기법의 현대적 계승이라는 점에서 의의가 있다.

[1~5] 다음 글을 읽고 물음에 답하시오.

앞부분 줄거리 1930년대 서울, 평민 출신 대지주이자 지독한 구두쇠인 윤 직원 영감은 구한말에 아버지를 화적 떼의 손에 잃은 아픈 기억이 있다. 일본인들이 화적 떼로부터 자기 재산을 지켜 준다며 일본의 식민 지배를 고맙게 여기는 그는 경찰서 무도장을 짓는 데 아낌없이 기부한다. 그는 또 재산을 지키기 위해 양반을 사고 족보를 도금한다. 양반과의 혼인을 위해 가난한 양반집에서 며느리를 들인 그는 손자인 종수와 종학이 각각 군수와 경찰서장이 되어서 가문을 빛내기를 간절히 바란다. 그러나 아들 창식은 노름으로 가산을 탕진하고, 큰손자 종수 역시 방탕한 생활로 많은 돈을 날린다. 게다가 딸마저 시댁에서 소박을 맞고 와서 함께 살고 있는 처지이다. 윤 직원 영감은 오로지 일본 유학 중인 둘째 손자 종학에게 잔뜩 기대를 걸고 있다.

망진자(亡秦者)는 호야(胡也)니라

일찍이 윤 직원 영감은 그의 소싯적 윤 두꺼비 시절에, 자기 부친 말 대가리 윤용규가 화적의 손에 무참히 맞아 죽은 시체 옆에 서서, 노적이 불타느라고 화광이 충천한 하늘을 우러러,

[A]
"이놈의 세상, 언제나 망하려느냐?"
"우리만 빼놓고 어서 망해라!"
하고 부르짖은 적이 있겠다요.
이미 반세기 전, 그리고 그것은 당시의 ㉠ 나한테 불리한 세상에 대한 격분된 저주요, 겸하여 웅장한 투쟁의 선언이었습니다.

해서 윤 직원 영감은 과연 승리를 했겠다요. 그런데…….

식구들은 시아버지 윤 직원 영감이 보기가 싫은 건넌방 고씨만 빼놓고, 서울 아씨, 태식이, 뒤채의 두 동서, 모두 안방에 모여 종수를 맞이하는 예를 표하고, 그들의 옹위 아래 윤 직원 영감과 종수는 각기 아랫목과 뒷벽 앞으로 갈라 앉았습니다. 방금 점심 밥상을 받을 참입니다.

"너 경손 애비, 부디 정신 채리라!……"

윤 직원 영감이 종수더러 곰곰이 훈계를 하던 것입니다. 안식구가 있는 데라 점잖게 경손 애비지요.

"…… 정신을 채리야 헐 것이 늬가 암만히여두 네 아우 종학이만 못허여! 종학이는 그놈이 재주두 있고 착실히여서,

너치름 허랑허지두 않고 그럴뿐더러 내년 내후년이머넌 대학교를 졸업허잖냐? 내후년이지?"

"네."

"그렇지? 응, 그래, 내후년이면 대학교 졸업을 허구 나와서, 삼 년이나 다직 사 년만 찌들어 나머넌 그놈은 지가 목적헌, 요새 그 목적이란 소리 잘 쓰더구나, 응? 목적……목적헌 경부가 되야 각구서, 경찰서장이 된담 말이다! 응? 알겄어."

"네."

"그러닝개루 너두 정신을 바싹 채리 각구서, 어서어서 군수가 되야야 않겄냐?…… 아, 동생 놈은 버젓한 경찰서장인디, 형 놈은 게우 군 서기를 댕기구 있담 남부끄러서 어쩔티여? 응?…… 아 글씨, 군수 되구 경찰서장 되구 허머넌, 느덜 좋구 느덜 호강이지 머, 그 호강 날 주냐? ㉡ 내가 이렇기 아등아등 잔소리를 허넌 것두 다 느덜 위허여서 그러지, 나는 파리 족통만치두 상관읎어야! 알어듣냐?"

"네."

"그놈 종학이는 참말루 쓰겄어! 그놈이 어려서버텀두 워너니 나를 자별허게 따르구, 재주두 있구 착실허구, 커서두 내 말을 잘 듣구……. 내가 그놈 하나넌 꼭 믿넌다, 꼭 믿어. 작년 올루 들어서 그놈이 돈을 어찌 좀 히피 쓰기는 허넝가 부더라마는, 그것두 허기사 네게다 대머는 안 쓰는 심이지. 사내자식이 너처럼 허랑허지만 말구서, 제 줏대만 실헐 양이면 돈을 좀 써두 괜찮언 법이여……. 그리서 지난달에두 오백 원 꼭 쓸 디가 있다구 핀지히였길래, 두말 않고 보내 주었다!"

마침 이때, 마당에서 헴헴, 점잖은 밭은기침 소리가 납니다. 창식이 윤 주사가 조금 아까야 일어나서, 간밤에 동경서 온 전보 때문에 억지로 억지로 큰댁 행보를 하던 것입니다.

윤 주사는 토방으로 내려서는 아들 종수더러, 언제 왔느냐고, 심상히 알은체를 하면서, 역시 토방으로 내려서는 두 며느리의 삼가로운 무언의 인사와 마루까지만 나선 이복 누이동생 서울 아씨의 입인사를 받으면서, 방으로 들어가서는 부친 윤 직원 영감한테 절을 한 자리 꾸부리고서, 아들 종수한테 한 자리 절과 이복동생 태식이한테 경례를 받은 후, 비로소 한옆으로 꿇어앉습니다.

"해가 서쪽으서 뜨겄구나?"

윤 직원 영감은 아들의 이렇듯 부르지도 않은 걸음을, 더욱이나 안방에까지 들어온 것을 이상타고 꼬집는 소립니다.

"…… 멋하러 오냐? 돈 달라러 오지?"

01 윗글의 내용과 일치하는 것으로 적절한 것은?

① '종수'에게는 아직 아내와 자식이 없다.
② '윤 주사'의 방문은 아버지의 부름에 의한 것이었다.
③ '윤 직원 영감'은 '종수'가 군 서기가 되기를 바라고 있다.
④ '종학'이는 얼마 전 '윤 직원 영감'에게 돈을 부쳐 달라고 요구한 일이 있다.
⑤ '윤 직원 영감'은 어린 나이에 자신의 손으로 화적을 소탕할 것을 다짐했다.

02 윗글에 대한 설명으로 적절한 것은?

① 서술자의 교체를 통해 장면을 입체화하고 있다.
② 액자 구조를 활용하여 사건에 신빙성을 부여하고 있다.
③ 세밀한 외양 묘사를 통해 인물의 성격을 형상화하고 있다.
④ 구어적 표현과 사투리를 활용하여 인물을 생동감 있게 묘사하고 있다.
⑤ 대립적 인물의 시각을 차례로 제시함으로써 갈등을 다각도로 조명하고 있다.

03 윗글을 통해 알 수 있는 '윤 직원 영감'의 생각을 다음과 같이 정리할 때, 빈칸에 적절한 말을 쓰시오.

- 아들 '창식'은 (   )이/가 필요할 때만 자신을 찾아오는 불효자이다.
- 큰손자인 (   )은/는 그의 동생에 비해 기질이 방탕하여 사회적으로 성공할 가능성이 더 낮다.
- '종학'은 (   )을/를 일으킬 수 있는 능력과 자질을 갖추고 있다.

04 [A]에 드러나는 서술자의 의도에 대한 설명으로 가장 적절한 것은?

① 냉소적 태도로 인물의 도덕적 결함을 풍자하고 있다.
② 인물이 처한 딱한 상황에 대해 연민의 태도를 보이고 있다.
③ 인물의 과거와 현재의 연관성에 대해 논리적 분석을 시도하고 있다.
④ 주관을 최대한 배제하고 철저히 객관적인 태도로 사건을 묘사하고 있다.
⑤ 타인에게 전해들은 내용을 그대로 전달함으로써 이야기의 사실성을 높이고 있다.

05 ㉠을 참고하여 ㉡에 대해 추론한 것으로 가장 적절한 것은?

① ㉠을 빨리 잊으려는 의도로 '윤 직원 영감'은 일부러 ㉡과 같은 말을 하는 것이겠군.
② ㉠이 드러나게 되는 상황을 은폐하기 위해 '윤 직원 영감'은 ㉡과 같은 말로 진실을 조작하려는 것이겠군.
③ ㉠을 바로잡아야 한다는 사명감으로 인해 '윤 직원 영감'은 ㉡을 통해 후손들의 사회 의식을 자극하려는 것이겠군.
④ ㉠에서 입은 심리적 상처를 강조하면서 '윤 직원 영감'은 후손들이 자신을 이해해 주기를 바라는 마음을 ㉡에 담은 것이겠군.
⑤ ㉠으로 인해 자기가 느꼈던 분노와 서러움을 자신과 후손들이 다시 느끼지 않았으면 하는 마음에 '윤 직원 영감'은 ㉡과 같은 말을 하는 것이겠군.

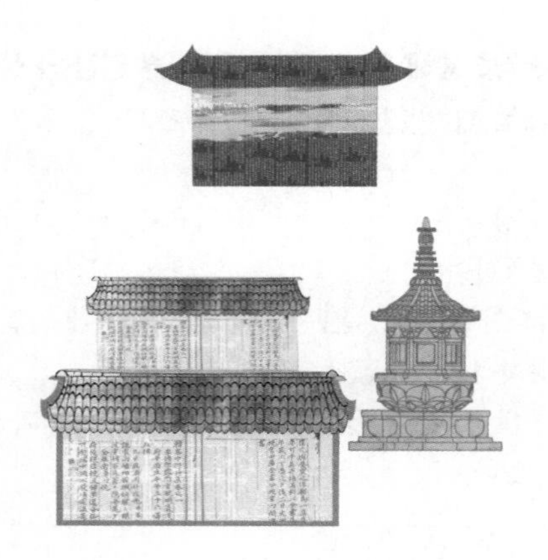

[6~14] 다음 글을 읽고 물음에 답하시오.

"동경서 [전보]가 왔는데요……."

㉠ 지체를 바꾸어 윤 주사를 점잖고 너그러운 아버지로, 윤 직원 영감을 속 사납고 경망스러운 어린 아들로 둘러놓았으면 꼬옥 맞겠습니다.

"동경서? 전보?"

"종학이 놈이 경시청에 붙잡혔다구요!"

"으엉?"

외치는 소리도 컸거니와 엉덩이를 꿍 찧는 바람에, 하마 방구들이 내려앉을 뻔했습니다. 모여 선 온 식구가 제각기 정도에 따라 제각기 놀란 것은 물론이구요.

윤 직원 영감은 ㉮ 마치 묵직한 몽치로 뒤통수를 얻어맞은 양, 정신이 멍해서 입을 벌리고 눈만 휘둥그렜지, 한동안 말을 못 하고 꼼짝도 않습니다.

㉡ 그러다가 이윽고 으르렁거리면서 잔뜩 쪼글트리고 앉습니다.

"거, 웬 소리냐? 으응? 으응? 거 웬 소리여? 으응? 으응?"

"그놈 동무가 친 전본가 본데, 전보가 돼서 자세히는 모르겠습니다."

윤 주사는 조끼 호주머니에서 간밤의 그 전보를 꺼내어 부친한테 올립니다. ㉢ 윤 직원 영감은 채듯 전보를 받아 쓰윽 들여다보더니 커다랗게 읽습니다. 물론 원문은 일문이니까 몰라보고, 윤 주사네 서사 민 서방이 번역한 그대로지요.

"종학, 사상 관계로, 경시청에 피검!…… 이라니? 이게 무슨 소리다냐?"

"종학이가 사상 관계로 경시청에 붙잡혔다는 뜻일 테지요!"

"사상 관계라니!"

"그놈이 사회주의에 참예를……."

"으엉?"

아까보다 더 크게 외치면서, 벌떡 뒤로 나동그라질 뻔하다가 겨우 몸을 가눕니다.

윤 직원 영감은 먼저에는 몽치로 뒤통수를 얻어맞은 것같이 멍했지만, 이번에는 ㉯ 앉아 있는 땅이 지함(地陷)을 해서 수천 길 밑으로 꺼져 내려가는 듯 정신이 아찔했습니다.

그러나 그것은 결단코 자기가 믿고 사랑하고 하는 종학이의 신상을 여겨서가 아닙니다.

윤 직원 영감은 시방 종학이가 사회주의를 한다는 그 한 가지 사실이 진실로 옛날의 드세던 부랑당패가 백 길 천 길로 침노하는 그것보다도 더 분하고, 물론 무서웠던 것입니다.

진(秦)나라를 망할 자 호(胡)라는 예언을 듣고서, 변방을 막으려 만리장성을 쌓던 진시황, 그는, ⓐ 진나라를 망한 자 호가 아니요, 그의 자식 호해(胡亥)임을 눈으로 보지 못하고 죽었으니, ⓑ 오히려 행복이라 하겠습니다.

"사회주의라니? 으응? 으응?"

윤 직원 영감은 사뭇 사람을 아무나 하나 잡아먹을 듯, 집이 떠나게 큰 소리로 포효를 합니다.

"으응? 그놈이 사회주의를 허다니! 으응? 그게, 참말이냐? 참말이여?"

"하긴 그놈이 작년 여름 방학에 나왔을 때버틈 그런 기미가 좀 뵈긴 했어요!"

"그러머넌 참말이구나! 그러머넌 참말이여, 으응!"

㉢ 윤 직원 영감은 이마로 얼굴로 땀이 방울방울 배어 오릅니다.

"…… 그런 쳐 죽일 놈이, 깎어 죽여두 아깝잖을 놈이! 그놈이 경찰서장 허라닝개루 생판 사회주의 허다가 뎁다 경찰서으 잽혀? 으응?…… 오사육시를 헐 놈이, 그놈이 그게 어디 당헌 것이라구 지가 사회주의를 히여? 부자 놈의 자식이 무엇이 대껴서 부랑당패에 들어?……"

아무도 숨도 크게 쉬지 못하고, 고개를 떨어뜨리고 섰기 아니면 앉았을 뿐, 윤 직원 영감이 잠깐 말을 끊자 ㉣ 방 안은 물을 친 듯이 조용합니다.

"…… 오죽이나 좋은 세상이여? 오죽이나……."

윤 직원 영감은 팔을 부르걷은 주먹으로 방바닥을 땅 치면서 ㉤ 성난 황소가 영각을 하듯 고함을 지릅니다.

[A] "화적패가 있너냐아? 부랑당 같은 수령(守令)들이 있너냐?…… 재산이 있대야 도적놈의 것이요, 목숨은 파리 목숨 같던 말세넌 다 지내가고오……. 자 부아라, 거리거리 순사요, 골골마다 공명헌 정사(政事), 오죽이나 좋은 세상이여……. 남은 수십만 명 동병(動兵)을 히여서, 우리 조선 놈 보호히여 주니, 오죽이나 고마운 세상이여? 으응?…… 제 것 지니고 앉아서 편안허게 살 태평 세상, 이걸 태평천하라구 허는 것이여, 태평천하! …… 그런디 이런 태평천하에 태어난 부자 놈의 자식이, 더군다나 왜지 가 떵떵거리구 편안허게 살 것이지, 어찌서 지가 세상 망쳐 놀 부랑당패에 참섭을 헌담 말이여, 으응?"

방바닥을 치면서 벌떡 일어섭니다. 그 몸짓이 어떻게도 요란스럽고 괄괄한지, 방금 발광이 되는가 싶습니다. 아닌 게 아니라 모여 선 가권들은 방바닥 치는 소리에도 놀랐지만, 이 어른이 혹시 상성이 되지나 않는가 하는 의구의 빛이 눈에 나타남을 가리지 못합니다.

"…… 착착 깎어 죽일 놈! …… 그놈을 내가 핀지히여서, 백 년 지녁을 살리라구 헐걸! 백 년 지녁 살리라구 헐 티여……. 오냐, 그놈을 삼천 석거리는 직분하여 줄라구 히였더니, 오냐, 그놈 삼천 석거리를 톡톡 팔어서, 경찰서으다가 사회주의 허는 놈 잡어 가두는 경찰서으다가 주어 버릴걸! 으응, 죽일 놈!"

마지막의 으응 죽일 놈 소리는 차라리 울음소리에 가깝습니다.

"…… 이 태평천하에! 이 태평천하에……."

㉥ 쿵쿵 발을 구르면서 마루로 나가고, 꿇어앉았던 윤 주사와 종수도 따라 일어섭니다.

"…… 그놈이, 만석꾼의 집 자식이, 세상 망쳐 놀 사회주의 부랑당패에, 참섭을 히여, 으응, 죽일 놈! 죽일 놈!"

연해 부르짖는 죽일 놈 소리가 차차로 사랑께로 멀리 사라집니다. 그러나 몹시 사나운 그 포효가 뒤에 처져 있는 가권들의 귀에는 어쩐지 암담한 여운이 스며들어, 가뜩이나 어둔 얼굴들을 면면상고, 말할 바를 잊고, 몸 둘 곳을 둘러보게 합니다. ㉦ 마치 장수의 죽음을 만난 군졸들처럼…….

06 윗글의 서술상 특징에 대한 설명으로 적절한 것은?

① 장면의 빈번한 전환으로 인물 사이의 긴장감을 고조시키고 있다.
② 짧고 감각적인 문장을 통해 공간적 배경을 세밀하게 그리고 있다.
③ 현학적인 표현을 주로 사용하여 이상적인 삶의 모습을 형상화하고 있다.
④ 작중 인물을 서술자로 삼아 그 인물의 내면을 가감 없이 전달하고 있다.
⑤ 경어체 문장을 사용하여 판소리 창자가 이야기를 들려주는 것 같은 효과를 내고 있다.

07 전보의 서사적 기능으로 적절하지 않은 것은?

① 새로운 상황을 유발한다.
② 윤 직원 일가의 몰락을 예고한다.
③ 사건 전개에 극적 반전을 가져온다.
④ 가족들에 대한 종학의 심리를 전달한다.
⑤ 종학의 사상적 지향을 간접적으로 제시한다.

08 작품의 주제를 고려할 때, [A]의 기능에 대한 설명으로 가장 적절한 것은?

① 노력하지 않고 요행을 바라던 인물의 실패를 형상화하여 근면성의 가치를 부각한다.
② 일제의 수탈에 신음하는 인물의 모습을 보여 주어 당대의 억압적 사회상을 강조한다.
③ 주어진 상황에 굴복하고 마는 인물의 모습을 형상화하여 운명론적 사고의 폐단을 제시한다.
④ 일제 강점기 현실에 대한 비뚤어진 인식을 부각하여 부정적 인물에 대한 풍자의 효과를 높인다.
⑤ 불행의 원인을 타인에게 전가하는 인물의 태도를 보여 주어 인간이 보편적으로 지니고 있는 이기심에 경종을 울린다.

09 ㉠~㉤ 중 〈보기〉의 예로 들기에 가장 적절한 것은?

〈보기〉
소설의 서술자는 때때로 작중 상황에 개입하여 인물이나 사건에 대해 주관적인 논평을 하는 경우가 있다.

① ㉠ ② ㉡ ③ ㉢
④ ㉣ ⑤ ㉤

10 ㉮~㉲에 대한 설명으로 적절하지 않은 것은?

① ㉮: 전혀 예상치 못했던 소식으로 인해 '윤 직원 영감'이 놀란 느낌을 빗댄 표현이다.
② ㉯: '종학'이 사회주의 운동에 참여했다는 사실을 듣고 '윤 직원 영감'이 받은 극심한 충격을 빗댄 표현이다.
③ ㉰: '종학'의 피검 소식을 전해 들은 '윤 직원 영감'의 반응에 대한 식구들의 반감을 빗댄 표현이다.
④ ㉱: '종학'이 자신의 기대를 배반하고 사회주의자가 된 상황에 대해 느끼는 '윤 직원 영감'의 분노를 빗댄 표현이다.
⑤ ㉲: 가장의 절망 앞에서 어쩔 줄 몰라 하는 가족들의 모습을 빗댄 표현이다.

11 ⓐ의 상황과 가장 잘 어울리는 속담은?

① 초록은 동색이다.
② 등잔 밑이 어둡다.
③ 숭어가 뛰니 망둥이도 뛴다.
④ 구슬이 서 말이라도 꿰어야 보배다.
⑤ 자라 보고 놀란 가슴 솥뚜껑 보고 놀란다.

서술형

12 작중 상황을 고려할 때, ⓑ와 같이 서술한 이유는 무엇인지 간략히 쓰시오.

학습 활동 응용

13 윗글과 〈보기〉를 비교한 내용으로 적절하지 않은 것은?

〈보기〉

황선주라면 느티울에선 버림치로 치부하여 진작 젖혀 둔 인간이었지만 이재에 밝고 돈푼이나 만지기로는 면내에서도 엄지손가락에 꼽힌다는 작자였다. 그는 내놓고 불려 가는 돈만 해도 이천만 원이 넘으리라고 했지만 억대를 웃도는 농토로 하여 지주로도 으뜸이었다. 그는 느티울 사람에게도 크든 적든 노상 오 부 이자를 놓았고, 그나마도 눈 밖에 난 사람은 아무리 목 타는 소리를 해도 빡빡하게 굴었다.

대개 고리대금업자가 믿음성 한 가지로 돈을 놓기로는 농사꾼만 한 상대가 없을 거였다. 땅이 있음으로서이다. 그것을 가장 잘 이용할 줄 아는 이가 황이었다. [중략]

"춘자 아버지두, 우리가 시방 춘자 아버지 입던 빤쓰를 읃으러 왔단 말유? 희치희치허구 낡음낡음헌 흔 빤쓰를…… 빤쓰 장수가 보면 불쌍해서 하나 그저 주게 생긴 걸레를 읃으러 예까장 펄렁그리구 왔대유? 세상에 원……."

미루어 보건대 이재민 구호물품이랍시고 황이 입던 팬티를 내놓은 모양이었다. 김은 구경만 하고 있잠도 아니요, 그렇다고 남의 집 안에 들어가 사내 여편네가 남남끼리 하필 팬티를 놓고 가갸거겨 하는 옆에서 옆들이 하잠도 아닌 듯하여 부쩌지 못하고 있었다. 황이 말했다.

"챙근 엄니는…… 말을 귀루 안 듣구 입으루 들유? 수재민이라구 흣것만 입으라는 벱이 워디 있슈. 그러면 그 사람들이 한 끄니래두 끓이라구 추렴해 준 양식 팔어 빤쓰버텀 사 입으야 쓰것수? 게, 다 나두 생각이 있어 내논 겐디 뎁세 나를 트집헐류? 말에 도장 읎다구 함부루 입방아 찧지 마유. 이게 왜 흔 게유. 남대문표는 삼 년을 입어두 새물내만 납디다유. 공연히 넘우세스럽게시리 이유 삼지 말고 얼릉 딴 디나 가 보유."

"……."

두 여자는 입이 모자라 말밑을 못 대는지 잠잠했으나, 그냥 두면 나중엔 별 못할 소리가 없을 것 같았다.

김이 말했다.

"아따나…… 챙근 엄니두 에지간허슈. 애초 저기헌 사람허구 저기했으야 말이지…… 나중에 다 저기허는 수 있으니께 그냥 주는 대루 받어 나오슈. 이러다가는 일품 메구 해넘이 허겄슈."

그 말을 계제 삼아 창근 어메가 말했다.

"남댐문이구 앞댓문이구 간에 수재민 고쟁이 걱정허는 사람은 팔도강산에 느티울 춘자 아버지뿐일 뀨, 확실히 우리 게는 꽃동네 새 동네여."

— 이문구, 「우리 동네 황 씨」

① 윗글과 〈보기〉 모두 도덕적 결함을 가진 중심인물이 등장하고 있다.
② 윗글과 〈보기〉 모두 중심인물이 경제적으로 부유한 처지로 설정되어 있다.
③ 윗글과 〈보기〉 모두 사투리를 활용하여 인물 묘사의 사실성을 높이고 있다.
④ 〈보기〉와 달리 윗글은 중심인물에 대한 서술자의 직접적인 평가가 제시되어 있다.
⑤ 윗글과 달리 〈보기〉는 중심인물에 대한 냉소가 다른 인물의 말을 통해 제시되고 있다.

고난도

14 〈보기〉는 윗글에 대한 감상문의 일부이다. 빈칸에 들어갈 내용으로 적절하지 않은 것은?

〈보기〉

문학 작품을 읽음으로써 얻을 수 있는 즐거움에는 새로운 사실을 알게 되는 즐거움, 그리고 작품 속 세계와 자기와의 만남, 즉 작품에서 형상화된 세계에 자신을 비추어 봄으로써 자기 자신을 깨닫는 즐거움 등이 있다. 채만식의 「태평천하」의 경우 등장인물을 중심으로 감상하면서 이러한 즐거움을 맛볼 수 있었다.

우선 당대의 현실과 관련된 새로운 사실들을 알 수 있다. 이 작품을 읽기 전에는 일제 강점기 우리 민족 모두 궁핍한 삶을 영위하고 있었고, 식민지로부터의 해방을 열망하고 있었다고 생각했었다. 그러나 이 작품은 모두 그렇지만은 않았음을 말해 주고 있다. 시류에 영합해 자신의 이익만을 추구하고 그것을 만끽하며 살아가는 윤 직원 영감 같은 인물들이 엄연히 존재하고 있었음을 이 작품은 실감 나게 전해 주고 있다.

다음으로는 이 작품에 나 자신을 비추어 봄으로써 몇 가지 깨달음을 얻을 수 있었다. 그 깨달음은 이런 것들이다.

[   ]

① '윤 직원 영감'의 헛된 욕망을 보면서, 인간이 추구하는 욕망의 끝은 어디일까 생각해 보았다.
② 지금의 내 성격으로 보아 내가 당대에 태어났다면 '종학'과 같은 선택을 할 수 있었을까 생각해 보았다.
③ 나는 과연 '윤 직원 영감'이라는 인물과는 달리 나 자신의 이익이나 사회의 이익을 더 중시하고 있는가 반문해 보았다.
④ '종학'같이 자신의 기득권을 포기하고 일제에 맞서 대항한 인물들이 상당수 있었음을 다른 자료를 통해 확인할 수 있었다.
⑤ '윤 직원 영감'의 소위 '태평천하론'을 접하면서 역사의식이란 피상적인 이해만으로는 형성될 수 없는 것임을 인식하게 되었다.

01 정선 아리랑 작자 미상

출제 포인트	• 작품이 갖는 지역 문학으로서의 의의 이해하기 • 한국 문학의 보편성과 특수성 이해하기

작품 개관

갈래	민요	성격	서정적, 애상적
운율	4음보 율격		
제재	정선의 자연 풍경과 그 속에서 살아가는 사람들의 삶		
주제	정선 사람들의 삶의 애환		
특징	• 정선 지역의 환경적 특성과 지역민의 정서를 담고 있음. • 음보율과 후렴구를 통해 운율감을 형성함.		

배경 설화와 관련한 화자의 정서

배경 설화	아우라지를 사이에 두고 서로 사랑하는 사이인 처녀와 총각은 어느 날 함께 올동백을 따러 가기로 약속하였으나, 홍수로 인해 배가 뜨지 못하자 처녀가 서글픈 마음을 담아 이 노래를 불렀다고 함.

화자의 정서	임에 대한 사랑과 그리움, 자신의 서글픈 신세에 대한 한탄

표현상의 특징과 효과

• 삶의 애환을 여성 화자의 목소리로 표현함.
• 구체적 지명과 비유적 표현을 사용함.
• 체념과 한탄의 어조로 서민의 한을 형상화함.

→ **정선 사람들의 삶의 모습과 정서를 효과적으로 표현함.**

후렴구의 역할

• 전승을 용이하게 함.
• 리듬감을 형성하여 흥을 돋움.
• 각각의 주제로 된 연들에 동일한 후렴구에 의해 형식적 통일성이 확보됨.

「정선 아리랑」의 지역 문화로서의 의의

정선 지역 사람들의 삶과 그 속에 숨 쉬고 있는 정서, 지향하는 가치가 잘 드러나 있어 정선 지역에서 살아가는 사람들의 모습을 이해할 수 있게 해 주고, 나아가 한국 문학의 다양성을 알 수 있게 해 줌.

[1~5] 다음 글을 읽고 물음에 답하시오.

정선의 구명(舊名)은 무릉도원이 아니냐
무릉도원은 어데 가고서 **산만 충충하네**
아리랑 아리랑 아라리요
아리랑 고개 고개로 나를 넘겨 주게

㉠ 명사십리가 아니라면은 해당화는 왜 피며
모춘 삼월이 아니라면은 두견새는 왜 우나
아리랑 아리랑 아라리요
아리랑 고개 고개로 나를 넘겨 주게

아우라지 **뱃사공**아 배 좀 건네주게
싸릿골 올 동백이 다 떨어진다
아리랑 아리랑 아라리요
아리랑 고개 고개로 나를 넘겨 주게

떨어진 동박은 낙엽에나 쌓이지
잠시 잠깐 임 그리워서 **나는 못 살겠네**
아리랑 아리랑 아라리요
아리랑 고개 고개로 나를 넘겨 주게

01 윗글에 대한 설명으로 가장 적절한 것은?

① 후렴구의 반복을 통해 리듬감을 발생시키고 있다.
② 두 인물의 대화 형식을 통해 시상을 전개하고 있다.
③ 각 연이 유기적으로 연결되어 시상이 전개되고 있다.
④ 수미 상관의 기법을 통해 구조적 안정감을 획득하고 있다.
⑤ 선경 후정의 방식을 활용하여 정서 표현의 효과를 높이고 있다.

학습 활동 응용

02 〈보기〉를 바탕으로 윗글을 감상한 내용으로 적절하지 않은 것은?

〈보기〉

먼 옛날 강원도 정선 북면 여량리의 나루인 아우라지를 사이에 두고 여량리에 사는 한 처자와 유천리에 사는 한 총각이 만나 사랑을 속삭였다. 어느 날 둘은 함께 올동백을 따러 가기로 약속을 했지만, 간밤에 내린 비에 강물이 불어 배가 뜨지 못하자 이에 서글픈 마음을 이기지 못하고 노래를 불렀다. 이때 부른 노래가 바로 「정선 아리랑」이 되었다고 한다.

① '산만 충충하네'에는 강원도 정선의 자연 환경에 대한 인식이 반영되어 있군.
② '뱃사공'을 향한 부탁은 연인을 만나고 싶은 마음에서 하는 것이겠군.
③ '싸릿골 올동백'은 연인끼리의 약속과 관련된 소재라고 할 수 있겠군.
④ '떨어진 동박'은 자연의 아름다움을 환기하는 역할을 한다고 볼 수 있군.
⑤ '나는 못 살겠네'에는 화자의 심리가 직접적으로 노출되어 있군.

고난도

03 ㉠과 표현 방법이 같은 작품으로 적절한 것은?

① 서산에 일락하고 그믐밤 어두운데
남북촌 두세 집에 솔불이 희미하다
— 안조원, 「만언사」

② 강산풍월(江山風月) 거늘리고 내 백 년(百年)을 다 누리면
악양루상(岳陽樓上)의 이태백(李太白)이 사라 오다
— 송순, 「면앙정가」

③ 태산(泰山) 같은 성난 물결 천지에 자욱하니
크나큰 만곡주(萬斛舟)가 나뭇잎 부치이듯
— 김인겸, 「일동장유가」

④ 좌수(左手)의 잡은 춘광(春光) 우수(右手)로 옮겨 ᄂᆡ어
농부가 흥을 계워 수답(水畓)의 이종(移種)ᄒᆞ니
— 이세보, 「농부가」

⑤ 그린 상ᄉᆞ 한ᄃᆡ 만나 잇지 마자 ᄇᆡᆨ년 긔약(百年期約)
죽지 말고 한ᄃᆡ 잇셔 리별 마자 쳐음 ᄆᆡᆼ셰(盟誓)
— 작자 미상, 「상사별곡」

[4~5] 윗글과 〈보기〉를 비교하여 감상하고, 이어지는 물음에 답하시오.

〈보기〉

내가 왜 왔나 내가 왜 왔나
우리 님 따라서 내 여기 왔지
아리랑 아리랑 아라리요 / 아리랑 고개로 넘어간다

사할린이 좋다고 내 여기 왔나
일본 놈들 무섭어 내 여기 왔지
아리랑 아리랑 아라리요 / 아리랑 고개로 넘어간다

우리 조선은 따뜻한데
그 땅에 못 살고 내 여기 왔나
아리랑 아리랑 아라리요 / 아리랑 고개로 넘어간다

우리 영감님은 왜 왔다던가
나만 혼자 두고 자기만 갔네
아리랑 아리랑 아라리요 / 아리랑 고개로 넘어간다

—작자 미상, 「사할린 본조 아리랑」

학습 활동 응용

04 윗글과 〈보기〉와 같은 글이 지역 문학으로서 지니는 가치로 가장 적절한 것은?

① 한글로 쓰여 많은 민중들이 감상할 수 있도록 했기 때문에
② 민중들의 애환이 반영되어 지배 세력을 풍자하고 있기 때문에
③ 억압받는 여성의 비애와 삶의 애환을 깊이 있게 다루고 있기 때문에
④ 하층민의 현실적 고난은 물론 지배층의 이념적 지향을 모두 다루고 있기 때문에.
⑤ 인류 보편의 다양한 주제를 담는 한편, 발생 지역의 지역적 특성과 지역민의 삶의 모습을 모두 담고 있기 때문에

서술형 학습 활동 응용

05 윗글과 〈보기〉를 바탕으로, 한국 문학의 지역적 범위에 관하여 〈조건〉에 맞게 쓰시오.

〈조건〉

- 「사할린 본조 아리랑」이 해외에서 창작되었지만 한국 문학에 포함되는 까닭을 바탕으로 서술할 것

대단원 실전 문제

[1~5] 다음 글을 읽고 물음에 답하시오.

이 몸 삼기실 제 님을 조차 삼기시니
ᄒᆞᆫ싱 연분(緣分)이며 하늘 모ᄅᆞᆯ 일이런가
나 ᄒᆞ나 졈어 잇고 님 ᄒᆞ나 날 괴시니
이 ᄆᆞ음 이 ᄉᆞ랑 견졸 ᄃᆡ 노여 업다
평싱(平生)애 원(願)ᄒᆞ요ᄃᆡ ᄒᆞᆫᄃᆡ 녜쟈 ᄒᆞ얏더니,
늙거야 므ᄉᆞ 일로 외오 두고 그리ᄂᆞᆫ고
엇그제 님을 뫼셔 광한뎐(廣寒殿)의 올낫더니
㉠ 그 더ᄃᆡ 엇디ᄒᆞ야 하계(下界)예 ᄂᆞ려오니
올 저긔 비슨 머리 헛틀언디 삼 년(三年)일쇠
㉡ 연지분(臙脂粉) 잇ᄂᆡ마ᄂᆞᆫ 눌 위ᄒᆞ야 고이 ᄒᆞᆯ고
ᄆᆞ음의 ᄆᆡ친 실음 텹텹(疊疊)이 ᄲᅡ혀 이셔
짓ᄂᆞ니 한숨이오 디ᄂᆞ니 눈믈이라
인싱(人生)은 유ᄒᆞᆫ(有限)ᄒᆞᆫᄃᆡ 시ᄅᆞᆷ도 그지업다
무심(無心)ᄒᆞᆫ 셰월(歲月)은 믈 흐ᄅᆞ돗 ᄒᆞᄂᆞᆫ고야
염냥(炎凉)이 ᄯᅢ를 아라 가ᄂᆞᆫ 둧 고텨 오니
듯거니 보거니 늣길 일도 하도 할샤
동풍(東風)이 건듯 부러 젹셜(積雪)을 헤텨 내니
창(窓) 밧긔 심근 ᄆᆡ화(梅花) 두세 가지 픠여셰라
ᄀᆞ득 ᄂᆡᆼ담(冷淡)ᄒᆞᆫᄃᆡ 암향(暗香)은 므ᄉᆞ 일고
황혼(黃昏)의 ᄃᆞᆯ이 조차 벼마ᄐᆡ 빗최니
늣기ᄂᆞᆫ 둧 반기ᄂᆞᆫ 둧 님이신가 아니신가
㉢ 뎌 ᄆᆡ화(梅花) 것거 내여 님 겨신 ᄃᆡ 보내오져
님이 너를 보고 엇더타 너기실고
ᄭᅩᆺ 디고 새닙 나니 녹음(綠陰)이 ᄭᆞᆯ렷ᄂᆞᆫᄃᆡ
나위(羅幃) 젹막(寂寞)ᄒᆞ고 **슈막(繡幕)**이 뷔여 잇다
부용(芙蓉)을 거더 노코 공쟉(孔雀)을 둘러 두니
ᄀᆞ득 시름 한ᄃᆡ 날은 엇디 기돗던고
원앙금(鴛鴦衾) 버혀 노코 오ᄉᆡᆨ션(五色線) 플텨 내여
금자히 견화이셔 **님의 옷** 지어 내니
슈품(手品)은ᄏᆞ니와 졔도(制度)도 ᄀᆞᄌᆞᆯ시고
산호수(珊瑚樹) 지게 우ᄒᆡ ᄇᆡᆨ옥함(白玉函)의 다마 두고
님의게 보내오려 님 겨신 ᄃᆡ ᄇᆞ라보니,
산(山)인가 **구룸**인가 머흐도 머흘시고.
쳔리(千里) 만리(萬里) 길히 뉘라셔 ᄎᆞ자갈고.
니거든 여러 두고 날인가 반기실가
ᄒᆞᄅᆞ밤 서리 김의 기러기 우러 녈 제
위루(危樓)에 혼자 올나 슈졍념(水晶簾) 거든 마리
동산(東山)의 ᄃᆞᆯ이 나고, 북극(北極)의 별이 뵈니
님이신가 반기니, 눈믈이 절로 난다
쳥광(淸光)을 ᄆᆡ워 내여 봉황누(鳳凰樓)의 븟티고져
누(樓) 우ᄒᆡ 거러 두고 팔황(八荒)의 다 비최여
㉣ 심산궁곡(深山窮谷) 졈낫ᄀᆞ티 밍그쇼셔
건곤(乾坤)이 폐색(閉塞)ᄒᆞ야 ᄇᆡᆨ셜(白雪)이 ᄒᆞᆫ 비친 제
사ᄅᆞᆷ은ᄏᆞ니와 ᄂᆞᆯ새도 긋쳐 잇다
쇼샹남반(瀟湘南畔)도 치오미 이러커든
옥루(玉樓) 고쳐(高處)야 더옥 닐러 므ᄉᆞᆷᄒᆞ리
양츈(陽春)을 부쳐 내여 님 겨신 ᄃᆡ 쏘이고져
모쳠(茅簷) 비쵠 ᄒᆡ를 옥누(玉樓)의 올리고져
홍샹(紅裳)을 니ᄆᆞᄎᆞ고 취슈(翠袖)를 반(半)만 거더
일모슈듁(日暮脩竹)의 혬가림도 하도 할샤
댜ᄅᆞᆫ ᄒᆡ 수이 디여 긴 밤을 고초 안자
쳥등(靑燈) 거론 겻ᄐᆡ 뎐공후(鈿箜篌) 노하두고
ᄭᅮᆷ의나 님을 보려 ᄐᆞᆨ 밧고 비겨시니
ⓐ 앙금(鴦衾)도 ᄎᆞ도 출샤 이 밤은 언제 샐고
ᄒᆞᄅᆞ도 열두 ᄠᆡ ᄒᆞᆫ ᄃᆞᆯ도 셜흔 날
져근덧 ᄉᆡᆼ각 마라, 이 시ᄅᆞᆷ 닛쟈 ᄒᆞ니
ᄆᆞ음의 ᄆᆡ쳐 이셔 골슈(骨髓)의 ᄭᅦ텨시니
편쟉(扁鵲)이 열히 오다 이 병을 엇디ᄒᆞ리
어와, 내 병이야 이 님의 타시로다
㉤ 출하리 싀어디여 범나븨 되오리라
곳나모 가지마다 간 ᄃᆡ 죡죡 안니다가
향 므틘 ᄂᆞᆯ애로 님의 오ᄉᆡ 올므리라
님이야 날인 줄 모ᄅᆞ셔도 내 님 조ᄎᆞ려 ᄒᆞ노라

01 윗글에 대한 설명으로 적절하지 않은 것은?

① 설의법을 사용하여 시적 의미를 강화하고 있다.
② 4음보의 율격을 활용하여 리듬감을 형성하고 있다.
③ 계절의 변화에 따라 시상이 전개되는 부분을 포함하고 있다.
④ 대상의 부재 상황에 대한 화자의 정서적 반응이 중심을 이루고 있다.
⑤ 반어적 표현을 통해 현실에 대한 화자의 비판적 태도를 강조하고 있다.

02 윗글의 시어들에 대한 설명으로 적절하지 않은 것은?

① '슈막(繡幕)'은 임을 그리는 화자의 외로운 처지를 부각한다.
② '님의 옷'은 임에 대한 화자의 정성을 환기하는 소재이다.
③ '구롬'은 임과 화자 사이를 가로막는 장애물이다.
④ '쑴'은 현재의 화자 처지에서는 임의 모습을 볼 수 있는 유일한 방편이다.
⑤ '편쟉(扁鵲)'은 빼어난 자질을 지닌 임을 가리킨다.

03 〈보기〉를 참고할 때, ㉠~㉤에 대한 이해로 적절하지 않은 것은?

〈보기〉

「사미인곡」은 조선 선조 때 반대파의 탄핵을 받은 정철이 50세에 전남 창평으로 내려가 은거하면서 지은 가사로, 임금을 향한 충정과 간절한 그리움을 임과 이별한 여인의 목소리에 의탁한 충신연주지사이다.

① ㉠은 정철이 서울을 떠나 전남 창평으로 내려온 일을 의미하겠군.
② ㉡은 정철이 이 작품의 화자를 여인으로 설정한 것과 관련 있겠군.
③ ㉢을 통해 정철은 임금을 향한 자신의 충정을 표현하고자 했겠군.
④ ㉣에는 선조가 선정을 베풀기를 소망하는 정철의 마음이 담겨 있겠군.
⑤ ㉤은 정철이 자신을 탄핵한 반대파에 대한 원망의 감정을 표출한 것이겠군.

04 ⓐ의 상황과 가장 관련이 깊은 말로 적절한 것은?

① 교언영색(巧言令色)
② 백척간두(百尺竿頭)
③ 양두구육(羊頭狗肉)
④ 오비이락(烏飛梨落)
⑤ 전전반측(輾轉反側)

05 윗글과 〈보기〉를 비교하여 감상한 내용으로 가장 적절한 것은?

〈보기〉

내 님믈 그리ᅀᆞ와 우니다니
산(山) 졉동새 난 이슷ᄒᆞ요이다
아니시며 거츠르신ᄃᆞᆯ 아으
잔월효성(殘月曉星)이 아ᄅᆞ시리이다
넉시라도 님은 ᄒᆞᆫᄃᆡ 녀져라 아으
벼기더시니 뉘러시니잇가
과(過)도 허믈도 천만(千萬) 업소이다
ᄆᆞᆯ힛마리신뎌 / ᄉᆞᆯ읏븐뎌 아으
니미 나ᄅᆞᆯ ᄒᆞ마 니ᄌᆞ시니잇가
아소 님하 도람 드르샤 괴오쇼셔

– 정서, 「정과정(鄭瓜亭)」

[현대어 풀이]
내가 임을 그리워하여 울고 지내더니
산 접동새와 나는 처지가 비슷합니다.
저에 대한 참소가 진실이 아니고 거짓인 줄은 아!
지는 달과 새벽 별이 아실 것입니다.
넋이라도 임과 함께 살아가고 싶어라, 아!
제가 허물이 있다고 우기던 이가 누구였습니까?
잘못도 허물도 전혀 없습니다.
뭇사람들의 모함입니다. / 슬프도다, 아!
임께서 저를 벌써 잊으셨습니까?
아아 임이여, 돌이켜 들으시어 사랑해 주소서.

① 〈보기〉와 달리 윗글은 화자가 타인에 대한 그리움을 드러내고 있다.
② 〈보기〉와 달리 윗글은 화자가 자신의 심정을 직접적으로 표출하고 있다.
③ 윗글과 달리 〈보기〉는 화자가 자신의 결백을 주장하고 있다.
④ 윗글과 달리 〈보기〉는 화자가 임과의 재회를 기원하고 있다.
⑤ 윗글과 〈보기〉는 모두 화자와 임이 번갈아 말하는 형식으로 구성되어 있다.

대단원 실전 문제

[6~7] 다음 글을 읽고 물음에 답하시오.

(가) 정선의 구명(舊名)은 무릉도원이 아니냐
무릉도원은 어데 가고서 산만 충충하네
아리랑 아리랑 아라리요
아리랑 고개 고개로 나를 넘겨 주게

명사십리가 아니라면은 해당화는 왜 피며
모춘 삼월이 아니라면은 두견새는 왜 우나
아리랑 아리랑 아라리요
아리랑 고개 고개로 나를 넘겨 주게

아우라지 뱃사공아 배 좀 건네주게
싸릿골 올동백이 다 떨어진다
아리랑 아리랑 아라리요
아리랑 고개 고개로 나를 넘겨 주게

떨어진 동박은 낙엽에나 쌓이지
잠시 잠깐 임 그리워서 나는 못 살겠네
아리랑 아리랑 아라리요
아리랑 고개 고개로 나를 넘겨 주게

(나) 내가 왜 왔나 내가 왜 왔나
우리 님 따라서 내 여기 왔지
아리랑 아리랑 아라리요
아리랑 고개로 넘어간다

사할린이 좋다고 내 여기 왔나
일본 놈들 무숩어 내 여기 왔지
아리랑 아리랑 아라리요
아리랑 고개로 넘어간다

우리 조선은 따뜻한데
그 땅에 못 살고 내 여기 왔나
아리랑 아리랑 아라리요
아리랑 고개로 넘어간다

우리 영감님은 왜 왔다던가
나만 혼자 두고 자기만 갔네
아리랑 아리랑 아라리요
아리랑 고개로 넘어간다

06 (가)와 (나)의 공통점으로 적절하지 않은 것은?

① 역설적 표현을 통해 주제를 강조하고 있다.
② 후렴구를 반복하여 리듬감을 형성하고 있다.
③ 의문문을 통해 화자의 태도를 드러내고 있다.
④ 특정 지명을 언급하면서 정서를 구체화하고 있다.
⑤ 3음보를 기반으로 하는 율격적 특성을 보이고 있다.

07 〈보기〉를 바탕으로 (가)와 (나)를 감상한 내용으로 적절하지 않은 것은?

〈보기〉
여러 세대 동안 한국인들이 집단으로 기여해 만든 민요 「아리랑」은 유네스코 인류 무형 유산에 등재되었다. 「아리랑」은 누구라도 새로운 사설을 지어낼 수 있기에 다양한 사회적 맥락 속에서 지속적으로 재창조되면서 한국인의 정체성 형성과 공동체 결속에 중요한 역할을 해 왔다. 「아리랑」은 보편적 민족 정서를 기반으로 삼기에 공감에 대한 존중을 특징으로 하면서도 각자의 창의성과 표현의 자유를 보장하는 노래이다.

① (가)에 담긴 애달픈 그리움은 민족의 보편적 정서로서 폭넓은 공감을 유발하겠군.
② (가)의 주제라고 할 수 있는 무릉도원에 대한 지향은 한국인의 정체성과 관련이 깊겠군.
③ (나)는 이국땅에 사는 한국인들의 공동체적 결속에 기여했겠군.
④ (나)는 일제 강점기의 사할린 이주라는 사회적 맥락 속에서 창작되었겠군.
⑤ (가)와 (나) 모두 새로운 사설이 추가될 수 있는 열린 구조를 띠고 있다고 할 수 있군.

[8~11] 다음 글을 읽고 물음에 답하시오.

가 비 개인 긴 둑에 풀빛이 고운데
남포에서 임 보내며 슬픈 노래 부르네.
대동강 물이야 언제나 마르려나
이별 눈물 해마다 푸른 물결 보태나니.

나 이 비 그치면
내 마음 강나루 긴 언덕에
서러운 풀빛이 짙어 오것다.

푸르른 보리밭 길
맑은 하늘에
종달새만 무에라고 지껄이것다.

이 비 그치면
시새워 벙글어질 고운 꽃밭 속
처녀 애들 짝하며 새로이 서고

임 앞에 타오르는
향연(香煙)과 같이
땅에선 또 아지랑이 타오르것다.

08 (가), (나)에 대한 설명으로 적절하지 않은 것은?

① (가)는 도치법을 활용하여 시상을 인상적으로 마무리하고 있다.
② (나)는 연쇄법을 활용하여 시상을 전개하고 있다.
③ (나)는 동일한 어미를 반복적으로 구사하여 리듬감을 발생시키고 있다.
④ (가)와 (나) 모두 화자의 상황과 대비되는 자연 풍경이 제시되어 있다.
⑤ (가)와 (나) 모두 색채 이미지를 활용하여 대상의 모습을 형상화하고 있다.

09 (가)에 대한 감상으로 적절한 것은?

① 의인화를 통해 자연물에 감정을 이입하고 있는 것 같아.
② 영탄적 표현을 통해 대상의 속성을 예찬하고 있는 것 같아.
③ 과장된 시적 진술을 통해 애상적 정서 표현을 극대화하고 있는 것 같아.
④ 역설적 관점에서 사물을 통찰함으로써 초월적 진리를 도출하고 있는 것 같아.
⑤ 밝음과 어둠의 이미지를 번갈아 제시하여 역동적인 분위기를 조성하고 있는 것 같아.

10 (가)는 한문으로 창작된 작품이다. 이를 한국 문학의 일부로 간주할 수 있는 이유로 적절하지 않은 것은?

① 고려 시대에 고려 사람이 고려인의 감정을 읊은 노래이기 때문에
② 한시 중에서도 전형적인 7언 절구의 형식을 충실하게 따르고 있기 때문에
③ 대동강이라는 구체적 지명을 통해 이 땅에서의 삶과 밀착된 정서를 보여 주기 때문에
④ 작품의 주제인 이별의 정한이 한국 문학의 전통과 긴밀히 닿아 있다고 볼 수 있기 때문에
⑤ 우리의 문자가 없던 상황에서 동아시아 문화권의 보편 문어였던 한문으로 창작한 작품이기 때문에

서술형

11 (나)의 1연에서 화자가 '서러운 풀빛'이라고 표현한 이유를 추론하고 그 근거를 〈조건〉에 맞게 서술하시오.

〈조건〉
• 화자가 처한 상황과 정서가 드러나게 쓸 것
• 시에 나오는 구절을 근거로 제시할 것

[12~13] 다음 글을 읽고 물음에 답하시오.

옛날 대국 천자가 조선에 인재가 있나 없나아, 이걸 알기 위해서 말을 두 마리를 보냈어. 말. 대국서 잉? 조선 잉금게루 보내면서,

"이 말이 어떤 놈이 새끼구 어떤 놈이 에밍가 이것을 골라 내라아" 하구서…….

똑같은 놈여. 똑같어 그게 둘 다. 그러구서 보냈어. 조선에 인자가 있나 읎나. 인자가 많었억거던? 조선에? 내력이루. 자아 그러니 워트겨 이걸?

원 정승이라는 사램이 있어. 그래 아침 조회 때 들어가닝깨,

"이 원 정승 이눔 갖다가 이걸 골러내쇼오." 말여. 보낸다능 게 원 정승에게다 보냈어. 응. 인제 가서 골라내라능 기여.

원 정승이 갖다 놓구서, 이거 어떤 놈이구 다 똑같은 놈인디 말여, 색두 똑같구 워떵 게 에민지 워떵 게…… 똑같어어? 그저어?

"새끼가 워떵 겐지 에미가 워떵 겐지 그거 모른다." 그러닝깨,

"그려요?"

그러구 가마안히 생각해 보닝깨 도리가 있으야지? 그래 앓구 두러눴네? 머리 싸매구 두러눴느라니까, 즈이 아들이, 어린 아들이,

"아버지 왜 그러십니까아?" 그러거든.

"야? 아무 날 조회에 가닝까아, 이 말을 두 마리를 주면서 골르라구 허니이, 이 일을 어트가야 옳은단 말이냐아?"

"아이구, 아버지. 걱정 말구 긴지 잡수시라구. 내가 골라 디리께."

"니가 골러?"

"예에. 걱정 말구 긴지 잡수시요."

그래, 아침을 먹었어. 먹구서 그 이튿날 갔는디, 이넘이 콩을 잔뜩, 쌂어 가지구설랑은 여물을 맨들어. 여물을. 여물을 대애구 맨들어 놓는단 말여. 여물을 맨들어 가지구서는 갔다 항곳이다가 떠억 놓거든. 준담 말여. 구유다가 여물을. 여물을 주닝깨, 잘 먹어어? 둘이 먹기를. 썩 잘 먹더니 주둥패기루 콩을 대애구 요롷게 제쳐 주거든? 옆있 놈을? 콩을 제쳐 줘. 저는 조놈만 먹구. 짚만 먹구 인저, 콩을 대애구 저쳐 준단 말여.

새끼 주는 쇡(셈)이지 그러닝깨. 대애구 요롷게,

"아버지, 아버지. 이거 보시교. 이루 오시교."

"왜냐?"

나가 보닝깨,

"요게 새낍니다. 요건 에미구. 포를 허시교."

포를 했어.

"음. 왜 그러냐?" 그러닝깨,

"아 이거 보시교. 콩을 골라서 대애구 에미라 새끼 귀해서 새끼를 주지 않습니까? 새끼 귀헌 중 알구. 그래 콩 중 게 이게 새끼요오. 이건 에미구."

아, 그 이튿날 아닝 것두 아니라 가주 가서, "이건 새끼구 이건 에미라구." 그러닝깨, 그러구서는 대국으로 떠억 포해서 보냈단 말여. 그러닝깨.

"하하아, 한국에 연대까장 조선에 인자가 연대 익구나아." 그러드랴.

12 윗글에 대한 설명으로 적절하지 않은 것은?

① 설화의 일종인 민담에 속하는 이야기이다.
② 군말, 불필요한 반복 같은 구어적 특성이 드러난다.
③ 내용상 대중의 흥미를 자극할 만한 요소를 포함하고 있다.
④ 지배 계층의 우아한 미의식이 절제된 형식을 통해 드러나 있다.
⑤ 전승되는 과정에서 세부적인 변화가 생기기도 하는 적층 문학이다.

13 이 이야기의 주제가 지닌 윤리적 측면의 교훈을 〈조건〉에 맞게 서술하시오.

〈조건〉
• 말을 구분하는 방법과 관련된 주제 의식을 고려하여 쓸 것

수능 유형의 복합 지문이 내신 평가에서 고득점 판별 문제로 출제되고 있습니다. 단원의 성격에 맞는 작품이나 이론을 묶는 경우가 많으므로 교과서에서 다룬 작품을 파악하는 훈련이 필요합니다.

정답과 해설 23쪽

[1~4] 다음 글을 읽고 물음에 답하시오.

(가) 「태평천하」는 판소리계 소설의 서술 양식을 계승하여 서술자를 직접적으로 표출한다는 특징을 지닌 현대 소설이다.

이 작품에서 서술자는 독자와 마주앉아 대화를 나누는 듯한 표현과 경어체를 사용하면서 때로 독자에게 동의를 구하기도 하는데, 이는 독자와의 공감대 형성을 통해 부정적 인물을 효과적으로 비판하기 위해 작가가 판소리의 구연 형태를 의도적으로 반영한 것이다.

서술자는 주인공의 외모에 어울리지 않는 언행을 제시하여 그를 희화화하고, 도덕적 결함을 꼬집으며 그를 비판함으로써 풍자의 효과를 거두고 있는 것이다.

이 작품 속에서 절대적 권위를 과시하는 서술자는 인물과 사건에 대해 완벽히 해설해 주기 때문에 독자는 수동적인 자세로 이를 그대로 수용하게 된다.

(나) 내려선 것을 보니, 진실로 거판진 체집입니다.

[A] 허리를 안아 본다면, 아마 모르면 몰라도, 한 아름하고도 반은 실히 될까 봅니다. 그런 데다가 키도 알맞게 다섯 자 아홉 치는 넉넉합니다. 얼핏 알아듣기 쉽게 빗대면, 지금 그가 타고 온 인력거가 장난감 같고, 그 큰 대문간이 들어서기도 전에 사뭇 그들먹합니다.

얼굴도 좋습니다.

거금 삼십여 년 전에, 몇 해를 두고 부안변산(扶安邊山)을 드나들면서 많이 먹은 용(茸)이며 저혈장혈(猪血獐血)이며, 또 요새도 장복을 하는 인삼 등속의 약효로 해서 얼굴은 불콰하니 동안(童顔)이요, 게다가 많지도 적지도 않게 꼬옥 알맞은 수염은 눈같이 희어, 과시 **홍안백발의 좋은 풍신**입니다.

초리가 길게 째져 올라간 봉의 눈, 준수하니 복이 들어 보이는 코, 뿌리가 추욱 처진 귀와 큼직한 입모, 다아 수부귀다 남자의 상입니다.

나이?…… 올해 일흔두 살입니다. ㉠ <u>그러나 시뻐 여기진 마시오.</u> 심장비대증으로 천식(喘息)기가 좀 있어 망정이지, 정정한 품이 서른 살 먹은 장정 여대친답니다. 무얼 가지고 겨루든지 말이지요. [중략]

"인력거 쌕이(삯이) 몇 푼이당가?"

㉡ <u>이 이야기를 쓰고 있는 당자 역시 전라도 태생이기는 하지만, 그 전라도 말이라는 게 좀 경망스럽습니다.</u>

"**그저 처분해** 줍사요!"

인력거꾼은 담요로 팔짱 낀 허리를 굽실합니다. 좀 점잖다는 손님한테는 항투로 쓰는 말이지만, 이 풍신 좋은 어른께는 진심으로 하는 소립니다. 후히 생각해 달란 뜻이지요.

㉢ <u>"으응! 그리여잉? 그럼, 그냥 가소!"</u>

윤 직원 영감은 인력거꾼을 찟찟이 바라다보다가 고개를 돌리더니, 풀었던 염낭끈을 도로 비끄러맵니다. [중략]

㉣ <u>윤 직원 영감은 시방 종학이가 사회주의를 한다는 그 한 가지 사실이 진실로 옛날의 드세던 부랑당패가 백 길 천 길로 침노하는 그것보다도 더 분하고, 물론 무서웠던 것입니다.</u>

[B] 진(秦)나라를 망할 자 호(胡)라는 예언을 듣고서, 변방을 막으려 만리장성을 쌓던 진시황, 그는, 진나라를 망한 자 호가 아니요, 그의 자식 호해(胡亥)임을 눈으로 보지 못하고 죽었으니, 오히려 행복이라 하겠습니다.

"사회주의라니? 으응? 으응?……"

윤 직원 영감은 사뭇 사람을 아무나 하나 잡아먹을 듯, 집이 떠나게 큰 소리로 포효를 합니다.

"으응? 그놈이 사회주의를 허다니! 으응? 그게, 참말이냐? 참말이여?"

"하긴 그놈이 **작년 여름 방학**에 나왔을 때버틈 그런 기미가 좀 뵈긴 했어요!"

"그러머넌 참말이구나! 그러머넌 참말이여, 으응!"

윤 직원 영감은 이마로, 얼굴로 땀이 방울방울 배어 오릅니다.

"…… 그런 쳐 죽일 놈이, 깎어 죽여두 아깝잖을 놈이! 그놈이 경찰서장 허라닝개루 생판 사회주의 허다가 뎁다 경찰서으 잽혀? 으응?…… 오사육시를 헐 놈이, 그놈이 그게 어디 당헌 것이라구 지가 사회주의를 히여? 부자 놈의 자식이 무엇이 대껴서 부랑당패에 들어?……"

아무도 숨도 크게 쉬지 못하고, 고개를 떨어뜨리고 섰기 아니면 앉았을 뿐, 윤 직원 영감이 잠깐 말을 끊자 방 안은 물을 친 듯이 조용합니다.

"…… 오죽이나 좋은 세상이여? 오죽이나……."

윤 직원 영감은 팔을 부르걷은 주먹으로 방바닥을 땅 치면서 성난 황소가 영각을 하듯 고함을 지릅니다.

"화적패가 있너냐아? 부랑당 같은 수령(守令)들이 있너냐?…… 재산이 있대야 도적놈의 것이요, 목숨은 파리 목숨 같던 말세넌 다 지내 가고오……. ⓜ 자 부아라, 거리거리 순사요, 골골마다 공명헌 정사(政事), 오죽이나 좋은 세상이여……. 남은 수십만 명 동병(動兵)을 히여서, 우리 조선 놈 보호히여 주니, 오죽이나 고마운 세상이여……? 으응?…… 제 것 지니고 앉아서 편안허게 살 태평 세상, 이걸 태평천하라구 허는 것이여, 태평천하!…… 그런디 이런 태평천하에 태어난 부자 놈의 자식이, 더군다나 왜지 가 떵떵거리구 편안허게 살 것이지, 어찌서 지가 **세상 망쳐 놀 부랑당패**에 참섭을 헌담 말이여, 으응?" [중략]

"…… 착착 깎어 죽일 놈! …… 그놈을 내가 핀지히여서, 백 년 지녁을 살리라구 헐걸! 백 년 지녁 살리라구 헐 티여……. 오냐, 그놈을 삼천 석거리는 **직분하여 줄라구** 히였더니, 오냐, 그놈 삼천 석거리를 톡톡 팔어서, 경찰서으다가 사회주의 허는 놈 잡어 가두는 경찰서으다가 주어 버릴걸! 으응, 죽일 놈!"

01 (가)를 바탕으로 (나)의 ㉠~㉤을 이해한 것으로 적절하지 않은 것은?

① ㉠에서는 서술자가 독자와 마주앉아 대화를 나누는 것 같은 느낌을 받을 수 있군.
② ㉡에서는 서술자가 자신의 존재를 직접적으로 표출하고 있군.
③ ㉢은 외모와 어울리지 않는 언행을 통해 윤 직원 영감을 희화화하는 효과를 거두고 있군.
④ ㉣에서 독자는 윤 직원 영감의 심리에 대한 서술자의 해석을 받아들임으로써 사건의 전개 양상이 지닌 개연성을 이해할 수 있겠군.
⑤ ㉤을 통해 제시된 현실 인식은 서술자의 절대적 권위로 인해 독자에게 그대로 수용되겠군.

02 (나)에 대한 설명으로 적절하지 않은 것은?

① 비속어와 방언을 동원하여 인물을 생동감 있게 형상화하고 있다.
② 인물의 외양을 묘사하는 부분에서는 사건의 진행이 지연되고 있다.
③ 경어체를 사용하여 독자와 서술자 간의 심리적 거리를 좁히고 있다.
④ 독자가 반어적으로 의미를 해석하게 만드는 말을 통해 주제를 강조하고 있다.
⑤ 공간 이동의 경로에 따라 서술하면서 사건과 공간이 지닌 관련성을 부각하고 있다.

03 (나)의 내용으로 적절하지 않은 것은?

① '윤 직원 영감'은 오랫동안 건강 관리에 애써 온 결과 '홍안 백발의 좋은 풍신'이 되었다.
② '인력거꾼'이 '그저 처분해' 달라고 말한 데는 삯을 많이 받고 싶은 마음도 깔려 있었다.
③ '종학'이 사회주의 사상에 빠져 있다는 기미는 '작년 여름 방학'부터 있었으나 '윤 직원 영감'은 이를 모르고 있었다.
④ '윤 직원 영감'은 사회주의를 '세상 망쳐 놀 부랑당패'의 사상으로 여기고 있다.
⑤ '윤 직원 영감'은 자신의 기대를 배반한 '종학'에게 '직분하여 줄라구' 하는 마음을 굳히게 되었다.

04 [A]와 [B]에 대한 설명으로 가장 적절한 것은?

① [A]와 달리 [B]는 직유법을 사용하여 독자의 이해를 돕고 있다.
② [A]와 달리 [B]는 다른 사람의 말을 인용하여 의미를 전달하고 있다.
③ [B]와 달리 [A]는 역사적 사건과의 비교를 통해 상황의 심각성을 제시하고 있다.
④ [A]와 [B] 모두 인물에 대한 주관적 판단이 드러나 있다.
⑤ [A]와 [B] 모두 구체적 수치를 활용하여 신뢰성을 높이고 있다.

4 한국 문학의 흐름

학습 목표 《 • 한국 문학의 흐름을 탐구하고 감상할 수 있다.
• 한국 문학 작품에 반영된 시대 상황을 이해하고 문학과 역사의 상호 영향 관계를 탐구할 수 있다.

1 서정 갈래의 흐름

▶ 서정 갈래의 개념과 특성

개념	서정(抒情)이란, 희로애락과 같은 마음의 상태를 겉으로 드러낸다는 의미로, 서정 갈래는 주로 시의 형태로 창작됨.
특성	• 대체로 함축적이고 간결한 표현을 사용하며, 정서를 구체적으로 형상화하기 위해 이미지를 통한 비유적 표현을 자주 활용함. • 음수율 또는 음보율 등을 바탕으로 운율감을 형성하고 있는 경우가 많음. • 시의 운율감은 시와 노래를 하나로 인식했던 과거의 전통에서 비롯된 것으로 볼 수 있음.

▶ 서정 갈래의 전개 양상

운율의 구성 요소
- 동일한 음의 반복: 특정한 음운을 반복하여 리듬감을 형성함.
- 일정한 음절 수의 반복: 일정한 위치에 일정한 수의 음절을 반복적으로 배치하여 운율감을 형성함.
- 일정한 음보의 반복: 음보를 일정하게 반복하여 운율감을 형성함.
- 통사 구조의 반복: 구절이나 시행 등이 일정하게 반복되어 율격을 형성함.

2 서사 갈래의 흐름

▶ 서사 갈래의 개념과 특성

개념	서사(敍事)란 사건을 펼쳐 낸다는 의미로, 서사 갈래는 이야기를 통해 삶의 다양한 모습을 드려냄.
특성	• 인물, 사건, 배경이 존재하며, 인물은 욕망이나 감정, 윤리관이나 세계관, 시대적·지역적 조건 등의 복합적인 영향을 받으며 사건을 이끌어 나감. • 사건을 유기적으로 배치하는 일련의 과정을 구성이라 하고, 그것을 전달하는 서술자의 관점을 시점이라고 함.

▶ 서사 갈래의 전개 양상

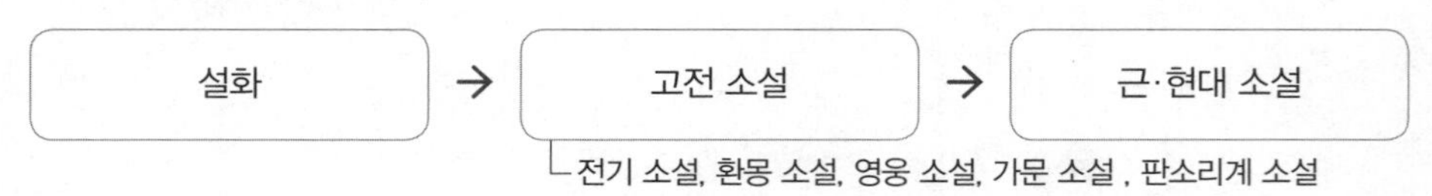

시점의 종류와 특징

시점이란 소설 속의 인물 및 사건을 바라보는 서술자의 위치와 각도를 말함.
- 1인칭 주인공 시점: 주인공 '나'가 자신의 이야기를 하는 시점
- 1인칭 관찰자 시점: '나'가 관찰자의 입장에서 주인공에 대해 이야기하는 시점
- 3인칭 관찰자 시점: 서술자가 외부 관찰자의 입장에서 객관적으로 서술하는 시점
- 전지적 작가 시점: 서술자가 인물의 심리나 행동을 분석하여 서술하는 시점

3 극 갈래의 흐름

▶ 극 갈래의 개념과 특성

개념	어떤 사건을 다룬다는 점에서 소설과 유사하지만 전달하고자 하는 내용을 소설처럼 서술하거나 묘사하지 않음.
특성	• 인물의 행위나 대사를 통해 관객의 눈앞에 전달하고자 하는 내용을 직접 펼쳐 보임. • 주로 등장인물 간의 갈등의 고조와 해소를 중심으로 내용이 전개됨. • 연극 공연이나 영화 상영을 전제로 하기 때문에 희곡이나 시나리오에는 장면, 장치, 의상, 조명, 배우의 연기 등에 관한 설명이나 지시가 곁들여짐.

▶ 극 갈래의 전개 양상

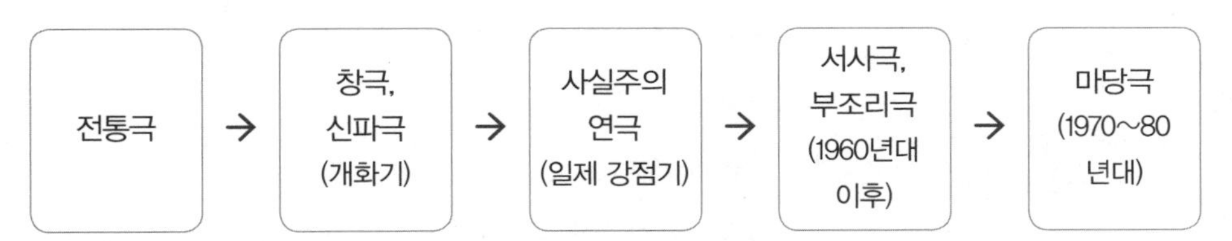

• 일제 강점기 이후 영화도 끊임없이 제작·향유되면서 양적·질적으로 성장함.
• 오늘날에는 텔레비전 드라마, 오페라, 뮤지컬, 애니메이션 등 다양한 극 갈래들이 등장함.

희곡의 요소

• 해설: 막이 오르기 전후에 시·공간적 배경, 등장인물, 무대 장치 등을 설명하는 글
• 지시문(지문): 등장인물의 행동이나 말투, 음향 효과나 무대 장치 등을 지시하고 설명하는 글
  – 행동 지시문: 등장인물의 동작, 표정, 말투, 입장 및 퇴장, 심리 등을 지시함.
  – 무대 지시문: 배경, 무대 장치 및 소도구 배치, 음향 효과, 등장인물 등을 지시함.
• 대사: 등장인물이 하는 말로, 사건을 전개하고 인물의 성격을 드러내는 데 중요한 역할을 함. 대화, 독백, 방백으로 구분됨.

4 교술 갈래의 흐름

▶ 교술 갈래의 개념과 특성

개념	교술(敎述)은 본래 대상의 의미를 알려 주면서 주장을 펼치는 서술 방식을 말하는 것으로, 교훈적, 성찰적 성격이 강한 문학 갈래임.
특성	• 형식과 표현이 비교적 자유롭고 다양함. • 인간의 삶과 관련된 다양한 경험을 대상으로 하므로 그 주제도 매우 다양함.

▶ 교술 갈래의 전개 양상

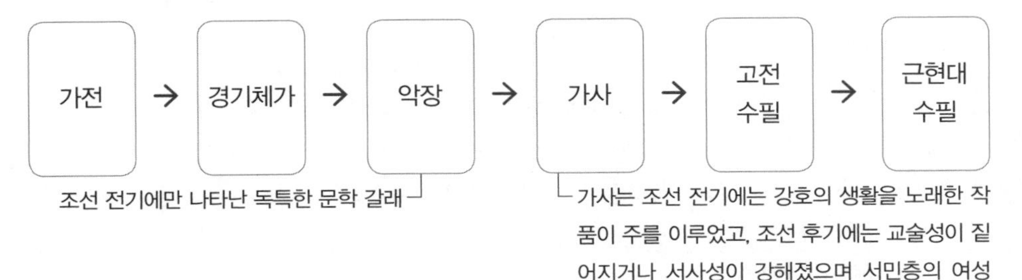

교술의 세부 갈래별 특성

• 가전: 실존 인물의 생애를 기록하는 전(傳)의 형식을 빌려 사물의 행적 혹은 공과를 서술함.
• 경기체가: 구체적 사물을 나열하면서 감탄을 직접 노출하는 흐름을 지님.
• 악장: 궁중에서 공식적 행사에 쓰이던 노래 가사임.
• 가사: 4음보 연속체로 된 율문으로, 대체로 3·4음절이고 행수에는 제한이 없어 가사가 무한정 길어질 수 있음.
• 고전 수필: 한문 수필과 한글 수필이 있음.
• 근현대 수필: 기행 수필로 출발하여 수상(隨想) 수필과 병행하다가 1930년대에 본격적 수필로 자리를 잡음.

정답과 해설 24쪽

01 제망매가(祭亡妹歌) 월명사 지음 / 김완진 해독

출제 포인트	• 시상 전개 방식, 시어의 성격과 기능 파악하기 • 향가와 시조의 형식적 특성 비교하기

작품 개관

갈래	10구체 향가	성격	애상적, 추모적, 비유적
제재	누이의 죽음		
주제	• 누이의 죽음으로 인한 슬픔과 그 극복 의지 • 유한한 삶으로 인한 괴로움의 종교적 승화		
특징	• 정제되고 세련된 기교를 사용함. • 누이와의 이별로 인한 아픔을 자연 현상에 비유함. • 유한한 삶으로 인한 슬픔을 종교적으로 승화하여 노래함.		

이 작품의 시상 전개

1~4행(기)	5~8행(서)	9~10행(결)
과거	현재	미래
누이의 죽음에 대한 두려움과 안타까움, 혈육의 정	혈육의 죽음에서 느끼는 인생무상	불교적 믿음을 통한 재회의 다짐(슬픔의 종교적 승화)

시구의 함축적 의미

시구	함축적 의미	
이른 바람	• 이른: 일찍 찾아온, 예상치 못한 • 바람: 시련, 역경, 가혹한 운명	누이동생의 이른 죽음
떨어질 잎	• 떨어질: 죽음(하강, 소멸 이미지) • 잎: 한 부모에게서 태어난 존재	죽은 누이
한 가지	• 한 부모, 같은 핏줄, 혈육	

10구체 향가로서의 형식적 특성

시상의 전개	• 시상이 크게 세 부분 즉, '4구-4구-2구'로 나뉘어 전개됨.
낙구 (마지막 2행)	• 첫머리 부분에 '아으, 아야' 등 감탄사가 나타남. • 낙구의 감탄사를 통해 시적 전환을 이루고 구조의 완결성을 구현함. 또한 화자의 정서를 고양하고 시상을 집약하는 기능을 함.

→ 10구체 향가의 시상 전개 방식과 낙구의 형식이 시조에 계승되었다고 할 수 있음.

[1~8] 다음 시를 읽고 물음에 답하시오.

생사(生死) 길은
예 있으매 머뭇거리고
㉠ 나는 간다는 말도
못다 이르고 어찌 갑니까.
어느 가을 이른 바람에
이에 저에 떨어질 잎처럼
한 가지에 나고
가는 곳 모르온저.
아아, 미타찰(彌陀刹)에서 만날 ㉡ 나
도(道) 닦아 기다리겠노라.

生死路隱
此矣有阿米次肹伊遣
吾隱去內如辭叱都
毛如云遣去內尼叱古
於內秋察早隱風未
此矣彼矣浮良落尸葉如
一等隱枝良出古
去奴隱處毛冬乎丁
阿也彌陀刹良逢乎吾
道修良待是古如

01 위 시의 갈래에 대한 설명으로 적절하지 않은 것은?

① 향찰로 표기된 우리 고유의 시가이다.
② 개인 서정의 성격이 강한 10구체 향가이다.
③ 향가 중 가장 민요적 성격이 짙은 작품이다.
④ 향가 중 가장 정제된 형식으로 '사뇌가'로도 불린다.
⑤ 정제되고 세련된 기교를 사용하여 문학성을 높이 평가받는다.

02 위 시의 표현상 특징과 그 효과에 대한 설명으로 적절하지 않은 것은?

① 비유적 표현을 통해 정서를 고조시키고 있다.
② 종교적 시어를 사용하여 주제를 강조하고 있다.
③ 설의법을 활용하여 화자의 심경을 드러내고 있다.
④ 동일한 시구를 반복하여 리듬감을 형성하고 있다.
⑤ 의지적 어조를 활용하여 시상을 마무리하고 있다.

학습 활동 응용

03 위 시의 시상 전개 방식에 대한 설명으로 가장 적절한 것은?

① '기 – 서 – 결'의 3단 구성에 따라 시상이 전개되고 있다.
② '미래 – 현재 – 과거'의 순서에 따라 시상이 전개되고 있다.
③ 화자가 이동하고 있는 동선의 흐름에 따라 시상이 전개되고 있다.
④ 화자가 아래에서 위쪽으로 시선을 옮기며 시상이 전개되고 있다.
⑤ 화자와 멀리 떨어져 있는 공간으로부터 가까운 공간으로 초점이 이동하며 시상이 전개되고 있다.

학습 활동 응용

04 〈보기〉는 위 시의 배경 설화이다. 이를 참고하여 향가의 기능을 추론한 내용으로 가장 적절한 것은?

〈보기〉

월명사는 죽은 누이동생을 위해 향가를 지어 제사를 지냈는데, 문득 회오리바람이 일어나더니 종이돈[紙錢]을 날려 서쪽으로 사라지게 했다. [중략] 월명사는 늘 사천왕사(四天王寺)에서 지냈는데 피리를 잘 불었다. 일찍이 달밤에 절 문 앞의 큰길을 거닐며 피리를 불었는데, 달이 그를 위해 가는 것을 멈추었다. [중략] 향가는 『시경(詩經)』의 송(頌)과 같은 것이다. 그러므로 이따금 천지 귀신을 감동시킨 경우가 한둘이 아니었다.

① 향가는 유희적 기능을 지녔다고 볼 수 있겠군.
② 향가는 주술적 기능을 지녔다고 볼 수 있겠군.
③ 향가는 풍자적 기능을 지녔다고 볼 수 있겠군.
④ 향가는 집단적 결속 기능을 지녔다고 볼 수 있겠군.
⑤ 향가는 현실 비판적 기능을 지녔다고 볼 수 있겠군.

05 위 시에서 하강 이미지를 통해 인간의 유한성을 부각하고 있는 시구를 찾아 2어절로 쓰시오.

학습 활동 응용

06 위 시와 〈보기〉를 비교하여 감상한 내용으로 적절한 것은?

〈보기〉

오백 년(五百年) 도읍지(都邑地)를 필마(匹馬)로 도라드니
산천(山川)은 의구(依舊)ᄒᆞ되 인걸(人傑)은 간 듸 업다.
어즈버 태평연월(太平烟月)이 ᄭᅮᆷ이런가 ᄒᆞ노라.

– 길재

① 위 시와 〈보기〉의 화자는 모두 대상의 부재에 대한 안타까움을 드러내고 있다.
② 위 시와 〈보기〉의 화자는 모두 꿈을 매개로 현재 상황의 시련을 극복하고자 하는 모습을 드러내고 있다.
③ 위 시와 달리 〈보기〉의 화자는 인간의 죽음에 대한 두려움을 드러내고 있다.
④ 위 시와 달리 〈보기〉의 화자는 가족의 죽음에 대해 추모하는 성격을 드러내고 있다.
⑤ 위 시는 자연의 변함없음을, 〈보기〉는 인간의 세속적 욕망을 형상화하고 있다.

서술형

07 위 시가 시조의 형식에 영향을 미친 부분을 찾고, 시상 전개 양상에서의 역할을 쓰시오.

08 ㉠과 ㉡에 대한 설명으로 적절하지 않은 것은?

① ㉠과 ㉡은 친동기 지간이다.
② ㉠은 유언도 남기지 못한 채 일찍 세상을 떠났다.
③ ㉠은 도를 닦으면 미타찰에 갈 것이라는 기대를 하고 있다.
④ ㉡은 ㉠의 죽음으로 인해 슬픔과 안타까움을 느끼고 있다.
⑤ ㉡은 자신의 슬픔을 종교적으로 승화시키고자 한다.

02 청산별곡(青山別曲) 작자 미상

출제 포인트	• 시어의 상징적 의미, 화자의 정서와 태도 이해하기 • 고려 속요의 특징 파악하기

작품 개관

갈래	고려 속요	성격	애상적, 현실 도피적
제재	청산, 바다		
주제	삶의 고뇌와 비애로부터 벗어나고 싶은 욕구		
특징	• 고려 속요 중 문학성이 뛰어난 작품으로 손꼽힘. • 반복과 상징을 통해 화자의 정서를 효과적으로 드러냄. • 3·3·2조의 3음보, 'a-a-b-a' 문장 구조, 'ㄹ, ㅇ' 음 등을 사용하여 음악성이 두드러짐.		

미적 특질

음악성(리듬감)	• 3·3·2조의 3음보 율격의 사용 • 'a-a-b-a' 문장 구조의 반복 • 후렴구의 사용
형상성	• 화자의 정서를 구체적인 심상으로 형상화함('새' 등).
함축성	• '청산', '바다', '돌'과 같은 함축성이 높은 시어의 사용

후렴구의 기능

'얄리얄리 얄라셩 얄라리 얄라'

- 악률을 맞추기 위한 수단이 됨.
- 악기 소리의 의성어로, 흥을 돋우고 노래의 리듬감을 형성함.
- 각 연을 나누는 역할을 하며, 이를 통해 한 편의 노래라는 형식적 동질성을 부여하는 기능을 함.
- 'ㄹ, ㅇ' 음의 연속으로 매끄러운 음악적 효과를 내며, 낙천적이고 명랑한 느낌을 줌.

화자에 대한 다양한 견해

유랑민	실연한 사람	속세를 떠난 지식인
난리로 인해 삶의 터전을 잃고 고통과 비애 속에서 떠도는 유랑민	실연 당한 상황에서 슬픔을 이기지 못하고 속세를 떠나 살고자 하는 사람	무신 정권의 횡포로 인해 속세에 염증을 느낀 지식인

[1~12] 다음 시를 읽고 물음에 답하시오.

살어리 살어리랏다 ㉠ 청산(青山)애 **살어리랏다.**
멀위랑 ᄃᆞ래랑 먹고 청산(青山)애 살어리랏다.
얄리얄리 얄랑셩 얄라리 얄라

우러라 우러라 ㉡ 새여 자고 니러 우러라 새여.
널라와 시름 한 나도 자고 니러 우니로라.
얄리얄리 얄라셩 얄라리 얄라

[A] 가던 새 가던 새 본다 믈 아래 가던 새 본다.
잉 무든 장글란 가지고 믈 아래 가던 새 본다.
얄리얄리 얄라셩 얄라리 얄라

이링공 뎌링공 ᄒᆞ야 나즈란 디내와손뎌.
오리도 가리도 업슨 바므란 ᄯᅩ 엇디 호리라.
얄리얄리 얄라셩 얄라리 얄라

어듸라 더디던 돌코 누리라 마치던 돌코.
ᄆᆡ리도 괴리도 업시 마자셔 우니노라.
얄리얄리 얄라셩 얄라리 얄라

살어리 살어리랏다 바ᄅᆞ래 살어리랏다.
ᄂᆞᄆᆞ자기 구조개랑 먹고 바ᄅᆞ래 살어리랏다.
얄리얄리 얄라셩 얄라리 얄라

가다가 가다가 드로라 에졍지 가다가 드로라.
사ᄉᆞ미 짒대예 올아셔 ᄒᆡ금(奚琴)을 혀거를 드로라.
얄리얄리 얄라셩 얄라리 얄라

가다니 ᄇᆡ브른 도긔 설진 강수를 비조라.
조롱곳 누로기 ᄆᆡ와 잡ᄉᆞ와니 내 엇디 ᄒᆞ리잇고.
얄리얄리 얄라셩 얄라리 얄라

01 위 시에 대한 설명으로 적절하지 않은 것은?

① 연의 구분이 이루어져 있다.
② 3음보를 기본 율격으로 한다.
③ 창작 당시의 표기법 기준에 맞게 기록되었다.
④ 흥을 돋고 리듬을 맞추기 위한 후렴구가 있다.
⑤ 화자를 누구로 보느냐에 따라 다양한 해석이 가능하다.

02 위 시의 화자에 대한 설명으로 적절하지 않은 것은?

① 술을 통해 삶의 고뇌를 일시적으로 잊고자 하고 있다.
② 현실 도피의 공간으로서 청산과 바다를 동경하고 있다.
③ 삶의 비애와 고독감으로 잠을 편히 이루지 못하고 있다.
④ 자신이 겪고 있는 슬픈 감정을 다른 외부적 대상에 투영하고 있다.
⑤ 절망스러운 현실에서 미래에 대한 희망을 바탕으로 낙천적 태도를 드러내고 있다.

03 위 시에서 다음 시구와 동일한 구조를 통해 율격을 형성하고 있는 것은?

> 살어리 살어리랏다 청산(靑山)애 살어리랏다.

① 우러라 우러라 새여 자고 니러 우러라 새여.
② 잉무든 장글란 가지고 믈 아래 가던 새 본다.
③ 이링공 뎌링공 ᄒᆞ야 나즈란 디내와손뎌.
④ 오리도 가리도 업슨 바므란 ᄯᅩ 엇디 호리라.
⑤ 조롱곳 누로기 ᄆᆡ와 잡ᄉᆞ와니 내 엇디ᄒᆞ리잇고.

학습 활동 응용

04 각 연의 소재와 중심 내용을 짝지은 내용으로 적절하지 않은 것은?

	연	중심 소재	중심 내용
①	1연	청산	청산에 대한 동경
②	3연	새	탈속적 삶에 대한 추구
③	5연	돌	삶의 고통에 대한 운명적 체념
④	6연	바다	바다에 대한 동경
⑤	8연	강수	술을 통한 고뇌의 해소

학습 활동 응용

05 〈보기〉의 빈칸에 들어갈 단어를 순서대로 바르게 짝지은 것은?

> 〈보기〉
> '살어리랏다'를 '살리라'로 해석하면, ☐의 태도를 나타낸 것이고, '살아야 했을 것을'로 해석하면 ☐의 태도를 나타낸 것이다. 또한 '우러라'를 '울어라'라는 명령형으로 보면 ☐의 의미를 갖지만, '우는구나'로 보면 ☐의 의미가 된다.

① 각오 – 미련 – 강조 – 체념
② 소망 – 후회 – 호소 – 탄식
③ 각오 – 회상 – 전달 – 울분
④ 추측 – 회상 – 강조 – 감탄
⑤ 소망 – 미련 – 전달 – 체념

학습 활동 응용

06 1연의 '멀위와 ᄃᆞ래'와 6연의 'ᄂᆞᄆᆞ자기 구조개'가 공통적으로 함축하고 있는 의미로 가장 적절한 것은?

① 속세의 삶에 대한 미련
② 초월적 대상에 대한 예찬
③ 욕심 없이 소박하게 사는 삶
④ 현실 사회에 대한 저항 의식
⑤ 과거 자신의 삶에 대한 부끄러움

07 4연에 나타난 화자의 처지를 표현한 것으로 가장 적절한 것은?

① 과유불급(過猶不及)
② 유아독존(唯我獨尊)
③ 백척간두(百尺竿頭)
④ 반포지효(反哺之孝)
⑤ 혈혈단신(孑孑單身)

서술형

08 위 시의 후렴구를 찾아 쓰고, 그 기능을 3가지 이상 서술하시오.

학습 활동 응용

09 위 시와 〈보기〉를 비교한 내용으로 가장 적절한 것은?

〈보기〉

〈제1장〉
元淳文(원슌문) 仁老詩(인노시) 公老四六(공노ᄉᆞ륙)
李正言(니졍언) 陳翰林(딘한림) 雙韻走筆(솽운주필)
沖基對策(튱긔ᄃᆡ칙) 光鈞經義(광균경의) 良鏡詩賦(량경시부)
위 試場(시댱) ㅅ 景(경) 긔 엇더ᄒᆞ니잇고
(葉) 琴學士(금ᄒᆞᆨᄉᆞ)의 玉笋門生(옥슌문ᄉᆡᆼ) 琴學士(금ᄒᆞᆨᄉᆞ)의 玉笋門生(옥슌문ᄉᆡᆼ)
위 날조차 몃 부니잇고

– 한림제유, 「한림별곡」

① 위 시와 〈보기〉 모두 3·3·4조의 음수율을 지니고 있다.
② 위 시와 〈보기〉 모두 사대부 층이 품고 있던 관념적 이상을 노래하고 있다.
③ 위 시와 〈보기〉 모두 구체적 사물을 객관적으로 나열한 뒤 이를 집약하는 시상 전개 방식을 지니고 있다.
④ 위 시와 달리 〈보기〉는 연의 구분을 달리 하는 분절체의 구성을 지니고 있다.
⑤ 〈보기〉는 위 시와 달리 설의적 표현을 통해 학문적 자부심과 긍지를 강조하고 있다.

학습 활동 응용

10 〈보기〉를 바탕으로 [A]를 감상한 내용으로 가장 적절한 것은?

〈보기〉

'가던'은 '(밭을)갈던'에서 'ㄹ'이 탈락된 형태이고, '새'는 사래'에서 'ㄹ'이 탈락되고 축약된 형태로 보는 것이다. 여기서 '사래'는 밭이랑을 뜻한다. 따라서, 제3연의 해석은 '갈던 밭을 본다. 녹슨 연장을 가지고 갈던 밭을 본다.'로 풀이할 수 있다.

① 화자는 가뭄으로 말라버린 농토를 보며 안타까워하는군.
② 화자는 고향에서 밭을 갈며 지냈던 일들을 후회하고 있군.
③ 화자가 소망하는 삶이란 결국 농사일에서 벗어나는 것이었군.
④ 화자는 비록 지금 떠나고 있지만, 자신의 삶의 터전에 대한 미련이 남아 있군.
⑤ 화자는 고향을 떠나면서 자신을 힘들게 만들었던 현실에 대하여 원망하고 있군.

고난도

11 위 시의 ㉠과 〈보기〉의 ㉮를 비교하여 설명한 것으로 가장 적절한 것은?

〈보기〉

㉮ 청산(靑山)은 내 뜻이오 녹수(綠水)ᄂᆞᆫ 님의 정이,
녹수(綠水) 흘러간들 청산(靑山)이야 변(變)ᄒᆞᆯ손가
녹수(綠水)도 청산(靑山)을 못 니져 우러 예어 가ᄂᆞᆫ고.

– 황진이

① ㉠과 ㉮는 모두 화자에게 위안의 대상이다.
② ㉠은 지향의 대상이고, ㉮는 불변의 대상이다.
③ ㉠은 추상적 개념이고, ㉮는 구체적 개념이다.
④ ㉠에는 극복 의지가, ㉮에는 체념의 정서가 담겨 있다.
⑤ ㉠은 동일시의 정서가, ㉮에는 차별화의 정서가 들어 있다.

12 위 시의 ㉡과 〈보기〉의 [새]의 공통된 기능으로 가장 적절한 것은?

〈보기〉

천지간(天地間) 남자(男子) 몸이 날 만ᄒᆞᆫ 이 하건마ᄂᆞᆫ
산림(山林)에 뭇쳐 이셔 지락(至樂)을 ᄆᆞᄅᆞᆯ 것가
수간모옥(數間茅屋)을 벽계수(碧溪水) 앏희두고
송죽(松竹) 울울리(鬱鬱裏)예 풍월주인(風月主人)되어셔라
엇그제 겨을 지나 새봄이 도라오니
도화행화(桃花杏花)ᄂᆞᆫ 석양리(夕陽裏)예 퓌여 잇고
녹양방초(綠楊芳草)ᄂᆞᆫ 세우 중(細雨中)에 프르도다
칼로 ᄆᆞᆯ아 낸가 붓으로 그려 낸가
조화신공(造化神功)이 물물(物物)마다 헌ᄉᆞᆯ롭다
수풀에 우ᄂᆞᆫ [새] ᄂᆞᆫ 춘기(春氣)를 ᄆᆞᆺ내 계워
소ᄅᆡ마다 교태(嬌態)로다

–정극인, 「상춘곡」

① 표현할 내용을 실제 의미와 반대로 표현하여 화자의 의도를 강조한다.
② 사람이 아닌 사물을 사람인 것처럼 표현하여 화자의 정서를 효과적으로 나타낸다.
③ 화자의 감정을 대상에 이입하여 마치 대상이 그렇게 느끼고 생각하는 것처럼 표현한다.
④ 인류에게 유사한 정서나 의미를 불러일으키는 소재를 활용하여 인간의 보편적 정서를 환기한다.
⑤ 오랜 세월 동안 사용되었기 때문에 관습적으로 보편화되어 있는 상징을 활용하여 주제를 드러낸다.

정답과 해설 25쪽

03 어부사시사(漁父四時詞) 윤선도

출제 포인트	• 작품의 시상 전개 방식 파악하기 • 시조의 문학사적 맥락과 역사적 전개 양상 파악하기

작품 개관

갈래	연시조 (춘하추동 각 10수씩 전 40수)	성격	풍류적, 전원적, 자연 친화적
제재	어촌의 자연과 어부의 삶		
주제	어촌에서 자연을 즐기며 한가롭게 살아가는 여유와 흥취		
특징	• 대구적 표현 구조 안에서 다채로운 감각적 묘사를 드러냄. • 여음구와 후렴구가 규칙적으로 등장하여 평시조 형식에 변화를 줌. • 여음구를 통해 화자의 동선을, 후렴구를 통해 화자의 행동을 보여 줌.		

시상 전개 양상의 특징

춘사(春詞)	자연에서 어부 생활을 하면서 유유자적하는 심정
하사(夏詞)	한가한 어부 생활을 하는 중에 자연과 하나가 되는 경지
추사(秋詞)	속세를 떠나 자연에서 사는 즐거움
동사(冬詞)	속세에 물들고 싶지 않은 마음과 어부의 흥겨운 모습

→ 자연 속에서 어부로 살아가는 감흥과 흥취를 계절의 흐름에 따라 변화하는 경치 속에서 보여 주고 있다.

여음구와 후렴구의 기능

- 초장과 중장 사이의 여음구는 출항에서 귀항까지 어부의 하루 일과를 차례로 보여 주며 작품을 유기적으로 연결함.
- 중장과 종장 사이의 후렴구인 '지국총 지국총 어사와'는 노 젓는 소리와 노를 저을 때 외치는 소리(지그덕 찌그덕 어이야)를 나타내는 의성어로, 자연에서 사는 흥겨움과 활기를 사실적으로 드러냄.
- 여음구와 후렴구를 통해 평시조의 단조로움에 변화를 주고 운율을 형성하며 시상 전개에 통일성을 부여하고 있음.

이 작품에 나타난 '어부'의 성격

'어부'	물고기 잡는 일을 생계 수단으로 삼는 어부가 아니라 속세를 등지고 자연 속에서 안빈낙도의 삶을 살아가는 존재임.

[1~11] 다음 시를 읽고 물음에 답하시오.

춘사(春詞) 1

압개예 안개 것고 뒫뫼희 ᄒᆡ 비췬다
　ᄇᆡ 떠라 ᄇᆡ 떠라
㉠ 밤믈은 거의 디고 낟믈이 미러 온다
　지국총(至匊悤) 지국총(至匊悤) 어사와(於思臥)
강촌(江村) 온갓 고지 먼 빗치 더옥 됴타

하사(夏詞) 2

㉡ 년닙희 밥 싸 두고 반찬으란 쟝만 마라
　닫 드러라 닫 드러라
쳥약립(靑篛笠)은 써 잇노라 녹사의(綠蓑衣) 가져오냐
　지국총(至匊悤) 지국총(至匊悤) 어사와(於思臥)
ⓐ 무심(無心)ᄒᆞᆫ 백구(白鷗)ᄂᆞᆫ 내 좃ᄂᆞᆫ가 제 좃ᄂᆞᆫ가

추사(秋詞) 9

㉢ 옷 우희 서리 오ᄃᆡ 치운 줄을 모ᄅᆞᆯ 로다
　닫 디여라 닫 디여라
됴션(釣船)이 좁다 ᄒᆞ나 부셰(浮世)과 얻더ᄒᆞ니
　지국총(至匊悤) 지국총(至匊悤) 어사와(於思臥)
ᄂᆡ일도 이리 ᄒᆞ고 모ᄅᆡ도 이리 ᄒᆞ쟈

동사(冬詞) 10

어와 져므러 간다 연식(宴息)이 맏당토다
　ᄇᆡ 븟텨라 ᄇᆡ 븟텨라
㉣ ᄀᆞᄂᆞᆫ 눈 ᄲᅳ린 길 블근 곳 흣더딘 ᄃᆡ 흥치며 거러가셔
　지국총(至匊悤) 지국총(至匊悤) 어사와(於思臥)
㉤ 셜월(雪月)이 셔봉(西峯)의 넘도록 숑창(松窓)을 비겨 잇쟈

01 위 시에 대한 설명으로 적절하지 않은 것은?

① 이현보의 「어부가」의 맥을 잇는 작품이다.
② 대구적 표현을 통해 시적 상황을 묘사하고 있다.
③ 음성 상징어를 사용하여 상황을 실감나게 드러내고 있다.
④ 시간의 흐름과 배경의 변화에 따라 시상을 전개하고 있다.
⑤ 평민들의 근대 의식을 수용하여 현실 감각을 반영하고 있다.

02 위 시를 낭송한다고 할 때, 고려해야 할 어조로 가장 적절한 것은?

① 경제적 어려움을 배경으로 한 고뇌에 찬 어조
② 과거의 삶에 대한 동경을 바탕으로 한 회고적 어조
③ 자연과 조화롭게 어울리는 삶을 바탕으로 한 풍류적 어조
④ 더 나은 미래의 삶에 대한 염원을 바탕으로 한 의지적 어조
⑤ 정치적 욕망을 구현하지 못한 삶을 바탕으로 한 체념적 어조

03 위 시와 일반적인 평시조를 비교한 내용으로 가장 적절한 것은?

① 평시조는 3·4조의 음수율을 철저히 지키는 반면, 이 시는 음수율을 지키고 있지 않다.
② 평시조의 창작 계층은 양반부터 서민까지 다양한 반면, 위 시는 오직 양반만 쓸 수 있었다.
③ 평시조는 3음보를 바탕으로 하는 음보율을 보여 주는 반면, 위 시는 4음보를 바탕으로 하는 음보율을 보여 준다.
④ 평시조는 후렴구가 나타나지 않는 반면, 위 시는 후렴구를 통해 작품을 유기적으로 연결하고 흥취를 돋우고 있다.
⑤ 평시조의 주제 의식은 자연을 아름다운 대상 그 자체로 인식하는 반면, 위 시는 자연을 유교적 덕목을 부각하는 수단으로 사용하고 있다.

04 '춘사 1'에 대한 설명으로 적절하지 않은 것은?

① 대구적 표현을 통해 안개가 걷히고 해가 비치게 되는 장면을 드러내고 있다.
② 바닷물의 움직임이 썰물에서 밀물의 흐름으로 변화하는 장면을 드러내고 있다.
③ 배를 띄우라는 의미의 '비 떠라'가 초장과 중장 사이의 여음구로 나타나고 있다.
④ 봄에 피어난 다양한 꽃들을 멀리서 바라보며 느끼는 즐거움이 나타나고 있다.
⑤ 강변과 뒷산이 지닌 대비적 속성을 바탕으로 자연의 아름다움을 부각하고 있다.

05 '추사 9'에 대한 설명으로 가장 적절한 것은?

① 시간의 흐름에 따라 시상을 전개하고 있다.
② 추위와 관련한 이미지를 사용하여 화자의 흥취를 부각하고 있다.
③ 낚싯배 위에서 노닐 수 있는 공간이 비좁다는 점을 안타까워하고 있음이 나타나고 있다.
④ 현재 상황을 덧없는 세상으로만 인식하는 주변 사람들에 대해 비판적 태도를 드러내고 있다.
⑤ 내일과 모레에도 현재와 동일한 상황이 계속 이어질 것에 대한 우려감과 탄식이 나타나고 있다.

06 ㉠~㉤ 중, '안분지족(安分知足)'의 삶의 태도가 나타나 있는 시구로 가장 적절한 것은?

① ㉠ ② ㉡ ③ ㉢
④ ㉣ ⑤ ㉤

07 ⓐ의 상황을 나타낸 말로 가장 적절한 것은?

① 수구초심(首丘初心)
② 마이동풍(馬耳東風)
③ 과유불급(過猶不及)
④ 물심일여(物心一如)
⑤ 각골난망(刻骨難忘)

학습 활동 응용

08 위 시와 〈보기〉를 비교하여 감상한 내용으로 가장 적절한 것은?

〈보기〉

창(窓) 내고쟈 창(窓)을 내고쟈 이 내 가슴에 창(窓) 내고쟈
고모장지 셰살장지 들장지 열장지 암돌져귀 수돌져귀 빗목걸새 크나큰 쟝도리로 ᄯᅮᆼ닥 바가 이 내 가슴에 창(窓) 내고쟈
잇다감 하 답답ᄒᆞᆯ 제면 여다져 볼가 ᄒᆞ노라.

— 작자 미상

① 위 시와 〈보기〉는 모두 해학적 어조를 바탕으로 하고 있다.
② 위 시와 〈보기〉는 모두 자연적 대상에 대한 찬탄을 드러내고 있다.
③ 위 시와 〈보기〉는 모두 사설시조의 형식적 특징을 드러내고 있다.
④ 위 시는 〈보기〉와 달리 현실적 아픔을 웃음으로 승화하여 주제를 부각하고 있다.
⑤ 〈보기〉는 위 시와 달리 유사 어구를 반복적으로 열거함으로써 화자의 답답한 심정을 강조하고 있다.

서술형

09 위 시의 화자로 설정되어 있는 '어부'의 성격을 〈조건〉에 맞게 서술하시오.

〈조건〉

• 화자가 '물고기 잡는 일'을 바라보는 관점을 드러낼 것

학습 활동 응용

10 〈보기〉가 위 시의 전통을 계승했다고 할 때, 그에 대한 토의 내용으로 적절하지 않은 것은?

〈보기〉

햇살의 고요 속에선
ㅉㅉㅉ, 소리가 나고,

바람은 쥐가 쏠 듯
ㅅㅅㅅ, 문틈을 넘고,

후두엽 외진 간이역
녹슨 기차 바퀴 소리.

— 이승은, 「귀로 쓴 시」

① 〈보기〉는 위 시와 동일하게 청각적 이미지를 사용하여 작품의 생동감을 부여하고 있군.
② 〈보기〉는 위 시의 형식적 규칙과 동일한 형태를 지님으로써 형식적 측면에서 계승했다고 볼 수 있군.
③ 〈보기〉는 우리말의 어감을 잘 살렸다는 점에서 표현적 측면에서도 위 시를 계승했다고 볼 수 있겠어.
④ 〈보기〉는 민요적 율격과 수미 상관을 통해 안정감을 주는 위 시의 특성을 계승했다고 볼 수 있어.
⑤ 〈보기〉는 현대 시의 장점과 위 시의 장점을 두루 갖춘 작품으로 수준 높은 문학성을 보이고 있어.

서술형

11 위 시의 각 수에 나타나는 여음구가 지닌 기능을 〈조건〉에 맞게 서술하시오.

〈조건〉

• 내용적 측면과 운율적 측면에서의 기능을 각각 한 가지 이상 서술할 것

04 쉽게 씌어진 시 윤동주

출제 포인트	• 표현상의 특징과 효과 파악하기 • 시대 상황을 고려하여 시어의 의미와 화자의 태도 파악하기

작품 개관

갈래	자유시, 서정시	성격	회고적, 의지적, 반성적
제재	시가 쉽게 씌어지는 것에 대한 부끄러움		
주제	어두운 시대 현실로 인한 고뇌와 자기반성, 현실 극복 의지		
특징	• 고백적 어조와 의문문의 형식으로 자기 성찰의 과정을 드러냄. • 상징적 시어의 대비를 통해 주제 의식을 부각함.		

이 작품의 시상 전개

기(1~2연)	서(3~7연)	결(8~10연)
현재 상황을 인식하고 자각함.	자신의 현재 삶을 성찰함.	현실을 재인식하고 극복 의지를 다짐.

표현상의 특징과 효과

8연	1연의 1, 2행의 순서를 바꾸어 반복함으로써 시상이 전환되고, 현실 상황을 다시 한번 상기함.
9, 10연	밝음과 어둠의 시각적 이미지를 대비시켜 부정적 현실과 그 극복 의지를 부각함.

시어의 상징적 의미

밤비	자기 성찰이 이루어지는 시간적 배경, 암울한 시대 상황
육첩방	화자를 억압하는 낯선 현실 공간이자 암담한 시대 상황
등불	암담한 현실을 헤쳐 나가는 정신적인 지표, 현실에 맞서려는 의지
어둠	부정적 현실, 일제 강점기의 암담한 현실
아침	암담한 현실을 벗어난 새로운 세계, 조국의 광복
악수	현실적 자아와 내면적 자아의 화해, 부끄러운 삶을 살지 않겠다는 의지

화자의 태도 변화

자신에 대한 부끄러움 → 자기 성찰 → 내면적 자아와의 화해

[1~11] 다음 시를 읽고 물음에 답하시오.

창밖에 밤비가 속살거려
육첩방은 남의 나라,

㉠ 시인이란 슬픈 천명인 줄 알면서도
한 줄 시를 적어 볼까,

[A]
땀내와 사랑내 포근히 품긴
보내 주신 학비 봉투를 받아

대학 노―트를 끼고
늙은 교수의 강의 들으러 간다.

㉡ 생각해 보면 어린 때 동무를
하나, 둘, 죄다 잃어버리고

나는 무얼 바라
나는 다만, 홀로 **침전하는 것일까?**

인생은 살기 어렵다는데
시가 이렇게 쉽게 씌어지는 것은
부끄러운 일이다.

육첩방은 남의 나라.
창밖에 밤비가 속살거리는데,

등불을 밝혀 어둠을 조금 내몰고,
ⓐ 시대처럼 올 아침을 기다리는 최후의 나,

나는 나에게 작은 손을 내밀어
눈물과 위안으로 잡는 **최초의 악수.**

01 위 시에 대한 설명으로 가장 적절한 것은?

① 수미 상관의 구성을 통해 시적 안정성을 부여하고 있다.
② 반어적 표현을 통해 일상생활의 소중함을 강조하고 있다.
③ 의문문의 형식을 통해 자기 성찰적 태도를 드러내고 있다.
④ 공감각적 표현을 통해 이미지를 입체적으로 드러내고 있다.
⑤ 색채어를 반복적으로 사용하여 화자의 정서를 고조하고 있다.

02 위 시의 표현상 특징에 대한 설명으로 적절하지 않은 것은?

① 상징적 시어를 통해 주제 의식을 부각하고 있다.
② 대상을 의인화하여 시적 상황을 실감 나게 표현하고 있다.
③ 명사 형태로 시상을 마무리하여 시적 여운을 형성하고 있다.
④ 과거형 시제를 사용하여 현재 상황과의 거리감을 유지하고 있다.
⑤ 시각적 이미지를 대비하여 부정적 현실과 그 극복 의지를 드러내고 있다.

03 위 시의 화자에 대한 설명으로 가장 적절한 것은?

① 과거 지향적인 삶의 태도를 보여 주고 있다.
② 부정적 대상에 대한 비판적 태도를 격정적으로 드러내고 있다.
③ 현재의 삶에 대한 회의와 그에 대한 부끄러움을 느끼고 있다.
④ 내적 갈등이 점차 심화되어 현실 상황에 대한 냉소적 태도를 보이고 있다.
⑤ 고백적 어조로 자신의 심정을 토로한 후 다가올 시간에 대한 체념적 태도를 보이고 있다.

04 육첩방의 함축적 의미로 가장 적절한 것은?

① 화자가 자유를 얻게 되는 공간
② 화자를 억압하고 있는 암담한 공간
③ 화자에게 희망적 인식을 부여하는 공간
④ 화자의 경제적 어려움이 개선되는 공간
⑤ 화자가 학업에 대한 의지를 포기하게 되는 공간

05 [A]에 대한 설명으로 적절하지 않은 것은?

① 화자의 자기 삶에 대한 회의가 드러나 있다.
② 현실에 안주하는 지식인의 모습을 보여 준다.
③ 화자가 처한 시대 상황과는 괴리가 있는 모습이다.
④ 화자가 느끼는 '포근함'은 부모님 또는 조국을 의미한다.
⑤ 학비를 마련하기 힘든 경제적 상황에 대해 비판적 시각을 보이고 있다.

06 ㉠에 대한 이해로 가장 적절한 것은?

① 시인으로서 느끼고 있는 자부심을 드러내고 있다.
② 시인으로서 느끼고 있는 애상적 정서를 드러내고 있다.
③ 시인으로서 시를 짓는 행위에 대한 근본적 회의감을 드러내고 있다.
④ 시인으로서 품고 있는 주변 세태에 대한 비판적 태도가 드러나 있다.
⑤ 시인으로서 세속적 욕망을 추구해서는 안 된다는 다짐이 드러나 있다.

학습 활동 응용

07 ㉡에 대한 이해로 적절하지 않은 것은?

① 순수한 가치의 상실을 의미한다.
② 과거에 대한 회상을 바탕으로 하고 있다.
③ 어린 시절의 벗을 잃은 상실감을 드러내고 있다.
④ 시대 상황에 대한 화자의 부정적 인식을 드러내고 있다.
⑤ 열거법을 통해 외로운 삶에 대한 극복 의지를 드러내고 있다.

서술형

08 ⓐ가 의미하는 바를 〈조건〉에 맞게 서술하시오.

〈조건〉
- 화자가 바라는 바가 드러나게 쓸 것
- 당시 시대 상황과 관련하여 구체적으로 쓸 것

학습 활동 응용

09 위 시에서 화자의 현실 인식 변화를 다음과 같이 정리할 때, ㉮에 들어갈 내용으로 가장 적절한 것은?

1연	창밖에 밤비가 속살거려 육첩방은 남의 나라.
8연	육첩방은 남의 나라. 창밖에 밤비가 속살거리는데.

↓

8연에서 1연을 변형하여 제시하는 것은 (㉮)(으)로, 이러한 인식의 변화는 9~10연에서 현식을 극복하기 위한 의지를 다지는 것으로 연결된다.

① 암울한 현실에 대한 강조
② 자기반성을 통한 현실 부정
③ 자기반성을 통한 현실 재인식
④ 반복되는 현실에 대한 투쟁 의식
⑤ 반복되는 현실에 대한 울분의 분출

10 〈보기〉를 참고하여 위 시를 감상한 내용으로 적절하지 않은 것은?

〈보기〉

「쉽게 씌어진 시」는 윤동주가 1942년 일본에 유학 중에 창작한 시로, 식민지 시기에 조국의 국권을 강탈한 나라에서 유학을 하는 청년 지식인의 고뇌와 번민이 고스란히 담겨 있는 현대시이다. 이 작품은 불우한 시대 현실에 대한 시인의 감정, 생각 등을 자유로운 형식의 시에 담아내고 있어 자유시, 서정시의 전형을 잘 보여 준다.

① '창밖에 밤비'는 식민지 시대의 암울한 분위기를 형상화한 것으로 볼 수 있겠군.
② '보내 주신 학비 봉투'는 유학을 하고 있는 지식인의 처지를 형상화한 것으로 볼 수 있겠군.
③ '침전하는 것일까?'는 지식인으로서 겪고 있는 고뇌와 번민을 형상화한 것으로 볼 수 있겠군.
④ '등불을 밝혀 어둠'을 내모는 것은 암담한 현실을 헤쳐 나가려는 의지로 볼 수 있겠군.
⑤ '최초의 악수'는 결국 현실과 타협한 나약한 자아를 의미하는 것으로 볼 수 있겠군.

학습 활동 응용

11 위 시와 〈보기〉를 비교하여 감상한 내용으로 적절하지 않은 것은?

〈보기〉

아주 오랜 세월이 흐른 뒤에
힘없는 책갈피는 이 종이를 떨어뜨리리
그때 내 마음은 너무나 많은 공장을 세웠으니
어리석게도 그토록 기록할 것이 많았구나
구름 밑을 천천히 쏘다니는 개처럼
지칠 줄 모르고 공중에서 머뭇거렸구나
나 가진 것 탄식밖에 없어
저녁 거리마다 물끄러미 청춘을 세워 두고
살아온 날들을 신기하게 세어 보았으니
그 누구도 나를 두려워하지 않았으니
내 희망의 내용은 질투뿐이었구나
그리하여 나는 우선 여기에 짧은 글을 남겨 둔다
나의 생은 미친 듯이 사랑을 찾아 헤매었으나
단 한 번도 스스로를 사랑하지 않았노라

– 기형도, 「질투는 나의 힘」

① 위 시와 〈보기〉는 모두 현재 자신의 삶에 대해 부정적으로 인식하고 있다.
② 위 시와 〈보기〉는 모두 화자 자신에 대한 자기 성찰의 내용을 드러내고 있다.
③ 위 시는 〈보기〉와 달리 화자 자신의 과오에 대한 뉘우침을 드러내고 있다.
④ 위 시와 달리 〈보기〉는 내면적 자아의 화해가 나타나지 않는다.
⑤ 위 시와 달리 〈보기〉는 미래의 시점을 상정한 뒤, 현재 자신의 삶에 대해 언급하고 있다.

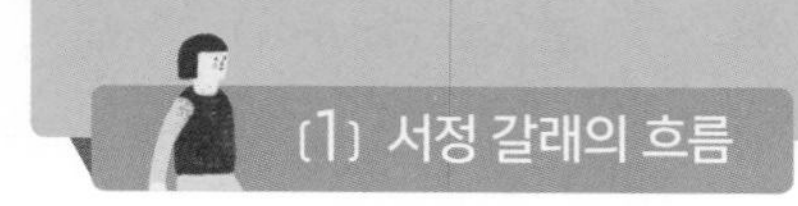

정답과 해설 26쪽

05 어느 날 고궁을 나오면서 김수영

출제 포인트	• 현대 시의 표현상의 특징 파악하기 • 문학 작품과 시대의 영향 관계 파악하기

작품 개관

갈래	자유시, 서정시	성격	자조적, 비판적, 반성적
제재	자신의 옹졸함과 소시민적인 삶		
주제	부당한 사회 현실에 저항하지 못하는 소시민적 삶에 대한 자기반성		
특징	• 대조적 상황 및 대비되는 시어를 사용하여 주제 의식을 효과적으로 드러냄. • 일상의 경험과 일화를 나열하여 실제적 삶을 구체적, 사실적으로 보여 줌. • 일상어, 비속어를 사용하여 자신의 부끄러운 삶을 진솔하게 드러내고 반성함. • 말줄임표로 시상을 마무리하여 반성과 자조 의식의 지속성을 표현함.		

표현상의 특징과 효과

여러 일화들을 나열하면서 서술적으로 시상을 전개함.	+	비속어를 사용하여 화자 자신의 속된 모습을 정직하게 드러내고 자기 자신과 부조리한 사회 현실을 비판함.	+	독백적 어조를 통해 자조적, 반성적 태도를 드러냄.

대조적 상황과 화자의 태도

분개해야 할 대상		분개하고 있는 대상
불합리한 상황(왕궁의 음탕, 언론 탄압, 월남 파병)	⇔	힘없는 자(설렁탕집 주인, 야경꾼, 이발쟁이)
본질적인 것		**비본질적인 것**
• 왕궁의 음탕 비판 • 언론의 자유 요구 • 월남 파병 반대 • 힘 있는 자에 대한 항거	⇔	• 힘없는 자들에게 분개함. • 스펀지를 만들고 거즈 접는 일

↓

부조리한 현실에 대해서는 저항하지 못하고 일상의 사소한 일에만 분개하는 화자 자신의 소시민적 삶을 반성하고 자책함.

[1~10] 다음 시를 읽고 물음에 답하시오.

왜 나는 조그마한 일에만 분개하는가
저 왕궁 대신에 [왕궁의 음탕] 대신에
ⓐ 50원짜리 갈비가 기름 덩어리만 나왔다고 분개하고
옹졸하게 분개하고 설렁탕집 돼지 같은 주인 년한테 욕을 하고
옹졸하게 욕을 하고

한번 정정당당하게
붙잡혀 간 소설가를 위해서
언론의 자유를 요구하고 ⓑ 월남 파병에 반대하는
자유를 이행하지 못하고
20원을 받으러 세 번씩 네 번씩
찾아오는 야경꾼들만 증오하고 있는가

㉠ 옹졸한 나의 전통은 유구하고 이제 내 앞에 정서(情緖)로 가로놓여 있다
이를테면 이런 일이 있었다
부산에 포로수용소의 제14야전병원에 있을 때
정보원이 너스들과 ⓒ 스펀지를 만들고 거즈를
개키고 있는 나를 보고 포로 경찰이 되지 않는다고
남자가 뭐 이런 일을 하고 있느냐고 놀린 일이 있었다
너스들 옆에서

지금도 내가 반항하고 있는 것은 이 스펀지 만들기와
거즈 접고 있는 일과 조금도 다름없다
㉡ 개의 울음소리를 듣고 그 비명에 지고
머리에 피도 안 마른 애놈의 투정에 진다
떨어지는 은행나무 잎도 내가 밟고 가는 가시밭

아무래도 나는 비켜서 있다 [절정] 위에는 서 있지

않고 암만해도 조금쯤 옆으로 비켜서 있다
그리고 조금쯤 옆에 서 있는 것이 조금쯤
비겁한 것이라고 알고 있다!

[A]
그러니까 이렇게 옹졸하게 반항한다
ⓓ 이발쟁이에게
땅 주인에게는 못하고 이발쟁이에게
구청 직원에게는 못하고 동회 직원에게도 못하고
야경꾼에게 20원 때문에 10원 때문에 1원 때문에
우습지 않으냐 1원 때문에

ⓔ 모래야 나는 얼마큼 작으냐
바람아 먼지야 풀아 나는 얼마큼 작으냐
정말 얼마큼 작으냐……

01 위 시에 대한 설명으로 가장 적절한 것은?

① 환상의 세계에 대한 동경 의식을 드러내고 있다.
② 공간의 대비를 통해 지향하는 가치를 드러내고 있다.
③ 역설적 표현을 사용하여 초월적 진리를 이끌어 내고 있다.
④ 명령적 어조를 활용하여 화자의 강인한 의지를 부각하고 있다.
⑤ 일상 경험의 일화를 나열하여 삶의 모습을 사실적으로 드러내고 있다.

02 위 시의 표현상 특징 및 그 효과에 대한 설명으로 적절하지 않은 것은?

① 질문의 형식을 통해 자기 성찰을 시도하고 있다.
② 사물의 의인화를 통해 냉소적 태도를 드러내고 있다.
③ 유사한 통사 구조의 반복을 통해 리듬감을 형성하고 있다.
④ 말줄임표로 시상을 마무리하여 시적 여운을 이끌어 내고 있다.
⑤ 영탄적 어조를 통해 자신의 문제점을 통렬하게 자각하고 있다.

03 위 시에서 〈보기〉의 밑줄 친 부분에 해당하는 시구로 가장 적절한 것은?

〈보기〉
소시민이란 노동자와 자본가의 중간 계급에 속하는 사람들을 가리키는데 보통 주어진 현실에 안주하며 사회 현실에 소극적으로 살아가는 사람들을 의미하는 것이 일반적이다. 문학에서 소시민은 부정적인 의미를 지니는 경우가 대부분이다. 이들은 부정적 현실에 처해 있으면서도 그것에 대항하거나 그것을 변혁하려는 의지를 보이지 않고 자신의 일상과 안위를 지키는 데에 급급하기 때문이다. 하지만 이들은 부정적 자아를 자각하는 순간 시대 현실에 능동적으로 대처하는 주체로 탈바꿈할 수 있는 여지도 지니고 있기 때문에 완전히 부정적인 존재로 볼 수는 없다.

① 붙잡혀 간 소설가를 위해서
② 찾아오는 야경꾼들만 증오하고 있는가
③ 이를 테면 이런 일이 있었다
④ 비겁한 것이라고 알고 있다
⑤ 바람아 먼지야 풀아 난 얼마큼 작으냐

04 왕궁의 음탕에 담긴 함축적 의미로 가장 적절한 것은?

① 화자의 잘못된 행동
② 권력자들의 부도덕성
③ 사회적 약자들의 서러움
④ 일상에서 나타나는 옹졸한 행위
⑤ 언론 자유를 추구하는 자들의 양심

서술형
05 위 시에서 절정이 의미하는 바를 서술하시오.

〈조건〉
• 시적 상황과 관련한 삶의 태도를 중심으로 서술할 것

06 [A]에 대한 설명으로 가장 적절한 것은?

① 반복법을 통해 자조적 어조가 강조되어 나타나고 있다.
② 사회적 약자에 대한 동정과 배려의 태도가 드러나고 있다.
③ 열거법을 통해 과거 살았던 공간에 대해 느끼는 그리움을 부각하고 있다.
④ 역경을 극복하고 새로운 성취를 얻게 된 상황에 대한 자부심이 드러나고 있다.
⑤ 구체적 대상을 호명하며 자연적 대상에 동화되고자 하는 화자의 심정을 부각하고 있다.

07 ㉠에 대한 이해로 가장 적절한 것은?

① 전통적으로 전래되고 있는 가치에 대한 추구를 표현한 것이다.
② 화자가 자기 스스로에 대해 품고 있는 비판적 의식을 드러낸 것이다.
③ 오랜 시간에 걸쳐 형성된 특정한 정서에 대한 애착을 의미하는 것이다.
④ 옹졸한 태도를 극복하고 새롭게 형성하게 된 화자의 가치관을 표현한 것이다.
⑤ 주변 사람들에게 베푼 관대한 행동이 초래할 수 있는 부작용을 경고한 것이다.

08 ㉡에 나타난 화자의 정서 및 태도로 가장 적절한 것은?

① 위압적 대상에 대한 강인한 극복 의지
② 고통받고 있는 생명체에 대한 연민의 감정
③ 사소한 주변적 대상에 대한 무감각한 태도
④ 일상적 대상을 통해 깨닫게 된 도덕적 자각
⑤ 공포스러운 상황에 대한 심리적 위축과 굴복

학습 활동 응용

09 ⓐ~ⓔ 중, 화자가 본질적으로 분개해야 할 대상으로 판단하고 있는 것은?

① ⓐ　② ⓑ　③ ⓒ
④ ⓓ　⑤ ⓔ

학습 활동 응용

10 위 시와 〈보기〉의 공통점으로 가장 적절한 것은?

〈보기〉

앉은 청년은 거울 속에서 흘낏 쳐다보며,
"도대체 이 사람들 말이 아니군."
하였다.
새로 들어선 청년은 벌써 말뜻을 알아듣고 금시 쳐 죽일 듯한 눈길로 이발소 안을 휘익 둘러보았다.
귀하신 분께서 또 한 분 이렇게 나타나자 이발소 안은 두 곱으로 써늘해졌다. 모두 간이 콩알만 해져서 조마조마하였다.
"왜, 어쨌기?"
"도대체 사람들이 정신들이 덜 되어 먹었단 말야. 요즈음 세월이 어떻게 돌아가는지도 모르고, 멍청해서들."
"민주주의라는 것을 모두 일방적으로 오해를 해서 그렇지. 도대체에 민주주의라는 것을 그렇게 알면 곤란한데에."
이제 두 청년은 완전히 자기들 세상이 된 이발소 안에서 주거니 받거니 했다. [중략]
잠시 뒤, 어느새 나갔던 늙은이가 한 사람을 데리고 들어왔다. 사복 차림인데, 신분증을 내보이며 두 청년에게 불심 검문을 하였다. 그들은 신분증을 내보이고 비쭉비쭉 웃기까지 하며 대한민국의 일개 시민임을 밝혔다. 이발소 안의 사람들은 여전히 겁에 질려 있었다. 그들 두 청년은 관명 사칭도 하지 않았고, 이렇다 할 월권도 한 것은 없었다. 그들은 모두 빠릿빠릿해지고 항상 준비 태세를 지니고 사회 기강을 확립하자고 강조했을 뿐이었다. 강조하는 방법이 틀렸을지는 모르지만 그런 것이 죄과에 해당될 만한 법조문은 없는 듯하였다.
그들은 일단 연행이 되었으나 곧 석방이 되었다.

– 이호철, 「1965년, 어느 이발소에서」

① 민주주의적 가치가 보편적으로 구현되고 있는 사회적 분위기가 드러나 있다.
② 법률적 뒷받침을 통해 언론의 자유가 충분히 보장된 이상적 사회상이 드러나 있다.
③ 다른 나라의 전쟁에 군대를 파병하는 문제로 인한 사회적 논쟁 양상이 드러나 있다.
④ 사회의 부당한 횡포에 대해 당당하게 맞서지 못하는 소시민적 삶의 태도가 드러나 있다.
⑤ 사회의 새로운 변화상에 적응하지 못하고 도태되어 있는 인물들에 대한 비판적 시선이 드러나 있다.

01 김현감호(金現感虎) 작자 미상

출제 포인트	• 작품의 설화적 특성 이해하기 • 설화와 소설의 특징 비교하기

작품 개관

갈래	사원 연기 설화, 변신형 설화	성격	불교적, 전기적
제재	김현과 호랑이 처녀의 사랑		
주제	자기희생적인 고귀한 사랑		
특징	• 동물 변신 모티프가 드러남. • 신이하고 환상적인 요소가 드러남. • 원시 신앙과 불교의 문학적 접목이 나타남.		

작품의 서사 구조

발단	김현이 탑돌이를 하다가 호랑이 처녀를 만나 사랑을 하게 됨.
전개	김현은 호랑이 처녀와 정을 통한 후 호랑이 처녀의 집으로 감.
위기	호랑이 처녀는 자신을 희생하여 김현을 출세시키고자 함.
절정	김현이 호랑이 처녀를 잡고 그 공으로 높은 벼슬에 오름.
결말	김현은 절을 세워 호랑이 처녀의 은혜에 보답함.

등장인물의 성격

김현	호랑이 처녀
배필의 죽음을 팔아 벼슬을 구할 수 없다고 말하면서 호랑이 처녀의 죽음을 만류함.	자신의 죽음은 하늘의 명령이고, 자신의 소원, 낭군의 경사, 일족의 복, 나라 사람들의 기쁨이라고 말하면서 김현을 설득함.
↓	↓
호랑이 처녀의 희생을 슬퍼하고 안타까워하는 마음을 지니고 있음을 알 수 있음.	자신을 희생하여 세상의 이로움을 얻고자 하는 살신성인의 정신을 보여 줌.

작품의 설화적 특성

사원 연기 설화	• '호원사'라는 절의 창건 내력을 밝힘. • 불교적 세계의 건설을 목적으로 하는 전승자의 의도가 개입됨.
변신형 설화	• 호랑이가 인간으로 변함. • 동물이 뛰어난 사랑과 희생정신을 발휘하는 것을 보여 줌으로써 인간 자신을 되돌아보게 함.

[1~5] 다음 글을 읽고 물음에 답하시오.

신라 풍속에 매년 2월이 되면 초여드렛날부터 보름날까지 서울의 남녀들이 서로 다투어 흥륜사(興輪寺)의 전탑(殿塔)을 도는 것으로 복회(福會)를 삼았다.

원성왕(元聖王) 때 낭군(郎君) 김현(金現)이란 사람이 밤이 깊도록 홀로 돌면서 쉬지 않았다. 한 처녀가 염불하면서 따라 돌다가 서로 감정이 통하여 눈길을 주었다. 탑돌이를 끝내자 으슥한 곳으로 가서 정을 통하였다.

ⓐ 처녀가 돌아가려고 하자 김현이 그를 따라가니, 처녀는 사양하고 거절했지만 억지로 따라갔다. 가다가 서산(西山) 기슭에 이르러 한 초막으로 들어가니, 늙은 할미가 그녀에게 묻기를, "함께 온 이는 누구냐?"라고 하였다. 처녀가 그 사정을 말하니, 늙은 할미는 말하기를, "비록 좋은 일이지만 없는 것만 못하다. 그러나 이미 저지른 일이기에 나무랄 수도 없다. 은밀한 곳에 숨겨 두어라. 네 형제들이 나쁜 짓을 할까 두렵다."라고 하였다.

처녀는 낭을 데려다 구석진 곳에 숨겨 두었다. 조금 뒤에 세 마리의 범이 으르렁거리면서 와서 사람의 말로 말하기를, "집 안에 비린내가 나니 요기하기 좋겠구나."라고 하였다. 늙은 할미는 처녀와 함께 꾸짖어 말하기를, "너희들의 코가 어떻게 되었구나. 무슨 미친 소리냐?"라고 하였다.

이때 하늘에서 외치는 소리가 있어 "너희들이 즐겨 생명을 해침이 너무도 많으니, 마땅히 한 놈을 죽여서 악행을 징계하겠다."라고 하였다. 세 짐승이 그것을 듣고 모두 근심하는 기색이었다. 처녀가 말하기를, "세 오빠가 만일 멀리 피해 가서 스스로 징계하겠다면 제가 대신해서 그 벌을 받겠습니다."라고 하였다. 이에 모두 기뻐하며 머리를 숙이고 꼬리를 떨어뜨리고 달아나 버렸다.

[A] 처녀가 들어와 낭에게 말하기를, "처음에 저는 당신이 우리 집에 오는 것이 부끄러워서 사양하고 거절했습니다. 그러나 이제는 감출 것이 없으니 감히 내심을 말하겠습니

다. 또한 저는 낭군과는 비록 유가 다르지만, 하룻저녁의 즐거움을 얻어 중한 부부의 의를 맺었습니다. 세 오빠의 죄악을 하늘이 이미 미워하시니, 집안의 재앙을 제가 당하고자 합니다. 알지 못하는 사람의 손에 죽는 것이 낭군의 칼날에 죽어서 은덕을 갚는 것과 어떻게 같겠습니까? 제가 내일 시가[市]에 들어가서 사람들을 심하게 해치면 나라 사람들이 저를 어떻게 할 수 없으므로 대왕은 반드시 높은 벼슬을 걸고 나를 잡을 사람을 찾을 것입니다. 당신은 겁내지 말고 나를 쫓아서 성 북쪽의 숲속까지 오면 제가 기다리고 있겠습니다."라고 하였다.

김현이 말하기를, ㉠ "사람과 사람의 사귐은 인륜의 도리이지만 다른 유와 사귀는 것은 대개 정상이 아닙니다. 이미 조용히 만난 것은 진실로 천행이라고 할 것인데, 어찌 차마 배필의 죽음을 팔아서 일생의 벼슬을 요행으로 바랄 수 있겠소?"라고 하였다. 처녀가 말하기를, ㉡ "낭군은 그런 말 마십시오. 지금 제가 일찍 죽는 것은 대개 천명(天命)이며, 또한 저의 소원이요, 낭군의 경사요, 우리 일족의 복이요, 나라 사람들의 기쁨입니다. 한 번 죽어서 다섯 가지 이로움이 갖춰지니 어떻게 그것을 어기겠습니까? 다만 저를 위하여 절을 짓고 불경을 강하여 좋은 과보[勝報]를 얻도록 도와주시면 낭군의 은혜는 더없이 클 것입니다." 라고 하였다.

드디어 그들은 서로 울면서 헤어졌다.

01 윗글에 대한 설명으로 적절하지 않은 것은?

① 구체적인 시대와 장소가 제시되어 있다.
② 당대 행해졌던 종교적 의식이 나타나 있다.
③ 부부로서 맺은 인연이 희생의 결정적 동기가 된다.
④ 가족의 죄를 씻어내기 위해 대신 벌을 받는 이야기이다.
⑤ 천상의 존재에게 영향을 미치는 지상의 존재가 있음을 가정하고 있다.

02 윗글에 나타난 '김현'에 대한 설명으로 적절한 것은?

① '늙은 할미'를 통해 '처녀'의 악행에 대해서 알게 되었다.
② '처녀'를 자신의 집에 데려가서 가족들에게 소개하였다.
③ '처녀'를 흥륜사에 데려와 밤이 깊도록 탑돌이를 하였다.
④ '늙은 할미'의 기지로 은밀한 곳에 숨어 목숨을 구하게 되었다.
⑤ '처녀'의 '세 오빠'에게 하늘에서 외치는 소리를 전해 주었다.

03 [A]에 대한 감상으로 적절하지 않은 것은?

① '처녀'가 감춰 두었던 속내를 밝히고 있군.
② '처녀'는 '김현'에게 은혜를 갚고 싶어 하는군.
③ '처녀'가 집안의 화(禍)를 해결하고자 노력하는군.
④ '처녀'는 시가에서 벌어질 살생을 막고자 하고 있군.
⑤ '처녀'는 부부의 연을 맺은 것을 중요하게 여기고 있군.

학습 활동 응용

04 ㉠과 ㉡에 대한 설명으로 적절하지 않은 것은?

① ㉠에서 '김현'은 상대와의 비정상적인 만남을 천행으로 여기고 있다.
② ㉠에서 '김현'은 상대의 희생을 조건으로 얻을 수 있는 세속적 성공을 거절하고 있다.
③ ㉡에서 '처녀'는 자신의 목숨을 내놓아 다른 이들을 행복하게 해 주려는 자세가 드러나 있다.
④ ㉡에서 '처녀'는 자기 행위를 통해 발생하는 이로움이 작지 않음을 근거로 상대를 설득하고 있다.
⑤ ㉡에서 '처녀'는 하늘의 명령이라기보다는 개인적 소망의 달성이자 사회적 효용이 있음을 강조하고 있다.

서술형 학습 활동 응용

05 ⓐ에서 '처녀'가 '김현'에게 따라오지 말라고 한 까닭을 <조건>에 맞게 서술하시오.

<조건>
- '처녀'의 본래 모습을 근거로 쓸 것
- '김현'과의 짧은 만남에 관한 '처녀'의 정서를 드러낼 것

[6~8] 다음 글을 읽고 물음에 답하시오.

다음 날 과연 사나운 범이 성 안으로 들어왔는데, 매우 사나워 감당할 수가 없었다. 원성왕이 이 소식을 듣고 명령하기를, "범을 잡는 자에게는 벼슬 2급을 주겠다."라고 하였다. 김현이 대궐로 들어가서 아뢰기를, "소신이 잡을 수 있습니다."라고 하였다. 이에 먼저 벼슬을 주어 그를 격려하였다. 김현이 단도를 지니고 숲속으로 들어갔다. ㉠ 범이 처녀로 변하여 반갑게 웃으면서 말하기를, "간밤에 낭군과 함께 마음속 깊이 정을 맺던 일을 낭군은 잊지 마십시오. ㉡ 오늘 내 발톱에 상처를 입은 사람들은 모두 흥륜사의 간장을 바르고 그 절의 나발 소리를 들으면 나을 것입니다."라고 하였다.

이에 김현이 찼던 칼을 뽑아 스스로 목을 찔러 쓰러지니 곧 범이었다. 김현이 숲에서 나와 소리쳐 말하기를, "지금 이 범을 쉽게 잡았다."라고 하였다. 그 사정은 누설하지 않고 다만 그의 말대로 상한 사람들을 치료하니 그 상처가 모두 나았다. ㉢ 지금도 세간에서는 그 방법을 쓰고 있다.

㉣ 김현은 등용된 뒤 서천(西川) 가에 절을 세워 호원사(虎願寺)라고 하고 항상 『범망경(梵網經)』을 강설하여 범의 저승길을 인도하고, 또한 범이 제 몸을 죽여서 자기를 성공하게 만든 은혜에 보답하였다.

㉤ 김현은 죽음을 앞두고 지나간 일의 기이함에 깊이 감동하여 이에 기록하여 전기를 만드니 세상에서는 처음으로 들어 알게 되었고, 이로 인하여 그 이름을 논호림(論虎林)이라고 하여 지금까지도 일컬어 온다.

06 윗글의 내용과 일치하지 않은 것은?

① '김현'은 단도를 사용하여 약속대로 사나운 범을 찔렀다.
② '사나운 범'은 다친 사람들을 치료할 방법을 말해 주었다.
③ '김현'이 정을 통한 '처녀'와 '사나운 범'은 동일한 존재였다.
④ '김현'은 범을 잡게 된 구체적인 정황에 대해서는 함구했다.
⑤ 나라에서 '사나운 범'을 잡은 자에게 관직을 내리기로 했다.

07 ㉠~㉤을 통해 알 수 있는 것으로 적절하지 않은 것은?

① ㉠: 이 이야기가 변신형 설화임을 알 수 있다.
② ㉡: 종교적 신성성에 바탕을 둔 민간요법을 알 수 있다.
③ ㉢: 설화의 내용이 사실임을 증명하는 근거가 된다.
④ ㉣: 이 이야기가 설화 중 민담임을 알 수 있다.
⑤ ㉤: 이 이야기를 쓴 동기를 알 수 있다.

학습 활동 응용

08 〈보기〉를 바탕으로 윗글을 감상한 것으로 적절하지 않은 것은?

〈보기〉

이 일의 처음과 끝을 자세히 살펴보건대, 호랑이 처녀는 절(탑)을 돌 때 김현의 마음을 움직였고, 하늘이 외쳐서 악을 징계하려고 하자 이를 자신이 감당하기로 했으며, 신령한 처방을 전하여 사람을 구하고 절을 세우고 불계를 가르치게 했다. 이것은 다만 짐승의 본성이 어질어서 그런 것이 아니고, 대개 부처님이 사물에 감응하는 방법이 여러 방면이었으므로, 김현이 탑돌이에 정성을 다한 것을 보고 감동하여 몰래 이로움으로 보답하고자 했을 뿐이다. 그때 복을 받은 것은 당연한 일이 아니겠는가?

– 강인구 외, 『역주 삼국유사 4』

① 간밤에 마음속 깊이 정을 맺던 일은, '호랑이 처녀'가 '김현'의 마음을 움직인 것으로 볼 수 있군.
② '김현'이 범을 잡은 것은, '김현'이 '호랑이 처녀'의 본성을 악하다고 판단했기 때문으로 볼 수 있군.
③ 흥륜사의 간장을 바르고 나발 소리를 들은 것은, '호랑이 처녀'가 전한 신령한 처방으로 볼 수 있군.
④ '사나운 범'이 처녀로 변하여 반갑게 웃은 것은, 부처님이 사물에 감응하는 여러 방법으로 볼 수 있군.
⑤ '김현'이 호원사라는 절을 세운 것은, '김현'에게 부처님이 몰래 이로움으로 보답하고자 했던 결과로 볼 수 있군.

정답과 해설 27쪽

02 구운몽(九雲夢) 김만중

출제 포인트	• 작품의 주제 구현 양상 이해하기 • 고전 소설의 환몽 구조 이해하기

작품 개관

갈래	몽자류 소설	성격	불교적, 전기적, 이상적
배경	• 시간: 당나라 때 / • 공간: 중국 남악 현상 연화봉 및 중국 일대		
제재	꿈을 꾸며 성진이 도를 깨닫게 되는 과정		
주제	• 인생무상(人生無常)의 깨달음을 통한 허무의 극복 • 참·거짓의 구별을 초월한 상대주의적 가치관의 깨달음.		
특징	• '현실-꿈-현실'의 이원적 환몽 구조가 나타난 몽자류 소설 • 인간계가 비현실 공간으로, 신선계가 현실 공간으로 설정됨. • 유교, 불교, 도교의 사상이 나타남.		

작품의 서사 구조

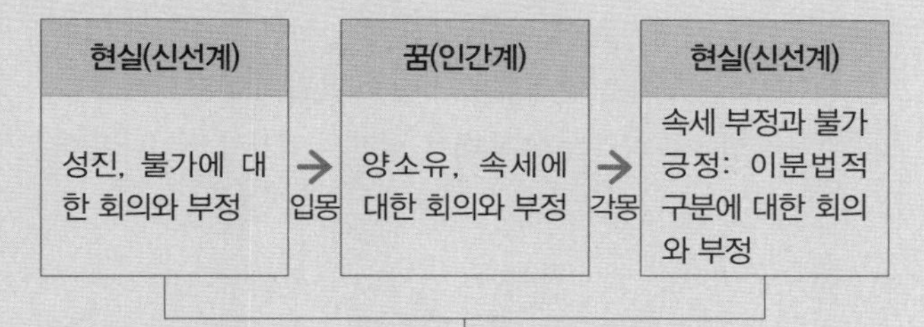

환몽 구조, 세 차례의 회의와 부정을 통해 깨달음으로 나아가는 서사 구조

등장인물의 특성

성진 (양소유)	육관 대사의 수제자. 짧은 시간 동안 세상에서 놀다가 가는 사람이라는 '소유(少遊)'는 인생무상을, 진정으로 깨달은 자라는 '성진(性眞)'은 깨달음이라는 의미를 강조하여, 인생무상에 대한 깨달음이라는 주제 의식을 드러냄.
팔선녀 (여덟 부인)	남악 선녀인 위 부인의 시녀들로서, 성진이 속세의 부귀영화를 좇고자 하는 욕망을 자극하는 역할을 함.
육관 대사	성진의 스승으로, 세속적 부귀영화를 꿈꾸는 성진과 팔선녀를 하룻밤 꿈을 통해 깨달음에 이르게 하는 역할을 함.

몽자류(夢字類) 소설

고전 소설 가운데, '몽(夢)'자가 들어가는 소설을 통칭한다. 주로 주인공이 꿈 속에서 현실과 다른 존재로 태어나, 현실과 전혀 다른 일생을 겪은 다음 꿈에서 깨어나 깨달음을 얻는 형태의 이야기 구조가 드러난다. → 「구운몽」이 몽자류 소설의 효시가 됨.

[1~3] 다음 글을 읽고 물음에 답하시오.

앞부분 줄거리 중국 당나라 때, 서역으로부터 불교를 전하러 온 육관 대사는 남악 형산 연화봉에 법당을 짓고 불법을 베푼다. 이때 동정호의 용왕도 법회에 참석하니, 육관 대사는 제자인 성진을 용왕에게 보내어 사례한다. 용왕의 후한 대접을 받고 돌아오던 성진은 형산의 위 부인이 육관 대사의 법회에 참석하게 했던 팔선녀와 석교에서 마주치게 된다.

성진이 생각하기를,

㉠ '이 물의 상류에 무슨 꽃이 피었기에 이런 신기한 향이 물에서 나는가?'

다시 의복을 정제한 다음 물을 따라 올라가니, 이때에 팔선녀가 석교 위에 앉아서 서로 말하고 있었다. 성진과 팔선녀가 서로 만나니, 성진이 육환장을 놓고 공손히 재배하며 말하였다.

"여보살이여. 빈승은 연화 도량 육관 대사의 제자로 스승의 명을 받들어 산 밑에 나갔다가 장차 돌아오는 길이옵니다. 좁은 석교 위에 보살님들이 앉아 있어, 남자와 여자가 같은 길에 함께 있을 수 없으니, 부디 잠시 발걸음을 옮겨 주시면 길을 빌리고자 합니다."

팔선녀가 답례하여 말하기를,

"우리는 위 부인의 시녀들이옵니다. 부인의 명을 받들어 육관 대사께 문안을 하고 돌아가는 길입니다. ㉡ 첩들이 들으니 '길에서 남자는 왼쪽으로 가고 여자는 오른쪽으로 간다.' 하였으나 이 다리가 매우 좁고 첩들이 이미 먼저 앉았으니 도인의 말씀이 마땅치 아니하니, 바라건대 다른 길로 행하소서."

성진이 답하기를,

"냇물이 깊고 다른 다리가 없으니 빈승으로 하여금 어느 길로 가라 하십니까?"

팔선녀가 가로되,

"옛날 달마 존자는 갈잎을 타고 바다를 건넜다고 하였사옵니다. 화상께서 육관 대사에게 도를 배웠다면 반드시 신통한 도술이 있을 것이니, 어찌 이런 조그마한 냇물을 건너지 못하여 아녀자와 더불어 길을 다투시나이까."

성진이 웃으며 대답하되,

"여러 낭자의 뜻을 보니 행인으로 하여금 길 값을 받고자 하려는 듯싶소. 그러나 가난한 중에게 어이 금전이 있으리오. 마침 명주 여덟 개가 있으니 이것으로 길 값을 치르겠나이다."

ⓒ 손을 들어 복사꽃 가지 하나를 꺾어 팔선녀 앞에 던지니, 그 여덟 봉오리 땅에 떨어져 여덟 개의 명주로 화하였다. 팔선녀가 각각 주워 손에 쥐고 성진을 돌아보며 찬연히 한번 웃고 몸을 솟구치더니 바람을 타고 공중으로 올라갔다. ⓔ 성진이 석교 위에서 오랫동안 팔선녀가 가는 곳을 바라보더니 구름 그림자가 사라지고 향기로운 바람이 가라앉았다. 바야흐로 성진이 석교를 떠나 스승을 가서 뵈니, 스승이 늦게 온 이유를 묻기에 대답하기를,

ⓜ "용왕이 심히 후하게 대접하고 떠나는 것을 만류하니 차마 떨치고 일어나지 못하였습니다."

대사가 더는 묻지 않고 말하기를,

"물러가 쉬어라."

하여, 성진이 자신의 선방에 돌아오니 날이 이미 어두웠다. 성진이 여덟 선녀를 본 후에 정신이 자못 황홀하여 마음에 생각하되,

[A] '남자로 세상에 태어나서 어려서는 공맹의 글을 읽고, 자라서는 요순 같은 임금을 섬겨, 나가서는 장수가 되고 들어와서는 정승이 되어, 비단 옷을 입고 옥대를 차고, 옥궐에 조회하고, 눈에 고운 빛을 보고 귀에 좋은 소리를 듣고, 은택이 백성에게 미치고 공명을 후세에 드리우는 것이 또한 대장부의 일이라. 우리 부처의 법문은 한 바리때의 밥과 한 병의 물과 두어 권의 경문과 백팔 염주뿐이니 비록 그 도가 높고 아름다우나 적막하기 심하도다.'

01 윗글의 '팔선녀'에 대한 이해로 적절하지 않은 것은?

① '성진'에게 냇물을 건너가 보라고 제안했다.
② 석교 위에 앉아 '성진'이 가는 길을 방해했다.
③ '성진'이 던진 명주를 받아들고 하늘로 솟구쳤다.
④ '위 부인'의 시녀 자격으로 '육관 대사'에게 문안왔다.
⑤ '성진'이 '육관 대사'에게 도술을 배우는 것을 목격했다.

학습 활동 응용

02 [A]에 대한 설명으로 적절하지 않은 것은?

① '성진'이 '팔선녀'를 보고 느낀 감회를 표현한 것이다.
② '성진'이 대장부의 일을 긍정적 관점에서 나열하고 있다.
③ 호젓하게 지내온 삶에 대한 '성진'의 인식이 표출되어 있다.
④ 부귀보다는 공명을 앞세우는 '성진'의 욕망이 부각되어 있다.
⑤ 부처의 법문을 따르는 삶에 대한 '성진'의 평가가 드러나 있다.

03 ㉠~ⓜ에 대한 이해로 적절하지 않은 것은?

① ㉠: '성진'이 향기에 이끌려 새로운 세계에 눈을 뜨게 되었음을 의미한다.
② ㉡: 남자와 여자가 서로 구별이 있다는 말이지만, 여기서는 '성진'이 '팔선녀'와 희롱하는 계기로 작용한다.
③ ⓒ: 사물의 비현실적 변화를 통해 '성진'이 지닌 비범함 능력을 표출하고 있다.
④ ⓔ: '팔선녀'의 지속된 행위 때문에 성진의 주변 환경이 달라지게 되었음을 부각하고 있다.
⑤ ⓜ: '성진'이 '팔선녀'와의 희롱 때문에 늦은 것에 대해서 거짓을 꾸며 대는 상황이다.

[4~7] 다음 글을 읽고 물음에 답하시오.

중략 부분 줄거리 속세의 삶을 상상하며 불도에 회의를 느낀 성진은 팔선녀와 더불어 인간 세계로 추방된다. 성진은 인간 세상에서 양 처사의 아들 양소유로 태어나고, 팔선녀는 각기 진채봉, 계섬월, 적경홍, 정경패, 가춘운, 이소화, 심요연, 백능파로 태어난다. 양소유는 팔선녀와 차례대로 결연을 맺어 두 부인, 여섯 낭자와 함께 화평하고 즐거이 지내는 한편, 입신양명하여 부귀공명을 이룬다. 그러나 생일을 맞아 종남산 취미궁에 올라가 처첩들과 가무를 즐기던 양소유는 역대 영웅들의 황폐한 무덤을 보고 문득 인생의 무상함을 느끼고 비회에 잠긴다.

"소유는 본디 하남의 베옷을 입은 미천한 선비로, 성천자의 은혜를 입어 벼슬이 장상에 이르렀으며 낭자들과의 은정이 백 년이 하루 같으니, 만일 모두 전생 숙연으로 모였다가 인연이 다하여 각각 돌아감은 천지에 떳떳한 일이라. 우리가 돌아간 백 년 후에 높은 대가 무너지고 굽은 연못이 메워지며 가무하던 땅이 변하여 거친 산과 쇠한 풀이 되면 초부와 목동이 그곳을 오르내리며 탄식하여 가로되, '여기는 옛날 양 승상이 여러 낭자와 더불어 놀던 곳이라. 승상의 부귀풍류와 여러 낭자의 옥용화태는 이제 어디 갔느냐?' 하리니 어찌 인생이 덧없지 아니한가?

내가 생각하니 천하에 유도(儒道)·선도(仙道)·불도(佛道)가 가장 높으니 이를 삼교(三敎)라고 이른다. 유도는 생전(生前)의 사업과 신후(身後)에 이름을 전할 뿐이요, 신선은 예로부터 구하여 얻은 자가 드무니 진시황·한무제·현종황제를 보면 알 수 있다. 내가 벼슬에서 물러난 후로부터 밤에 잠이 들면 꿈속에서 매양 포단 위에 참선하는 모습을 보니 이는 필연 불가와의 인연이 있는 것이라. 내가 장차 장자방이 적송자(赤松子)를 따른 것을 본받아 집을 버리고 스승을 구하여 남해를 건너 관세음보살을 찾고, 오대(五臺)에 올라 문수보살께 예를 하여 불생불멸의 도를 얻어 진세 고락을 벗고자 하되, 그대들과 반평생을 해로하다가 갑자기 이별하려 하니 슬픈 마음이 자연스레 곡조에 나타난 것이오."

모든 낭자들이 다 전생에 근본이 있는 사람이라, 또한 세속 인연이 다할 때니 이 말을 듣고 자연히 감동하여 이르되,

"상공께서 부귀번화를 누리는 가운데도 이렇듯 청정한 마음을 가지셨으니 ㉠ 상공에게 어찌 장자방을 견주리오? 우리 자매 팔 인은 마땅히 깊은 규중에서 분향 예불하여 상공께서 돌아오시기를 기다릴 것이옵니다. 상공께서 이번에 가시면 반드시 밝은 스승과 어진 벗을 만나 큰 도를 얻으시리니, 득도한 후에 부디 첩 등을 먼저 제도(濟度)해 주소서."

승상이 몹시 기뻐하며 말하기를,

"우리 아홉 사람의 뜻이 같으니 쾌사라. 과인은 내일 떠날 것이니, 오늘은 모든 낭자와 더불어 취하도록 술을 마시리라."

모든 낭자들이 말하기를,

"첩들이 각각 한 잔씩 받들어 상공을 전송하오리다."

04 윗글의 서사 전개 과정을 다음과 같이 정리할 때, A~C에 대한 설명으로 적절하지 않은 것은?

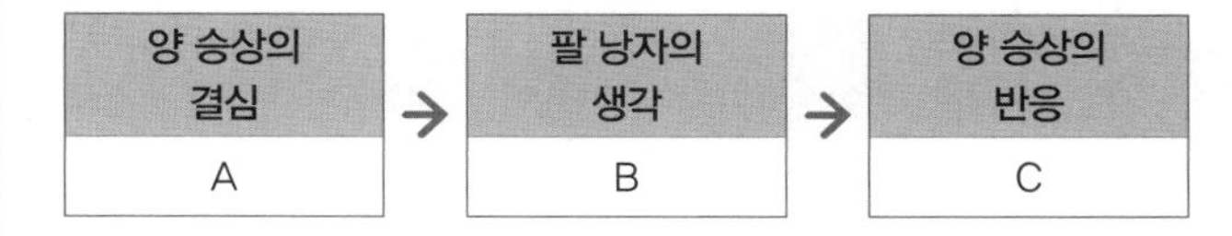

양 승상의 결심	→	팔 낭자의 생각	→	양 승상의 반응
A		B		C

① A는 현세적 욕망에 대한 '양 승상'의 깨달음으로 인해 촉발된 것이다.
② A의 '양 승상'의 결심은 벼슬에서 물러난 후 꿈속에서 본 모습과 관련이 깊다.
③ B에서 '팔 낭자'는 '양 승상'으로 하여금 A의 결심을 굳힐 것을 촉구하고 있다.
④ C에서 '양 승상'은 '팔 낭자'와 함께 있는 현재를 즐기고 싶음을 표현하고 있다.
⑤ C에서 '양 승상'은 B의 생각이 자신의 생각과 일치하는 것을 기뻐하고 있다.

서술형

05 '양 승상'이 불가에 귀의하기로 결심한 이유를 다음과 같이 정리하였다. 빈칸에 들어갈 내용을 서술하시오.

천하에 유도(儒道)·선도(仙道)·불도(佛道)가 가장 높음.

유도(儒道)	
선도(仙道)	

↓

불도(佛道)	매양 포단이 꿈에 보이는 것으로 보아 인연이 있을 것임.

06 초부와 목동과 시적 정서가 유사한 것이 아닌 것은?

① 산(山)은 녯 산(山)이로되 물은 녯 물이 안이로다. / 주야(晝夜)에 흘은이 녯 믈이 이실쏜야 / 인걸(人傑)도 물과 ᄀᆞᆺ도다. 가고 안이 오노ᄆᆡ라. – 황진이

② 두류산(頭流山) 양단수(兩端水)를 녜 듯고 이제 보니. / 도화(桃花) 뜬 말근 물에 산영(山影)조차 잠겨셰라. / 아희야. 무릉(武陵)이 어대매오 나난 옌가 하노라. – 조식

③ 오백 년(五百年) 도읍지(都邑地)를 필마(匹馬)로 도라드니, / 산천(山川)은 의구(依舊)ᄒᆞ되 인걸(人傑)은 간 듸 업다. / 어즈버, 태평연월(太平烟月)이 꿈이런가 ᄒᆞ노라. – 길재

④ 백일(白日)은 서산(西山)에 지고 황하(黃河)는 동해(東海)로 들고, / 고금(古今) 영웅(英雄)은 북망(北邙)으로 든단 말가. / 두어라 물유성쇠(物有盛衰)니 한(恨)할 줄이 있으랴. – 최충

⑤ 흥망(興亡)이 유수(有數)하니 만월대(滿月臺)도 추초(秋草)ㅣ로다. / 오백 년(五百年) 왕업(王業)이 목적(牧笛)에 부쳐시니, / 석양(夕陽)에 지나는 객(客)이 눈물계워 ᄒᆞ노라. – 원천석

07 ㉠을 직접적으로 표현했을 때, 가장 적절한 것은?

① '양 승상'은 '장자방'에 미치기 어렵다.
② '장자방'과 같은 길을 가서는 안 된다.
③ '양 승상'이 장자방보다 훨씬 훌륭하다.
④ '양 승상'도 '장자방'의 길을 따라야 한다.
⑤ '장자방'은 옛사람이라 존중받아야 한다.

[8~13] 다음 글을 읽고 물음에 답하시오.

잔을 씻어 다시 부으려 하는데, 홀연 막대 던지는 소리가 났다. 모든 사람들이 의아히 여기며 생각하기를, '어떤 사람이 올라오는가?' 하였다. 한 호승(胡僧)이 눈썹이 길고 눈이 맑고 얼굴이 괴이하였다. 엄연히 좌상에 이르러 승상에게 예를 하며 말하기를,

"산야 사람이 대승상을 뵈옵니다."

태사가 이인인 줄 알고 황망히 답례하기를,

"사부는 어느 곳으로부터 오셨나이까?"

호승이 웃으며 대답하기를,

"평생 고인을 몰라보시니 일찍이, '귀인은 잊기를 잘한다.'는 말이 옳소이다."

승상이 자세히 보니 과연 얼굴이 익은 듯하였다. 문득 깨달아 능파 낭자를 돌아보며 말하기를,

"내가 ㉠ 지난날 토번을 정벌할 때 꿈에 동정 용궁의 잔치에 참석하고 돌아오는 길에, 한 화상이 법좌(法座)에 앉아서 경을 강론하는 것을 보았는데 노승이 바로 그 노화상이냐?"

호승이 박장대소하고 가로되,

"옳도다, 옳도다. 비록 그 말이 옳으나 꿈속에서 잠깐 만난 일은 기억하고 십년 동안 같이 살았던 것은 기억하지 못하니 누가 양 승상을 총명하다 하였는가?"

승상이 망연자실하여 말하기를,

"소유는 십오륙 세 이전에는 부모의 슬하를 떠난 적이 없고, 십육 세에 급제하여 곧바로 직명을 받아 관직에 있었으니, 동으로 연나라에 사신으로 가고 토번을 정벌하러 떠난 것 외에는 일찍이 경사를 떠나지 아니하였거늘, 언제 사부와 함께 십 년을 상종하였으리오?"

노승이 웃으며 말하기를,

"상공이 아직도 춘몽을 깨지 못하였도다."

승상이 말하기를,

"사부는 어찌하면 소유로 하여금 춘몽을 깨게 하실 수 있나이까?"

노승이 이르기를,

"이는 어렵지 않도다."

하고 손에 잡고 있던 석장을 들어 돌난간을 두어 번 두드렸다. 갑자기 네 골짜기에서 구름이 일어나 누대 위를 뒤덮어 지척을 분변하지 못하였다. 승상이 정신이 아득하여 마치 취몽 가운데에 있는 듯하여 한참만에 소리를 질러 말하기를,

"사부는 어찌하여 정도(正道)로 소유를 인도하지 아니하고 환술로써 희롱하시나이까?"

[A] 승상이 말을 마치지 못하여 구름이 걷히는데 노승은 간 곳이 없고 좌우를 돌아보니 팔 낭자도 간 곳이 없었다. 승상이 매우 놀라 어찌할 바를 모르는 중에 높은 대와 많은 집들이 한순간에 없어지고 자기의 몸은 작은 암자의 포단 위에 앉았는데, 향로에 불은 이미 사라지고 지는 달이 창가에 비치고 있었다.

자신의 몸을 보니 백팔 염주가 걸려 있고 머리를 손으로 만져 보니 갓 깎은 머리털이 가칠가칠하였으니 완연히 소화상의 몸이요 전혀 대승상의 위의가 아니니, 정신이 황홀하여 오랜 후에야 비로소 제 몸이 연화 도량의 성진(性眞) 행자(行者)임을 깨달았다.

그리고 생각하기를, '처음에 스승에게 책망을 듣고 풍도옥(酆都獄)으로 가서 인간 세상에 환도하여 양가의 아들이 되었다. 그리고 ㉡ <u>장원 급제를 하여 한림학사를 한 후 출장입상(出將入相)</u>, 공명신퇴(功名身退)하여 두 공주와 여섯 낭자로 더불어 즐기던 것이 ⓐ <u>다 하룻밤의 꿈이로다.</u> 이는 필연 사부가 나의 생각이 그릇됨을 알고 나로 하여금 그런 꿈을 꾸게 하시어 인간 부귀와 남녀 정욕이 다 허무한 일임을 알게 한 것이로다.'

성진이 서둘러 세수하고 의관을 정제히 하여 방장에 나아가니, 다른 제자들이 이미 다 모여 있었다. 대사가 큰 소리로 묻기를,

"성진아, 인간 부귀를 겪어 보니 과연 어떠하더냐?"

성진이 머리를 조아리고 눈물을 흘리며 하는 말이,

㉢ <u>"성진이 이미 깨달았나이다.</u> 제자가 불초하여 생각을 그릇되게 하여 죄를 지었으니 마땅히 인간 세상에서 윤회하는 벌을 받아야 하거늘, 사부께서 자비하시어 하룻밤 꿈으로 제자의 마음을 깨닫게 하시니, 사부의 은혜는 천만 겁이 지나도 갚기 어렵나이다."

대사가 말하기를,

"네가 흥을 타고 갔다가 흥이 다하여 돌아왔으니 내가 무슨 간여할 바가 있겠느냐? 또 네가 말하기를, '인간 세상에 윤회한 것을 꿈을 꾸었다.'라고 하니, 이는 꿈과 세상을 다르다고 하는 것이니, 네가 아직도 꿈을 깨지 못하였도다. 옛말에 ㉣ <u>'장주(莊周)가 꿈에서 나비가 되었다가 다시 나비가 장주가 되었다.</u>'라고 하니, 어느 것이 거짓 것이고, 어느 것이 참된 것인지 분변하지 못하나니, 이제 성진과 소유에 있어 어느 것이 참이며 어느 것이 꿈이냐?"

성진이 이에 대답하기를,

"제자 성진은 아득하여 꿈과 참을 분별하지 못하겠사오니, ㉤ <u>사부는 설법(說法)을 베풀어 제자로 하여금 깨닫게 하소서.</u>"

08 윗글에 대한 감상으로 적절하지 <u>않은</u> 것은?

① '성진'은 '육관 대사'를 처음 봤을 때는 알아보지 못하였군.
② '육관 대사'는 외모에서부터 비범한 인물임을 알 수 있어.
③ '육관 대사'는 '성진'이 꿈에서 깨어나자마자 자신의 가르침을 깨달은 것에 대해 만족해 하고 있군.
④ '육관 대사'는 꿈이라는 장치를 통해 '성진'이 참된 이치를 깨달을 수 있도록 하는 안내자의 역할이군.
⑤ '성진'은 꿈에서 깨어나 자신의 몸이 수행하는 승려임을 확인하고 나서야 자신이 누군지 깨닫고 있어.

09 윗글의 춘몽에 대한 이해로 가장 적절한 것은?

① '양 승상'의 부탁으로 '노승'이 꾸게 된 꿈을 표현한 말이다.
② '노승'이 '양 승상'의 부귀영화를 비유적으로 드러낸 말이다.
③ '노승'을 시험해 보려는 '양 승상'의 의도가 담겨 있는 말이다.
④ '양 승상'이 자신의 깨달음의 경지를 내보이기 위해 꺼낸 말이다.
⑤ '양 승상'이 '노승'을 처음 만난 장소의 계절감을 강조하는 말이다.

10 [A]에 대한 감상으로 적절하지 않은 것은?

① 구름이 걷히며 '팔 낭자'가 흔적도 없이 사라진 것은 인물이 맺은 인연이 덧없는 것임을 드러내는 것으로 볼 수 있군.
② 높은 대와 많은 집은 이제까지 인물이 누리고 있던 세속적인 삶을 표상하는 것으로 이해할 수 있군.
③ 한 순간에 사라졌다는 것은 인물이 꿈에서 깨어나는 과정을 표현한 것이군.
④ 작은 암자의 포단은 꿈에서 깨어난 인물의 신분이 승려임을 명시적으로 드러내는 소재로 볼 수 있군.
⑤ '지는 달이 창가에 비치고 있는 것'은 부귀영화를 더 이상 누릴 수 없는 인물의 아쉬움을 표현하고 있는 것으로 볼 수 있군.

고난도

11 〈보기〉를 참고하여 ㉠~㉤을 감상한 것으로 적절하지 않은 것은?

〈보기〉

「구운몽」은 '회의(懷疑)와 부정(否定)'의 과정을 통해서 서사가 구성된다. 작품 초반에 성진이 세속에 호기심을 갖는 모습은 불교적 가치관에 대한 '회의와 부정'에서, 결말에 이르러 다시금 불교적 삶을 택하는 모습은 세속적 삶에 대한 '회의와 부정'에서, 마지막 육관 대사의 성진에 대한 가르침은 참·거짓의 이분법적 구분에 대한 '회의와 부정'에서 기인한 것이다. 이러한 세 번의 '회의와 부정'은 작품에 순차적으로 등장하여 「구운몽」의 주제를 한층 심화시킨다.

① ㉠은 '첫 번째 회의와 부정'을 경험하기 전의 일이다.
② ㉡은 '첫 번째 회의와 부정'과 '두 번째 회의와 부정' 사이에 일어난 일이다.
③ ㉢은 '두 번째 회의와 부정'을 경험한 직후의 일이다.
④ ㉣은 '세 번째 회의와 부정' 단계의 핵심 내용을 보여 주는 비유적인 표현이다.
⑤ ㉤은 '두 번째 회의와 부정'에서 '세 번째 회의와 부정'으로 나아가고자 함을 의미한다.

12 ⓐ와 의미가 통하는 한자 성어로 적절하지 않은 것은?

① 동상이몽(同牀異夢) ② 일장춘몽(一場春夢)
③ 한단지몽(邯鄲之夢) ④ 남가일몽(南柯一夢)
⑤ 수류운공(水流雲空)

학습 활동 응용

13 윗글과 〈보기〉를 비교하여 감상한 것으로 적절하지 않은 것은?

〈보기〉

강남홍이 말했다.
"그렇다면 저도 천상의 별이라는 것인데, 이미 이곳에 왔으니 다시 인간 세상으로 돌아가고 싶지 않습니다."
그러자 보살이 웃으며 말했다.
"하늘이 정한 인연은 인간의 힘으로는 미칠 수 없는 것이오. 그대는 인간 세상에서의 잠깐 동안의 인연을 마치지 못했습니다. 얼른 돌아갔다가 40년 뒤에 다시 와서 옥황상제께 조회를 하고 천상의 즐거움을 누리도록 하시오."
강남홍이 물었다.
"보살은 누구십니까?"
보살이 웃으며 말했다.
"빈도(貧道)는 남해(南海) 수월암(水月庵)의 관세음보살(觀世音菩薩)이오. 부처님의 명을 받들어 그대를 안내하여 이곳에 온 것입니다."
보살이 이야기를 마치고 석장을 들어 공중에 던지자 갑자기 오색 무지개가 일어나는 것이었다. 홀연 천둥이 한 번 치면서 깜짝 놀라 깨어나니 한바탕 꿈이었다. 취봉루 책상 앞에 예전처럼 누워 있는 것이었다.

– 남영로, 「옥루몽」

① 윗글과 달리 〈보기〉는 절대자의 위엄에 기대어 인물의 앞날을 명시적으로 드러내고 있다.
② 〈보기〉와 달리 윗글은 고사를 활용하여 인물의 행적에 대한 또 다른 인물의 평가를 제시하고 있다.
③ 윗글의 '대사'와 〈보기〉의 '보살'은 각각 '성진'과 '강남홍'에게 불도에 귀의할 것을 권하고 있다.
④ 윗글의 '성진'과 〈보기〉의 '강남홍'은 모두 인간 세상을 부정적으로 바라보고 있다.
⑤ 윗글과 〈보기〉는 모두 인물 간의 대화를 중심으로 서사가 진행되고 있다.

03 너와 나만의 시간 황순원

[출제 포인트 | • 인물의 성격·심리 파악하기
• 작품의 문학사적 의의 이해하기]

작품 개관

갈래	단편 소설, 실존주의 소설, 전후 소설	성격	사실적, 휴머니즘적, 상징적
시점	전지적 작가 시점		
제재	• 시간: 6·25 전쟁 / • 공간: 인적이 없는 깊은 산속		
주제	전쟁이라는 극한 상황 속에서 발휘되는 삶의 의지		
특징	• 우화적인 삽화를 통해 전쟁 상황을 상징적으로 표현함. • 전쟁을 다루지만 이념 갈등보다는 인간 존재의 의미에 초점을 둠. • 등장인물이 겪는 사건과 심리를 간결한 문장과 사실적 묘사로 그려 냄.		

등장인물의 성격

주 대위	다리에 총상을 입은 데다 전쟁에서 낙오된 극한 상황 속에서도 삶에 대한 의지를 잃지 않는 삶에 대한 집념이 강한 인물
현 중위	부상당한 주 대위가 자살하도록 무언의 압력을 가하는 등 자신의 생존을 위한 현실적 이익을 먼저 생각하는 현실적이고 이기적인 인물
김 일등병	자신의 목숨이 위태로운 상황 속에서도 주 대위를 포기하지 않고, 죽은 현 중위를 맴도는 까마귀를 쫓아내는 등 따뜻한 인간애를 가진 희생적인 인물

인물 간의 관계

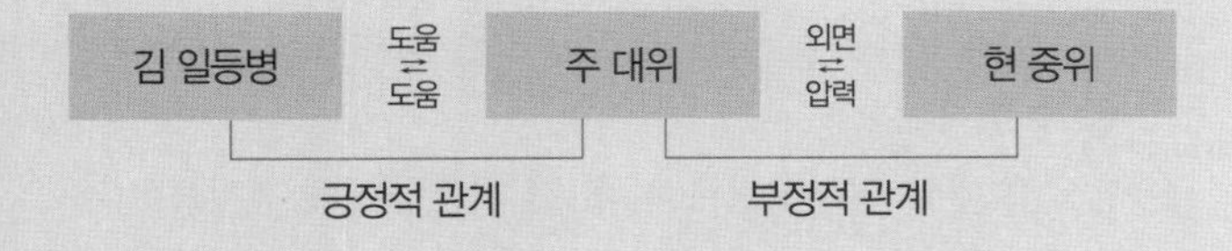

'개 짖는 소리'의 의미와 기능

의미	기능
• 산속에 고립되어 생존의 위협을 받고 있는 주 대위와 김 일등병에게 '개 짖는 소리'는 주변에 인가가 있다는 의미로 살아날 희망이 있음을 의미함. • 주 대위의 삶에 대한 의지가 실현된 것으로 볼 수 있음.	• 극한 상황에서 인물들에게 희망을 부여해 줌. • 인물의 내면 심리가 전환되는 계기를 마련함. • 주 대위와 김 일등병이 인가에 도착할 수 있도록 안내함.

[1~6] 다음 글을 읽고 물음에 답하시오.

앞부분 줄거리 전쟁 중, 인적이 없는 깊은 산속에 낙오된 주 대위, 현 중위, 김 일등병은 무작정 남쪽으로 이동한다. 현 중위는 부상을 당하여 이동에 방해가 되는 주 대위에게 스스로 목숨을 끊어 다른 사람의 짐을 덜어 달라고 은연중에 압박하지만 주 대위는 이를 외면한다. 결국 현 중위는 밤에 두 사람을 버리고 몰래 떠나고, 김 일등병이 혼자서 주 대위를 업고 이동한다.

김 일등병도 군복 바지와 군화마저 벗어 버렸다. 맨발로 산길을 걷기가 힘들다는 걸 모르는 바 아니었다. 하지만 우선 신발이 천근만근 무겁게 여겨져 견딜 수가 없는 것이었다.

여기저기 발바닥이 터져 피가 내배었다. 그렇다고 돌부리 아닌 고운 땅만 골라 밟을 수만도 없었다.

한결같이 눈에 뵈는 것은 [인가] 아닌 산봉우리와 계곡의 움직임 없는 굴곡뿐이요, 귀에는 그처럼 갈망하고 있는 아군의 폿소리 대신 한없이 먼 데까지 펴져나간 고즈넉함과 김 일등병의 몰아쉬는 거친 숨소리뿐이었다.

그래도 ㉠ 주 대위는 온 신경을 귀로 모으고 있었다. 어떤 색다른 소리나마 놓치지 않으려는 것이다.

한번은 주 대위가 저리 가 물을 마시고 가자고 했다. 김 일등병은 어디 물이 있는가 싶었다. 그러나 주 대위가 말하는 데로 가 보니, 바위틈에서 샘물이 흐르고 있었다.

하루 종일 걸은 것이 겨우 십 리 길도 못 되었다. 그동안 두 사람은 산개구리 몇 마리를 잡아 날로 먹었을 뿐이었다.

김 일등병의 무릎은 굽어지고 허리는 앞으로 숙어져 거의 기는 시늉이었다.

㉡ 주 대위는 김 일등병의 허리가 앞으로 숙는 각도에 따라 그만큼 자기의 생에 대한 희망도 꺾여 들어감을 느껴야만 했다.

저녁때쯤 어느 능선을 돌아가노라니까 앞에서 **까마귀** 한 마리가 펄럭 하고 날아올랐다. 깎은 듯한 낭떠러지가 가로놓여 있는 것이었다.

발길을 돌리며 김 일등병은 무심코 아래를 내려다 보았다.

거기에 까마귀 두세 마리가 앉아 무엇인가 열심히 쪼고 있었다.

사람의 시체였다. 그리고 첫눈에 그것은 현 중위의 시체라는 걸 알 수 있었다. 어제저녁 두 사람을 버리고 떠났을 때와 똑같이 위는 셔츠 바람이요, 아래는 군복 바지에 군화를 신고 있었다.

까마귀란 놈이 시체 얼굴에 붙어서 무엇인가 쪼고 있는 것이었다. 그러다가 이쪽을 보고는 날아갈 기미를 보이다가도 그저 까욱까욱 몇 번 울 뿐, 다시 쪼기를 계속하는 것이었다.

시체 얼굴에는 이미 눈알은 없어져 떼꾼하니 검은 구멍이 나 있었다.

두 사람은 이쪽으로 와 아무 데나 쓰러지듯이 드러누웠다. ㉢ 현 중위의 시체를 보자 마지막 남았던 기운마저 빠져 버리고 만 것이었다.

잠시 후에 ⓐ 김 일등병은 무엇을 생각했는지 일어나 허청거리며 벼랑 쪽으로 가더니 돌을 집어 던지기 시작했다. 그때마다 까마귀가 펄럭 하고 시체를 떠나는 것이었으나, 곧 못마땅한 듯이 까욱까욱하며 다시 내려앉는 것이었다.

㉣ 김 일등병은 도로 와 쓰러지듯이 드러누워 버렸다.

옆에 누워 있는 주 대위를 돌아다보았다. ㉤ 그는 눈을 감은 채 번듯이 누워 있었다.

김 일등병은 전에 치열한 싸움터에서는 오히려 잊게 마련이었던 죽음이란 것을 몸 가까이 느꼈다. 내일쯤은 까마귀가 자기네의 눈알도 파먹으리라. 그러자 그는 옆에 누워 있는 주 대위가 먼저 죽어 까마귀에게 눈알을 파먹히는 걸 보느니보다는 차라리 자기 편이 먼저 죽어 모든 것을 모르고 지나기를 바랐다.

그는 문득 울고 싶어졌다. 그러나 그럴 기운조차 지금 그에겐 없었다.

01 윗글에 대한 설명으로 가장 적절한 것은?

① 주인공이 다른 인물을 관찰한 내용을 서술하고 있다.
② 인물의 행동과 심리를 간결한 문체로 묘사하고 있다.
③ 전쟁을 배경으로 이념적 갈등이 첨예하게 나타나 있다.
④ 현재 시제를 사용하여 사건을 생동감 있게 전달하고 있다.
⑤ 간접 인용을 활용하여 사건의 속도를 빠르게 전개하고 있다.

학습 활동 응용

02 윗글에 나타난 인물들의 성격에 대한 설명으로 적절하지 않은 것은?

① '현 중위'는 부상당한 '주 대위'를 버리고 밤에 몰래 떠난 것으로 보아, 이기적이고 냉정한 성격임을 알 수 있군.
② '현 중위'는 부상당한 '주 대위'에게 자살하도록 압력을 가한 것으로 보아, 의리보다는 자신의 현실적 이익을 먼저 생각하는 성격임을 알 수 있군.
③ '김 일등병'은 '현 중위'의 시신을 수습하려고 한 것으로 보아, 타인을 생각할 줄 아는 따뜻한 성격임을 알 수 있군.
④ '김 일등병'은 자신의 목숨도 위태로운 상황 속에서 부상당한 '주 대위'를 업고 이동하는 것으로 보아, 위계질서에 복종적인 성격임을 알 수 있군.
⑤ '주 대위'는 큰 부상을 입은 상황에서도 삶에 대한 의지를 버리지 않는 것으로 보아, 삶에 대한 집념이 강한 성격임을 알 수 있군.

03 ㉠~㉤에 대한 설명으로 적절하지 않은 것은?

① ㉠: 살기 위해서는 작은 소리라도 놓칠 수 없는 상황임을 알 수 있다.
② ㉡: '주 대위'가 부상으로 인해 '김 일등병'에게 전적으로 자신의 생명을 의탁한 상태이기 때문에 느끼는 감정으로 볼 수 있다.
③ ㉢: 동료의 죽음을 통해 자신들의 죽음을 예감하고 절망하고 있음을 알 수 있다.
④ ㉣: 자신들을 버리고 도망간 '현 중위'에 대한 분노와 슬픔의 감정이 드러나는 행동으로 볼 수 있다.
⑤ ㉤: 인간의 힘으로는 어쩔 수 없는 생사에 대한 체념과 '현 중위'의 죽음에 대한 착잡한 심정에서 나온 행동으로 볼 수 있다.

04 〈보기〉의 밑줄 친 시어 중에서 윗글의 등장인물들에게 인가가 갖는 의미와 가장 유사한 것은?

〈보기〉

푸른 산이 흰 구름을 지니고 살 듯 내 머리 위에는 항상 푸른 하늘이 있다.

하늘을 향하고 산림(山林)처럼 두 팔을 드러낼 수 있는 것이 얼마나 숭고한 일이냐.

두 다리는 비록 연약하지만 젊은 산맥으로 삼고 부절(不絶)히 움직인다는 둥근 지구를 밟았거니…

푸른 산처럼 든든하게 지구를 디디고 사는 것은 얼마나 기쁜 일이냐. // 뼈에 저리도록 생활은 슬퍼도 좋다. 저문 들길에 서서 푸른 별을 바라보자!

푸른 별을 바라보는 것은 하늘 아래 사는 거룩한 나의 일과이어니… — 신석정, 「들길에 서서」

① 푸른 산 ② 젊은 산맥 ③ 생활
④ 저문 들길 ⑤ 푸른 별

서술형

05 윗글에서 '까마귀'가 암시하는 바를 〈조건〉에 맞게 서술하시오.

〈조건〉

• 2가지 이상의 감정이 드러나도록 쓸 것

06 〈보기〉에서 '김 일등병'이 ⓐ와 같은 행위를 하는 이유를 골라 바르게 묶은 것은?

〈보기〉

㉠ '현 중위'의 죽은 시체나마 지켜 주고 싶었기 때문이다.
㉡ 까마귀로 인한 죽음의 이미지를 벗어나고 싶었기 때문이다.
㉢ '김 일등병'과 '주 대위'를 버리고 간 '현 중위'에 대한 미움 때문이다.
㉣ 까마귀 떼의 공격으로 자신들까지도 피해를 입을까 걱정되었기 때문이다.

① ㉠, ㉡ ② ㉠, ㉢ ③ ㉡, ㉢
④ ㉡, ㉣ ⑤ ㉢, ㉣

[7~10] 다음 글을 읽고 물음에 답하시오.

저도 모르게 혼곤히 잠 속에 끌려 들어갔던 김 일등병은 주 대위가 무어라 부르는 소리에 눈을 떴다. 하늘에 별이 총총 나 있었다.

"저 소릴 좀 듣게."

주 대위가 누운 채 쇠진한 목 안의 소리로,

"폿소릴세."

김 일등병은 정신이 번쩍 들어 상반신을 일으키며 귀를 기울였다. 과연 먼 우렛소리 같은 포성이 은은히 들려오는 것이다.

"어느 편 폽니까?"

"아군의 포야. 백오십오 밀리의……."

이 주 대위의 감별이면 틀림없는 것이다. 그래 얼마나 먼 거리냐고 물으려는데 주 대위 편에서,

"그렇지만 너무 멀어, 사십 리는 실히 되겠어."

그렇다면 아무리 아군의 포라 해도 소용이 없다.

김 일등병은 도로 자리에 누워 버렸다.

주 대위는 지금 자기는 각각으로 죽어 가고 있다고 느꼈다. 이상스레 맑은 정신으로 그게 느껴졌다. ㉠ 그러다가 그는 드디어 지금까지 피해 오던 어떤 상념과 정면으로 부딪쳤다. 그것은 권총을 사용해야 한다는 생각이었다. 아무래도 죽을 자기가 진작 자결을 했던들 모든 문제는 해결됐을 게 아닌가. 첫째, 현 중위가 밤길을 서두르다가 벼랑에 떨어져 죽지 않았을는지 모른다. 아무튼 이제라도 자결을 해 버려야 한다. 그러면 아무리 지친 김 일등병이라 하더라도 혼잣몸이니 어떻게든 아군 진지까지 도달할 가망이 전혀 없는 것도 아니다.

그는 김 일등병을 향해,

"폿소리 나는 방향은 동남쪽이다. 바로 우리가 누워 있는 발 쪽 벼랑을 왼쪽으루 돌아 내려가면 된다!

있는 힘을 다해 명령조로 말했다. 그리고 무거운 손을 움직여 허리에서 권총을 슬그머니 빼었다.

그때, ㉡ 바로 그때 주 대위의 귀에 은은한 폿소리 사이로 또 다른 하나의 소리가 들려온 것이었다.

처음에는 그도 의심스러운 듯이 귀를 기울이고 있다가,

"저 소리가 무슨 소리지?"

김 일등병이 고개만을 들고 잠시 귀를 기울이듯 하더니,

"무슨 소리 말입니까?"

"지금은 안 들리는군."

거기에 그쳤던 소리가 바람을 탄 듯이 다시 들려왔다.

"저 소리 말야. 이 머리 쪽에서 들려오는……."

그래도 김 일등병의 귀에는 아무것도 들리지 않았다.

"개 짖는 소리 같애."

개 짖는 소리라는 말에 김 일등병은 지친 몸을 벌떡 일으켜 머리 쪽으로 무릎걸음을 쳐 나갔다. 개 짖는 소리가 들린다면 그리 멀지 않은 곳에 인가가 있음에 틀림없었다.

학습 활동 응용

07 윗글의 내용과 일치하지 않는 것은?

① '김 일등병'의 체력은 거의 고갈된 상태이다.
② '김 일등병'은 폿소리가 매우 멀리서 들리는 것임을 알고 실망하고 있다.
③ '김 일등병'은 개 짖는 소리라는 '주 대위'의 말을 의심하며 삶에 대해 체념하고 있다.
④ '주 대위'는 자신이 자결했다면 '현 중위'가 죽지 않았을 것이라고 자책하고 있다.
⑤ '주 대위'는 폿소리를 듣고 아군의 진지까지는 가기 어려울 것이라 생각하고 있다.

08 ㉠에 대한 이해로 가장 적절한 것은?

① 그동안 피해왔던 죽음에 대한 생각과 맞닥뜨리는 것으로 자결을 생각하게 된다.
② 죽음에 대한 공포와 두려움에 대해 고민하는 것으로 삶의 의지를 다시 갖게 된다.
③ 자신의 죽음을 인정할 수 없는 내적 갈등을 드러낸 것으로 삶에 대한 강한 집념을 표현하게 된다.
④ '현 중위'가 자신에게 자결을 강요했던 과거의 기억을 떠올린 것으로 '현 중위'를 이해하고 용서하게 된다.
⑤ 자신을 위해 희생하는 '김 일등병'에 대한 죄책감을 떠올리는 것으로 '김 일등병'과의 갈등을 해소하게 된다.

학습 활동 응용

09 ㉡이 사건 전개에 주는 영향으로 가장 적절한 것은?

① 공간적 배경이 묘사된 부분으로 사건 전개상 시간의 흐름을 지연시키고 있다.
② 사건이 극적으로 전환되는 부분으로 인물이 삶에 대한 희망을 이어가는 계기가 된다.
③ 현재 상황과 대비되는 장면이 제시되는 부분으로 인물이 사건의 심각성을 느끼게 된다.
④ 인물의 내적 갈등이 심화되는 부분으로 인물이 삶과 죽음의 선택을 보류하는 계기가 된다.
⑤ 의식의 흐름에 따라 서술된 부분으로 인물의 심리가 처음과 달리 변화하고 있는 양상을 보여 주게 된다.

학습 활동 응용

10 〈보기〉를 바탕으로 윗글을 이해한 내용으로 적절하지 않은 것은?

〈보기〉

전쟁 문학에서는 전쟁이라는 극한 상황 속에서 나타나는 인간의 행위와 그로 인한 실존적 고민, 이념의 차이가 어떻게 전쟁에서 구체적으로 반영되는가, 거대한 세력 간의 구조적 마찰의 결과로 일어나는 전쟁이라는 사건과 그것을 수행하는 한 개인의 삶의 의미와의 상관성, 전쟁을 수행하면서 혹은 전쟁을 거친 뒤 인간은 어떠한 변화를 겪고 어떻게 현실에 적응하는가 등이 다루어진다.

① 전쟁으로 한 개인의 생사가 갈리거나 삶이 파괴되는 모습을 통해 전쟁의 비극성을 부각하고 있군.
② 이념의 대립을 주로 다루면서 전쟁의 의미에 관해 깊이 통찰하고 있다는 점에서 높이 평가할 수 있겠군.
③ 전쟁이라는 극한 상황 속에서 나타나는 생존의 의지와 그 속에서 피어나는 따뜻한 인간애를 다루고 있군.
④ 죽음이 다가오는 극단적인 상황에서 각기 다른 인간의 심리와 대응 방식을 보여 줌으로써 인간 존재에 대한 성찰을 하게 하는군.
⑤ 전쟁이라는 보편적인 소재를 사용하면서 한국 전쟁의 상황을 구체적으로 형상화하여 우리 문학만의 고유한 특수성을 잘 보여 주었다고 할 수 있군.

[11~15] 다음 글을 읽고 물음에 답하시오.

"그 등성이를 넘어가면 된다!"

그러나 김 일등병의 귀에는 여전히 아무것도 들리지 않았다. 그는 누웠던 자리로 도로 뒷걸음질을 쳤다.

주 대위는 김 일등병에게 무엇인가 주고 싶었다. 그리고 그것을 자기 자신도 받고 싶었다.

김 일등병이 드러누우며 혼잣소리로,

"내일쯤은 까마귀 떼가 더 많이 몰려들겠지. 눈알이 붙어 있는 것두 오늘 밤뿐야."

이 말이 채 끝나기도 전에 갑자기 권총 소리가 그의 귓전을 때렸다.

깜짝 놀라 돌아다보니 어둠 속에 주 대위가 권총을 이리 겨눈 채 목 속에 잠긴 음성치고는 또렷하게,

"날 업어!"

하는 것이다.

김 일등병은 무슨 영문인지 몰라 하면서도 하라는 대로 일어나 등을 돌려 대는 수밖에 없었다.

"자, 걸어라!"

김 일등병은 자기 오른쪽 귀 뒤에 권총 끝이 와 닿음을 느꼈다.

등성이를 넘어 컴컴한 나무숲으로 들어섰다.

"좀 서!"

업힌 주 대위가 잠시 귀를 기울이고 나서,

"왼쪽으루 가!"

좀 후에 그는 다시,

"잠깐만."

그러고는,

"앞으루!"

[A] 이렇게, 왼쪽으로, 오른쪽으로, 앞으로, 하는 주 대위의 말대로 죽을힘을 다해 걸음을 옮겨 놓는 동안에도 김 일등병의 귀에는 아무것도 들리지 않았다. 혹시 주 대위가 죽음을 앞두고 허깨비 소리를 듣고 그러는 게 아닐까. 그렇다면 하필 자기네 두 사람은 마지막에 이러다가 죽을 필요는 무언가. 어제저녁부터 혼자 업고 오느라고 갖은 고역을 다 겪으면서도 느끼지 못했던 원망이 주 대위를 향해 거듭 복받쳐 오름을 어찌할 수가 없었다.

하지만 걷지 않을 수 없었다. 오른쪽 귀 뒤에 감촉되는 권총 끝이 떠나지 않는 것이다. 그것은 마치 권총이 비틀거리는 걸음이나마 옮겨 놓게 하는 거나 다름없었다.

산 밑에 이르렀다.

"오른쪽으루!"

"그대루 똑바루!"

그제야 김 일등병의 귀에도 무슨 소리가 들렸다. 그것이 점점 개 짖는 소리로 확실해졌다. 그러나 그것이 얼마만 한 거리에서인지는 짐작이 안 되었다.

목에서는 단내가 나고, 간신히 옮겨 놓는 걸음은 한껏 깊은 데로 무한정 빠져 들어가는 것만 같았다. 그저 그 자리에 주저앉고 싶은 생각뿐이었다. 그렇건만 쉬어 갈 수도 없는 노릇이었다. ㉠ <u>귀 뒤에 와 닿은 권총 끝이 더 세게 밀고 있는 것이었다.</u>

아무것도 뵈는 게 없었다. 어떻게 걸음을 떼어 놓고 있는지조차 깨닫지 못하고 있었다. 그러는데 저쪽 어둠 속에 자리 잡은 초가집 같은 검은 그림자와 그 앞에 서 있는 사람의 그림자, 그리고 거기서 짖고 있는 개의 모양이 몽롱해진 눈에 어렴풋이 들어왔다고 느낀 순간과 동시에 귀 뒤에 와 밀고 있던 권총 끝이 별안간 물러나면서 업힌 ㉡ <u>주 대위 몸뚱이가 무겁게 탁 내려앉음을 느꼈다.</u>

11 [A]를 통해서 알 수 있는 윗글의 서술상 특징으로 가장 적절한 것은?

① 등장인물의 내면 심리를 직접적으로 제시하고 있다.
② 두 인물의 동일한 생각을 순차적으로 제시하고 있다.
③ 등장인물의 생각의 순서와 서술의 순서를 달리하고 있다.
④ 극한 상황에 처한 인물을 드러내기 위해 의식의 흐름 기법을 사용하고 있다.
⑤ 객관적 서술만으로 부족한 부분에서 1인칭 서술자를 동원하여 보완하고 있다.

12 〈보기〉를 바탕으로 윗글을 감상한 내용으로 가장 적절한 것은?

〈보기〉

'나는 누구인가?', '나는 의미 있는 삶을 살고 있는가?', '바람직한 삶을 위해 나는 어떤 노력을 해야 하는가?' 등의 질문에 대한 답을 찾는 것은 우리의 삶에서 아주 중요한 의미를 지닌다. 문학 작품은 우리로 하여금 이와 같은 생각을 형성할 수 있도록 해 준다. 끊임없는 질문과 답을 찾아가는 과정에서 올바른 가치관과 따뜻한 포용력 등을 갖출 수 있게 한다.

① 작가가 인물의 심리를 간결한 대사와 행동 묘사로 적절히 드러냈다고 생각해.
② 극한 상황에서도 다른 사람을 버리지 않는 인물이 등장하는 것에 대한 효과를 생각해 보았어.
③ 한국 전쟁의 상처를 그린 다른 전후 소설들처럼 이 작품 역시 인간의 실존적 문제를 다루고 있음을 알았어.
④ 전쟁과 같은 극한 상황에서, 나라면 사람의 생명과 관련된 윤리적 딜레마를 어떻게 해결할까 생각해 볼 수 있었어.
⑤ '현 중위'의 죽음과 '주 대위', '김 일등병'이 처한 절망적 상황을 보며 전쟁을 불러온 역사적 상황에 관심을 갖게 되었어.

학습 활동 응용

13 ㉠에 대한 이해로 가장 적절한 것은?

① 곧 죽게 될 자신의 운명과 삶에 대한 욕망으로 혼란한 주 대위의 심리 상태가 반영된 행동이다.
② 자신은 죽더라도 '김 일등병'만은 삶의 희망을 이어 가게 하고 싶은 '주 대위'의 심리가 반영된 행동이다.
③ 죽음을 앞두고 느껴지는 두려움과 공포를 '김 일등병'에게 들키지 않기 위한 '주 대위'의 심리가 반영된 행동이다.
④ '현 중위'가 자신 때문에 희생되었다는 자책감에 스스로에게 분노를 느끼는 '주 대위'의 감정이 반영된 행동이다.
⑤ '김 일등병'을 강압적으로라도 인가까지 걷게 하여 자신만은 살아남고자 했던 '주 대위'의 생존 의지가 반영된 행동이다.

서술형 학습 활동 응용

14 〈보기〉를 참고하여, ㉡을 통해 드러내고자 하는 의미를 서술하시오.

〈보기〉

결말에서 '주 대위'의 모습은 죽은 것으로 볼 수도 있고, 기절한 것으로 볼 수도 있다. 어떤 결말로 판단하는지에 따라 희생정신이 부각되는 인물이 달라진다.

• '주 대위'의 죽음:

• '주 대위'의 기절:

학습 활동 응용

15 윗글과 〈보기〉를 비교한 내용으로 적절하지 않은 것은?

〈보기〉

가슴이 탁 트이는 것 같다. 똑바로 걸어가시오. 남쪽으로 내닿은 길이오. 그처럼 가고 싶어 하던 길이니 유감 없을 거요. 걸음마다 흰 눈 위에 발자국이 따른다. 한 걸음 두 걸음 정확히 걸어야 한다. 사수(射手) 준비! 총탄 재는 소리가 바람처럼 차갑다. 눈앞엔 흰 눈뿐, 아무것도 없다. 인제 모든 것은 끝난다. 끝나는 그 순간까지 정확히 끝을 맺어야 한다. 끝나는 일 초, 일각까지 나를, 자기를 잊어서는 안 된다.

걸음걸이는 그의 의지처럼 또한 정확했다. 아무리 한 걸음, 한 걸음 다가가는 걸음걸이가 죽음에 접근하여 가는 마지막 길일지라도 결코 허튼, 불안한, 절망적인 것일 수는 없었다. 흰 눈, 그 속을 걷고 있다. 훤칠히 트인 벌판 너머로, 마주 선 언덕, 흰 눈이다. 연발하는 총성, 마치 외부 세계의 잡음만 같다. 아니 아무것도 아닌 것이다. 그는 흰 속을 그대로 한 걸음, 한 걸음 정확히 걸어가고 있었다. 눈 속에 부서지는 발자국 소리가 어렴풋이 들려온다. 두런두런 이야기 소리가 난다. 누가 뒤통수를 잡아 일으키는 것 같다. 뒤허리에 충격을 느꼈다. 아니, 아무것도 아니다.

– 오상원, 「유예」

① 윗글과 〈보기〉는 모두 6·25 전쟁이라는 극한 상황을 배경으로 하고 있다.
② 윗글과 〈보기〉는 모두 주인공들이 삶과 죽음의 경계에서 자신의 실존과 마주하고 있다.
③ 윗글과 〈보기〉는 모두 전쟁으로 인해 파괴되는 개인의 삶을 통해 전쟁의 비극성을 드러내고 있다.
④ 윗글과 달리 〈보기〉의 주인공은 죽는 순간까지도 삶에 대한 의지를 보여 주고 있다.
⑤ 〈보기〉와 달리 윗글은 극한 상황에서도 발휘되는 인물들의 인간애를 통해 인간 존재의 의미를 보여 주고 있다.

정답과 해설 29쪽

04 난쟁이가 쏘아 올린 작은 공 조세희

출제 포인트	• 인물의 성격, 배경의 의미 이해하기 • 문학과 시대 상황의 관계 파악하기

작품 개관

갈래	중편 소설, 연작 소설, 세태 소설	성격	사회 고발적, 비판적, 상징적
시점	1인칭 주인공 시점		
배경	• 시간적–1970년대 • 공간적–서울의 낙원구 행복동이라는 재개발 지역		
제재	도시 빈민들의 삶		
주제	도시 빈민들의 궁핍한 삶과 좌절된 꿈		
특징	• 반어적 표현으로 비극적 상황을 극대화함. • 우화적이고 상징적인 기법을 사용하여 현실을 비판적으로 그림.		

작품의 시대적 상황과 소재의 상징적 의미

시대적 상황	산업화와 도시 재개발이 한창이던 1970년대를 배경으로 하여, 무허가 판잣집에서 살고 있던 도시 빈민들이 무허가 정착지 정비 정책으로 인해 판자촌의 철거가 진행되자 입주권을 헐값에 넘기고는 무력하게 삶의 터전을 빼앗기고 밀려나게 되는 상황을 보여 주고 있음.
소재의 상징적 의미	• 난쟁이: 무력하게 삶의 터전을 빼앗기고 밀려난 노동자 빈민 계층을 상징함. • 『일만 년 후의 세계』라는 책 제목: 사회가 갖고 있는 여러 문제점이 앞으로도 오랫동안 해소되지 못할 것임을 암시함. • 줄 끊어진 기타: 순수한 영혼을 가진 영희의 꿈과 희망이 좌절될 것임을 암시함.

'낙원구 행복동'이라는 지명을 사용한 까닭

낙원구 행복동	난쟁이 가족이 살고 있는 동네는 낙원도 아니고 행복과도 거리가 먼 곳이므로, '낙원구 행복동'이라는 지명은 일종의 반어적 표현으로 볼 수 있음.

난쟁이 가족이 처한 현실과 대조되는 지명을 사용하여 난쟁이 가족으로 대표되는 도시 빈민 계층의 소외되고 절망적인 삶을 강조하고자 함.

[1~4] 다음 글을 읽고 물음에 답하시오.

사람들은 아버지를 ㉠ 난쟁이라고 불렀다. 사람들은 옳게 보았다. 아버지는 난쟁이였다. 불행하게도 사람들은 아버지를 보는 것 하나만 옳았다. 그 밖의 것들은 하나도 옳지 않았다. 나는 아버지·어머니·영호·영희, 그리고 나를 포함한 다섯 식구의 모든 것을 걸고 그들이 옳지 않다는 것을 언제나 말할 수 있다. 나의 '모든 것'이라는 표현에는 '다섯 식구의 목숨'이 포함되어 있다. 천국에 사는 사람들은 지옥을 생각할 필요가 없다. 그러나 우리 다섯 식구는 지옥에 살면서 천국을 생각했다. 단 하루도 천국을 생각해 보지 않은 날이 없다. 하루하루의 생활이 지겨웠기 때문이다. 우리의 생활은 전쟁과 같았다. 우리는 그 전쟁에서 날마다 지기만 했다. 그런데도 어머니는 모든 것을 잘 참았다. 그러나 그날 아침 일만은 참기 어려웠던 것 같다.

"통장이 이걸 가져왔어요."

내가 말했다. 어머니는 조각 마루 끝에 앉아 아침 식사를 하고 있었다. / "그게 뭐냐?"

"철거 계고장예요." / "기어코 왔구나!"

어머니가 말했다.

"그러니까 집을 헐라는 거지? 우리가 꼭 받아야 할 것 중의 하나가 이제 나온 셈이구나!"

어머니는 식사를 중단했다. 나는 어머니의 밥상을 내려다보았다. 보리밥에 까만 된장, 그리고 시든 고추 두어 개와 졸인 감자.

나는 어머니를 위해 철거 계고장을 천천히 읽었다.

> **낙원구**
>
> 197×. 9. 10
>
> 주택: 444,1–
>
> 수신: 서울특별시 ㉡ 낙원구 행복동 46번지의 1839 김불이 귀하

제목: 재개발 사업 구역 및 고지대 건물 철거 지시

귀하 소유 아래 표시 건물은 주택 개량 촉진에 관한 임시 조치법에 따라 행복 3구역 재개발 지구로 지정되어 서울특별시 주택 개량 재개발 사업 시행 조례 제15조, 건축법 제5조 및 동법 제42조의 규정에 의하여 197×. 9. 30까지 자진 철거할 것을 명합니다. 만일 위 기일까지 자진 철거하지 않을 경우에는 행정 대집행법의 정하는 바에 의하여 강제 철거하고 그 비용은 귀하로부터 징수하겠습니다.

철거 대상 건물 표시

서울특별시 낙원구 행복동 46번지의 1839

구조 건평 평

끝

낙 원 구 청 장

01 윗글에서 알 수 있는 내용으로 가장 적절한 것은?

① 어머니는 철거 계고장이 나올 것을 예상하고 있었다.
② '나'의 가족은 소박하고 욕심 없는 삶을 추구하는 존재들이다.
③ 어머니는 자신이 맞닥뜨린 현실을 부정하고 회피하고 싶어 한다.
④ '나'는 살면서 천국을 생각할 만큼 가난하지만 행복한 삶을 살고 있다.
⑤ '나'가 철고 계고장을 천천히 읽은 것은 자신이 처한 현실에서 느낀 허무함 때문이다.

02 '철거 계고장'의 내용과 전달 방식에 대한 이해로 적절하지 않은 것은?

① 일방적으로 명령을 내리고 있다.
② 자진 철거할 것을 통보하고 있다.
③ 권위적인 분위기를 전달하고 있다.
④ 수신자의 상황을 고려한 내용이다.
⑤ 경어를 통해 딱딱한 느낌을 주고 있다.

03 ㉠과 ㉡에 대한 설명으로 적절하지 않은 것은?

① ㉠과 ㉡은 모두 상징적 의미를 지니고 있다.
② ㉠과 ㉡은 모두 반어적 표현이 사용되고 있다.
③ ㉠은 타인의 시선에 비친 아버지의 모습을 나타낸다.
④ ㉠은 산업화 과정에서 경제적으로 소외되고 무기력한 도시 빈민을 의미한다.
⑤ ㉡은 소외 계층의 빈곤한 삶을 강조하면서 불합리한 현실을 비판하는 역할을 한다.

학습 활동 응용

04 〈보기〉를 참고하여 윗글의 의의를 이해한 내용으로 가장 적절한 것은?

〈보기〉

이 작품은 산업화와 도시 재개발이 한창이던 1970년대를 배경으로 하고 있다. 무허가 판잣집에서 살고 있던 도시 빈민들이, 무허가 정착지 정비 정책으로 인해 판잣촌의 철거가 진행되자 입주권을 헐값에 넘기고는 무력하게 삶의 터전을 빼앗긴 채 밀려나게 되는 암울한 상황을 보여 주고 있다.

① 사회의 부정적인 현실을 보여 줌으로써 삶의 다양성을 인정하는 태도가 중요함을 깨닫게 할 수 있다.
② 소외된 이웃의 고통스런 삶의 모습을 알게 하여 이들과 더불어 사는 삶의 필요성을 인식하게 할 수 있다.
③ 사회의 구조적 모순과 문제점을 제시하여 국가의 정책보다는 개인의 노력이 더 필요함을 깨닫게 할 수 있다.
④ 산업화의 영향력을 알게 하여, 한국 사회의 경제 발전에 이바지할 수 있는 시민 의식을 지녀야 함을 깨닫게 할 수 있다.
⑤ 경제적 우열에 따라 사회적 신분이 결정된다는 것을 보여 주어, 사회적 성공을 위해 노력이 필요함을 인식하게 할 수 있다.

[5~9] 다음 글을 읽고 물음에 답하시오.

ⓐ 어머니는 조각 마루 끝에 앉아 말이 없었다. 벽돌 공장의 높은 굴뚝 그림자가 시멘트 담에서 꺾어지며 좁은 마당을 덮었다. 동네 사람들이 골목으로 나와 뭐라고 소리치고 있었다. 통장은 그들 사이를 비집고 나와 방죽 쪽으로 걸음을 옮겼다. 어머니는 식사를 끝내지 않은 밥상을 들고 부엌으로 들어갔다. 어머니는 두 무릎을 곧추세우고 앉았다. 그리고, 손을 들어 부엌 바닥을 한 번 치고 가슴을 한 번 쳤다. 나는 동사무소로 갔다. 행복동 주민들이 잔뜩 몰려들어 자기의 의견들을 큰 소리로 말하고 있었다. 들을 사람은 두셋밖에 안 되는데 수십 명이 거의 동시에 떠들어 대고 있었다. 쓸데없는 짓이었다. 떠든다고 해결될 문제는 아니었다.

나는 바깥 게시판에 적혀 있는 공고문을 읽었다. 거기에는 아파트 입주 절차와 아파트 입주를 포기할 경우 탈 수 있는 이주 보조금 액수 등이 적혀 있었다. 동사무소 주위는 시장 바닥과 같았다. 주민들과 아파트 거간꾼들이 한데 뒤엉켜 이리 몰리고 저리 몰리고 했다. 나는 거기서 아버지와 두 동생을 만났다. 아버지는 도장포 앞에 앉아 있었다. 영호는 내가 방금 물러선 게시판 앞으로 갔다. 영희는 골목 입구에 세워 놓은 검정색 승용차 옆에 서 있었다. 아침 일찍 일들을 찾아 나섰다가 철거 계고장이 나왔다는 소리를 듣고 돌아온 것이었다. 누군들 이런 날 일을 할 수 있을까. 나는 아버지 옆으로 가 아버지의 공구들이 들어 있는 부대를 둘러메었다. 영호가 다가오더니 나의 어깨에서 그 부대를 내려 옮겨 메었다. 나는 아주 자연스럽게 그것을 넘겨주면서 이쪽으로 걸어오는 영희를 보았다. 영희의 얼굴은 발갛게 상기되어 있었다. 몇 사람의 거간꾼들이 우리를 둘러싸고 아파트 입주권을 팔라고 했다. 아버지가 책을 읽고 있었다. 우리는 아버지가 책을 읽는 것을 처음 보았다. 표지를 쌌기 때문에 무슨 책을 읽는지도 알 수 없었다. 영희가 허리를 굽혀 아버지의 손을 잡아끌었다. 아버지는 우리들의 얼굴을 물끄러미 쳐다보더니 자리를 털고 일어났다. "난쟁이가 간다."라고 처음 보는 사람들이 말했다.

어머니는 대문 기둥에 붙어 있는 알루미늄 표찰을 떼기 위해 식칼로 못을 뽑고 있었다. 내가 식칼을 받아 반대쪽 못을 뽑았다. 영호는 어머니와 내가 하는 일이 못마땅한 모양이었다. 그러나 ㉠ 마음에 드는 일이 우리에게 일어나 주기를 바랄 수는 없는 일이었다. 어머니는 무허가 건물 번호가 새겨진 알루미늄 표찰을 빨리 떼어 간직하지 않으면 나중에 ㉡ 괴로운 일이 생길 것이라는 것을 알고 있었다.

어머니는 손바닥에 놓인 표찰을 말없이 들여다보았다. 영희가 이번에는 어머니의 손을 잡아끌었다.

"너희들이 놀게 되지만 않았어도 난 별걱정을 안 했을 거다."

어머니가 말했다.

"스무 날 안에 무슨 뾰족한 수가 생기겠니. 이제 하나하나 정리를 해야지."

"입주권을 팔려고 그래요?"

영희가 물었다. / "팔긴 왜 팔아!"

영호가 큰 소리로 말했다.

"그럼 아파트 입주할 돈이 있어야지."

"아파트로도 안 가." / "그럼 어떻게 할 거야?"

"여기서 그냥 사는 거야. 이건 우리 집이다."

영호는 성큼성큼 돌계단을 올라가 아버지의 부대를 마루 밑에 놓았다.

"㉢ 한 달 전만 해도 그런 이야길 하는 사람이 있었다."

아버지가 말했다. 어머니가 내준 철거 계고장을 막 읽고 난 참이었다.

"시에서 아파트를 지어 놨다니까 얘긴 그걸로 끝난 거다."

"그건 우릴 위해서 지은 게 아녜요."

영호가 말했다.

"돈도 많이 있어야 되잖아요?"

영희는 마당가 팬지꽃 앞에 서 있었다.

"우린 못 떠나. 갈 곳이 없어. 그렇지 큰오빠?"

"어떤 놈이든 집을 헐러 오는 놈은 그냥 놔두지 않을 테야."

영호가 말했다. / "그만둬."

내가 말했다.

"그들 옆엔 법이 있다."

아버지 말대로 모든 이야기는 끝나 버린 것이나 마찬가지였다.

05 윗글의 등장인물에 대한 설명으로 적절하지 않은 것은?

① '영희'는 순수하고 여린 이미지를 가지고 있다.
② '아버지'는 막일을 하며 가족의 생계를 책임지고 있다.
③ '영호'는 어떤 수를 써서라도 아파트에 입주하고자 한다.
④ '어머니'는 자신에게 닥친 현실을 수용하고 체념하고 있다.
⑤ 거간꾼들은 철거민들의 상황보다 자신의 이익을 더 중요시 여기고 있다.

06 윗글에 나타난 당대의 사회 문제에 대한 감상으로 적절하지 않은 것은?

① 급속한 산업화로 인해 약한 자들이 더욱 살기 힘들어졌군.
② 약한 자들을 비호해야 하는 법이 오히려 강한 자들을 보호해 주는 모순된 사회였군.
③ 철거민들은 상황을 냉정하게 판단하지 못하고 현실과 동떨어진 해결책만 모색했었군.
④ 재개발로 지어진 아파트들은 도시 빈민들을 위한 집이 아니라 있는 자들을 위한 집이었군.
⑤ 입주권이 있어도 아파트에 입주를 못하는 난쟁이 가족을 보니, 저 당시의 재개발 사업은 불합리한 것이었군.

07 ㉠과 ㉡이 의미하는 내용으로 가장 적절한 것은?

① ㉠은 아파트에 입주하여 사는 일을 의미하며, ㉡은 집이 철거되는 일을 의미한다.
② ㉠은 집을 떠나지 않고 사는 일을 의미하며, ㉡은 집이 철거되는 일을 의미한다.
③ ㉠은 입주권을 비싼 값에 파는 일을 의미하며, ㉡은 집이 철거되는 일을 의미한다.
④ ㉠은 아파트 입주권을 받는 일을 의미하며, ㉡은 이주 보조금을 받지 못하는 일을 의미한다.
⑤ ㉠은 집을 떠나지 않고 사는 일을 의미하며, ㉡은 이주 보조금을 못 받게 되는 일을 의미한다.

08 ⓐ의 상황을 나타내는 말로 가장 적절한 것은?

① 망연자실(茫然自失)
② 어부지리(漁父之利)
③ 연목구어(緣木求魚)
④ 좌정관천(坐井觀天)
⑤ 가렴주구(苛斂誅求)

학습 활동 응용

09 윗글과 〈보기〉를 비교한 내용으로 적절하지 않은 것은?

〈보기〉

"지금 부셔 버릴까."
"안 돼, 오늘 밤은 자게 하고 내일 아침에……"
"안 돼, 오늘 밤은 오늘 밤은이 벌써 며칠째야? 소장이 알면……"
"그래도 안 돼……"
두런두런 인부들 목소리 꿈결처럼 섞이어 들려오는
루핑 집 안 단칸 벽에 기대어 그 여자
작은 발이 삐져나온 어린것들을
불빛인 듯 덮어 주고는
가만히 일어나 앉아
칠흑처럼 깜깜한 밖을 내다본다

– 이시영, 「공사장 끝에」

① 윗글의 난쟁이 가족과 〈보기〉의 '여자'는 모두 집을 떠나야 하지만 갈 곳이 없는 처지에 있다.
② 윗글의 난쟁이 가족과 〈보기〉의 '여자'는 모두 삶의 터전을 잃게 될지도 모른다는 두려움에 휩싸여 있다.
③ 윗글의 난쟁이 가족과 〈보기〉의 '여자'는 모두 현재 자신의 삶이 송두리째 흔들리는 절박함을 느끼고 있다.
④ 윗글과 달리 〈보기〉에서는 철거반 인부들이 철거민에 대한 연민으로 갈등하는 장면이 드러난다.
⑤ 윗글과 달리 〈보기〉에서는 철거반 인부들의 대화를 듣고 모성애를 통해 현실의 어려움을 극복하고자 하는 '여자'의 의지가 드러난다.

[10~15] 다음 글을 읽고 물음에 답하시오.

중략 부분 줄거리 아파트에 입주할 돈이 없는 동네 사람들은 입주권을 팔아 동네를 떠나기 시작한다.

"아버지가 어딜 가셨을까?"

어머니의 목소리가 불안해졌다.

"얘들아, 아버지를 찾아봐라."

나는 아버지가 놓고 나간 책을 읽고 있었다. 그것은 『**일만 년 후의 세계**』라는 책이었다. 영희는 온종일 팬지꽃 앞에 앉아 **줄 끊어진 기타**를 쳤다. '최후의 시장'에서 사 온 기타였다. 내가 방송통신고교의 강의를 받기 위해 라디오를 사러갈 때 영희가 따라왔었다. 쓸 만한 라디오가 있었다. 그런데, 영희가 먼지 속에 놓인 기타를 들어 퉁겨 보는 것이었다. 영희는 고개를 약간 숙이고 기타를 쳤다. 긴 머리에 반쯤 가려진 옆얼굴이 아주 예뻤다. 영희가 치는 기타 소리는 영희에게 아주 잘 어울렸다. 나는 먼저 골랐던 라디오를 살 수 없었다. 좀더 싼 것으로 바꾸면서 영희가 든 기타를 가리켰다. 그 라디오가 고장이 나고 기타는 줄이 하나 끊어졌다. 줄 끊어진 기타를 영희는 쳤다. 나는 아버지가 무슨 생각을 하고 있는지 알 수 없었다. 『일만 년 후의 세계』라는 책을 아버지는 개천 건너 주택가에 사는 젊은이에게서 빌렸다. 그의 이름은 지섭이었다. 지섭은 밝고 깨끗한 주택가 삼층집에서 살았다. 지섭은 그 집 가정 교사였다. 아버지와 그는 서로 통하는 데가 있었다. 지섭이 하는 말을 나는 들었었다. 그는 이 땅에서 우리가 기대할 것은 이제 없다고 말했다.

[A]

"왜?"

아버지가 물었다.

지섭은 말했다.

"사람들은 사랑이 없는 욕망만 갖고 있습니다. 그래서 단 한 사람도 남을 위해 눈물을 흘릴 줄 모릅니다. 이런 사람들만 사는 땅은 죽은 땅입니다."

"하긴!"

"아저씨는 평생 동안 아무 일도 안 하셨습니까?"

"일을 안 하다니? 일을 했지. 열심히 일했어. 우리 식구 모두가 열심히 일했네."

"그럼 무슨 나쁜 짓을 하신 적은 없으십니까? 법을 어긴 적 없으세요?"

"없어."

"그렇다면 기도를 드리지 않으셨습니다. 간절한 마음으로 기도를 드리지 않으셨어요."

"기도도 올렸지."

"그런데, 이게 뭡니까? 뭐가 잘못된 게 분명하죠? 불공평하지 않으세요? 이제 이 **죽은 땅**을 떠나야 됩니다."

"떠나다니? 어디로?"

"**달나라**로!"

㉠ "얘들아!"

어머니의 불안한 음성이 높아졌다. 나는 책장을 덮고 밖으로 뛰어나갔다. 영호와 영희는 엉뚱한 곳을 찾아 헤매고 있었다. 나는 방죽가로 나가 곧장 하늘을 쳐다보았다. 벽돌 공장의 높은 굴뚝이 눈앞으로 다가왔다. 그 맨 꼭대기에 아버지가 서 있었다. 바로 한 걸음 정도 앞에 달이 걸려 있었다. 아버지는 피뢰침을 잡고 발을 앞으로 내밀었다. 그 자세로 아버지는 **종이비행기**를 날렸다.

뒷부분 줄거리 동네 주민 대부분은 투기꾼에게 입주권을 팔아 동네를 떠나고, 우리 집도 입주권을 팔게 되지만, 가족의 몫으로 돌아오는 것은 거의 없다. 입주권을 판 날 아버지가 사라지고, 영희도 사라진다. 아버지는 벽돌 공장 굴뚝에서 스스로 몸을 던지고, 영희는 입주권을 사 간 부자 청년의 아파트로 따라가 그가 잠든 사이 입주권과 돈을 훔쳐 나온다. 영희는 그 돈으로 동사무소에 가서 입주 신청을 한 뒤 집으로 돌아와 아버지의 죽음을 알게 된다.

10 윗글에 대한 설명으로 가장 적절한 것은?

① 장황한 수식어를 사용하여 사건의 긴장감을 높이고 있다.
② 어린 아이의 시선을 통해 사건을 객관적으로 전달하고 있다.
③ 현재 '나'의 시각으로 과거와 현재를 교차하여 서술하고 있다.
④ 환상적인 공간 배경을 통해 사건의 허구성을 부각시키고 있다.
⑤ 동시에 벌어진 사건을 나란히 배치하여 사건의 입체성을 높이고 있다.

서술형

11 윗글의 제목인 '난쟁이가 쏘아 올린 작은 공'의 의미를 〈조건〉에 맞게 서술하시오.

〈조건〉
• 제목이 지니고 있는 상징성을 밝힐 것

학습 활동 응용

12 윗글에서 사용된 소재에 대한 이해로 적절하지 <u>않은</u> 것은?

① '일만 년 후의 세계'라는 책 제목은 현재의 사회가 갖고 있는 여러 문제점이 앞으로도 오랫동안 해소되지 못할 것임을 암시한다.
② '줄 끊어진 기타'는 순수한 영혼을 가진 영희의 꿈과 희망이 좌절되리라는 것을 의미한다.
③ '죽은 땅'은 타인에 대한 애정 없이 물질적인 욕망만 갖고 있는 부조리한 현실을 의미한다.
④ '달나라'는 '죽은 땅'과 대비되는 공간으로, 개인의 노력으로 이룰 수 있는 이상적인 현실을 의미한다.
⑤ 아버지가 '종이비행기'를 날리는 행위는 비극적 현실을 벗어나 희망을 찾고 싶어 하는 몸부림이다.

13 [A]에 대한 이해로 적절한 것끼리 짝지어진 것은?

ㄱ. '지섭'은 현실의 부조리함과 불합리함을 비판하는 역할을 하고 있군.
ㄴ. '지섭'은 '아버지'가 이상 세계에 대한 동경을 갖게 하는 인물로 볼 수 있군.
ㄷ. '아버지'는 지식인인 '지섭'이 분노하는 모습에서 지섭과 사회적 위치로 인한 거리감을 느꼈겠군.
ㄹ. '아버지'는 자신이 처한 현실이 결국 개인의 능력이 부족하기 때문에 발생한 개인의 문제라는 것을 깨달았겠군.

① ㄱ, ㄴ ② ㄴ, ㄷ ③ ㄷ, ㄹ
④ ㄱ, ㄴ, ㄷ ⑤ ㄴ, ㄷ, ㄹ

14 사건 전개 양상에서 ㉠의 역할로 가장 적절한 것은?

① 영희의 가출이라는 사건이 일어날 것임을 미리 알려 주는 복선의 역할을 한다.
② 철거가 시작되었음을 알려 주는 표지로 급박한 분위기를 조성하는 역할을 한다.
③ 서술의 주체를 어머니로 바꾸면서 사건에 대한 다양한 시각을 보여 주는 역할을 한다.
④ 서술자의 갑작스러운 개입을 통해 좌절감에 빠진 주인공에게 깨달음을 주는 역할을 한다.
⑤ 아버지와 지섭의 과거의 대화 장면에서 현재의 '나'의 모습으로 장면을 전환시키는 역할을 한다.

학습 활동 응용

15 〈보기〉를 바탕으로 윗글을 감상한 내용으로 가장 적절한 것은?

〈보기〉
이 작품은 난쟁이 가족을 통해 1970년대의 사회적 상황, 즉 개발 중심의 급격한 산업화 과정에서 삶의 터전을 잃고 도시의 주변으로 밀려나 소외되는 가난하고 힘없는 도시 서민들의 모습을 그리고 있다. 이들은 산업화 과정에서 공장이 있는 도시 지역으로 몰려들어 도시 주변에 판잣집을 짓고 무허가로 살고 있었으나 무허가 정착지 정비 정책으로 인해 판자촌의 철거가 진행되자 입주권을 헐값에 넘기고는 무력하게 삶의 터전을 빼앗기고 밀려나게 된다.

① 겉으로 보이는 기준으로만 사람을 판단하는 현대인들의 편협한 가치관을 비판하고자 하였다.
② 경제적 우열에 따라 사회적 신분이 결정되는 사회에서 노동자들의 대우에 대한 인식이 달라져야 함을 촉구하고 있다.
③ 부조리한 사회의 모습을 난쟁이의 신체적 결함과 연결시켜, 사회적·경제적으로 소외된 이들의 삶을 대변하고자 하였다.
④ 육체적 결핍을 지니고 사는 것이 얼마나 고통스러운지를 표현하여 사회적 약자를 배려해야 함을 보여 주고자 하였다.
⑤ 무능력한 가장과 그런 가장을 이해하지 못하는 가족들의 모습을 통해 소통이 단절된 현대인의 모습을 부각시키고자 하였다.

01 봉산 탈춤 김진옥·민천식 구술 / 이두현 채록

출제 포인트	• 가면극의 특성 이해하기 • 작품에 반영된 시대 상황 이해하기

작품 개관

갈래	전통극, 민속극, 가면극, 구비 희곡 탈춤(대본)	성격	풍자적, 해학적, 평민적, 비판적
주제	봉건적인 가족 제도하의 여성에 대한 남성의 횡포 비판		
특징	• 각 과장이 옴니버스식으로 구성되어 독립적임. • 익살, 과장, 반어, 언어유희 등을 사용하여 풍자가 이루어짐. • 비속어와 한자를 동시에 사용하여 언어의 양면성을 보임. • 희극적 과장과 해학적 표현을 활용하여 골계미가 뛰어남. • 무대와 객석, 배우와 관객이 엄격히 구분되어 있지 않음(특별한 무대 장치가 없으며, 관객의 극 중 참여 가능). • 재담마다 한데 어울려 추는 춤과 음악으로 긴장과 갈등이 일시적으로 해소됨.		

'제7과장 미얄춤'의 연극적 특징

• 공연 장소와 극 중 장소가 엄격하게 구분되지 않고, 특별한 무대 장치 없이 극이 진행됨.
• 악공 및 관중의 극 중 개입이 빈번하며, 악공이 극 전개에 중요한 역할을 함.
• 희극적 과장과 서민적 표현을 통해 서민적 활력과 소박함이 잘 나타남.

'제7과장 미얄춤'의 등장인물

미얄	무당. 전란으로 남편인 영감과 헤어져 그를 찾아다니다 재회하지만, 영감의 첩인 덜머리집과 다투다 영감에게 죽임을 당함. 사회와 남성의 횡포로 고통 받던 당시의 여성을 대표하는 인물
영감	맷돌을 고치는 일을 하는 사람. 전란으로 헤어진 아내 미얄을 찾아다니다 만나지만, 아들이 죽었다는 사실을 알고 미얄에게 화를 내며 헤어지자고 함. 또한 미얄이 자신의 첩인 덜머리집을 때리자 화가 나 미얄을 죽게 만듦. 미얄에게 부당한 횡포를 가하는 가부장적인 인물
덜머리집	영감의 첩. 미얄과 영감의 갈등을 심화시키는 역할을 함.

[1~9] 다음 글을 읽고 물음에 답하시오.

제7과장 미얄춤

미얄 (한 손에 부채 들고 한 손에 방울을 들었으며, 굿거리장단에 춤을 추면서 등장하여 악공 앞에 와서 울고 있다.) 아이고 아이고 아이고!

악공 웬 할맘입나?

미얄 웬 할맘이라니, 떵꿍하기에 굿만 여기고 한 거리 놀고 가려고 들어온 할맘일세.

악공 그러면 한 거리 놀고 갑세.

미얄 놀든지 말든지 허름한 영감을 잃고 영감을 찾아다니는 할맘이니 영감을 찾고야 놀갔습네.

악공 할맘 본고향은 어데와?

미얄 본고향은 전라도 제주 망막골일세.

악공 그러면 영감은 어찌 잃었습나?

미얄 우리 고향에 난리가 나서, 목숨을 구하려고 서로 도망을 하였더니 그 후로 아즉까지 종적을 알 수 없습네.

악공 그러면 영감의 모색을 댑세.

미얄 ⓐ <u>우리 영감의 모색은 마모색일세.</u>

악공 그러면 말 새끼란 말인가?

미얄 아니, 소모색일세.

악공 그러면 소 새끼란 말인가?

미얄 아니, 마모색도 아니고 소모색도 아니올세. 영감의 모색을 알아서 무엇해. 아모리 바로 댄들 여기서 무슨 소용 있습나.

악공 모색을 자세히 대면 찾을 수 있을는지 모르지.

미얄 (소리 조로) 우리 영감의 모색을 대. 난간이마 주게턱 웅케[우먹]눈에 개발코, 상통은 (갓바른) 과녁(판) 같고 수염은 다 모즈러진 귀얄 같고 상투는 다 갈아먹은 망 같고 키는 석 자 네 치 되는 영감이올세.

악공 아 옳지, 바루 등 너머 망 쪼러 갔습네.

미얄 ㉠ <u>에잇, 그놈의 영감, 고리쟁이가 죽어도 버들개지를</u>

물고 죽는다더니 상게 망을 쪼으러 다니나.

악공 영감을 한번 불러 봅소.

미얄 여기 없는 영감을 불러 본들 무엇합나.

악공 아, 그래도 한번 불러 봐.

[A]
미얄 영가암.
악공 거 너무 짧아 못쓰겄습네.
미얄 여엉가암!
악공 너무 길어 못쓰겠습네.

미얄 그러면 어떻게 부르란 말입나.

악공 아, 전라도 제주 망막골에 산다니, 쉬(세)나위청으로 불러 봅소.

미얄 (시나위청으로) 절절 절시구 저절절절 절시구, 얼시구 절시구 지화자 절절 절시구, 우리 영감 어데 갔나, 기산영수 별건곤에 소부·허유를 따라갔나, 채석강 명월야에 이적선 따라갔나, 적벽강 추야월에 소동파 따라갔나. 우리 영감을 찾으려고 일원산(一元山)서 하로 자고, 이강경(二江景)서 이틀 자고, 삼부여(三扶餘)서 사흘 자고, 사법성(四法聖)서 나흘 자고, 삼국(三國) 적 유현덕(劉玄德)이 제갈공명(諸葛孔明) 찾으랴고 삼고초려(三顧草廬) 하던 정성, 만고성군(萬古聖君) 주문왕(周文王)이 태공망(太公望)을 찾으려고 위수양(渭水楊) 가던 정성, 초한(楚漢) 적 항적(項籍)이가 범아부(范亞夫)를 찾으려고 나[기]고산(祁高山) 가던 정성, 이 정성, 저 정성 다 부려서 강산 천 리(江山千里) 다 다녀도 우리 영감을 못 찾갔네. ㉡ 우리 영감을 만나 보면 귀도 대고 코도 대고 눈도 대고 입도 대고 업어도 보고 안아도 보련마는, 우리 영감 어데를 가고 날 찾을 줄을 왜 모르는가. 아이고 아이고!(㉢ 굿거리 춤을 추며 퇴장.)

학습 활동 응용

01 윗글에 대한 설명으로 적절한 것을 〈보기〉에서 찾아 바르게 묶은 것은?

〈보기〉
ㄱ. 특별한 무대 장치를 필요로 하지 않는다.
ㄴ. 우화적 수법으로 인간 사회를 비판하고 있다.
ㄷ. 서술자가 직접 개입하여 생각을 드러내고 있다.
ㄹ. 같은 구절을 반복 사용하여 리듬감을 형성하고 있다.

① ㄱ, ㄴ ② ㄱ, ㄹ ③ ㄴ, ㄷ
④ ㄴ, ㄹ ⑤ ㄷ, ㄹ

02 윗글에 나타난 '악공'의 역할에 대한 설명으로 적절한 것은?

① 무대 안의 상황을 관객에게 전달해 주는 인물이다.
② 사실을 과장하여 상대를 자만에 빠지게 하고 있는 인물이다.
③ 극 중 배우와 대화하여 극의 서사 전개에 관여하는 인물이다.
④ 상대를 높이는 듯하면서 우회적으로 조롱하고 있는 인물이다.
⑤ 재치를 발휘해 상대의 모순된 행위를 비판하고 있는 인물이다.

학습 활동 응용

03 윗글을 통해 알 수 있는 갈래상 특징에 대한 설명으로 가장 적절한 것은?

① 탈춤은 과거 시제로 지난 일을 고백하는 형식을 띠고 있다.
② 탈춤은 근원 설화의 영향을 받았으며, 이후 고전 소설로 발전하였다.
③ 탈춤은 무대와 객석이 엄격하게 구분되어 있으며 관객의 개입은 불가능하다.
④ 탈춤은 서민의 전유물이 아니라 서민층과 양반층이 모두 함께 즐기는 것이다.
⑤ 탈춤은 개인의 체험에서 깨달은 바를 일반화하여 인간사 전반에 적용하고 있다.

04 윗글에 나타나 있는 '영감'의 외양 묘사 방식에 대한 설명으로 적절한 것은?

① 우스꽝스럽게 표현하여 앞으로 일어날 사건을 암시하고 있다.
② 우스꽝스러운 사물에 빗대어 표현함으로써 인물을 희화화하고 있다.
③ 과장되게 표현함으로써 인물에 대한 저항 의지를 적극적으로 드러내고 있다.
④ 격식을 차리는 직설적인 어법으로 표현함으로써 인물을 조롱하고 비판하고 있다.
⑤ 이해하기 어려운 한자어로 묘사함으로써 인물의 학식과 권위를 내세우려 하고 있다.

학습 활동 응용

05 [A]에 대한 설명으로 적절한 것은?

① 역설적 표현을 반복하여 의미를 강조하고 있다.
② 반어적 표현을 활용하여 대상을 풍자하고 있다.
③ 중국 고사를 활용하여 구비 전승을 유리하게 하고 있다.
④ 과장과 대구적 표현을 사용하여 해학적인 분위기를 조성하고 있다.
⑤ 동음이의어를 통한 언어유희적 표현을 사용하여 대상을 조롱하고 있다.

06 ㉠에 내포된 의미로 가장 적절한 것은?

① '영감'에 대한 '미얄'의 집착이 표현되어 있다.
② '영감'에 대한 '미얄'의 반감이 표현되어 있다.
③ '영감'에 대한 '미얄'의 신뢰감이 표현되어 있다.
④ '영감'에 대한 '미얄'의 두려움이 표현되어 있다.
⑤ '영감'에 대한 '미얄'의 연민의 마음이 표현되어 있다.

07 ㉡의 상황에 어울리는 한자 성어로 적절한 것은?

① 전전반측(輾轉反側)
② 회자정리(會者定離)
③ 오매불망(寤寐不忘)
④ 각주구검(刻舟求劍)
⑤ 타산지석(他山之石)

08 ㉢을 통해 알 수 있는 탈춤의 특성으로 적절한 것은?

① 악공이 극의 진행에 참여할 수 있다.
② 각 과장들의 내용이 서로 연결되어 있다.
③ 공연 장소와 극 중 장소가 연결되어 있다.
④ 특별한 무대 장치를 바탕으로 극이 전개된다.
⑤ 음악과 춤이 결합된 종합 예술적 성격을 보인다.

학습 활동 응용

09 윗글의 ⓐ와 〈보기〉의 밑줄 친 부분과 같은 표현이 주는 효과로 가장 적절한 것은?

〈보기〉

말뚝이 양반 나오신다아! 양반이라고 하니까 노론(老論), 소론(少論), 호조(戶曹), 병조(兵曹), 옥당(玉堂)을 다 지내고 삼정승(三政丞), 육판서(六判書)를 다 지낸 퇴로 재상(退老宰相)으로 계신 양반일 줄 아지 마시오. <u>개잘량이라는 '양' 자에 개다리소반이라는 '반' 자 쓰는 양반이 나오신단 말이오.</u>

– 「봉산 탈춤」 '제6과장 양반춤'

① 과장적 표현을 통해 인물의 정서를 강조하고 있다.
② 대사의 반복과 대구를 활용하여 리듬감을 살리고 있다.
③ 시구를 인용하여 인물의 심리를 효과적으로 표출하고 있다.
④ 관습적인 한문 투를 사용하여 양반의 취향을 반영하고 있다.
⑤ 언어유희의 표현을 활용하여 장면의 해학적 분위기를 조성하고 있다.

[10~19] 다음 글을 읽고 물음에 답하시오.

영감 (이상한 관을 쓰고 회색빛 나는 장삼을 입고 한 손에 부채, 한 손엔 지팡이를 들고 있다. 굿거리장단에 춤을 추면서 등장한다.) ⓐ 쉬이이, 정처 없이 왔더니 [풍악 소리] 낭자하니 참 좋긴 좋구나. 풍악 소리 듣고 보니 우리 할맘 생각이 간절하구나. 우리 할맘이 본시 무당이라 풍악 소리 반겨 듣고 혹 이리로 지나갔는지 몰라. 어디 한번 물어볼까? 여보시오. / 악공 거 뉘시오?

영감 그런 것이 아니오라 허름한 할맘을 잃고 찾아다니는데 혹시 이리로 갔는지 못 보았소?

악공 할맘은 어찌 잃었습나?

영감 우리 고향에 난리가 나서 목숨을 구하려고 이리저리 동서 사방으로 도망을 하였는데, 그 후로 통 소식이 없습네.

악공 본고향은 어디메와?

영감 전라도 제주 망막골이올세.

악공 그러면 할맘의 모색을 댑세.

영감 우리 할맘의 모색은 하도 흉해서 댈 수가 없습네.

악공 그래도 한번 대 봅세.

영감 여기서 모색을 댄들 무엇하겠습나?

악공 세상일이란 그런 것이 아니야, 모색을 대면 찾을 수 있을는지 모르지.

영감 그럼 바로 대지. 난간이마에 주게턱, 웅케눈에 개발코[빈대코], 머리칼은 다 모즈러진 빗자루 같고, 상통은 깨진 (먹푸른) 바가지 같고, 한 손엔 부채 들고 또 한 손엔 방울 들고 키는 석 자 세 치 되는 할맘이올세.

악공 옳지, 그 할맘이로군. 바로 등 너머 굿하러 갔습네.

영감 에에, 고놈의 할맘 항상 굿하러만 다녀.

악공 할맘을 한번 불러 봅소.

영감 여기 없는 할맘을 불러 무엇합나?

악공 그런 것이 아니야. 한번 불러 봅세.

영감 무슨 영문인지 알 수 없으나 하라는 대로 해 보지, 할맘!

악공 너무 짧아 못쓰겠습네! / 영감: 할마암.

악공 그것은 길어서 못쓰겠습네.

영감 그러면 어떻게 부르란 말입나?

악공 전라도 제주 망막골에 산다니 시나위청으로 불러 봅소.

영감 (시나위청으로) 절절 절지수 저저리 절절 절시구, 얼시구 절시구 지화자 절시구, 우리 할맘 어디를 갔나. 채석강 명월야에 이적선을 따라갔나. 적벽강 추야월에 소동파 따라갔나. 우리 할맘 찾으려고 일원산(一元山), 이강경(二江景), 삼부여(三扶餘), 사법성(四法聖), 강산 천 리를 다 다녀도 우리 할맘 보고지고, 칠년대한(七年大旱) 가뭄 날에 빗발같이 보고지고, 구년 홍수(九年洪水) 대홍수에 햇발같이 보고지고, 우리 할맘 만나 보면 눈도 대고 코도 대고 입도 대고 건드러지게 놀겠구만, 어델 가고 날 찾을 줄 모르는가? (굿거리 곡으로 춤을 추면서 한쪽으로 가면 미얄이 다음과 같이 부르며 등장한다.)

미얄 절절 절시구 얼시구 절시구 지화자 좋네. 절절 절지구거 누가 날 찾나? 날 찾을 사람 없건마는 누가 날 찾나? ㉠ 이태백(李太白)이 술을 먹자구 날 찾나? 상산사호(商山四皓) 네 노인이 바둑 두자고 날 찾나? 수양산(首陽山) 백이숙제(伯夷叔齊) 채미(採薇)하자고 날 찾나?

영감 (굿거리장단에 춤을 추며 다음과 같이 부르며 미얄 쪽으로 간다.) ㉡ 절절 절시구 얼시구 절시구 지화자 절시구, 할맘 찾을 이 누가 있나 할맘 할맘 내야 내야.

미얄 이게 누구야 우리 영감이 아닌가. 아모리 보아도 우리 영감이 분명하구나. 지성이면 감천이라더니 이제야 우리 영감을 찾았구나. (노랫조로) 반갑도다 좋을시구! (춤을 추면서 영감에게 매달린다.)

영감 여보게 할맘, 우리가 오래간만에 천우신조로 이렇게 반갑게 만났으니 얼싸안고 춤이나 추어 봄세. (노랫조로) 반갑고나 얼러 보세.

[A] 뒷부분 줄거리 미얄과 영감은 아들 낳는 흉내를 내지만 제대로 안 되고 싸움만 벌인다. 그러다가 서로 지난 사연을 말하는데, 영감은 땜장이로 팔도를 떠돌아다녔다고 하고 미얄은 아들이 산에 나무하러 갔다가 호랑이에게 물려 갔다고 한다. 아들이 죽었다는 말을 들은 영감이 미얄에게 헤어지자고 하면서 싸움이 다시 시작되고, 미얄이 영감의 첩인 용산 삼개 덜머리집을 때리면서 싸움은 더욱 격렬해진다. 이 과정에서 미얄이 죽게 되자, 남강노인이 등장하여 미얄을 극락세계로 보내기 위해 무당을 불러 굿을 한다.

10 윗글의 특징에 대한 설명으로 적절한 것은?

① 민속극으로 지배층에 대한 서민들의 비판 의식을 직접적으로 표출하고 있는 작품이다.
② 민속극으로 양반의 허접한 의관을 문제 삼아 그들의 권위를 조롱하고 있는 작품이다.
③ 민속극으로 봉건 사회에 대한 비판과 풍자가 강하고 근대 서민 의식이 엿보이는 작품이다
④ 민속극으로 외설적인 언어와 재담을 통해 봉건 사회에 대한 민중들의 비판 의식을 담고 있는 작품이다.
⑤ 민속극으로 비속어가 섞인 일상적인 대사를 사용하여 양반 계층의 위선적인 면모를 폭로하고 있는 작품이다.

11 윗글에 나타난 '악공'의 역할을 〈보기〉에서 모두 골라 바르게 묶은 것은?

〈보기〉
ㄱ. 직접 극에 개입하여 사건을 진행한다.
ㄴ. 등장인물과 대화를 통해 갈등을 유발한다.
ㄷ. 등장인물의 행동을 평가하여 주제를 강조한다.
ㄹ. 등장인물에게 노래를 권하여 극의 음악성을 부여한다.

① ㄱ ② ㄴ ③ ㄱ, ㄹ
④ ㄴ, ㄷ ⑤ ㄱ, ㄷ, ㄹ

12 윗글에서 알 수 있는 영감의 상황 및 심리로 가장 적절한 것은?

① 아내를 찾기 위해 노심초사(勞心焦思)하고 있어.
② 아내를 찾는 것을 일장춘몽(一場春夢)이라 여기고 있어.
③ 아내를 잃어버린 상황에 대해 비분강개(悲憤慷慨)하고 있어.
④ 아내를 찾을 수 없는 상황에 대해 만시지탄(晩時之歎)하고 있어.
⑤ 아내를 찾을 수도, 안 찾을 수도 없는 진퇴유곡(進退維谷)의 상황에 처해 있어.

서술형

13 윗글에 나타난 춤과 음악의 기능을 〈조건〉에 맞게 서술하시오.

〈조건〉
• 춤과 음악의 기능을 두 가지 이상 서술할 것
• 분위기 조성, 장면 구분과 관련하여 서술할 것

14 〈보기〉에서 윗글의 풍악 소리와 유사한 기능을 하는 시어로 가장 적절한 것은?

〈보기〉
송아지 몰고 오며 바라보던 **진달래**도
저녁 노을처럼 **산**을 둘러 퍼질 것을
어마씨 그리운 솜씨에 향그러운 **꽃지짐**.

– 김상옥, 「사향」

① 송아지 ② 진달래 ③ 저녁 노을
④ 산 ⑤ 꽃지짐

15 [A]를 통해 윗글을 이해한 내용으로 가장 적절한 것은?

① 윗글은 경제 질서의 동요 속에서 신분 상승을 이루기 위해서 인간은 어떤 노력을 해야 하는지 생각해 볼 수 있도록 하고 있다.
② 윗글은 여성에게 가해지는 가부장적 질서의 횡포 속에서 여성의 권익 신장의 필요성에 대해 생각해 볼 수 있도록 하고 있다.
③ 윗글은 경제적인 능력이 양반의 권위보다 더 중요해진 상황에서 양반의 권위를 찾는 방법에 대해 생각해 볼 수 있도록 하고 있다.
④ 윗글은 가족의 해체로 인해 가장의 권위가 상실된 상황에서 전락한 가장의 권위를 다시 세우기 위해 어떤 노력을 해야 하는지 생각해 볼 수 있도록 하고 있다.
⑤ 윗글은 신분 질서의 변화 속에서 재산을 모아 부농층으로 성장해 가는 평민의 모습을 통해 신분적 한계를 극복하기 위해 어떤 노력을 해야 하는지 생각해 볼 수 있도록 하고 있다.

16 다음 중 ㉠과 유사한 표현 방식으로 의미를 강조하고 있는 것은?

① 너의 서방인지 남방인지 걸인 하나 내려왔다.
② 입을 훌훌 불고 비로 싹싹 쓴 자취 심히 고이하매 제말 덕분 그 콩 먹지 마소.
③ 앞밭에는 당추 심고 뒷밭에는 고추 심어, 고추 당추 맵다 해도 시집살이 더 맵더라.
④ 흥보 마누라는 졸고 앉았다가 설움이 복받치어 신세 자탄 울음을 우는데, 이것이 가난타령이 되었것다.
⑤ 동은 여울이요 서는 구월이라, 동여울 서구월 남드리 북향산 방방곡곡(坊坊曲曲) 면면촌촌(面面村村)이, 바위 틈틈이, 모래 쨈쨈이, 참나무 결결이 다 찾아다녀도 샌님 비뚝한 놈도 없습디다.

17 ㉡에 대한 설명으로 적절한 것은?

① 인물을 조롱하는 재담과 언어유희가 돋보인다.
② 인물의 내면 심리를 직접적으로 묘사하고 있다.
③ 노래를 통해 극의 흥미를 높이고 관객의 집중을 이끌고 있다.
④ 서민적인 정서가 풍기는 언어를 구사하여 당시의 생활상을 반영하고 있다.
⑤ 겉과 속이 다른 말과 행동을 하여 자신의 권위와 체통을 무너뜨리고 희화화한다.

18 ⓐ에 대한 설명으로 적절한 것은?

① 갈등을 일시적으로 해소하고 있다.
② 상황의 반전을 통해 긴장감을 부여하고 있다.
③ 관객의 주의를 환기하여 관심을 유도하고 있다.
④ 극에 대한 정보를 감추어 신비감을 높이고 있다.
⑤ 앞으로 일어날 사건을 암시하여 극의 긴장감을 높이고 있다.

학습 활동 응용

19 윗글과 〈보기〉를 비교하여 감상한 내용으로 가장 적절한 것은?

〈보기〉

무대

좌편에는 헛간. 우편에는 마당. 마당에는 바깥 행길의 일부분을 경계하는 울타리. 그러나 이 집에서는 울타리 밖 행길에다가 일쑤 소를 매어 둔다. 울타리에는 길로 빠지는 조그만 삽짝문이 있다.

헛간 좌편 벽에는 방문. 그 앞에 툇마루. 헛간의 후방에는 집 곁으로 통하는 입구. 마당에는 빨간 감이 군데군데 달렸다.

명랑한 늦은 가을철. [중략]

국서 이놈 개똥아! 오늘같이 바쁜 날에 너는 어디를 쏘다니니. 없는 돈에 삯꾼 얻어서 일허는 것을 보구. 그래 사대육신 성헌 놈들이 왜 그렇게 빈둥거리고 노느냐 말이야? 이놈, 성 녀석은 또 어디 갔니?

개똥이 (퉁명스럽게) 못 봤수, 나는.

국서 에이 죽일 놈들! 자식들 있다는 보람이 어디 있어! 그저 삼신할머니의 잘못이야. 이따위를 자식이라고 점지해 주신 할머니가 아예 미쳤어!

—유치진, 「소」

① 윗글과 〈보기〉는 모두 춤과 음악을 통해 흥겨운 분위기를 조성하고 있다.
② 윗글과 〈보기〉는 모두 운율이 있는 가락을 사용하여 관객의 흥을 돋우고 있다.
③ 윗글과 〈보기〉는 모두 소품과 탈을 통해 인물의 특징을 극적으로 드러내고 있다.
④ 윗글은 〈보기〉와 달리 특별한 무대 장치가 없어서 공연 장소와 극 중 장소가 엄격하게 나뉘지 않는다.
⑤ 〈보기〉는 윗글과 달리 숫자와 관련된 지역 이름을 활용하여 상황을 과장되고 재미있게 표현하고 있다.

정답과 해설 31쪽

02 원고지 이근삼

출제 포인트	• 등장인물 및 소도구의 상징성 파악하기 • 작품에 나타난 부조리극의 특징 이해하기

작품 개관

갈래	희곡, 부조리극	성격	풍자적, 반어적, 상징적
주제	진정한 삶의 가치와 의미를 잃어버린 현대인에 대한 풍자		
특징	• 특별한 사건 전개나 뚜렷한 갈등 없이 극 중 상황을 전개하고 있음. • 등장인물에게 해설자의 역할을 부여하여 극 중 상황에 대한 관객의 이해를 도움. • 상징적 의미를 지닌 무대 장치·분장·소도구, 희극적 과장, 반어적 성격을 띤 대사 등을 통해 주제를 부각함.		

등장인물의 성격과 특징

인물	성격과 특징
장남, 장녀	• 극 중 해설자의 역할 • 물질적 욕망에 사로잡혀 있는 인물 • 부모의 의무만을 강조하는 인물
교수	• 기계적으로 번역 일을 하는 무기력한 인물 • 가장의 의무감에 짓눌려 정상적인 사고 능력을 상실한 인물
처	• 자식과 교수 사이의 매개자 역할을 하는 인물 • 자식들로부터 의무를 강요당하고, 남편에게는 착취자의 입장을 취하는 이중적 입장의 인물

'원고지'의 의미

'원고지'는 자본주의를 살아가는 교수의 생활 수단이며 사실적 신분 표현인 동시에 일상의 반복되는 틀임. → 한 치의 여유도 없이 정해진 칸으로 짜여 이루어지는 현대인의 기계적인 삶을 의미함.

부조리극으로서의 특징

극의 구조	기승전결이 있는 인과적 전개가 아니라, 유사한 에피소드가 기계적으로 반복되며 극이 진행됨.
등장인물과 대사	주인공인 '교수'는 인간적 의지와 감정 없이 번역 일을 기계적으로 반복하는 모습을 보이며, 무의미한 대사가 반복됨.
무대 장치와 소도구	원고지 무늬로 되어 있는 무대 배경과 의상, 허리에 두른 쇠사슬 등 비현실적이고 상징적인 무대 장치, 소도구를 사용함.

[1~10] 다음 글을 읽고 물음에 답하시오.

등장인물 중년 교수(본직 번역) / 처 / 장남 / 장녀

장남 전 이 집 장남입니다. 이 쪽 높은 방은 저하고 누이동생이 생활하는 곳입니다. 아버지를 소개하기 전에 행복한 가정을 이룰 수 있는 비결을 말씀드리겠어요. 아주 간단합니다. 부모는 자식들에게 맡은 바 책임을 다하면 됩니다. 밥 세끼도 제대로 못 멕이고, 학비도 제대로 못 주는 부모들이 아들딸이 결혼할 때가 되면 아주 귀찮게 간섭을 한단 말입니다. 우리는 이런 버릇을 버려야 합니다. 우리 집이 비교적 행복한 것도 우리 부모의 열렬한 책임감 때문입니다. (자기 손목시계를 보며) 지금이 저녁 일곱 시 반이니, 아마 아버지가 곧 돌아오실 겁니다. ㉠ <u>아버지는 늘 쾌활한 얼굴에다 발걸음은 참새처럼 가볍지요.</u>

졸음이 오는 지루한 음악과 더불어 철문 도어가 무겁게 열리며 교수 등장. 아래위 양복이 원고지를 덧붙여 만든 것처럼 이것도 원고지 칸투성이다. 손에는 큼직한 낡은 가방을 들고 있다. 허리에 쇠사슬을 두르고 있는데 허리를 돌고 남은 줄이 마루에 줄줄 끌려 다닌다. 쇠사슬이 도어 밖까지 나가 있어 끝이 없다. 도어를 닫고 소파에 힘들게 앉는다. 여전히 쇠사슬을 끌고 다니면서, 가방은 자기 옆에 놓고 처음으로 전면을 바라본다. ㉡ <u>중년에 퍽 마른 얼굴, 이마에는 주름살이 가고 찌푸린 얼굴은 돌 모양 변화가 없다.</u> 잠시 후 피곤하다는 듯이 두 손을 옆으로 뻗치면서 크게 기지개를 한다. '아아' 하고 토하는 큰 하품은 무엇에 두들겨 맞아 죽는 비명같이 비참하게 들려 오히려 관객들을 놀라게 한다. 장녀가 플랫폼에 나타난다.

장녀 저의 아버지랍니다. ㉢ <u>밖에서 돌아오시면 늘 이렇게 달콤한 하품을 하신답니다.</u>

(교수는 머리를 기대고 잠을 자고 있다. 코를 고는데 흡사 고양이 우는 소리다.)

인제 어머님이 돌아오세요. ⓐ 어머님은 늘 아버지의 건강을 염려하세요.

적당한 곳에서 처가 나타난다. 과거에는 살도 쪘지만, 현재는 몸이 거의 헝클어져 있다. 퇴색한 옷을 입고 있다. ⓑ 소리를 안 내고 들어와, 잠자는 교수의 주머니를 샅샅이 턴다. 돈을 한 주먹 쥐고, 이어 교수의 가방을 턴다. 돈 부스러기를 몇 장 찾아내고 그 액수가 적음에 실망을 한다. 잠시 후, 교수를 흔들어 깨운다.

장녀 제 말이 맞았지요?

플랫폼 방 불이 서서히 꺼진다.

처 여보, 여기서 그냥 주무시면 어떡해요. 옷도 안 갈아입으시고.

교수 ㉮ 깜빡 잠이 들었군.

교수 일어선다.

처 어서 옷을 갈아입으세요.
(처는 교수 허리에 칭칭 감긴 철쇄를 풀어헤치고, 소파 뒤의 막대기에 감겨 있는 또 하나의 굵은 줄을 풀어 교수 허리에 다시 감아 준다.)
옷을 갈아입으시니 한결 시원하시지 않아요?

교수 난 잘 모르겠어.
처 김 씨 만나 봤어요?
교수 아니, 원체 바빠서,
처 그렇지만 김 씨 만나는 일이 제일 바쁘지 않아요? 내일까지 내야 하는데 전 어떡해요.
교수 내일 만나, 내일 만나.
처 내일 누구가 누구를 만난단 말이에요?
교수 내가 그 이 씨를 만난다니까.
처 이 씨는 또 누구요?
교수 당신이 만나라는 출판사 주인 말이야.
처 그 주인이 왜 이 씨예요? 김 씨지.
교수 그래, 김 씨랬어.
처 이름도 못 외고 어떻게 해요.
교수 ㉣ 김 씨면 어떻고 이 씨면 어때? 박 씨면 또 어때? 아닌 게 아니라 누가 누군지 분간을 못 하겠어. 누굴 만난다고 찾아가다가 보면 영 딴 사람한테 가게 된단 말이야. (잠시 사이) 거 애들보고 음악이나 한 곡 틀라고 하시오.

[A]
처 (순하고 부드러운 목소리로 옆방을 향하여) 애들아, (잠시 후) 애들아, (대답이 없다. 여전히 부드럽게) 애들아.
장남 (처의 소리와는 정반대로 호령이나 하듯이) 왜 그래요?

처 가벼운 음악이나 한 곡 틀어라. 아버지가 피곤하시단다.
장남 알겠어요!

옆방에서 축음기 소리가 난다. 시끄럽고 귀가 아픈 곡이면 어떤 음악이건 상관없다. 판에 고장이 난 듯 똑같은 곳이 되풀이된다. 처는 무표정한 얼굴, 교수는 시끄럽다는 듯이 손으로 귀를 막는다. 참다못해 교수는 손을 흔들며 중지하라는 시늉을 한다. ⓒ 음악이 멎으면 옆방이 밝아진다. 소파에 앉아 무엇을 처먹고 있는 장남과 아무렇게나 앉아 화장을 하고 있는 장녀가 보인다.

교수 저런 시끄러운 음악을 무엇 때문에 틀까?
처 왜 시끄러워요? 애들이 제일 좋아하는 곡인데.
교수 좋건 나쁘건 간에 왜 똑같은 곡을 되풀이하느냐 말이오?
처 당신이 음악을 몰라 그래요. 애들은 좋다고 하던데.
교수 그 곡 이름이 뭐지?
처 「찬란한 인생」이라나요.
교수 ㉤ 「찬란한 인생」이라. 찬란한 인생이 자꾸 되풀이된다는 말이군.
처 그런가 부죠.

학습 활동 응용

01 윗글을 이해한 내용으로 적절하지 않은 것은?

① '장남'은 '처'의 부탁을 귀담아 듣고 있지 않다.
② '처'는 자식에게 강압적인 태도를 보이고 있다.
③ '장남'은 '교수'에게 무관심한 모습을 보이고 있다.
④ '교수'는 과도한 업무로 정상적인 사고를 하지 못하고 있다.
⑤ '장남'과 '장녀'는 '교수'의 상황과 대조되는 모습을 보이고 있다.

02 윗글에 나타난 인물에 대한 설명으로 적절하지 않은 것은?

① '처'는 남편에게 기계적인 역할을 요구하고 있다.
② '처'는 자식과 '교수' 사이에 매개자 역할을 하고 있다.
③ '교수'는 기계적으로 일을 하는 무기력한 모습을 보이고 있다.
④ '장남'은 부모에게 열렬한 책임감을 강조하며 자식에 대한 부모의 간섭을 못마땅하게 인식하고 있다.
⑤ '장남'은 아버지의 역할에 대해 긍정적으로 인식하고 있으나, 아버지의 주장에 대해서는 부정적인 태도를 보이고 있다.

03 윗글의 표현상 특징에 대한 설명으로 가장 적절한 것은?

① 현장감을 강조하기 위해 사투리를 사용하고 있다.
② 상징적인 소재를 통해 주제 의식을 드러내고 있다.
③ 속도감 있는 대화를 통해 갈등의 심화를 보여 주고 있다.
④ 과거와 현재의 장면이 한 무대에서 중첩되어 나타나고 있다.
⑤ 구체적인 시간적 배경을 설정하여 극의 사실성을 높이고 있다.

04 윗글을 연극으로 공연할 때, 고려해야 할 점으로 가장 적절한 것은?

① 잔잔한 음향이 객석에서부터 들리도록 해야겠어.
② '교수'는 무기력한 표정과 과장된 태도를 보이는 것이 좋겠어.
③ 무대 전체에 특수 효과를 사용하여 비현실적이고 환상적인 분위기를 내면 좋겠어.
④ '처'의 말을 귀담아듣는 '장남'의 모습을 통해 극의 결말을 암시하는 것이 좋겠어.
⑤ '교수' 곁에 늘 '장녀'가 등장하는 것으로 처리하여 '교수'에 대한 관심을 표현하는 것이 좋겠어.

05 〈보기〉를 참고할 때, '장남'과 '장녀'에 대한 이해로 가장 적절한 것은?

〈보기〉
서구 전통극에서 관객석과 무대는 엄격히 구별되어 있다. 그런데 「원고지」는 이러한 전통극의 특징을 벗어나서 일종의 '낯설게 하기' 효과를 통해 관객의 극 중 몰입을 방해하고 있다.

① 배우가 인물의 태도가 바뀌는 계기를 만들고 있다.
② 배우가 작가의 허구적인 대리인 역할을 하고 있다.
③ 배우가 새로운 갈등이 발생할 것임을 암시하고 있다.
④ 배우가 인물의 성격이 변화될 것임을 알려 주고 있다.
⑤ 배우가 객석의 관객에게 직접적으로 말을 건네고 있다.

06 [A]의 말하기 방식에 대한 설명으로 가장 적절한 것은?

① 상황을 과장되게 표현하여 상대를 심리적으로 압박하고 있다.
② 똑같은 말투를 반복해서 사용하여 지루한 일상생활을 풍자하고 있다.
③ 상황의 불가피함을 내세워 무기력한 자신의 행동을 정당화하고 있다.
④ 서로 대조되는 말투를 사용하여 전도된 가족 관계를 풍자하고 있다.
⑤ 질문을 던져 상대가 무능력한 자신의 처지를 헤아려 보도록 이끌고 있다.

07 ㉠~㉤에 대한 설명으로 적절하지 않은 것은?

① ㉠: 교수의 모습을 실제 모습과 다르게 설명하고 있다.
② ㉡: 외양 묘사를 통해 인물의 상황을 드러내고 있다.
③ ㉢: 가족에게 무관심한 장녀의 태도를 보여 주고 있다.
④ ㉣: 과도한 업무로 정상적인 사고를 하지 못하는 교수의 모습을 드러내고 있다.
⑤ ㉤: 교수를 비롯한 식구 모두의 바람을 암시하고 있다.

08 〈보기〉를 참고하여 ㉮에 지시문을 삽입하려고 할 때, 가장 적절한 것은?

〈보기〉
희곡에서 지시문은 해설과 대사를 뺀 나머지 부분의 글로, 배경, 효과, 등장인물의 행동(동작이나 표정)을 지시하고 설명한다. 특히 행동 지시문은 등장인물의 동작, 말투, 심리 등을 지시하는 것으로 대사를 보조해 인물의 형상화를 돕는다.

① 바깥을 우두커니 바라본다.
② 무기력하게 천천히 돌아선다.
③ 빈정거리는 표정으로 앉는다.
④ 깜짝 놀라 소파에서 일어선다.
⑤ 황당하다는 듯이 처를 바라본다.

09 ⓐ와 ⓑ를 통해 드러내려는 바로 가장 적절한 것은?
① '교수'와 '처'는 다정한 부부의 모범이다.
② '장녀'는 현명하고 애교가 많은 성격이다.
③ '장녀'는 '교수'의 행동의 의미를 잘 알고 있다.
④ 가족들 간의 소통이 잘 이루어지지 않고 있다.
⑤ '장녀'는 자신의 판단에 대해 확신하지 못하고 있다.

학습 활동 응용
10 ⓒ의 효과에 대한 설명으로 적절하지 <u>않은</u> 것은?
① 조명을 통해 장면을 전환하고 있다.
② 조명 대신 음악으로 장면 전환을 대신할 수 있다.
③ 사실성은 약하지만 장면 전환이 빠르고 신속하다.
④ 무대 위 두 공간을 자유롭게 바꿀 수 있는 장치이다.
⑤ 막 내림 없이도 인물의 교체나 장소의 이동이 가능하다.

[11~19] 다음 글을 읽고 물음에 답하시오.

교수가 소파 앞에 굴러 있는 신문지를 집어본다.

교수 (신문을 혼자 읽는다.) 참 비가 많이 왔군. 강원도 쪽에 눈이 굉장한 모양인데. 또 살인이야, 이번엔 두 살 난 애가 자기 애비를 죽였대. 참, 지프차가 동대문을 들이받아 동대문이 완전히 무너졌군. 지프차는 도망가 버리구. 이것 봐. 내 『개성을 잃은 노동자』라는 번역품이 착취사에서 다시 나왔어. 이 씨가 또 당선됐군. 신경통에 듣는 한약이 새로 나왔는데. 끔찍해라. 남편이 자기 아내한테 또 매 맞았군.

처가 신문지를 한 장 다시 접는다. 날짜를 보더니

처 당신두 참, 그건 **옛날 신문**이에요. 오늘 것은 여기 있는데.

교수 (보던 신문 날짜를 읽고) 오라, 삼 년 전 신문을 읽고 있었군. **오늘 신문** 이리 주시오. (오늘 신문을 받아 가지고 다시 읽는다.) 참, 비가 많이 왔군. 강원도 쪽에 눈이 굉장한 모양인데. 또 살인이야, 이번에는 두 살 난 애가 자기 애비를 죽였대. 참, 지프차가 동대문을 들이받아 동대문이 완전히 무너졌군. 지프차는 도망가 버리구. 이것 봐, 내 『개성을 잃은 노동자』라는 번역품이 악마사(惡魔社)에서 나왔어. 이 씨가 또 당선됐군. 신경통에 듣는 한약이 새로 나왔는데, 끔찍해라. 남편이 자기 아내한테 또 매 맞았군.

처 참, 세상도 무척 변했군요. 삼 년 전만 해도 그런 일이 없었는데, 당신 피곤하시죠?

장녀 (옆방에서 화장을 하며, 장남에게) 얘, 시계가 좀 늦는데 일어선 김에 밥이나 좀 줘라.

장남, 시계에 밥을 준다.

처 여기 좀 계세요. ⓐ <u>저 밥을 좀 지을게요.</u>

교수 괜찮아. 밥 먹었어.

처 어디서요?

교수 여기서 먹었던가? 아니야, 거기서 먹었던 것 같기도 하구.

처 언제요?

교수 오늘 아침에도 먹었구, 점심두……. 글쎄……. 그러다 보니 밥을 먹었는지 분간을 못 하겠군.

처 지금 하시는 번역은 언제 끝나요?

교수 지금 하는 번역이 몇 가지나 있지?

처 그러니까 밤낮 원고료를 짤리우지오. 『자존심의 문제』, 『예술에 있어서의 창조성』, 『어떤 여자의 고백』, ……이렇게 셋뿐인가요?

교수 그렇겠지. 아이 피곤해.

처 어떤 것이건 빨리 끝내야지, 어떻게 해요. ㉠ 집도 수리해야겠구, 축음기도 사야겠구, 또 이달에 아버지 생일도 있잖아요.

교수 밤낮 생일을 치르고 있으니 어떻게 된 거요? 어제도 아버지 생일잔치를 했는데.

처 당신두 참! 어제는 당신 아버지 생신이었어요. 이번엔 우리 아버지 생일이구.

교수 그저께도 누구 아버지 생일이라고 해서 돈 만 환을 내지 않았소?

처 ㉡ 그건 대식이 동생 사촌의 며느리뻘 되는 여자의 아버지 생일이래서 그랬지요.

교수 그 바로 전날에도 누구 아버지 생일이라고 해서 돈을 냈는데.

처 그건 순자 언니 조카뻘 되는 며느리 시누이의 아버지…….

교수 됐어, 됐어. (크게 하품을 하며) 아이, 피곤해.
(이때 밖에서 시계가 여덟 시를 친다. 교수는 깜짝 놀라 일어선다.) 여덟 시야! 여덟 시! 늦겠군.

처 어디 가세요?

교수 어디 가긴 어디 가. 나 가는 데 모르시오? 옷 갈아입어야지.

전번 모양 철쇄를 졸라맨다. 이어 도어 쪽으로 가서 철문 같은 도어를 열고 밖으로 나간다. 잠시 후, 다시 들어온다.

처 왜 또 돌아오세요? 나가기가 바쁘게.

교수 여덟 시를 치기에 아침 여덟 신 줄 알았지. 대학에 강의하러 나간다고 나섰더니 밖이 캄캄하지 않어. 생각해 보니 밤 여덟 시군.(소파에 누우면서) 오늘 밤은 좀 푹 쉬어야겠군.

처 공부는 안 하세요?

교수 공부?

처 아, 번역 말이에요.

교수 좀 쉬어야겠어.

뒷부분 줄거리 기계적으로 일상을 반복하며 살아가던 교수에게 감독관이 나타나 번역 원고 쓰기를 독촉하고, 아내는 원고 한 장이 나올 때마다 이를 돈으로 환산한다. 환상 속에서 젊은 날의 희망과 정열을 상징하는 천사를 만난 교수는 자신의 꿈을 찾아 줄 것을 천사에게 갈구하지만 천사는 곧 사라져 버린다. 다시 나타난 감독관이 번역 일을 독촉하자 교수는 또 기계적으로 번역 작업을 해 나간다. 신문은 항상 똑같은 사건이 일어나고 있음을 알리고, 교수는 번역하는 일에, 아내는 자식들에게 용돈을 나누어 주는 일에 쫓기는 가운데 감독관이 번역을 독촉하는 일이 계속된다.

11 **윗글을 공연하기 위해 토의한 내용으로 적절하지 않은 것은?**

① 상징성을 띤 소품을 준비하는 것이 좋겠어.
② 소통하지 못하는 현대인의 모습을 우회적으로 비판하도록 연출하자.
③ 지시문에 나타난 인물의 말과 행동에 대해 분석해 보는 것이 좋겠어.
④ 사건의 사실적인 내용 전달보다 인물의 심리를 중심으로 표현해 보도록 하자.
⑤ 사건의 전개를 표현하기 위해서는 자유롭게 공간을 옮길 수 있도록 장면을 분할하는 것이 필요해

학습 활동 응용

12 윗글의 등장인물에게 연기 지시를 한다고 할 때, 가장 적절한 것은?

① '교수'는 '처'의 이야기에 관심을 갖고 공감적 태도를 보이도록 연기해 주세요.
② '처'는 '교수'에게 문제를 지적하기보다는 위로와 격려의 말투로 연기해 주세요.
③ '처'는 '교수'의 감정을 배려하여 간접적으로 의사를 전달할 수 있도록 연기해 주세요.
④ '교수'는 비현실적인 사회를 보여 주는 신문 기사에 대해 짧고 무덤덤한 반응만을 보이도록 연기해 주세요.
⑤ '교수'는 침묵을 통해 '처'의 의견에 암묵적으로 동조하고 호의적인 태도를 보이고 있는 것처럼 연기해 주세요.

13 윗글에 나타난 '교수'와 '처'가 주고받는 대사의 특징으로 가장 적절한 것은?

① 이성적 사고에 의한 대사를 반복하고 있다.
② 유사한 행위나 무의미한 대사를 반복하고 있다.
③ 현재 일어나고 있는 사건에 대한 대사를 반복하고 있다.
④ 미래에 대한 인물 간의 암묵적인 동의가 드러나는 대사를 반복하고 있다.
⑤ 과거에 대한 집착과 거부라는 대립 양상이 드러나는 대사를 반복하고 있다.

14 '옛날 신문'과 '오늘 신문'을 통해 알 수 있는 사실로 적절하지 않은 것은?

① 거의 동일한 내용이 기계적으로 반복되고 있다.
② 비정상적인 사건이 발생하고 있음을 알 수 있다.
③ 무의미한 여러 가지 일상들이 인과성 없이 나열되어 있다.
④ 현대인들의 자기중심적 가치관이 뚜렷하게 묘사되어 있다.
⑤ 개성을 잃은 인물이 힘겹게 착취 당하는 모습이 드러나 있다.

15 〈보기〉의 관점에서 윗글을 감상한 내용으로 가장 적절한 것은?

〈보기〉

작가는 문학 작품 속에서 인물들의 삶을 통해 당시의 시대상과 가치관을 드러낸다. 따라서 독자는 형상화된 인물들을 통해 그 시대를 이해하고 다양한 사회의 모습을 간접적으로 경험할 수 있다. 문학 작품 속의 다양한 시대 상황을 들여다보고 또 공감하면서 문학 작품을 보다 깊이 있게 감상할 수 있다.

① 윗글은 전후 사회의 빈곤과 부조리를 고발하고 인물들의 허무 의식을 잘 보여 주고 있다.
② 윗글은 현대 사회의 소외된 인물을 주인공으로 삼아 인물의 열정과 노력을 잘 보여 주고 있다.
③ 윗글은 삶의 의미를 상실한 채 무의미하게 살아가는 현대인의 일상과 현대 사회의 부조리한 현실을 보여 주고 있다.
④ 윗글은 현대 사회의 가장이 자신의 꿈을 찾아가는 과정에서 겪는 갈등과 고민, 그 해결 과정을 잘 보여 주고 있다.
⑤ 윗글은 현대사를 배경으로 한 여인의 일생을 통해 남성 중심의 가부장제 사회 구조 속에서 고통 받아 온 여성들의 삶을 잘 보여 주고 있다.

16 ㉠과 ㉡을 통해 알 수 있는 것으로 가장 적절한 것은?

① '교수'가 져야 하는 현실의 무게
② 일에 대한 '교수'의 남다른 책임감
③ '교수'가 추구하는 행복한 가족의 미래
④ '교수'의 노동으로 얻어지는 가족의 보람
⑤ '교수'의 따뜻한 인품과 폭넓은 인간관계

서술형

17 '처'가 '교수'에게 ⓐ와 같이 말한 이유를 다음과 같이 정리할 때, 빈칸에 들어갈 내용을 서술하시오.

시계에 밥을 줌.		교수에게 밥을 주려고 함.
시계가 끊임없이 움직이게 함.	=	

학습 활동 응용

18 〈보기〉와 관련하여 윗글을 이해한 내용으로 적절하지 않은 것은?

〈보기〉

[부조리극]

현대 문명을 살아가는 현대 인간의 존재와 삶의 문제들이 무질서하고 부조리하다는 것을 소재로 삼은 연극 사조이다. 부조리극은 고대 그리스극의 전통을 파괴하는 사실주의 극 그 이상으로 사실주의 극을 철저히 파괴해 반연극적 특성을 보여 준다. 플롯이나 스토리 개념의 부재, 자동 인형과 같은 등장인물, 시작과 끝의 부재, 꿈과 악몽의 반영, 논리적 맥락에서 벗어난 대상 등 연극 그 자체가 행위의 의미를 해체 당하는 부조리를 만들어 부조리성을 강조하는 기법을 사용하고 있다.

① 인물의 행위에 상징성을 부여하는 부조리극의 형식을 보여 주고 있다.
② 인물의 대사와 행위가 일치하지 않는 부조리극의 형식을 보여 주고 있다.
③ 특별한 갈등과 관련한 극 상황만을 보여 주는 부조리극의 형식을 보여 주고 있다.
④ 뚜렷한 사건 전개와 구체적인 배경을 제시하지 않는 부조리극의 형식을 보여 주고 있다.
⑤ 같은 일을 기계적으로 반복하는 자동 인형과 같은 인물을 등장시켜 부조리극의 형식을 보여 주고 있다.

학습 활동 응용

19 윗글과 〈보기〉를 비교하여 감상한 내용으로 적절하지 않은 것은?

〈보기〉

S# 109. 암실

현상액 속에 인화지를 넣는 정원.

서서히 사진의 형체가 드러나면서 다림의 얼굴이 보인다. 전에 정원이 찍어 준 다림의 증명사진이다.

현상액 속에서 웃고 있는 다림의 얼굴.

S# 110. 정원 집 마당(낮)

잎새가 다 떨어지고 가지만 남은 화초들이 화분에 담겨 마당에 놓여 있다.

카메라가 마루로 천천히 이동하면 정원이 바가지를 앞에 놓고 만년필을 만지고 있다. 만년필의 촉을 빼고 안을 분해하자 말라붙은 잉크가 덩어리져 있다. 잉크가 말라붙은 심을 물이 담긴 바가지에 넣자 투명한 물에 잉크가 풀어진다.

S# 111. 사진관(낮)

정원은 테이블 위에 편지지를 놓고 편지를 쓰고 있다.

다 쓴 편지를 곱게 접어 봉투에 넣는 정원.

[중략]

S# 114. 촬영실(밤)

정원, 벽에 걸린 손님용 양복을 입는다. 거울 앞에서 넥타이를 매는 정원.

카메라 앞에 놓인 의자 위에 앉는다. 정원, 다시 일어나 카메라를 보고 자신의 위치를 확인하고는 자리에 앉는다. 플래시가 터진다. 한 번, 두 번, 세 번, 활짝 웃는 정원의 얼굴이 화면에 가득 찬다.

그 사진은 그대로 정원의 영정 사진으로 디졸브된다. 활짝 웃고 있는 정원의 영정 앞에는 향불이 연기를 피워 올리고 있다.

암전.

— 허진호 외, 「8월의 크리스마스」

① 〈보기〉와 윗글은 모두 관객을 대상으로 창작된다.
② 윗글은 〈보기〉와 달리 무대 상연을 목적으로 한다.
③ 윗글은 〈보기〉와 달리 잦은 장면 전환이 가능하다.
④ 〈보기〉는 윗글과 달리 카메라로 촬영한다.
⑤ 〈보기〉는 윗글과 달리 영상 편집 등 다양한 기법을 활용할 수 있다.

01 관상가와의 대화 이규보

출제 포인트	• 고전 수필의 특징 이해하기 • 주제를 전달하기 위해 사용한 방식 파악하기

작품 개관

갈래	고전 수필	성격	교훈적, 성찰적
주제	편견을 버리고 유연한 시각으로 대상을 바라보아야 함.		
특징	• 대화 형식을 통해 주제를 표출함. • '이상한 관상가'의 사례를 들어 통념이 지니고 있는 한계와 문제점을 지적함.		

작품의 구성

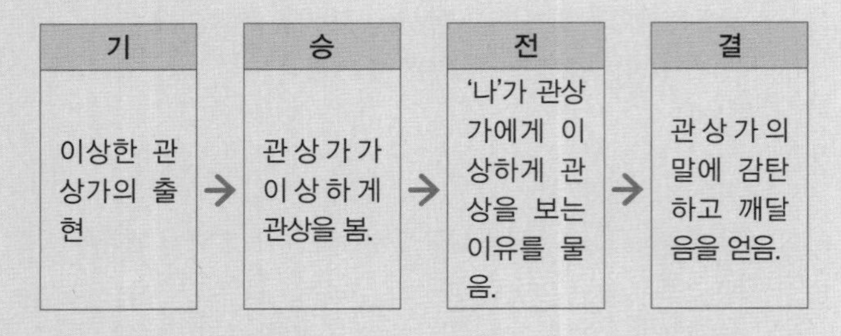

'관상가'에 대한 평가

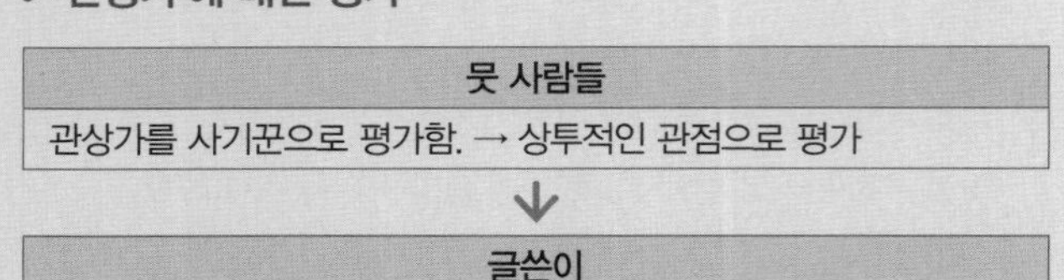

글쓴이의 깨달음과 작품의 주제 의식

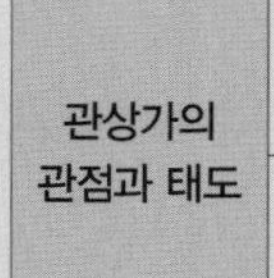

• 사람의 현재 얼굴보다는 그 사람의 미래를 내다보고 관상을 봄.
• 눈에 보이는 대로만 판단하면 미래의 모습을 잘못 예측할 수 있으므로 대상의 이면에 숨겨진 의미를 찾아야 한다고 말함.

↓

글쓴이의 깨달음

눈에 보이는 것과 반대로 이야기하는 이상한 관상가를 통해 편견에서 벗어난 유연하고 열린 사고의 필요성을 깨우치고 있음.

[1~3] 다음 글을 읽고 물음에 답하시오.

어디에서 왔는지 알 수 없는 관상가가 있었다. 그는 관상에 관련된 책을 읽지 않고 관상 보는 규칙을 따르지 않은 채 이상한 기술로 관상을 보았기 때문에 사람들은 그를 '이상한 관상가'로 불렀다. 그래서 고위 관리부터 남녀노소까지 모두 다투어 초빙하고 분주하게 달려가 관상을 보지 않는 사람이 없었다. 그가 보는 관상은 다음과 같다.

부귀하면서 살지고 기름기 흐르는 사람을 보고서는 다음과 같이 말하였다.

"당신의 모습이 몹시 야위겠으니, 당신처럼 천한 사람도 없을 것이오."

빈천하면서 아프고 파리한 사람을 보고서는 다음과 같이 말하였다.

"당신의 모습이 살찌겠으니, 당신처럼 귀한 사람도 드물 것이오."

장님을 보고서는 다음과 같이 말하였다.

"눈이 밝겠소."

민첩하여 잘 달리는 자를 보고서는 다음과 같이 말하였다.

"절뚝거리며 제대로 걸을 수도 없겠소."

아름다운 여인을 보고서는 다음과 같이 말하였다.

"아름답기도 하고 추하기도 할 것이오."

세상 사람들이 너그럽고 인자하다고 하는 사람을 보고서는 다음과 같이 말하였다.

"많은 사람을 아프게 할 사람이군요."

당시 사람들이 잔혹하기 이를 데 없다고 하는 사람을 보고서는 다음과 같이 말하였다.

"많은 사람의 마음을 기쁘게 할 사람이군요."

그가 관상을 보는 것이 모두 이와 같았다. 재앙이나 복이 생겨나는 까닭을 말할 수 없을 뿐만 아니라 상대방의 얼굴과 행동거지를 살피는 것이 모두 반대였다. 그래서 대중들은 사기꾼이라 시끄럽게 떠들며 그를 잡아다 심문하여 그의 거짓말을 취조하려 하였다. 내가 홀로 그들을 말리며 말하였다.

"말이라는 것은 처음에는 거슬리나 뒤에는 이치에 맞는 것도 있고, 겉으로는 천박하나 안으로는 심원한 것도 있네. ㉠ 저 사람 또한 눈이 있는데, 어찌 살진 자, 마른자, 장님을 알지 못한 채 살진 자더러 마르겠다 하고 장님더러 눈이 밝겠다고 하였겠는가? 이 사람은 반드시 기이한 관상가임에 틀림없을 것이오."

학습 활동 응용

01 윗글에 대한 설명으로 적절한 것은?

① 풍속을 풍자하고 세태의 변화를 주장하고 있다.
② 개인적 체험을 통해 깨달은 바를 전달하고 있다.
③ 여러 개의 사건을 동일한 시각으로 바라보고 있다.
④ 대상 간의 속성을 대조하여 문제점을 지적하고 있다.
⑤ 특정 인물의 행적을 통해 시대 현실에 대한 비판적 인식을 드러내고 있다.

02 윗글의 '관상가'에 대한 설명으로 적절하지 않은 것은?

① 글쓴이의 흥미를 유발하는 인물이다.
② 사람들에게 비난을 받고 있는 인물이다.
③ 기존의 인식과 다른 발상을 보여 주는 인물이다.
④ 사물의 본바탕을 잃는 것을 부정적으로 보는 인물이다.
⑤ 관상을 볼 때, 눈에 보이는 대로만 판단하지 않는 인물이다.

03 ㉠의 표현상 특징에 대한 설명으로 가장 적절한 것은?

① 공간적 배경 묘사를 통해 주제를 구현하고 있다.
② 비유적 표현을 통해 결론에 대한 여운을 남기고 있다.
③ 해학적 표현을 통해 갈등을 우회적으로 드러내고 있다.
④ 의문 형식을 통해 전하고자 하는 의미를 강조하고 있다.
⑤ 반어적 표현을 사용하여 주장의 타당성을 확보하고 있다.

[4~8] 다음 글을 읽고 물음에 답하시오.

이에 나는 목욕하고 양치하고 의복을 단정하게 한 뒤 관상가가 묵고 있는 곳으로 갔다. 옆에 있는 사람을 물러나게 하고는 물었다.

"그대가 아무개의 관상을 보고서 이러이러하다고 한 것은 어째서요?"

관상가가 대답하였다.

"부귀하면 교만하고 오만한 마음이 불어나게 되고, 죄가 가득차면 하늘이 반드시 뒤집어 놓을 것입니다. 쭉정이도 먹지 못하게 되는 시기가 있을 것이기에 '여위겠다.'라고 하였고, 우매하여 어리석은 필부가 될 것이기에 '당신의 족속은 천하게 될 것이오.'라고 하였습니다. 빈천하면 뜻을 낮추고 자신의 몸가짐을 겸손하게 하여 두려워하며 반성하는 뜻이 있습니다. 막힘이 지극하면 반드시 펴지게 되는 법이니, 고기를 먹을 조짐이 이미 이르렀기에 '살찌겠다.'라고 하였고, 만 섬의 곡식과 열 대의 수레를 모는 귀함이 있을 것이기에 '당신의 족속은 귀하게 될 것이오.'라고 하였습니다.

요염한 자태와 아름다운 얼굴을 엿보아 만지게 하고, 진기하고 좋은 물건을 보고서 그것을 탐하게 하며, 사람을 의혹 되게 하고 사람을 왜곡되게 하는 것은 눈입니다. 이 때문에 뜻밖의 치욕을 당하게 된다면 눈이 밝지 않은 사람이 아니겠습니까? 오직 장님만이 담박하여 탐내지도 않고 만지지 않아 온몸에서 치욕을 멀리하는 것이 현각자(賢覺者)보다 뛰어나기에 '눈이 밝다.'라고 하였습니다. 민첩하면 용기를 숭상하고 용기가 있으면 대중을 능멸하여 끝내 자객이 되거나 간악한 우두머리가 됩니다. 이렇게 되면 정위(廷尉)가 체포하고 옥졸이 가두어서 발에는 족쇄를 차고 목에는 칼을 쓰게 되니, 비록 달아나려 한들 가능하겠습니까? 그래서 '절뚝거리며 제대로 걸을 수 없겠다.'라고 하였습니다.

무릇 색이라는 것은 음탕하고 사치한 사람이 보면 보석처럼 아름답게 여기고, 단정하고 순박한 사람이 보면 진흙처럼 추하게 여기기 때문에 '아름답기도 하고 추하기도 하다.'라고 하였습니다. 이른바 인자한 사람이 죽었을 때에는 수많은 백성들이 그를 사모하여 어머니를 잃은 아이처럼 슬프게 울기 때문에 '많은 사람을 아프게 할 사람이다.'라고 하였습니다. 잔혹한 사람이 죽으면 거리마다 노래를 부르고 양고기와 술을 먹으며 축하하면서 연신 웃느라 입을 닫지 못하는 사람도 있고, 손이 아프도록 손뼉을 치는 사람도 있기에 '많은 사람을 기쁘게 할 사람이다.'라고 하였습니다."
내가 깜짝 놀라 일어나면서 말하였다.

[A]
"과연 내 말이 맞았군. 이 사람은 참으로 기이한 관상가로다. 그의 말은 좌우명으로 삼고, 법으로 삼을 만하다. 어찌 얼굴과 형상에 따라 귀한 상을 말할 때는 '몸에 거북이의 무늬가 있으니 높은 벼슬을 하겠고, 이마가 무소의 뿔처럼 튀어나왔으니 임금의 아내가 될 상'이라 하고, 나쁜 상을 말할 때는 '벌의 눈과 승냥이의 목소리를 가졌으니 흉악한 상'이라 하여, 잘못을 고치지 않고 틀에 박힌 것만을 따르면서 스스로 거룩한 체, 신령스러운 체 하는 관상가이겠는가?"
물러 나와 그의 대답을 적는다.

학습 활동 응용

04 윗글의 서술상 특징에 대한 설명으로 가장 적절한 것은?

① 대화체를 통해 체험적 교훈을 주고 있는 글이다.
② 어린 시절의 경험을 바탕으로 깨달음을 얻고 있는 글이다.
③ 인간의 삶을 사물에 빗대어 교훈을 이끌어 내고 있는 글이다.
④ 유명 인물의 삶을 재조명하여 교훈을 이끌어 내고 있는 글이다.
⑤ 자신의 희망대로 세상이 돌아가지 않는 안타까움을 상대방에게 하소연하고 있는 글이다.

서술형

05 윗글에서 '관상가'가 관상을 보는 기준과 이를 통해 알 수 있는 관상가의 생각을 서술하시오.

06 윗글을 통해 알 수 있는 내용으로 적절하지 않은 것은?

① '나'는 관상가를 대할 때 예의를 갖추고 있다.
② 관상가는 단정적인 어조로 자신의 생각을 드러내고 있다.
③ '나'는 일반적인 관상가들에게 비판적인 태도를 보이고 있다.
④ '나'는 관상가에 대한 자신의 생각이 틀렸음을 인정하고 있다.
⑤ 관상가는 관상을 보는 사람들의 이면의 모습을 중심으로 관상을 보고 있다.

07 윗글에 드러난 글쓴이의 깨달음과 의미가 통하는 것은?

① 늦었다고 생각할 때가 가장 빠르다는 것을 알게 되었어.
② 무엇이든 기초를 튼튼하게 하는 것이 가장 중요하다는 것을 알게 되었어.
③ 틀에 박힌 고정 관념을 깨야만 새로운 시야가 열린다는 것을 알게 되었어.
④ 자신의 잘못을 알고 이를 빨리 고치려는 자세가 필요하다는 것을 알게 되었어.
⑤ 자신의 일을 남에게 미루지 말고 스스로 책임지는 자세가 필요하다는 것을 알게 되었어.

08 [A]에 나타난 말하기 방식으로 가장 적절한 것은?

① 글쓴이가 자신의 생각을 직접 언급하고 있다.
② 글쓴이가 자신의 뜻을 우회적으로 알리려 한다.
③ 글쓴이가 사건의 전말을 일일이 설명하고 있다.
④ 글쓴이가 인물에 대해 객관적으로 묘사하고 있다.
⑤ 글쓴이가 객관적인 입장에서 사건을 서술하고 있다.

02 젊은 아버지의 추억 성석제

출제 포인트	• 작품의 사건 전개 과정과 주제 구현 방식 이해하기 • 현대 수필의 다양한 면모 살펴보기

> 작품 개관

갈래	현대 수필	성격	고백적, 회고적, 성찰적
주제	자만심 가득했던 청소년기의 자신을 일깨워 준 아버지의 지혜와 자신에 대한 성찰		
특징	• 글쓴이의 개성과 삶의 경험이 진솔하게 드러나고 있음. • 과거의 일을 회상하여 서술함.		

> 이 글의 구성

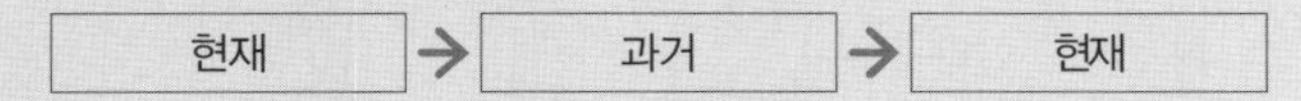

현재 → 과거 → 현재

중년의 '나'가 과거의 '나'와 중년의 아버지 사이의 일을 회상하고, 현재의 '나'를 돌아보고 있음.

> 글쓴이의 경험과 깨달음

'나'가 아버지에게 앞으로는 학교에 가지 않고 스스로 공부하겠다고 말함.

아버지는 좀 더 생각해 보라고 말하며 자전거 위에 '나'를 남겨 두고 혼자 냇가로 내려가심.

'나'는 세차게 불어오는 바람에 자전거가 쓰러질까 봐 두려움에 떨며 아버지를 기다림.

아버지가 올라와 '나'에게 달밤에 자전거 타고 혼자 있는 기분이 어떠했는지를 물음.

'나'는 아버지의 가르침을 통해 세상에는 아직 배워야 할 것이 많으며 혼자서는 살아갈 수 없다는 깨달음을 얻게 됨.

> 아버지의 가르침 방식

'나'가 자만심에 빠져 학교를 그만두고 싶다고 하자, 어두운 밤에 신작로 위에서 자전거를 타고 혼자 있게 한 뒤 그 기분을 물음.
→ 직접 훈계하지 않고 스스로 깨우칠 수 있도록 시간을 줌.

[1~5] 다음 글을 읽고 물음에 답하시오.

내 기억 속에 있는 아버지는 늘 중년이다. 아버지는 환갑의 나이에 돌아가셨는데도 지금도 나는 아버지, 하면 반사적으로 중년의 아버지를 생각한다. 중년을 나이로 환산하면 서른 살에서 쉰 살 정도일까. 연부역강(年富力强), 사나이로서는 알맞은 경륜에 자신감 있는 행동이 조화를 이루는 황금기다. ㉠ 그렇지만 내가 아버지를 중년으로만 기억하게 된 데는 이유가 있다.

열세 살이 되기 직전의 겨울, 나는 전형적인 사춘기적 증상과 맞부닥쳤다. 굳이 이름을 붙인다면 '주제 파악 불량에서 기인하는 ⓐ 자존망대형(自尊妄大型) 조발성(早發性) 천재 증후군'이라 하겠는데, 그 증상은 먼저 학교에 가기 싫어하는 것으로 나타난다. 나는 일단 그 증상에 관해 아버지와 대화를 나눠 보기로 했다. 내가 아버지의 아들인 이상, 아버지도 나와 같은 나이에 나와 같은 문제로 고민했을 게 아닌가. 천재는 유전이니까.

나는 평소에 비해 숙제를 충실히 했고 어둡기 전에 집으로 들어왔으며 모든 식구들에게 경어를 사용했다. 그래서 "재가 요즈음 웬일이야."라는 찬사가 우리 집 지붕을 뚫고 하늘에 이르렀다가 다시 땅으로 떨어져 아버지의 귀에 들어가기를 기다렸다. (이 원리는 라디오에서 배운 것임). 드디어 때가 무르익었다고 판단이 될 즈음, 아버지와 독대할 기회를 맞았다. 식구들과 함께 밤에 읍내 성당에 갔다가(이런 일은 일 년에 몇 번 있을까 말까 했다.) 술집에 있는 아버지와 함께 집으로 오라는 어머니 지시를 받은 것이다(이런 일은 평생 한 번뿐이었다.) 포연처럼 연기가 자욱하나 대포(大砲)는 없는 대포(大匏)집에 가 보니 아버지는 친구분들과 함께 가운데 연탄을 넣을 수 있게 만든 동그란 식탁을 둘러싸고 박격포와 자주포와 곡사포의 차이점, 잦은 정전과 월남전, 지역 출신의 역사적인 인물의 공과에 대해 엄숙하면서도 치열한 논쟁을 벌이고 있었다.

나는 연기로 눈물을 쏟으며 한동아 서 있다가 "아부지요,

02 젊은 아버지의 추억

어머니가 약주 조금만 더 드시고 빨리 오시랍니다."하고 말씀드렸다. 그러자 아버지의 친구분이 "아이가 어쩌면 이렇게 의젓한가!" 하고 별것도 아닌 일을 가지고 열광적으로 칭찬을 하며 내게 친구처럼 술잔까지 내밀었다. 아이라도 어른이 주는 술은 마셔도 괜찮으며 어른 앞에서 술을 배워야 한다면서. 나는 할 일이 있었기 때문에 경솔하게 그 잔을 받을 수가 없었다. 이미 막걸리 심부름을 하면서 조금씩 훔쳐 먹는 술에 중독이 된 지경인지라 새삼 술에 대해 배울 것도 없었다.

이윽고 아버지는 친구분들과 인사를 나누고 자리에서 일어났다. 친구분들은 가까운 데에 살았지만 우리 집은 십 리에서 조금 모자라는 거리에 위치하고 있었다. 겨울인데다 밤길이었던 고로 쉬운 길은 아니었다.

01 윗글에 나타난 표현상 특징으로 적절하지 않은 것은?

① 한자를 사용하여 새로운 말을 만들고 있다.
② 부연 설명을 통해 재미를 느끼게 하고 있다.
③ 동음이의어를 사용한 언어유희를 보여 주고 있다.
④ 사투리를 사용하여 대화 내용을 실감 나게 드러내고 있다.
⑤ 다양한 비유적 표현을 사용하여 사건을 생생하게 드러내고 있다.

02 윗글에 나타난 글쓴이의 생각으로 적절한 것을 〈보기〉에서 찾아 바르게 묶은 것은?

〈보기〉
ㄱ. 아버지에게 나의 고민을 이야기한다고 상황이 나아지는 것도 아닌데 그럴 필요 없잖아.
ㄴ. 적당한 기회를 엿보고 있다가, 아버지와 나의 증상에 관해 대화를 나눠 보는 것이 좋겠어.
ㄷ. 아버지는 나와 같은 고민을 했던 어린 시절을 잊었을지도 모르는데 괜히 긁어 부스럼 낼 필요는 없어.
ㄹ. 아버지는 나와 비슷한 성향을 가졌기 때문에 같은 문제로 고민해 봤을 것이기에 나를 이해해 주실 거야.

① ㄱ, ㄴ　② ㄱ, ㄹ　③ ㄴ, ㄷ
④ ㄴ, ㄹ　⑤ ㄷ, ㄹ

고난도

03 〈보기〉를 참고하여 윗글을 감상한 내용으로 적절하지 않은 것은?

〈보기〉
교술 갈래는 구체적인 경험과 같은 실재하는 사실에 대한 글쓴이의 생각이나 감정을 서술하는 개성적인 문학 양식이다. 교술(敎述)에는 교훈을 전달한다는 의미뿐만 아니라 대상이나 세계를 객관적으로 묘사하고 설명한다는 의미도 포함되어 있다. 이러한 교술 갈래는 독자에게 새로운 지식이나 깨달음을 주어 독자의 인생관을 변화시키기도 한다.

① 일상적이고 사소한 사건을 글의 제재로 삼고 있다.
② 글쓴이가 가지고 있는 독특한 개성이 잘 드러나고 있다.
③ 구체적인 삶의 문제를 제시하여 이를 통해 삶에 대한 성찰을 제공한다.
④ 인물의 행동과 대사를 중심으로 인물의 성격을 드러내는 데 주목한다.
⑤ 글쓴이가 과거에 실제로 경험한 것을 제시하여 사실성을 확보하고 있다.

04 ㉠에 대한 설명으로 적절한 것은?

① 점층적 표현을 통해 글쓴이의 생각을 강조하고 있다.
② 비유와 상징을 통해 현실의 부정적 측면을 풍자하고 있다.
③ 반어적 의미를 가진 단어를 사용해 주제를 드러내고 있다.
④ 단정적 어조를 사용하여 글쓴이의 비판적 태도를 강조하고 있다.
⑤ 현재에서 과거의 이야기로 이어지게 하며 독자의 흥미를 이끌어 내고 있다.

서술형

05 윗글에서 ⓐ와 관련한 증상을 찾아 쓰고, 글쓴이가 이를 해결하기 위해 선택한 방법을 서술하시오.

ⓐ와 관련한 증상		해결하기 위해 선택한 방법
	=	

[6~10] 다음 글을 읽고 물음에 답하시오.

아버지는 휘파람으로 애마(愛馬)를 불러, 아니다, 술집 바깥에 세워 두었던 자전거에 타고 나를 뒷자리에 앉게 하셨다. 그러곤 휘파람을 불며 페달을 밟기 시작했다. 떨어지지 않으려면 아버지의 점퍼 주머니에 손을 넣고 등에 기대야 했다. ㉠ 그 등은 알맞게 따뜻했고 어느 때보다 넓고 관대하게 느껴졌다.

인적이 드문 신작로에 들어선 나는 조심스럽게 "아부지!" 하고 불렀다.

"왜?"

"드릴 말씀이 있습니다. 사나이 대 사나이로서."

아버지는 그날 마신 술로 기분이 좋았다.

"싸나아이? 어디 한번 해 보니라."

"저 학교에 안 가면 안 되겠습니까? 배울 것도 없는 것 같고 애들도 너무 유치해서 사귈 마음이 나지 않습니다. 차라리 ㉡ 자연과 라디오를 스승 삼고 주경야독으로 제 수준에 맞는 진학 준비를 하는 것이 좋겠다고 생각합니다. 어떻게 생각하시는지요?"

㉢ 아버지는 한동안 말이 없이 씨익씨익, 하고 페달만 밟으셨다.

나는 얼씨구, 내 말이 먹혀드는구나 싶어 주마가편(走馬加鞭)격으로 말을 쏟아 냈다.

"실은 제 정신 수준은 보통 사람의 서른 살에 도달했다고 판단한 지 어언 두 달이 넘었습니다. 어쩌면 대학도 갈 필요가 없는지도 모르겠습니다. 비싼 학비를 안 대 주셔도 되니 이 얼마나 좋은 일이겠습니까?"

㉣ 아버지는 자전거를 세우고는 거의 표준말에 가까운 억양과 어휘로 말했다.

"고맙다. 내 걱정까지 해 주다니. 그렇지만 조금 더 생각을 해 보아라. 시간을 줄 테니."

그러고는 달빛 비치는 서산을 넘어 불어오는 바람 속에 자전거를 세워 두고는 신작로 아래 냇가로 내려갔다. 나는 아버지가 오줌을 누러 가시나 보다, 생각하고는 자전거 위에 앉은 채로 기다리고 있었다.

그런데 아버지는 한참이나 지났는데도 오시지 않았다.

세차게 불어오는 바람에 자전거는 금방이라도 쓰러질 것 같았다. 그렇지만 자칫 잘못 내리다가는 자전거와 함께 신작로 아래로 굴러떨어질 것 같아 이러지도 저러지도 못한 채 떨면서 기다리고 있을 수밖에 없었다. ㉤ 아버지가 앉았던 안장을 움켜쥐고 내가 하느님을 서너 번은 족히 불렀을 때 비로소 아버지가 올라왔다.

"달밤에 신작로 위에서 자전거 타고 혼자 있으니까 세상이 다 니 아래로 보이더냐?"

아버지는 자전거를 끌면서 말씀하셨다.

그 물음에는 천재인 나도 대답할 말을 쉽게 찾을 수 없었다.

그때 아버지의 나이가 사십 대 초입이었다.

나는 내 아이가 내게 그렇게 말해 온다면 어떻게 할까 생각해 본다. 준비되지 않은 채 몸과 마음만 들뜬 아이를 마음으로 감복시킬 생각을 하지 못하고 어떻게든 세상의 틀에 우겨 넣으려는 한, 내 중년은 아버지의 중년에 비할 수 없이 유치하다.

06 윗글에 나타나 있는 글쓴이의 깨달음으로 가장 적절한 것은?

① 타인에게 도움을 받기보다는 도움을 주기 위해 노력해야 한다.
② 세상에는 아직 배워야 할 것들이 많고 혼자서는 살아갈 수 없다.
③ 편견의 벽을 허물 때 아들과 아버지 사이의 진정한 화해의 길이 열린다.
④ 기존의 사고에 집착하고 이를 고수하는 것은 오히려 괴로움을 불러일으킨다.
⑤ 주변의 친구들을 새로운 시각으로 바라본다면 친구들과의 관계가 더 좋아질 수 있다.

07 윗글에서 제재의 형상화를 위해 동원하고 있는 방법으로 적절한 것은?

① 자신의 경험을 일화로 제시하면서 삶에 대한 태도를 표명하고 있다.
② 다른 사람의 경험을 이용하여 자신의 삶의 태도를 되돌아보고 있다.
③ 기존의 통념을 벗어난 사고를 바탕으로 새로운 개념을 도출하고 있다.
④ 대상에 대한 다양한 관점을 소개하는 방식으로 주제 의식을 형상화하고 있다.
⑤ 성질이 상반되는 일화를 유기적으로 조직하여 그 인과 관계를 통해 깨달음을 전달하고 있다.

학습 활동 응용

08 윗글을 읽은 후의 감상으로 가장 적절한 것은?

① 윗글을 읽고 배움에 있어 얻는 것이 있으면 잃는 것도 있다는 것을 알게 되었어.
② 윗글을 읽고 필요 이상의 학습은 행복한 삶을 방해할 수 있다는 것을 알게 되었어.
③ 윗글을 읽고 학습에 대해 불필요한 욕심을 부리고 있지 않은가를 돌아보게 되었어.
④ 윗글을 읽고 배움에 대한 집착을 버려야 진정한 성취감을 느낄 수 있다는 것을 알게 되었어.
⑤ 윗글을 읽고 배움에 있어 직접 경험하는 과정을 통해 깨닫게 하는 것이 효과적이라는 것을 알게 되었어.

09 ㉠~㉤에 대한 설명 중 적절하지 않은 것은?

① ㉠: 글쓴이가 아버지에게 느꼈던 정서적 공감을 의미한다.
② ㉡: 글쓴이의 자만심이 드러나고 있다.
③ ㉢: 아들의 이야기를 듣고 난 후, 아버지가 느꼈을 아쉬움과 서운한 감정이 드러난다.
④ ㉣: 아버지의 태도가 진지해졌음을 보여 준다.
⑤ ㉤: 위태로운 상황에서 글쓴이가 두려움을 느끼고 있음을 나타낸다.

10 윗글과 〈보기〉를 비교하여 감상한 내용으로 적절하지 않은 것은?

〈보기〉

바다!
바다를 못 본 사람도 있다.
작년 여름에 갑산 화전 지대에 갔을 때, 거기의 한 노인더러 바다를 보았느냐 물으니 못 보고 늙었노라 하였다. 자기만 아니라 그 동리 사람들은 거의 다 못 보았고 못 본 채 죽으리라 하였다. 그리고 옆에 있던 한 소년이 바다가 뭐냐고 물었다. 바다는 물이 많이 고여서, 아주 한없이 많이 고여서 하늘과 물이 맞닿은 데라고 하였더니 그 소년은 눈이 뚱그래지며,
"바다?
바다!"
하고 그윽이 눈을 감았다. 그 소년의 감은 눈은 세상에서 넓고 크기로 제일가는 것을 상상해 보는 듯하였다.
내가 만일 아직껏 바다를 보지 못하고 '바다'라는 말만 듣는다면 '바다'라는 것이 어떠한 것으로 상상될까? 빛은 어떻고 넓기는 어떻고 보기는 어떻고, 무슨 소리가 날 것으로 상상이 될꼬? 모르긴 하지만 흥미 있는 상상일 것이다. 그리고 '바다'라는 어감에서 무한히 큰 것을 느낄 것은 퍽 자연스러운 감정이라 생각도 된다.
한번 어느 자리에서 시인 지용은 말하기를 바다도 조선말 '바다'가 제일이라 하였다. '우미'니 '씨-'니보다는 '바다'가 훨씬 큰 것, 넓은 것을 가리키는 맛이 나는데, 그 까닭은 '바'나 '다'가 모두 경탄음인 '아'이기 때문, 즉 '아아'이기 때문이라 하였다. 동감이다. '우미(うみ)'라거나 '씨-(Sea)'라면 바다 전체보다 바다에 뜬 섬 하나나 배 하나를 가리키는 말쯤밖에 안 들리나 '바다'라면 바다 전체뿐 아니라 바다를 덮은 하늘까지라도 총칭하는 말 같이 크고 둥글고 넓게 울리는 소리다.

— 이태준, 『무서록』

① 윗글은 〈보기〉와 달리 글쓴이의 어린 시절 일화를 활용하여 깨달음을 얻는 과정을 보여 준다.
② 〈보기〉는 윗글과 달리 대상에 대한 추상적 묘사를 중심으로 서술한다.
③ 〈보기〉는 윗글과 달리 구체적인 언어의 양상과 비유적 표현이 주로 사용되었다.
④ 윗글과 〈보기〉의 소년은 모두 경험해 보지 못한 세계에 대한 기대감을 보여 준다.
⑤ 윗글과 〈보기〉는 모두 대상을 보고 이와 관련된 자신의 기억을 떠올리는 형식으로 이루어져 있다.

[1~4] 다음 글을 읽고 물음에 답하시오.

(가) 생사(生死) 길은
예 있으매 머뭇거리고
나는 간다는 말도
못다 이르고 어찌 갑니까.
어느 가을 이른 바람에
이에 저에 **떨어질 잎**처럼
한 가지에 나고
가는 곳 모르온저.
아아, 미타찰(彌陀刹)에서 만날 나
도(道) 닦아 기다리겠노라.

(나) 살어리 살어리랏다 **청산(靑山)**애 살어리랏다.
멀위랑 **ᄃᆞ래**랑 먹고 청산(靑山)애 살어리랏다.
얄리얄리 얄랑셩 얄라리 얄라

우러라 우러라 새여 자고 니러 우러라 새여.
널라와 시름 한 나도 자고 니러 우니로라.
얄리얄리 얄라셩 얄라리 얄라

가던 새 가던 새 본다 **믈 아래** 가던 새 본다.
잉 무든 장글란 가지고 믈 아래 가던 새 본다.
얄리얄리 얄라셩 얄라리 얄라

이링공 뎌링공 ᄒᆞ야 나즈란 디내와손뎌.
오리도 가리도 업슨 바므란 ᄯᅩ 엇디 호리라.
얄리얄리 얄라셩 얄라리 얄라

어듸라 더디던 돌코 누리라 마치던 돌코.
믜리도 괴리도 업시 마자셔 우니노라.
얄리얄리 얄라셩 얄라리 얄라

살어리 살어리랏다 바ᄅᆞ래 살어리랏다.
㉠ ᄂᆞᄆᆞ자기 구조개랑 먹고 바ᄅᆞ래 살어리랏다.
얄리얄리 얄라셩 얄라리 얄라

가다가 가다가 드로라 에졍지 가다가 드로라.
사ᄉᆞ미 짒대예 올아셔 ᄒᆡ금(奚琴)을 혀거를 드로라.
얄리얄리 얄라셩 얄라리 얄라

가다니 ᄇᆡ브른 도긔 설진 강수를 비조라.
㉡ 조롱곳 누로기 ᄆᆡ와 잡ᄉᆞ와니 내 엇디ᄒᆞ리잇고.
얄리얄리 얄라셩 얄라리 얄라

(다) **춘사(春詞) 1**

압개예 안 개 것고 뒤뫼희 ᄒᆡ 비췬다
㉢ ᄇᆡ 떠라 ᄇᆡ 떠라
밤믈은 거의 디고 낟믈이 미러 온다
지국총(至匊悤) 지국총(至匊悤) 어사와(於思臥)
강촌(江村) 온갓 고지 먼 빗치 더옥 됴타

하사(夏詞) 2

㉣ 년닙희 밥 싸 두고 반찬으란 쟝만 마라
닫 드러라 닫 드러라
청약립(靑篛笠)은 써 잇노라 녹사의(綠蓑衣) 가져오냐
지국총(至匊悤) 지국총(至 匊悤) 어사와(於思臥)
㉤ 무심(無心)ᄒᆞᆫ 백구(白鷗)ᄂᆞᆫ 내 좃ᄂᆞᆫ가 제 좃ᄂᆞᆫ가

01 (가)~(다)의 갈래상 특징에 대한 설명으로 적절하지 않은 것은?

① (가)는 본래 향찰로 표기된 작품이다.
② (나)는 3음보의 율격을 바탕으로 하고 있다.
③ (다)는 하나의 제목 아래 여러 수의 시조를 엮어 내고 있다.
④ (가)와 달리 (나)는 낙구에 감탄사를 배치하고 있다.
⑤ (나)와 (다)는 후렴구를 통해 리듬감을 형성하고 있다.

02 (가)와 (나)에 대한 설명으로 적절하지 <u>않은</u> 것은?

① (가)의 '어느 가을 이른 바람'은 누이에게 일찍 찾아 온 가혹한 시련을 의미한다.
② (가)의 '떨어질 잎'은 하강 이미지로 시적 대상인 누이의 죽음을 의미한다.
③ (나)의 '청산(靑山)'은 화자의 현실적인 고통을 심화시키는 매개체를 의미한다.
④ (나)의 '멀위'와 'ᄃᆞ래'는 청산에서 쉽게 구해 먹을 수 있는 소박한 음식을 의미한다.
⑤ (가)의 '한 가지'는 같은 혈육을, (나)의 '믈 아래'는 속세에 대한 화자의 미련을 의미한다.

03 (나)와 (다)에 대한 설명으로 가장 적절한 것은?

① (나)는 계절감이 드러나는 소재를 활용하여 화자의 외로운 처지를 부각하고 있다.
② (다)는 후각적 심상을 사용하여 자연과 하나가 되고자 하는 마음을 강조하고 있다.
③ (나)는 (다)와 달리 유사한 통사 구조의 반복을 통해 운율감을 형성하고 있다.
④ (다)는 (나)와 달리 과장된 상황을 설정하여 시상의 애상적 분위기를 고조하고 있다.
⑤ (나)의 자연은 현실 도피의 공간이고, (다)의 자연은 구체적이며 생생한 삶의 공간이다.

04 ㉠~㉤에 대한 이해로 적절하지 <u>않은</u> 것은?

① ㉠: 바다에서 나는 간소한 음식을 먹으며 살고자 하는 의지가 나타나 있다.
② ㉡: 현실적 괴로움을 술을 통해 달래고자 하는 심정이 나타나 있다.
③ ㉢: 썰물에서 밀물로 물의 흐름이 바뀔 무렵 배를 띄우고자 함이 나타나 있다.
④ ㉣: 연잎에 밥을 싸서 먹는 것만으로도 만족하는 안분지족의 삶의 태도가 나타나 있다.
⑤ ㉤: 자신에게 관심을 주지 않는 갈매기를 바라보며 느끼는 애석한 심정이 나타나 있다.

[5~11] 다음 글을 읽고 물음에 답하시오.

가 창밖에 밤비가 속살거려
㉠ <u>육첩방은 남의 나라,</u>

시인이란 슬픈 천명인 줄 알면서도
한 줄 시를 적어 볼까,

땀내와 사랑내 포근히 품긴
보내 주신 학비 봉투를 받아

대학 노—트를 끼고
㉡ <u>늙은 교수의 강의 들으러 간다.</u>

생각해 보면 어린 때 동무를
㉢ <u>하나, 둘, 죄다 잃어버리고</u>

나는 무얼 바라
㉣ <u>나는 다만, 홀로 침전하는 것일까?</u>

인생은 살기 어렵다는데
시가 이렇게 쉽게 씌어지는 것은
부끄러운 일이다.

육첩방은 남의 나라.
창밖에 밤비가 속살거리는데,

㉤ <u>등불을 밝혀 어둠을 조금 내몰고,</u>
시대처럼 올 아침을 기다리는 최후의 나,

나는 나에게 작은 손을 내밀어
눈물과 위안으로 잡는 최초의 악수.

나 왜 나는 조그마한 일에만 분개하는가
저 왕궁 대신에 왕궁의 음탕 대신에
50원짜리 갈비가 기름 덩어리만 나왔다고 분개하고
옹졸하게 분개하고 ⓐ <u>설렁탕집 돼지 같은 주인 년한테 욕을 하고</u>
옹졸하게 욕을 하고

한번 정정당당하게
붙잡혀 간 소설가를 위해서
ⓑ 언론의 자유를 요구하고 월남 파병에 반대하는
자유를 이행하지 못하고
20원을 받으러 세 번씩 네 번씩
찾아오는 야경꾼들만 증오하고 있는가

ⓒ 옹졸한 나의 전통은 유구하고 이제 내 앞에 정서(情緖)로 가로놓여 있다
이를테면 이런 일이 있었다
부산에 포로수용소의 제14야전병원에 있을 때
정보원이 너스들과 스펀지를 만들고 거즈를
개키고 있는 나를 보고 포로 경찰이 되지 않는다고
ⓓ 남자가 뭐 이런 일을 하고 있느냐고 놀린 일이 있었다
너스들 옆에서

지금도 내가 반항하고 있는 것은 이 스펀지 만들기와
거즈 접고 있는 일과 조금도 다름없다
ⓔ 개의 울음소리를 듣고 그 비명에 지고
머리에 피도 안 마른 애놈의 투정에 진다
떨어지는 은행나무 잎도 내가 밟고 가는 가시밭

[A]
아무래도 나는 비켜서 있다 절정 위에는 서 있지
않고 암만해도 조금쯤 옆으로 비켜서 있다
그리고 조금쯤 옆에 서 있는 것이 조금쯤
비겁한 것이라고 알고 있다!

그러니까 이렇게 옹졸하게 반항한다
이발쟁이에게
땅 주인에게는 못하고 이발쟁이에게
구청 직원에게는 못하고 동회 직원에게도 못하고
야경꾼에게 20원 때문에 10원 때문에 1원 때문에
우습지 않으냐 1원 때문에

모래야 나는 얼마큼 작으냐
바람아 먼지야 풀아 나는 얼마큼 작으냐
정말 얼마큼 작으냐……

05 (가)와 (나)에 대한 이해로 가장 적절한 것은?

① (가)는 자연적 대상과 합일되고자 하는 태도를 드러내고 있다.
② (나)는 구체적 지명을 통해 고향에 대한 그리움을 드러내고 있다.
③ (가)는 (나)와 달리 자연의 섭리에 대한 깨달음을 드러내고 있다.
④ (나)는 (가)와 달리 이상과 현실의 괴리가 해소된 심리 상태를 드러내고 있다.
⑤ (가)와 (나)는 모두 화자 자신의 행위에 대한 부끄러움과 성찰적 태도가 드러나고 있다.

06 (가)에 나타난 화자의 태도 변화를 다음과 같이 정리할 때, 빈칸에 들어갈 내용을 쓰시오.

1~6연	→	7~8연	→	9~10연
자신에 대한 부끄러움		자기 성찰		

07 (나)의 표현상 특징과 그 효과에 대한 이해로 가장 적절한 것은?

① 계절의 흐름을 통해 대상의 특성을 부각하고 있다.
② 의성어를 활용하여 경쾌한 분위기를 자아내고 있다.
③ 공감각적인 심상을 통해 관념적인 대상을 묘사하고 있다.
④ 도치된 문장으로 시상을 마무리하여 상황의 긴박성을 강조하고 있다.
⑤ 대조적 상황, 대비되는 시어를 사용하여 주제 의식을 드러내고 있다.

08 [A]에 대한 감상으로 가장 적절한 것은?

① 화자는 '절정 위'에 서 있었던 과거 자신의 모습을 그리워하고 있군.
② 화자는 '비겁한 것'들에 저항하고 있는 삶의 어려움을 형상화하고 있군.
③ 화자는 자신의 '비켜서' 있는 삶이 옹졸하고 비겁한 것임을 자각하고 있군.
④ 화자는 '암만해도'에 담긴 어조를 통해 주변 사람들의 우유부단한 태도를 비판하고 있군.
⑤ 화자는 인생의 과정에서 '조금쯤 옆에 서 있는 것'이 때로는 유익할 수 있음을 역설하고 있군.

09 ㉠~㉤에 대한 이해로 적절하지 않은 것은?

① ㉠: 화자가 타지에서 자유롭지 않은 상황에 처해 있음을 드러내고 있다.
② ㉡: 화자가 자신이 처한 시대 상황과 괴리된 삶에 대한 회의를 드러내고 있다.
③ ㉢: 화자가 과거에 함께했던 친구들을 떠올리며 상실감에 빠져 있음을 드러내고 있다.
④ ㉣: 화자가 시대적 위기 상황에 맞서 새로운 통찰을 이끌어 내고 있는 상황을 드러내고 있다.
⑤ ㉤: 암울하고 부정적인 현실을 극복하기 위해 희망적 의지를 떠올리고 있는 상황을 드러내고 있다.

10 ⓐ~ⓔ에 대한 감상으로 적절하지 않은 것은?

① ⓐ: 비본질적이고 사소한 일에만 비속어를 섞으며 분개하고 있는 화자의 모습이 드러나 있다.
② ⓑ: 사회적으로 중요한 사안들에 대해서는 정의로운 목소리를 내지 못하고 있는 모습이 드러나 있다.
③ ⓒ: 옹졸한 행위만을 일삼고 있는 자신의 행동이 오랜 시간에 걸쳐 누적되어 온 것임을 드러내고 있다.
④ ⓓ: 자신의 행위에 대해 부당한 평가를 내리고 있는 외부적 억압 세력에 대한 저항 의지를 드러내고 있다.
⑤ ⓔ: 공포스러운 외적 상황에 대해 쉽게 굴복하거나, 투정부리는 어린 자식을 위해 정작 할 말을 하지 못하고 있는 현실 상황을 드러내고 있다.

11 (나)와 〈보기〉를 비교하여 감상한 내용으로 적절하지 않은 것은?

〈보기〉

흔들리는 나뭇가지에 꽃 한번 피우려고
눈은 얼마나 많은 도전을 멈추지 않았으랴

싸그락 싸그락 두드려 보았겠지
난분분 난분분 춤추었겠지
미끄러지고 미끄러지길 수백 번,

바람 한 자락 불면 휙 날아갈 사랑을 위하여
햇솜 같은 마음을 다 퍼부어 준 다음에야
마침내 피워 낸 저 황홀 보아라

봄이면 가지는 그 한번 덴 자리에
세상에서 가장 아름다운 상처를 터뜨린다

– 고재종, 「첫사랑」

① (나)의 자연물은 화자의 무기력함을 부각하지만, 〈보기〉의 자연물은 시련을 이겨 내는 존재이다.
② (나)는 화자 자신의 소시민적 삶을, 〈보기〉는 눈꽃이 진 후 피어난 꽃의 아름다움을 노래하고 있다.
③ (나)는 현실에 대한 올바른 인식을 강조하는 반면, 〈보기〉는 스스로의 성찰을 중요하게 여기고 있다.
④ (나)의 화자는 표면에 드러난 반면, 〈보기〉의 화자는 대상을 바라보는 관찰자로 표면에 나타나 있지 않다.
⑤ (나)에서 고난은 화자를 옹졸하게 만드는 것이지만, 〈보기〉의 고난은 결실을 맺기 위해 극복하는 것으로 나타나 있다.

[12~15] 다음 글을 읽고 물음에 답하시오.

신라 풍속에 매년 2월이 되면 초여드렛날부터 보름날까지 ㉠ 서울의 남녀들이 서로 다투어 흥륜사(興輪寺)의 전탑(殿塔)을 도는 것으로 복회(福會)를 삼았다.

원성왕(元聖王) 때 낭군(郎君) 김현(金現)이란 사람이 밤이 깊도록 홀로 돌면서 쉬지 않았다. 한 처녀가 염불하면서 따라

돌다가 서로 감정이 통하여 눈길을 주었다. 탑돌이를 끝내자 으슥한 곳으로 가서 정을 통하였다.

처녀가 돌아가려고 하자 김현이 그를 따라가니, 처녀는 사양하고 거절했지만 억지로 따라갔다. 가다가 서산(西山) 기슭에 이르러 한 초막으로 들어가니, 늙은 할미가 그녀에게 묻기를, ㉡ "함께 온 이는 누구냐?"라고 하였다. 처녀가 그 사정을 말하니, 늙은 할미는 말하기를, "비록 좋은 일이지만 없는 것만 못하다. 그러나 이미 저지른 일이기에 나무랄 수도 없다. 은밀한 곳에 숨겨 두어라. 네 형제들이 나쁜 짓을 할까 두렵다."라고 하였다.

처녀는 낭을 데려다 구석진 곳에 숨겨 두었다. 조금 뒤에 세 마리의 범이 으르렁거리면서 와서 사람의 말로 말하기를, "집 안에 비린내가 나니 요기하기 좋겠구나."라고 하였다. 늙은 할미는 처녀와 함께 꾸짖어 말하기를, ㉢ "너희들의 코가 어떻게 되었구나. 무슨 미친 소리냐?"라고 하였다.

이때 하늘에서 외치는 소리가 있어 "너희들이 즐겨 생명을 해침이 너무도 많으니, 마땅히 한 놈을 죽여서 악행을 징계하겠다."라고 하였다. 세 짐승이 그것을 듣고 모두 근심하는 기색이었다. 처녀가 말하기를, "세 오빠가 만일 멀리 피해 가서 스스로 징계하겠다면 제가 대신해서 그 벌을 받겠습니다."라고 하였다. 이에 모두 기뻐하며 머리를 숙이고 꼬리를 떨어뜨리고 달아나 버렸다.

처녀가 들어와 낭에게 말하기를, "처음에 저는 당신이 우리 집에 오는 것이 부끄러워서 사양하고 거절했습니다. 그러나 이제는 감출 것이 없으니 감히 내심을 말하겠습니다. ㉣ 또한 저는 낭군과는 비록 유가 다르지만, 하룻저녁의 즐거움을 얻어 중한 부부의 의를 맺었습니다. 세 오빠의 죄악을 하늘이 이미 미워하시니, 집안의 재앙을 제가 당하고자 합니다. 알지 못하는 사람의 손에 죽는 것이 낭군의 칼날에 죽어서 은덕을 갚는 것과 어떻게 같겠습니까? 제가 내일 시가[市]에 들어가서 사람들을 심하게 해치면 나라 사람들이 저를 어떻게 할 수 없으므로 대왕은 반드시 높은 벼슬을 걸고 나를 잡을 사람을 찾을 것입니다. ㉤ 당신은 겁내지 말고 나를 좇아서 성 북쪽의 숲속까지 오면 제가 기다리고 있겠습니다."라고 하였다.

김현이 말하기를, "사람과 사람의 사귐은 인륜의 도리이지만 다른 유와 사귀는 것은 대개 정상이 아닙니다. 이미 조용히 만난 것은 진실로 천행이라고 할 것인데, 어찌 차마 배필의 죽음을 팔아서 일생의 벼슬을 요행으로 바랄 수 있겠소?"라고 하였다. 처녀가 말하기를, "낭군은 그런 말 마십시오. 지금 제가 일찍 죽는 것은 대개 천명(天命)이며, 또한 저의 소원이요, 낭군의 경사요, 우리 일족의 복이요, 나라 사람들의 기쁨입니다. 한 번 죽어서 다섯 가지 이로움이 갖춰지니 어떻게 그것을 어기겠습니까? 다만 저를 위하여 절을 짓고 불경을 강하여 좋은 과보[勝報]를 얻도록 도와주시면 낭군의 은혜는 더없이 클 것입니다." 라고 하였다.

드디어 그들은 서로 울면서 헤어졌다.

다음 날 과연 사나운 범이 성 안으로 들어왔는데, 매우 사나워 감당할 수가 없었다. 원성왕이 이 소식을 듣고 명령하기를, "범을 잡는 자에게는 벼슬 2급을 주겠다."라고 하였다. 김현이 대궐로 들어가서 아뢰기를, "소신이 잡을 수 있습니다."라고 하였다. 이에 먼저 벼슬을 주어 그를 격려하였다. 김현이 단도를 지니고 숲속으로 들어갔다. 범이 처녀로 변하여 반갑게 웃으면서 말하기를, "간밤에 낭군과 함께 마음속 깊이 정을 맺던 일을 낭군은 잊지 마십시오. 오늘 내 발톱에 상처를 입은 사람들은 모두 흥륜사의 간장을 바르고 그 절의 나발 소리를 들으면 나을 것입니다."라고 하였다.

이에 김현이 찼던 칼을 뽑아 스스로 목을 찔러 쓰러지니 곧 범이었다. 김현이 숲에서 나와 소리쳐 말하기를, "지금 이 범을 쉽게 잡았다."라고 하였다. 그 사정은 누설하지 않고 다만 그의 말대로 상한 사람들을 치료하니 그 상처가 모두 나았다. 지금도 세간에서는 그 방법을 쓰고 있다.

김현은 등용된 뒤 서천(西川) 가에 절을 세워 호원사(虎願寺)라고 하고 항상 『범망경(梵網經)』을 강설하여 범의 저승길을 인도하고, 또한 범이 제 몸을 죽여서 자기를 성공하게 만든 은혜에 보답하였다.

김현은 죽음을 앞두고 지나간 일의 기이함에 깊이 감동하여 이에 기록하여 전기를 만드니 세상에서는 처음으로 들어 알게 되었고, 이로 인하여 그 이름을 논호림(論虎林)이라고 하여 지금까지도 일컬어 온다.

12 윗글의 서술상 특징으로 가장 적절한 것은?

① 인물 간의 대화를 통해 인물의 성격을 나타내고 있다.
② 현재와 과거를 교차하여 장면의 전환을 시도하고 있다.
③ 운문체를 사용하여 인물 사이의 갈등을 부각하고 있다.
④ 열거의 방식으로 인물의 외양을 해학적으로 표현하고 있다.
⑤ 서술자가 개입하여 주관적 판단이나 감정을 노출하고 있다.

13 윗글의 내용으로 적절하지 않은 것은?

① '김현'과 '처녀'는 탑돌이를 마치고 서로 정을 통하였다.
② '늙은 할미'는 '세 마리의 범'이 '김현'을 해치지는 않을지 염려하였다.
③ '세 마리의 범'은 하늘에서 외치는 소리를 듣고 근심에 빠졌다.
④ '원성왕'은 '김현'에게 벼슬자리를 먼저 주어 성 안으로 들어온 범을 잡도록 격려하였다.
⑤ '김현'이 몸에 지니고 있던 단도로 처녀의 목을 찌르자 '처녀'는 범의 모습으로 변하게 되었다.

14 ㉠~㉤에 대한 감상으로 적절하지 않은 것은?

① ㉠: '김현'과 '처녀'의 만남이 이루어지는 계기가 되고 있다.
② ㉡: '늙은 할미'가 '김현'과 이미 알고 있는 사이였음을 알 수 있다.
③ ㉢: '김현'의 신변을 보호해 주고자 하는 의도가 담긴 말로 볼 수 있다.
④ ㉣: '처녀'가 자신이 사람이 아니라는 사실을 밝히고 있는 장면으로 볼 수 있다.
⑤ ㉤: '김현'이 높은 벼슬자리에 오를 수 있도록 자신을 희생하고자 하는 마음을 드러낸 것으로 볼 수 있다.

서술형

15 '김현'이 '처녀'가 자신에게 베푼 은혜에 보답하기 위해 어떤 행동을 하였는지 〈조건〉에 맞게 서술하시오.

〈조건〉
• 종교적 차원의 내용을 반영하여 쓸 것

[16~17] 다음 글을 읽고 물음에 답하시오.

(가) 발길을 돌리며 김 일등병은 무심코 아래를 내려다 보았다. 거기에 까마귀 두세 마리가 앉아 무엇인가 열심히 쪼고 있었다.

사람의 시체였다. 그리고 첫눈에 그것은 현 중위의 시체라는 걸 알 수 있었다. 어제저녁 두 사람을 버리고 떠났을 때와 똑같이 위는 셔츠 바람이요, 아래는 군복 바지에 군화를 신고 있었다.

까마귀란 놈이 시체 얼굴에 붙어서 무엇인가 쪼고 있는 것이었다. 그러다가 이쪽을 보고는 날아갈 기미를 보이다가도 그저 까욱까욱 몇 번 울 뿐, 다시 쪼기를 계속하는 것이었다.

시체 얼굴에는 이미 눈알은 없어져 떼꾼하니 검은 구멍이 나 있었다.

두 사람은 이쪽으로 와 아무 데나 쓰러지듯이 드러누웠다. 현 중위의 시체를 보자 마지막 남았던 기운마저 빠져 버리고 만 것이었다. [중략]

저도 모르게 혼곤히 잠 속에 끌려 들어갔던 김 일등병은 주 대위가 무어라 부르는 소리에 눈을 떴다. 하늘에 별이 총총 나 있었다. / "저 소릴 좀 듣게."

주 대위가 누운 채 쇠진한 목 안의 소리로,

"포소릴세."

김 일등병은 정신이 번쩍 들어 상반신을 일으키며 귀를 기울였다. 과연 먼 우렛소리 같은 포성이 은은히 들려오는 것이다.

"어느 편 폽니까?" / "아군의 포야. 백오십오 밀리의……."

이 주 대위의 감별이면 틀림없는 것이다. 그래 얼마나 먼 거리냐고 물으려는데 주 대위 편에서,

"그렇지만 너무 멀어, 사십 리는 실히 되겠어."

그렇다면 아무리 아군의 포라 해도 소용이 없다.

김 일등병은 도로 자리에 누워 버렸다.

(나) 그는 김 일등병을 향해,

"폿소리 나는 방향은 동남쪽이다. 바로 우리가 누워 있는 발 쪽 벼랑을 왼쪽으루 돌아 내려가면 된다!"

있는 힘을 다해 명령조로 말했다. 그리고 무거운 손을 움직여 허리에서 권총을 슬그머니 빼었다.

그때, 바로 그때 주 대위의 귀에 은은한 폿소리 사이로 또 다

른 하나의 소리가 들려온 것이었다. [중략]

"개 짖는 소리 같애."

개 짖는 소리라는 말에 김 일등병은 지친 몸을 벌떡 일으켜 머리 쪽으로 무릎걸음을 쳐 나갔다. 개 짖는 소리가 들린다면 그리 멀지 않은 곳에 인가가 있음에 틀림없었다.

"그 등성이를 넘어가면 된다!"

그러나 김 일등병의 귀에는 여전히 아무것도 들리지 않았다. 그는 누웠던 자리로 도로 뒷걸음질을 쳤다.

주 대위는 김 일등병에게 무엇인가 주고 싶었다. 그리고 그것을 자기 자신도 받고 싶었다.

김 일등병이 드러누우며 혼잣소리로,

"내일쯤은 까마귀 떼가 더 많이 몰려들겠지. 눈알이 붙어 있는 것두 오늘 밤뿐야."

이 말이 채 끝나기도 전에 갑자기 권총 소리가 그의 귓전을 때렸다.

깜짝 놀라 돌아다보니 어둠 속에 주 대위가 권총을 이리 겨눈 채 목 속에 잠긴 음성치고는 또렷하게,

"날 업어!"

하는 것이다.

김 일등병은 무슨 영문인지 몰라 하면서도 하라는 대로 일어나 등을 돌려 대는 수밖에 없었다.

"자, 걸어라!" / 김 일등병은 자기 오른쪽 귀 뒤에 권총 끝이 와 닿음을 느꼈다. [중략]

하지만 걷지 않을 수 없었다. 오른쪽 귀 뒤에 감촉되는 권총 끝이 떠나지 않는 것이다. 그것은 마치 권총이 비틀거리는 걸음이나마 옮겨 놓게 하는 거나 다름없었다.

산 밑에 이르렀다. / "오른쪽으루!"

"그대루 똑바루!"

그제야 김 일등병의 귀에도 무슨 소리가 들렸다. 그것이 점점 개 짖는 소리로 확실해졌다. 그러나 그것이 얼마만 한 거리에서인지는 짐작이 안 되었다.

목에서는 단내가 나고, 간신히 옮겨 놓는 걸음은 한껏 깊은 데로 무한정 빠져 들어가는 것만 같았다. 그저 그 자리에 주저앉고 싶은 생각뿐이었다. 그렇건만 쉬어 갈 수도 없는 노릇이었다. 귀 뒤에 와 닿은 권총 끝이 더 세게 밀고 있는 것이었다.

아무것도 뵈는 게 없었다. 어떻게 걸음을 떼어 놓고 있는지조차 깨닫지 못하고 있었다. 그러는데 저쪽 어둠 속에 자리 잡은 초가집 같은 검은 그림자와 그 앞에 서 있는 사람의 그림자, 그리고 거기서 짖고 있는 개의 모양이 몽롱해진 눈에 어렴풋이 들어왔다고 느낀 순간과 동시에 귀 뒤에 와 밀고 있던 권총 끝이 별안간 물러나면서 업힌 주 대위 몸뚱이가 무겁게 탁 내려앉음을 느꼈다.

16 (가)~(나)에 대한 설명으로 가장 적절한 것은?

① 역설적 상황 인식을 통해 현실을 비판하고 있다.
② 인물의 상념을 의식의 흐름 기법으로 서술하고 있다.
③ 전지적 서술자를 통해 인물의 내면 심리를 서술하고 있다.
④ 등장인물의 냉소적 어조를 사용하여 세태를 풍자하고 있다.
⑤ 공간의 대조를 통해 현실과 이상 간의 괴리를 드러내고 있다.

17 다음은 (가)~(나)의 사건 전개 양상을 정리한 것이다. ㉮~㉲를 참고하여 윗글을 이해한 내용으로 적절하지 않은 것은 ?

㉮	㉯	㉰	㉱	㉲
까마귀가 시체를 쪼아 먹는 것을 봄.	먼 곳에서 폿소리가 들림.	첫 번째 개 짖는 소리가 들림.	두 번째 개 짖는 소리가 들림.	초가집과 사람의 그림자, 개의 모양을 발견함.

① ㉮는 동료의 죽음으로 인한 절망감과 전쟁의 비극성을 부각하는 역할을 한다.
② ㉯는 실의에 빠진 인물들이 삶에 대한 희망을 잠시나마 품게 되는 계기로 작용한다.
③ ㉰는 자결을 하려던 '주 대위'만이 인지하게 된 상황으로, 사건이 새로운 전기를 맞게 되는 계기가 된다.
④ ㉱는 '김 일등병' 역시 그 정체를 분명히 인지하게 된 상황으로, '김 일등병'이 힘을 내어 목표 지점으로 이동하게 되는 계기로 작용한다.
⑤ ㉲는 '주 대위'와 '김 일등병'이 인가가 있는 곳에 거의 도착하였음을 보여 주는 것으로, 삶의 희망이 시각적으로 형상화되고 있는 장면이다.

1등급 완성 문제

수능 유형의 복합 지문이 내신 평가에서 고득점 판별 문제로 출제되고 있습니다. 단원의 성격에 맞는 작품이나 이론을 묶는 경우가 많으므로 교과서에서 다룬 작품을 파악하는 훈련이 필요합니다.

[1~7] 다음 글을 읽고 물음에 답하시오.

가 중략 부분 줄거리 속세의 삶을 상상하며 불도에 회의를 느낀 성진은 팔선녀와 더불어 인간 세계로 추방된다. 성진은 인간 세상에서 양처사의 아들 양소유로 태어나고, 팔선녀는 각기 진채봉, 계섬월, 적경홍, 정경패, 가춘운, 이소화, 심요연, 백능파로 태어난다. 양소유는 팔선녀와 차례대로 결연을 맺어 두 부인, 여섯 낭자와 함께 화평하고 즐거이 지내는 한편, 입신양명하여 부귀공명을 이룬다. 그러나 생일을 맞아 종남산 취미궁에 올라가 처첩들과 가무를 즐기던 양소유는 역대 영웅들의 황폐한 무덤을 보고 문득 인생의 무상함을 느끼고 비회에 잠긴다.

"소유는 본디 하남의 베옷을 입은 미천한 선비로, 성천자의 은혜를 입어 벼슬이 장상에 이르렀으며 낭자들과의 은정이 백 년이 하루 같으니, 만일 모두 전생 숙연으로 모였다가 인연이 다하여 각각 돌아감은 천지에 떳떳한 일이라. 우리가 돌아간 백 년 후에 높은 대가 무너지고 굽은 연못이 메워지며 가무하던 땅이 변하여 거친 산과 쇠한 풀이 되면 초부와 목동이 그곳을 오르내리며 탄식하여 가로되, '여기는 옛날 양 승상이 여러 낭자와 더불어 놀던 곳이라. 승상의 부귀풍류와 여러 낭자의 옥용화태는 이제 어디 갔느냐?' 하리니 어찌 인생이 덧없지 아니한가?

내가 생각하니 천하에 유도(儒道)·선도(仙道)·불도(佛道)가 가장 높으니 이를 삼교(三敎)라고 이른다. 유도는 생전(生前)의 사업과 신후(身後)에 이름을 전할 뿐이요, 신선은 예로부터 구하여 얻은 자가 드무니 진시황·한무제·현종황제를 보면 알 수 있다. 내가 벼슬에서 물러난 후로부터 밤에 잠이 들면 꿈속에서 매양 포단 위에 참선하는 모습을 보니 이는 필연 불가와의 인연이 있는 것이라. 내가 장차 장자방이 적송자(赤松子)를 따른 것을 본받아 집을 버리고 스승을 구하여 남해를 건너 관세음보살을 찾고, 오대(五臺)에 올라 문수보살께 예를 하여 불생불멸의 도를 얻어 진세 고락을 벗고자 하되, 그대들과 반평생을 해로하다가 갑자기 이별하려 하니 슬픈 마음이 자연스레 곡조에 나타난 것이오."

모든 낭자들이 다 전생에 근본이 있는 사람이라, 또한 세속 인연이 다할 때니 이 말을 듣고 자연히 감동하여 이르되,

"상공께서 부귀번화를 누리는 가운데도 이렇듯 청정한 마음을 가지셨으니 상공에게 어찌 장자방을 견주리오? 우리 자매 팔 인은 마땅히 깊은 규중에서 분향 예불하여 상공께서 돌아오시기를 기다릴 것이옵니다. 상공께서 이번에 가시면 반드시 밝은 스승과 어진 벗을 만나 큰 도를 얻으시리니, 득도한 후에 부디 첩 등을 먼저 제도(濟度)해 주소서."

승상이 몹시 기뻐하며 말하기를,

"우리 아홉 사람의 뜻이 같으니 쾌사라. 과인은 내일 떠날 것이니, 오늘은 모든 낭자와 더불어 취하도록 술을 마시리라."

모든 낭자들이 말하기를,

"첩들이 각각 한 잔씩 받들어 상공을 전송하오리다."

잔을 씻어 다시 부으려 하는데, 홀연 막대 던지는 소리가 났다. 모든 사람들이 의아히 여기며 생각하기를, '어떤 사람이 올라오는가?' 하였다. 한 호승(胡僧)이 눈썹이 길고 눈이 맑고 얼굴이 괴이하였다. 엄연히 좌상에 이르러 승상에게 예를 하며 말하기를,

"산야 사람이 대승상을 뵈옵니다."

태사가 이인인 줄 알고 황망히 답례하기를,

"사부는 어느 곳으로부터 오셨나이까?"

호승이 웃으며 대답하기를,

"평생 고인을 몰라보시니 일찍이, '귀인은 잊기를 잘한다.'는 말이 옳소이다."

승상이 자세히 보니 과연 얼굴이 익은 듯하였다. 문득 깨달아 능파 낭자를 돌아보며 말하기를,

"내가 지난날 토번을 정벌할 때 꿈에 동정 용궁의 잔치에 참석하고 돌아오는 길에, 한 화상이 법좌(法座)에 앉아서 경을 강론하는 것을 보았는데 노승이 바로 그 노화상이냐?"

호승이 박장대소하고 가로되,

"옳도다, 옳도다. 비록 그 말이 옳으나 꿈속에서 잠깐 만난 일은 기억하고 십년 동안 같이 살았던 것은 기억하지 못하니 누가 양 승상을 총명하다 하였는가?"

승상이 망연자실하여 말하기를,

"소유는 십오륙 세 이전에는 부모의 슬하를 떠난 적이 없

고, 십육 세에 급제하여 곧바로 직명을 받아 관직에 있었으니, 동으로 연나라에 사신으로 가고 토번을 정벌하러 떠난 것 외에는 일찍이 경사를 떠나지 아니하였거늘, 언제 사부와 함께 십 년을 상종하였으리오?"

㉠ 노승이 웃으며 말하기를,

ⓐ "상공이 아직도 춘몽을 깨지 못하였도다."

㉡ 승상이 말하기를,

"사부는 어찌하면 소유로 하여금 춘몽을 깨게 하실 수 있나이까?"

노승이 이르기를,

"이는 어렵지 않도다."

하고 손에 잡고 있던 석장을 들어 돌난간을 두어 번 두드렸다. 갑자기 네 골짜기에서 구름이 일어나 누대 위를 뒤덮어 지척을 분변하지 못하였다. 승상이 정신이 아득하여 마치 취몽 가운데에 있는 듯하여 한참만에 소리를 질러 말하기를,

"사부는 어찌하여 정도(正道)로 소유를 인도하지 아니하고 환술로써 희롱하시나이까?"

승상이 말을 마치지 못하여 구름이 걷히는데 노승은 간 곳이 없고 좌우를 돌아보니 팔 낭자도 간 곳이 없었다. 승상이 매우 놀라 어찌할 바를 모르는 중에 높은 대와 많은 집들이 한순간에 없어지고 자기의 몸은 작은 암자의 포단 위에 앉았는데, 향로에 불은 이미 사라지고 지는 달이 창가에 비치고 있었다.

(나)

춘사(春詞)

강호(江湖)에 봄이 드니 미친 흥(興)이 절로 난다
탁료계변(濁醪溪邊)에 금린어(錦鱗魚)ㅣ 안주라
㉢ 이 몸이 한가(閑暇)히옴도 ㉣ 역군은(亦君恩)이샷다

하사(夏詞)

강호(江湖)에 녀름이 드니 초당(草堂)에 일이 업다
유신(有信)훈 강파(江波)는 보내느니 ㅂ람이다
이 몸이 서늘히옴도 역군은(亦君恩)이샷다

추사(秋詞)

강호(江湖)에 ᄀ올이 드니 고기마다 슬져 잇다
소정(小艇)에 그물 시러 흘리 띄여 더뎌두고
이 몸이 소일(消日)히옴도 역군은(亦君恩)이샷다

동사(冬詞)

강호(江湖)에 겨월이 드니 눈 기픠 자히 남다
삿갓 빗기 쓰고 누역으로 오슬 삼아
이 몸이 칩지 아니히하옴도 역군은(亦君恩)이샷다

01 (가)와 (나)에 대한 설명으로 가장 적절한 것은?

① (가)에서는 유교적 영웅이 등장하는 반면, (나)에서는 입신양명을 포기한 선비의 모습이 나타난다.
② (가)에서는 불교적 세계관이 주로 나타나는 반면, (나)에서는 전체적으로 도교적 세계관이 나타난다.
③ (가)에서는 유교적 세계관 속에서 무상감을 느끼는 반면, (나)에서는 유교적 세계관 속에서 만족감을 느낀다.
④ (가)에서는 입신양명을 삶의 목표로 여기는 반면, (나)에서는 자연 속에서의 조화로운 삶을 삶의 목표로 여기고 있다.
⑤ (가)에서는 궁극적으로 부귀공명을 이루려는 인물이 주인공인 반면, (나)에서는 화자가 안빈낙도의 삶을 추구하고 있다.

02 (가)를 '고전 소설 소개하기'의 대상 작품으로 추천하고자 한다. 추천의 이유로 가장 적절한 것은?

① 깊은 산속을 배경으로 하고 있어 한국 문학의 세계화에 기여할 수 있다.
② 다양한 인물들을 통해 우리가 지향해야 할 바람직한 인간상을 알 수 있다.
③ 인물들이 구사하는 격식 있는 말투를 통해 바람직한 언어생활을 배울 수 있다.
④ 꿈과 현실을 넘나드는 구조를 통해 현대 소설에서는 볼 수 없는 구조적 특성을 살펴볼 수 있다.
⑤ 세속적 욕망을 추구하기 보다는 참된 진리를 추구하는 모습에서 배금주의에 물든 현실을 반성할 수 있다.

03 〈보기〉를 참고하여 (가)를 감상한 것으로 적절하지 <u>않은</u> 것은?

〈보기〉

환몽 소설(幻夢小說)은 '현실 – 꿈 – 현실'의 순서에 따른 사건 전개 구성을 갖추고 있으며, 꿈속에서 벌어진 신비로운 사건을 주요 내용으로 삼는 이야기를 말한다. 이때 꿈속 사건은 주인공이 일정한 깨달음을 얻게 되는 계기가 되기도 한다. 즉 현실의 고민이나 문제가 꿈속 사건을 통해 해결의 실마리를 얻게 되는 것이다.

① (가)에서 '성진'이 춘몽에서 깨고 난 후는 현실에 해당되는 장면이겠군.
② (가)에서 '소유'가 꿈을 깨고 '성진'으로 돌아보는 것을 보면 (가)는 환몽 소설이겠군.
③ (가)에서 보이는 '소유'의 삶은 꿈속에서 벌어지는 신비로운 사건이 되겠군.
④ (가)에서 '성진'이 꿈속에서 '양 승상'으로 사는 것은 꿈에서 깨어난 이후 깨달음의 계기가 되겠군.
⑤ (가)에서 '소유'가 탄식하고 슬픈 마음이 생겼던 것은 '소유'의 꿈속 사건을 통해 해결되는 고민이겠군.

04 (나)에 대한 설명으로 적절하지 <u>않은</u> 것은?

① 문답법을 통해 대상을 예찬하고 있다.
② 계절에 따라 한 수씩 노래하고 있다.
③ 화자는 자연 속에 동화된 삶을 살고 있다.
④ 임금을 그리워하는 화자의 심정이 드러나 있다.
⑤ 형식을 통일하여 주제를 효과적으로 전달하고 있다.

서술형

05 (나)의 강호가 갖는 공간적 특징을 〈조건〉에 맞게 서술하시오.

〈조건〉

• 공간에서 화자가 느끼는 감정을 포함하여 쓸 것
• 25자 이내로 쓸 것

06 ㉠~㉣에 대한 설명으로 가장 적절한 것은?

① ㉠은 ㉡에게 고마움을 느끼며, ㉢은 ㉣을 원망한다.
② ㉠은 ㉡을 위기에서 도와주며, ㉢은 ㉣을 위해 희생한다.
③ ㉠은 ㉡에게 깨달음을 주며, ㉢은 ㉣에게 감사함을 느낀다.
④ ㉠은 ㉡에게, ㉢은 ㉣에게 잊고 있었던 사실을 인식시켜 준다.
⑤ ㉠은 ㉡과 함께 인생의 목표를 이루고자 하며, ㉢은 ㉣과 함께 인생의 즐거움을 누리고자 한다.

07 (가)의 ⓐ와 〈보기〉의 ⓑ를 비교하여 이해한 것으로 가장 적절한 것은?

〈보기〉

"네가 말하기를, '인간 세상에 윤회한 것을 꿈을 꾸었다.' 라고 하니, 이는 꿈과 세상을 다르다고 하는 것이니, ⓑ <u>네가 아직도 꿈을 깨지 못하였도다.</u>"

① ⓐ는 '성진'과 '소유' 중 무엇이 참인지 알 수 없음을 말하고 있으며, ⓑ는 '소유'의 삶이 무상함을 가르치고 있다.
② ⓐ는 '성진'이 '노승'을 알아보지 못함을 원망하고 있으며, ⓑ는 '성진'이 여전히 꿈속에 머무르고 있음을 탓하고 있다.
③ ⓐ는 '성진'이 참과 거짓을 구분하지 못함을 꾸짖고 있으며, ⓑ는 '성진'이 꿈과 현실을 구분할 수 있는 능력이 없음을 말하고 있다.
④ ⓐ는 속세의 부귀영화를 부정하지 못하는 '성진'의 태도를 지적하고 있으며, ⓑ는 현실에 만족하지 못하는 '성진'의 태도를 꾸짖고 있다.
⑤ ⓐ는 '성진'이 현실로 돌아오지 못하고 오랜 시간 꿈을 꾸고 있음을 말하고 있으며, ⓑ는 '성진'이 현실로 돌아왔지만 진정한 깨달음을 얻지 못함을 탓하고 있다.

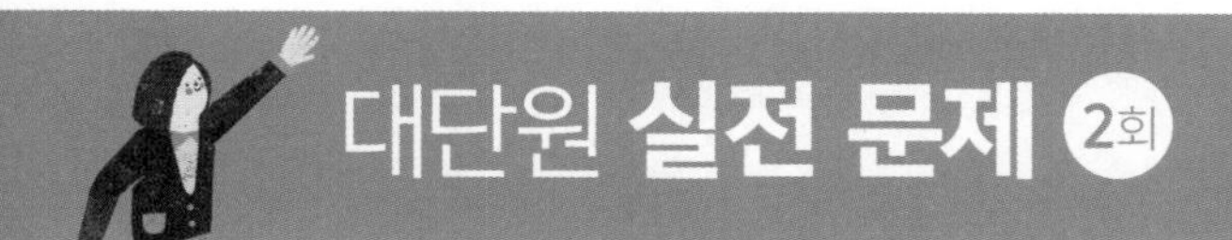

[1~6] 다음 글을 읽고 물음에 답하시오.

어머니는 조각 마루 끝에 앉아 말이 없었다. ⓐ 벽돌 공장의 높은 굴뚝 그림자가 시멘트 담에서 꺾어지며 좁은 마당을 덮었다. 동네 사람들이 골목으로 나와 뭐라고 소리치고 있었다. 통장은 그들 사이를 비집고 나와 방죽 쪽으로 걸음을 옮겼다. 어머니는 식사를 끝내지 않은 밥상을 들고 부엌으로 들어갔다. 어머니는 두 무릎을 곧추세우고 앉았다. 그리고, 손을 들어 부엌 바닥을 한 번 치고 가슴을 한 번 쳤다. 나는 동사무소로 갔다. **행복동** 주민들이 잔뜩 몰려들어 자기의 의견들을 큰 소리로 말하고 있었다. ㉠ 들을 사람은 두셋밖에 안 되는데 수십 명이 거의 동시에 떠들어 대고 있었다. 쓸데없는 짓이었다. 떠든다고 해결될 문제는 아니었다.

나는 바깥 게시판에 적혀 있는 공고문을 읽었다. 거기에는 아파트 입주 절차와 아파트 입주를 포기할 경우 탈 수 있는 이주 보조금 액수 등이 적혀 있었다. 동사무소 주위는 시장 바닥과 같았다. 주민들과 아파트 거간꾼들이 한데 뒤엉켜 이리 몰리고 저리 몰리고 했다. 나는 거기서 **아버지**와 두 동생을 만났다. 아버지는 도장포 앞에 앉아 있었다. 영호는 내가 방금 물러선 게시판 앞으로 갔다. 영희는 골목 입구에 세워 놓은 검정색 승용차 옆에 서 있었다. 아침 일찍 일들을 찾아 나섰다가 **철거 계고장**이 나왔다는 소리를 듣고 돌아온 것이었다. 누군들 이런 날 일을 할 수 있을까. 나는 아버지 옆으로 가 아버지의 공구들이 들어 있는 부대를 둘러메었다. 영호가 다가오더니 나의 어깨에서 그 부대를 내려 옮겨 메었다. 나는 아주 자연스럽게 그것을 넘겨주면서 이쪽으로 걸어오는 영희를 보았다. 영희의 얼굴은 발갛게 상기되어 있었다. 몇 사람의 거간꾼들이 우리를 둘러싸고 아파트 입주권을 팔라고 했다. 아버지가 책을 읽고 있었다. 우리는 아버지가 책을 읽는 것을 처음 보았다. 표지를 쌌기 때문에 무슨 책을 읽는지도 알 수 없었다. 영희가 허리를 굽혀 아버지의 손을 잡아끌었다. 아버지는 우리들의 얼굴을 물끄러미 쳐다보더니 자리를 털고 일어났다. “난쟁이가 간다.”라고 처음 보는 사람들이 말했다.

어머니는 대문 기둥에 붙어 있는 알루미늄 표찰을 떼기 위해 식칼로 못을 뽑고 있었다. 내가 식칼을 받아 반대쪽 못을 뽑았다. 영호는 어머니와 내가 하는 일이 못마땅한 모양이었다. 그러나 마음에 드는 일이 우리에게 일어나 주기를 바랄 수는 없는 일이었다. 어머니는 무허가 건물 번호가 새겨진 알루미늄 표찰을 빨리 떼어 간직하지 않으면 나중에 괴로운 일이 생길 것이라는 것을 알고 있었다. [중략]

나는 아버지가 놓고 나간 책을 읽고 있었다. 그것은 『**일만 년 후의 세계**』라는 책이었다. 영희는 온종일 팬지꽃 앞에 앉아 줄 끊어진 기타를 쳤다. ‘최후의 시장’에서 사 온 기타였다. 내가 방송통신고교의 강의를 받기 위해 라디오를 사러 갈 때 영희가 따라왔었다. 쓸 만한 라디오가 있었다. 그런데, 영희가 먼지 속에 놓인 기타를 들어 퉁겨 보는 것이었다. 영희는 고개를 약간 숙이고 기타를 쳤다. 긴 머리에 반쯤 가려진 옆얼굴이 아주 예뻤다. 영희가 치는 기타 소리는 영희에게 아주 잘 어울렸다. 나는 먼저 골랐던 라디오를 살 수 없었다. 좀더 싼 것으로 바꾸면서 영희가 든 기타를 가리켰다. 그 **라디오**가 고장이 나고 **기타**는 줄이 하나 끊어졌다. 줄 끊어진 기타를 영희는 쳤다. 나는 아버지가 무슨 생각을 하고 있는지 알 수 없었다. 『일만 년 후의 세계』라는 책을 아버지는 개천 건너 주택가에 사는 젊은이에게서 빌렸다. 그의 이름은 지섭이었다. 지섭은 밝고 깨끗한 주택가 삼층집에서 살았다. 지섭은 그 집 가정 교사였다. 아버지와 그는 서로 통하는 데가 있었다. 지섭이 하는 말을 나는 들었었다. 그는 이 땅에서 우리가 기대할 것은 이제 없다고 말했다.

“왜?”

아버지가 물었다.

지섭은 말했다.

“사람들은 사랑이 없는 욕망만 갖고 있습니다. 그래서 단 한 사람도 남을 위해 눈물을 흘릴 줄 모릅니다. 이런 사람들만 사는 땅은 죽은 땅입니다.”

“하긴!”

“아저씨는 평생 동안 아무 일도 안 하셨습니까?”

“일을 안 하다니? 일을 했지. 열심히 일했어. 우리 식구 모두가 열심히 일했네.”

“그럼 무슨 나쁜 짓을 하신 적은 없으십니까? 법을 어긴 적 없으세요?"

"없어."

"그렇다면 기도를 드리지 않으셨습니다. 간절한 마음으로 기도를 드리지 않으셨어요."

"기도도 올렸지."

"그런데, 이게 뭡니까? 뭐가 잘못된 게 분명하죠? 불공평하지 않으세요? 이제 이 죽은 땅을 떠나야 됩니다."

"떠나다니? 어디로?"

"달나라로!"

"얘들아!"

어머니의 불안한 음성이 높아졌다. 나는 책장을 덮고 밖으로 뛰어나갔다. 영호와 영희는 엉뚱한 곳을 찾아 헤매고 있었다. 나는 방죽가로 나가 곧장 하늘을 쳐다보았다. 벽돌 공장의 높은 굴뚝이 눈앞으로 다가왔다. 그 ㉡ 맨 꼭대기에 아버지가 서 있었다. 바로 한 걸음 정도 앞에 달이 걸려 있었다. 아버지는 피뢰침을 잡고 발을 앞으로 내밀었다. 그 자세로 아버지는 종이비행기를 날렸다.

01 윗글에 대한 설명으로 가장 적절한 것은?

① 인물의 과장된 행동을 통해 비극적 분위기를 반전시키고 있다.
② 서술자의 시각을 통해 상황에 대한 비관적 인식이 드러나고 있다.
③ 현학적인 표현을 사용하여 사건을 보는 다양한 관점을 제시하고 있다.
④ 서로 다른 두 이야기가 갖는 유사한 의미를 액자 구조를 통해 강조하고 있다.
⑤ 동시에 벌어진 사건들을 나란히 배치하여 이야기의 흐름을 지연시키고 있다.

02 〈보기〉를 바탕으로 윗글을 이해한 내용으로 적절하지 않은 것은?

〈보기〉

이 작품은 난쟁이 가족을 통해 1970년대의 급격한 산업화 과정에서 삶의 기반을 상실하고, 몰락해 가는 소외된 도시 서민들의 모습을 그리고 있다. 작가는 의도적으로 동네 이름을 설정하고, 중심인물을 난쟁이로 설정하여 거대 자본 앞에서 서민들의 나약함과 비극성을 강조하고 있다. 또한 분명한 상징성을 가지는 다양한 소재들을 사용하여 서민들이 처한 현실의 비참함을 효과적으로 보여 주고 있다.

① '행복동'은 난쟁이 가족이 처한 현실과 대조되는 지명으로 소외된 서민들의 절망적 공간임을 강조하는군.
② '아버지'는 경제적으로 무력하고 소외된 자를 상징하기 위해 난쟁이로 설정되었군.
③ '철거 계고장'은 1970년대의 급격한 산업화 과정에서 서민들이 삶의 터전을 잃는 현실을 보여 주는 것이로군.
④ '일만 년 후의 세계'라는 책 제목은 아버지가 꿈꾸고 있던 희망이 언젠가는 찾아올 것임을 보여 주고 있군.
⑤ 고장난 '라디오'와 줄 끊어진 '기타'는 '나'와 영희의 꿈이 좌절되었음을 암시하는 소재로 인물이 처한 비참함을 보여 주는군.

03 윗글에서 현실 상황에 대한 인물들의 대응 태도로 가장 적절한 것은?

① '영희'는 해결책을 찾기 위해 대안을 제시하고 있다.
② '어머니'는 문제 상황을 외면하고 다른 화제로 돌리고 있다.
③ '아버지'는 문제 상황의 의미를 이해하지 못하고 딴 소리를 하고 있다.
④ '영호'는 동정에 호소하는 방식으로 문제 상황의 해결점을 도출해내고 있다.
⑤ '나'는 현실에 체념하며 벌어진 상황을 받아들일 수밖에 없다고 생각하며 어머니를 돕고 있다.

04 ㉠의 상황을 나타내는 말로 가장 적절한 것은?

① 유구무언(有口無言)
② 중구난방(衆口難防)
③ 중언부언(重言復言)
④ 진퇴양난(進退兩難)
⑤ 횡설수설(橫說竪說)

05 ㉡에 대한 이해로 가장 적절한 것은?

① 달에 가깝게 간 '아버지'의 모습을 통해 희망적 미래를 상징하고 있다.
② '아버지'는 '지섭'이가 말한 달나라로 가기 위한 현실적 해결책을 마련하고 있다.
③ '아버지'는 달에 가깝게 가서 종이비행기를 날리면 달에 닿을 것이라 생각하고 있다.
④ '아버지'는 현실에 좌절하고 이상 공간에 도달하고 싶은 마음에 비이성적인 행동을 하고 있다 .
⑤ '아버지'가 굴뚝 꼭대기에 서 있는 허구적 상황을 제시하여 작품에 동화적이고 환상적인 분위기를 형성하고 있다.

서술형

06 ⓐ의 표현에 담긴 상징적 의미를 〈조건〉에 맞게 서술하시오.

〈조건〉
• 난쟁이 가족이 처한 현실을 고려하여 작성할 것

[7~12] 다음 글을 읽고 물음에 답하시오.

가 교수가 소파 앞에 굴러 있는 신문지를 집어 본다.

교수 (신문을 혼자 읽는다.) 참 비가 많이 왔군. 강원도 쪽에 눈이 굉장한 모양인데. 또 살인이야, 이번엔 두 살 난 애가 자기 애비를 죽였대. 참, 지프차가 동대문을 들이받아 동대문이 완전히 무너졌군. 지프차는 도망가 버리구. 이것 봐, 내 『개성을 잃은 노동자』라는 번역품이 착취사에서 다시 나왔어. 이 씨가 또 당선됐군. 신경통에 듣는 한약이 새로 나왔는데. 끔찍해라. 남편이 자기 아내한테 또 매 맞았군.

처가 신문지를 한 장 다시 접는다. 날짜를 보더니

처 당신두 참, 그건 옛날 신문이에요. 오늘 것은 여기 있는데.

교수 (보던 신문 날짜를 읽고) 오라, 삼 년 전 신문을 읽고 있었군. 오늘 신문 이리 주시오. (오늘 신문을 받아 가지고 다시 읽는다.) 참, 비가 많이 왔군. 강원도 쪽에 눈이 굉장한 모양인데. 또 살인이야, 이번엔 두 살 난 애가 자기 애비를 죽였대. 참, 지프차가 동대문을 들이받아 동대문이 완전히 무너졌군. 지프차는 도망가 버리구. 이것 봐, 내 『개성을 잃은 노동자』라는 번역품이 악마사에서 나왔어. 이 씨가 또 당선됐군. 신경통에 듣는 한약이 새로 나왔는데. 끔찍해라. 남편이 자기 아내한테 또 매 맞았군.

처 참, 세상도 무척 변했군요. 삼 년 전만 해도 그런 일이 없었는데. 당신 피곤하시죠?

장녀 (옆방에서 화장을 하며, 장남에게) 얘, 시계가 좀 늦는데 일어선 김에 밥이나 좀 줘라.

장남, 시계에 밥을 준다.

처 여기 좀 계세요. 저 밥을 좀 지을게요.

교수 괜찮어. 밥 먹었어.

처 어디서요?

교수 여기서 먹었던가? 아니야, 거기서 먹었던 것 같기도 하구.

처 언제요?

교수 오늘 아침에도 먹었구. 점심두……. 글쎄……. 그러다 보니 밥을 먹었는지 분간을 못 하겠군.

처 지금 하시는 번역은 언제 끝나요?

교수 지금 하는 번역이 몇 가지나 있지?

처 그러니까 밤낮 원고료를 짤리우지요. 『자존심의 문제』, 『예술에 있어서의 창조성』, 『어떤 여자의 고백』, ……이렇게 셋뿐인가요?

교수 그렇겠지. 아이, 피곤해.

처 어떤 것이건 빨리 끝내야지, 어떻게 해요. 집도 수리해야겠구, 축음기도 사야겠구, 또 이달에 아버지 생일도 있잖아요.

교수 밤낮 생일을 치르고 있으니 어떻게 된 거요? 어제도 아버지 생일잔치를 했는데.

처 당신두 참! 어제는 당신 아버지 생신이었어요. 이번엔 우리 아버지 생일이구.

교수 그저께도 누구 아버지 생일이라고 해서 돈 만 환을 내지 않았소?

처 그건 대식이 동생 사촌의 며느리뻘 되는 여자의 아버지 생일이래서 그랬지요.

교수 그 바로 전날에도 누구 아버지 생일이라고 해서 돈을 냈는데.

처 그건 순자 언니 조카뻘 되는 며느리 시누이의 아버지…….

교수 됐어, 됐어. (크게 하품을 하며) 아이, 피곤해.
(이때 밖에서 시계가 여덟 시를 친다. 교수는 깜짝 놀라 일어선다.) 여덟 시야! 여덟 시! 늦겠군.

처 어디 가세요?

교수 어디 가긴 어디 가. 나 가는 데 모르시오? 옷 갈아입어야지.

전번 모양 철쇄를 졸라맨다. 이어 도어 쪽으로 가서 철문 같은 도어를 열고 밖으로 나간다. 잠시 후, 다시 들어온다.

(나) S# 109. 암실

현상액 속에 인화지를 넣는 정원.

서서히 사진의 형체가 드러나면서 다림의 얼굴이 보인다. 전에 정원이 찍어 준 **다림의 증명사진**이다.

현상액 속에서 웃고 있는 다림의 얼굴.

S# 110. 정원 집 마당(낮)

잎새가 다 떨어지고 가지만 남은 화초들이 화분에 담겨 마당에 놓여 있다.

카메라가 마루로 천천히 이동하면 정원이 바가지를 앞에 놓고 만년필을 만지고 있다. 만년필의 촉을 빼고 안을 분해하자 말라붙은 잉크가 덩어리져 있다. 잉크가 말라붙은 심을 물이 담긴 바가지에 넣자 투명한 물에 잉크가 풀어진다.

S# 112. 슈퍼마켓 앞(해 질 녘)

파라솔 의자에 나란히 앉아 있는 철구와 정원. 지나가는 사람들을 본다.

철구 그 주차 단속원 아가씨 너 입원하고 안 보이더라. 그만뒀대?

정원 …… 야, 벌써 **가을**이 다 갔네.

정원은 길가의 앙상한 가지들을 바라본다.

S# 113. 사진관(밤)

정원은 선반 위에 있는 박스와 **앨범**을 꺼낸다. 자신이 학생 때 찍은 사진들 몇 장이 나온다. 몇 장을 보다가 박스를 밀어 넣고 앨범을 펼친다. 한 장 한 장 앨범을 넘기면서 미소를 짓는다.

앨범을 넘기면서 정원의 미소는 점점 사라지고 눈시울이 뜨거워진다. 눈물을 글썽거리는 정원. 한 장의 사진이 앨범에 붙어 있다. 자신이 찍어 준 다림의 증명사진이다.

정원, 앨범을 덮고 다림이 보낸 편지와 함께 다시 박스 속에 집어넣는다. 굳게 밀봉되는 박스.

S# 114. 촬영실(밤)

정원, 벽에 걸린 손님용 양복을 입는다. 거울 앞에서 넥타이를 매는 정원.

카메라 앞에 놓인 의자 위에 앉는다. 정원, 다시 일어나 카메라를 보고 자신의 위치를 확인하고는 자리에 앉는다. 플래시가 터진다. 한 번, 두 번, 세 번, 활짝 웃는 정원의 얼굴이 화면에 가득 찬다.

그 사진은 그대로 정원의 영정 사진으로 디졸브된다. 활짝 웃고 있는 정원의 영정 앞에는 **향불**이 연기를 피워 올리고 있다.

07 (가)와 (나)에 대한 설명으로 가장 적절한 것은?

① (가)는 관객과 자유로운 소통이 가능하지만, (나)는 불가능하다.
② (가)는 등장인물의 수에 제한을 받지 않지만, (나)는 등장인물의 수에 제한을 받는다.
③ (가)는 시퀀스와 신(scene)으로 구성되지만, (나)는 막과 장으로 구성된다.
④ (가)는 연극 상연을 목적으로 하지만, (나)는 영화 상영을 목적으로 한다.
⑤ (가)와 (나) 모두 시간과 공간의 제약이 없어 장면 전환이 자유롭다.

08 (가)의 '교수'에 대한 설명으로 적절하지 않은 것은?

① 기계적인 삶을 살고 있다.
② 가족과의 소통이 단절되어 있다.
③ 가족을 위해 희생하는 삶에 보람을 느끼고 있다.
④ 반복되는 일상 속에서 자신의 행동을 의식하지 못하고 있다.
⑤ 생계를 위해 일을 하느라 육체적·정신적으로 고단한 상태이다.

서술형

09 (가)와 (나)를 읽고 알 수 있는 극 갈래의 특징을 〈조건〉에 맞게 서술하시오.

〈조건〉
- 소설의 내용 전개 방식과 비교하여 서술할 것
- 극 갈래가 전제하고 있는 필수적 요소를 언급할 것

10 〈보기〉를 바탕으로 (가)를 이해한 내용으로 적절하지 않은 것은?

〈보기〉

제2차 세계 대전 이후 유럽에서 유행한 '부조리극'은 기승전결 식의 플롯 개념을 버리고, 장면의 기계적 반복, 현실과 환상이 중첩되는 시적인 이미지 등을 활용하는 극 구조를 보여 준다. 등장인물은 인간적 의지와 감정을 가진 개성적인 인물이 아니라 꼭두각시 같은 기계적인 모습으로 그려진다. 또한, 그 대사는 의미가 휘발된 상투적인 어구의 남발과 극도의 압축 및 생략으로 특성화되어 있다. 부조리극은 이러한 인간상을 통해 현대인의 비인간화된 현실을 풍자한다. 아울러 극도로 간소화된 소도구를 사용하여 작품에 뚜렷한 상징성을 부여한다.

① '생일'에 관한 이야기가 반복되는 것은 특정 내용의 기계적 반복이라고 볼 수 있겠군.
② '교수'는 피곤하지만 기계적으로 자신의 일을 반복해야 하는 꼭두각시 같은 모습을 보여 주고 있군.
③ '처'는 인간적 의지를 가지고 남편을 걱정하는 감정을 가진 개성적 인물로서 '교수'와 대비되고 있군.
④ '처'가 '교수'에게 '당신 피곤하시죠'라고 묻는 것은 전체적 맥락상 의미가 휘발된 상투적인 문구라고 볼 수 있겠군.
⑤ '교수'가 착용하는 '철쇄'와 '철문 같은 도어'는 간소화된 소도구로 작품에 뚜렷한 상징성을 부여하는 역할을 하고 있군.

서술형

11 (가)에서 신문을 통해 나타내고 있는 현대 사회의 특징을 〈조건〉에 맞게 서술하시오.

〈조건〉
- 신문에 나열된 사건이 가리키는 의미를 포함할 것
- 삼년 전 신문과 오늘 신문의 내용을 비교할 것

12 〈보기〉를 참고하여 (나)를 감상한 내용으로 적절하지 않은 것은?

〈보기〉

「8월의 크리스마스」는 인물의 말을 통한 직접적 제시의 방법보다는 여러 가지 소재와 시간적 배경, 공간적 배경 등을 통해 인물의 심리나 상황, 주제 의식 등을 상징적으로 처리한다. 즉, 인물의 대사를 절제한 대신 다양한 장치를 통해 인물들의 내면과 주제 의식을 드러내는 것이다.

① S# 109의 '다림의 증명사진'은 다림에 대한 기억을 간직하고자 하는 '정원'의 마음이 반영된 소재이다.
② S# 110의 '잎새가 다 떨어지고 가지만 남은 화초'는 죽음을 앞두고 황폐해진 '정원'의 내면을 의미한다.
③ S# 112의 배경인 '해 질 녘'과 '가을'은 소멸의 이미지로, '정원'의 죽음이 멀지 않았음을 뜻한다.
④ S# 113의 '앨범'을 보는 행위는 '정원'이 자신의 삶을 반추하고 있음을 보여 준다.
⑤ S# 114의 '향불'은 '정원'의 죽음을 상징한다.

[13~19] 다음 글을 읽고 물음에 답하시오.

가 그가 관상을 보는 것이 모두 이와 같았다. 재앙이나 복이 생겨나는 까닭을 말할 수 없을 뿐만 아니라 상대방의 얼굴과 행동거지를 살피는 것이 모두 반대였다. 그래서 대중들은 사기꾼이라 시끄럽게 떠들며 그를 잡아다 심문하여 그의 거짓말을 취조하려 하였다. 내가 홀로 그들을 말리며 말하였다.

㉮ "말이라는 것은 처음에는 거슬리나 뒤에는 이치에 맞는 것도 있고, 겉으로는 천박하나 안으로는 심원한 것도 있네. 저 사람 또한 눈이 있는데, 어찌 살진 자, 마른 자, 장님을 알지 못한 채 살진 자더러 마르겠다 하고 장님더러 눈이 밝겠다고 하였겠는가? 이 사람은 반드시 기이한 관상가임에 틀림없을 것이오."

이에 나는 목욕하고 양치하고 의복을 단정하게 한 뒤 관상가가 묵고 있는 곳으로 갔다. 옆에 있는 사람을 물러나게 하고는 물었다.

"그대가 아무개의 관상을 보고서 이러이러하다고 한 것은 어째서요?"

관상가가 대답하였다.

"부귀하면 교만하고 오만한 마음이 불어나게 되고, 죄가 가득 차면 하늘이 반드시 뒤집어 놓을 것입니다. 쭉정이도 먹지 못하게 되는 시기가 있을 것이기에 '여위겠다.'라고 하였고, 우매하여 어리석은 필부가 될 것이기에 '당신의 족속은 천하게 될 것이오.'라고 하였습니다. 빈천하면 뜻을 낮추고 자신의 몸가짐을 겸손하게 하여 두려워하며 반성하는 뜻이 있습니다. 막힘이 지극하면 반드시 펴지게 되는 법이니, 고기를 먹을 조짐이 이미 이르렀기에 '살찌겠다.'라고 하였고, 만 섬의 곡식과 열 대의 수레를 모는 귀함이 있을 것이기에 '당신의 족속은 귀하게 될 것이오.'라고 하였습니다.

요염한 자태와 아름다운 얼굴을 엿보아 만지게 하고, 진기하고 좋은 물건을 보고서 그것을 탐하게 하며, 사람을 의혹 되게 하고 사람을 왜곡되게 하는 것은 눈입니다. 이 때문에 뜻밖의 치욕을 당하게 된다면 눈이 밝지 않은 사람이 아니겠습니까? 오직 장님만이 담박하여 탐내지도 않고 만지지 않아 온몸에서 치욕을 멀리하는 것이 현각자(賢覺者)보다 뛰어나기에 '눈이 밝다.'라고 하였습니다. 민첩하면 용기를 숭상하고 용기가 있으면 대중을 능멸하여 끝내 자객이 되거나 간악한 우두머리가 됩니다. 이렇게 되면 정위(廷尉)가 체포하고 옥졸이 가두어서 발에는 족쇄를 차고 목에는 칼을 쓰게 되니, 비록 달아나려 한들 가능하겠습니까? 그래서 '절뚝거리며 제대로 걷을 수 없겠다.'라고 하였습니다.

무릇 색이라는 것은 음탕하고 사치한 사람이 보면 보석처럼 아름답게 여기고, 단정하고 순박한 사람이 보면 진흙처럼 추하게 여기기 때문에 '아름답기도 하고 추하기도 하다.'라고 하였습니다. 이른바 인자한 사람이 죽었을 때에는 수많은 백성들이 그를 사모하여 어머니를 잃은 아이처럼 슬프게 울기 때문에 '많은 사람을 아프게 할 사람이다.'라고 하였습니다. 잔혹한 사람이 죽으면 거리마다 노래를 부르고 양고기와 술을 먹으며 축하하면서 연신 웃느라 입을 닫지 못하는 사람도 있고, 손이 아프도록 손뼉을 치는 사람도 있기에 '많은 사람을 기쁘게 할 사람이다.'라고 하였습니다."

내가 깜짝 놀라 일어나면서 말하였다.

"과연 내 말이 맞았군. ㉠ 이 사람은 참으로 기이한 관상가로다. 그의 말은 좌우명으로 삼고, 법으로 삼을 만하다. 어찌 얼굴과 형상에 따라 귀한 상을 말할 때는 '몸에 거북이의 무늬가 있으니 높은 벼슬을 하겠고, 이마가 무소의 뿔처럼 튀어나왔으니 임금의 아내가 될 상'이라 하고, 나쁜 상을 말할 때는 '벌의 눈과 승냥이의 목소리를 가졌으니 흉악한 상'이라 하여, 잘못을 고치지 않고 틀에 박힌 것만을 따르면서 스스로 거룩한 체, 신령스러운 체 하는 관상가이겠는가?"

물러 나와 그의 대답을 적는다.

나 "㉡ 드릴 말씀이 있습니다. 사나이 대 사나이로서."

아버지는 그날 마신 술로 기분이 좋았다.

"싸나아이? 어디 한번 해 보니라."

"저 학교에 안 가면 안 되겠습니까? 배울 것도 없는 것 같고 애들도 너무 유치해서 사귈 마음이 나지 않습니다. 차라리 자연과 라디오를 스승 삼고 주경야독으로 제 수준에 맞는 진학 준비를 하는 것이 좋겠다고 생각합니다. 어떻게 생각하시는지요?" [중략]

아버지는 자전거를 세우고는 거의 표준말에 가까운 억양과 어휘로 말했다.

"고맙다, 내 걱정까지 해 주다니. 그렇지만 조금 더 생각을 해 보아라. 시간을 줄 테니."

그러고는 달빛 비치는 서산을 넘어 불어오는 바람 속에 자전거를 세워 두고는 신작로 아래 냇가로 내려갔다. 나는 아버지가 오줌을 누러 가시나 보다, 생각하고는 자전거 위에 앉은 채로 기다리고 있었다.

ⓐ 그런데 아버지는 한참이나 지났는데도 오시지 않았다.

세차게 불어오는 바람에 자전거는 금방이라도 쓰러질 것 같았다. 그렇지만 자칫 잘못 내리다가는 자전거와 함께 신작로 아래로 굴러떨어질 것 같아 이러지도 저러지도 못한 채 떨면서 기다리고 있을 수밖에 없었다. 아버지가 앉았던 안장을 움켜쥐고 내가 하느님을 서너 번은 족히 불렀을 때 비로소 아버지가 올라왔다.

"달밤에 신작로 위에서 자전거 타고 혼자 있으니까 세상이 다 니 아래로 보이더냐?"

아버지는 자전거를 끌면서 말씀하셨다.

그 물음에는 천재인 나도 대답할 말을 쉽게 찾을 수 없었다.

그때 아버지의 나이가 사십 대 초입이었다.

나는 내 아이가 내게 그렇게 말해 온다면 어떻게 할까 생각해 본다. 준비되지 않은 채 몸과 마음만 들뜬 아이를 마음으로 감복시킬 생각을 하지 못하고 어떻게든 세상의 틀에 우겨 넣으려는 한, 내 중년은 아버지의 중년에 비할 수 없이 유치하다.

13 (가)와 (나)에 대한 설명으로 가장 적절한 것은?

① (가)와 (나)는 모두 사물을 통해 자신의 경험담을 우화적으로 전달하고 있다.
② (가)와 (나)는 모두 세태의 부정적인 면과 이에 대한 비판적인 주제를 전달하고 있다.
③ (가)와 (나)는 모두 글쓴이의 가치관을 직접적으로 전달하여 독자들에게 깨달음을 주기 위한 목적을 갖고 있다.
④ (가)는 인물들 간의 대화를 통해 주제를 부각하고 있으며, (나)는 직접 경험한 것을 통해 깨달음을 얻는 과정을 보여 주고 있다.
⑤ (가)는 인간의 삶에 대한 지혜를 교훈적 주제의 꾸며 낸 이야기를 통해 전달하고 있으며, (나)는 다른 사람들과 공유하고 싶은 경험을 성찰적 어조로 전달하고 있다.

14 (가)의 내용을 고려할 때, ㉮가 의미하는 바로 가장 적절한 것은?

① 사람의 말은 맥락에 따라 다양하게 전달될 수 있다.
② 오직 귀에 거슬리는 말이 삶에 이로운 말이라고 할 수 있다.
③ 대상을 판단할 때에는 유연하고 열린 사고를 가져야 한다.
④ 많은 말은 오해를 불러일으키니 말을 삼가는 태도를 지녀야 한다.
⑤ 좋은 말을 해 주는 사람보다 진심 어린 충고를 해 주는 사람을 곁에 두어야 한다.

15 (나)를 읽은 후의 감상으로 가장 적절한 것은?

① 글쓴이는 과거 자신의 모습과 현재 자신의 모습을 모두 반성하고 있다.
② 글쓴이는 과거 자신의 행동을 지금 자신의 아이가 똑같이 반복하고 있음을 토로하고 있다.
③ 글쓴이는 아버지를 그리워하며 지금 자신의 삶이 아버지가 가지고 있던 모습과 유사함을 깨닫고 있다.
④ 글쓴이는 자신이 살아온 삶을 반성하며, 아직도 아버지가 하고자 하는 이야기가 무엇이었는지 깨닫지 못하고 있다.
⑤ 글쓴이는 자신의 어릴 적 행동이 철이 없긴 했지만, 용기 있게 세상에 나아가려고 했다는 점에서 대견하다고 여기고 있다.

서술형

16 (가)의 '나'가 ㉠과 같이 말한 이유를 〈조건〉에 맞게 서술하시오.

〈조건〉
• 이상한 관상가가 관상을 보는 방법과 관련하여 서술할 것

17 ㉡의 내용으로 가장 적절한 것은?

① 서울에 올라가서 꿈을 펼치는 기회를 갖고 싶습니다.
② 정해진 공교육을 받지 않고 스스로 공부하고 싶습니다.
③ 공부에 흥미가 없으니 학교를 그만두고, 대학에도 진학하지 않겠습니다.
④ 저에게 지적으로 자극을 주는 교우를 사귀기 위해 교육 환경을 바꾸고 싶습니다.
⑤ 지금 다니는 학교에서는 더 이상 배울 것이 없으니 다른 학교로 전학을 가고 싶습니다.

서술형

18 아버지가 ⓐ와 같이 행동한 이유를 〈조건〉에 맞게 서술하시오.

〈조건〉
• 아버지가 마지막으로 한 말을 고려하여 서술할 것

19 〈보기〉와 (가)를 비교하여 이해한 내용으로 가장 적절한 것은?

〈보기〉

홍색이 거룩하여 붉은 기운이 하늘을 뛰놀더니, 이랑이 소리를 높이 하여 나를 불러,

"저기 물 밑을 보라."

외치거늘, 급히 눈을 들어 보니, 물 밑 홍운(紅雲)을 헤치고 큰 실오라기 같은 줄이 붉기가 더욱 기이(奇異)하며, 기운이 진홍(眞紅) 같은 것이 차차 나와 손바닥 넓이 같은 것이 그믐밤에 보는 숯불 빛 같더라. 차차 나오더니, 그 위로 작은 회오리밤 같은 것이 붉기가 호박(琥珀) 구슬 같고, 맑고 통랑하기는 호박도곤 더 곱더라.

그 붉은 위로 흘흘 움직여 도는데, 처음 났던 붉은 기운이 백지 반 장 넓이만치 반 듯이 비치며, 밤 같던 기운이 해 되어 차차 커 가며, 큰 쟁반만 하여 불긋불긋 번듯번듯 뛰놀며, 적색이 온 바다에 끼치며, 먼저 붉은 기운이 차차 가시며, 해 흔들며 뛰놀기 더욱 자주 하며, 항 같고 독 같은 것이 좌우로 뛰놀며, 황홀히 번득여 양목(兩目)이 어지러우며, 붉은 기운이 명랑(明朗)하여 첫 홍색을 헤치고, 천중에 쟁반 같은 것이 수레바퀴 같아 물 속으로서 치밀어 받치듯이 올라붙으며, 항·독 같은 기운이 스러지고, 처음 붉어 겉을 비추던 것은 모여 소 혀처럼 드리워져 물속에 풍덩 빠지는 듯싶더라.

– 의유당 남씨, 「동명일기」

① (가)와 달리 〈보기〉에는 글쓴이의 깨달음을 나타내는 구절이 드러난다.
② 〈보기〉와 달리 (가)는 여행을 하면서 있었던 일을 진솔하게 표현하고 있다.
③ (가)와 달리 〈보기〉는 액자식 구성으로 전달하고자 하는 내용을 내부 이야기에 소개하고 있다.
④ (가)는 교훈적 내용을 우회적으로 나타내는 반면, 〈보기〉는 교훈적인 내용을 직접적으로 표현하고 있다.
⑤ (가)는 경험을 주로 있는 사실대로 기술한 것에 반해, 〈보기〉는 보고 느낀 것을 독창적인 비유를 통해 표현하고 있다.

수능 유형의 복합 지문이 내신 평가에서 고득점 판별 문제로 출제되고 있습니다. 단원의 성격에 맞는 작품이나 이론을 묶는 경우가 많으므로 교과서에서 다룬 작품을 파악하는 훈련이 필요합니다.

정답과 해설 36쪽

[1~4] 다음 글을 읽고 물음에 답하시오.

(가) 문학 작품은 그것이 창작될 당시의 시대 상황을 반영한다. 문학 작품을 통해 시대 상황을 알 수도 있고, 시대 상황에 관한 지식을 통해 문학 작품을 이해할 수도 있다. 따라서 한국 문학 작품을 읽을 때에는 시대의 흐름에 따라 각 작품에 반영된 시대 상황을 이해하면, 더욱 폭넓고 깊은 감상이 가능해진다.

(나) 미얄 (한 손에 부채 들고 한 손에 방울을 들었으며, 굿거리 장단에 춤을 추면서 등장하여 악공 앞에 와서 울고 있다.) 아이고 아이고 아이고! / 악공 웬 할맘입나?

미얄 웬 할맘이라니, 떵꿍하기에 굿만 여기고 한 거리 놀고 가려고 들어온 할맘일세.

악공 그러면 한 거리 놀고 갑세.

미얄 놀든지 말든지 허름한 영감을 잃고 영감을 찾아다니는 할맘이니 영감을 찾고야 놀갔습네.

[A]

악공 할맘 본고향은 어데와?

미얄 본고향은 전라도 제주 망막골일세.

악공 그러면 영감은 어찌 잃었습나?

미얄 우리 고향에 난리가 나서, 목숨을 구하려고 서로 도망을 하였더니 그 후로 아즉까지 종적을 알 수 없습네.

악공 그러면 영감의 모색을 댑세.

미얄 우리 영감의 모색은 마모색일세.

악공 그러면 말 새끼란 말인가?

미얄 아니 , 소모색일세. / 악공 그러면 소 새끼란 말인가?

미얄 아니, 마모색도 아니고 소모색도 아니올세. 영감의 모색을 알아서 무엇해. 아모리 바로 댄들 여기서 무슨 소용 있습나.

악공 모색을 자세히 대면 찾을 수 있을는지 모르지.

미얄 (소리 조로) 우리 영감의 모색을 대. 난간이마 주게턱 웅케[우먹]눈에 개발코. 상통은 (갓 바른) 과녁(판) 같고 수염은 다 모즈러진 귀얄 같고 상투는 다 갈아먹은 망 같고 키는 석 자 네 치 되는 영감이올세.

[B]

악공 아 옳지, 바루 등 너머 망 쪼러 갔습네.

미얄 에잇, 그놈의 영감, 고리쟁이가 죽어도 버들개지를 물고 죽는다더니 상게 망을 쪼으러 다니나.

악공 영감을 한번 불러 봅소.

미얄 여기 없는 영감을 불러 본들 무엇합나.

악공 아, 그래도 한번 불러 봐. / 미얄 영가암.

악공 거 너무 짧아 못쓰갔습네.

미얄 여엉가암! / 악공 너무 길어 못쓰겠습네.

미얄 그러면 어떻게 부르란 말입나.

악공 아, 전라도 제주 망막골에 산다니, 쉬(세)나위청으로 불러 봅소.

미얄 (시나위청으로) 절절 절시구 저절절절 절시구, 얼시구 절시구 지화자 절절 절시구, 우리 영감 어데 갔나, 기산 영수 별건곤에 소부·허유를 따라갔나, 채석강 명월야에 이적선 따라갔나, 적벽강 추야월에 소동파 따라갔나. 우리 영감을 찾으려고 일원산(一元山)서 하로 자고, 이강경(二江景)서 이틀 자고, 삼부여(三扶餘)서 사흘 자고, 사법성(四法聖)서 나흘 자고, 삼국(三國) 적 유현덕(劉玄德)이 제갈공명(諸葛孔明) 찾으랴고 삼고초려(三顧草廬) 하던 정성, 만고성군(萬古聖君) 주문왕(周文王)이 태공망(太公望)을 찾으려고 위수양(渭水陽) 가던 정성, 초한(楚漢) 적 항적(項籍)이가 범아부(范亞夫)를 찾으려고 나[기]고산(祁高山) 가던 정성, 이 정성, 저 정성 다 부려서 강산 천 리(江山千里) 다 다녀도 우리 영감을 못 찾갔네. 우리 영감을 만나 보면 귀도 대고 코도 대고 눈도 대고 입도 대고 업어도 보고 안아도 보련마는, 우리 영감 어데를 가고 날 찾을 줄을 왜 모르는가. 아이고 아이고! (굿거리 춤을 추며 퇴장.)

뒷부분 줄거리 미얄이 떠난 자리에 영감이 찾아와 미얄을 찾고, 마침내 둘은 재회한다. 미얄과 영감은 아들 낳는 흉내를 내지만 제대로 안 되고 싸움만 벌인다. 그러다가 서로 지난 사연을 말하는데, 영감은 땜장이로 팔도를 떠돌아다녔다고 하고 미얄은 아들이 산에 나무하러 갔다가 호랑이에게 물려 갔다고 한다. 아들이 죽었다는 말에 영감이 미얄에게 헤어지자고 하고, 미얄이 영감의 첩인 용산 삼개 덜머리집을 때리면서 싸움은 격렬해진다. 이 과정에서 미얄이 죽게 되자, 남강노인이 등장하여 미얄을 극락세계로 보내기 위해 무당을 불러 굿을 한다.

01 (가)를 바탕으로 (나)를 감상하였을 때, 적절하지 않은 것은?

① 인물의 행동과 대사를 통해 조선 시대의 생활상을 이해할 수 있다.
② 당대의 불합리한 남녀 관계와 결혼 제도를 비판하는 의견이 생겼음을 알 수 있다.
③ 미얄이 영감과 헤어진 이유를 통해 당시의 민중들이 전란으로 고통스러운 삶을 살았음을 알 수 있다.
④ 봉건적 질서가 붕괴하던 시대적 배경을 이해한 후 감상하면 무능한 양반 계층을 풍자하고 있음을 알 수 있다.
⑤ 어려운 고사를 인용한 대사를fv 통해 당시 탈춤의 향유층이 서민층부터 양반, 중인 계층에 이르렀음을 짐작할 수 있다.

고난도

02 [A], [B]는 다음 '영감'과 '악공'의 대사와 연결된다. 이를 통해 알 수 있는 (나)의 특징으로 가장 적절한 것은?

[A]	악공	할맘은 어찌 잃었습나?
	영감	우리 고향에 난리가 나서 목숨을 구하려고 이리저리 동서 사방으로 도망을 하였는데, 그 후로 통 소식이 없습네.
	악공	본고향은 어디메와?
	영감	전라도 제주 망막골이올세.
	악공	그러면 할맘의 모색을 댑세.
[B]	악공	옳지, 그 할맘이로군. 바로 등 너머 굿하러 갔습네.
	영감	에에, 고놈의 할맘 항상 굿하러만 다녀.
	악공	할맘을 한번 불러 봅소.
	영감	무슨 영문인지 알 수 없으나 하라는 대로 해 보지. 할맘!

① 유사한 대사 구조가 반복되어 구비 전승에 용이하다.
② 반복되는 내용 요소를 제시하여 주제를 강조한다.
③ 인물 간의 갈등 구조가 동일하여 연극적 효과를 높인다.
④ 한자어를 반복적으로 사용하여 양반의 권위를 낮추고 있다.
⑤ 상투적인 어휘를 사용하여 관객들의 공감을 이끌어 내고 있다.

03 (나)와 〈보기〉를 비교한 것으로 가장 적절한 것은?

〈보기〉

무대

좌편에는 헛간. 우편에는 마당. 마당에는 바깥 행길의 일부분을 경계하는 울타리. 그러나 이 집에서는 울타리 밖 행길에다가 일쑤 소를 매어 둔다. 울타리에는 길로 빠지는 조그만 삽짝문이 있다.

헛간 좌편 벽에는 방문. 그 앞에 툇마루. 헛간의 후방에는 집 곁으로 통하는 입구. 마당에는 빨간 감이 군데군데 달렸다.

명랑한 늦은 가을철. [중략]

국서 이놈 개똥아! 오늘같이 바쁜 날에 너는 어디를 쏘다니니. 없는 돈에 삯꾼 얻어서 일허는 것을 보구. 그래 사대육신 성헌 놈들이 왜 그렇게 빈둥거리고 노느냐 말이야? 이놈, 성 녀석은 또 어디 갔니?
개똥이 (퉁명스럽게) 못 봤수, 나는.
국서 에이 죽일 놈들! 자식들 있다는 보람이 어디 있어! 그저 삼신할머니의 잘못이야. 이따위를 자식이라구 점지해 주신 삼신할머니가 아예 미쳤어!
개똥이 아버지, 그렇게 부화만 내지 마시구 내게 노자를 만들어 주. 나같이 배 타고 돌아다니는 놈을 붙들고 농사를 지으라니 될 말이오. 여기서 이냥 놀기만 해두 갑갑해 죽겠는데.
국서 이놈아, 네가 아무리 뱃놈이기로서니 애비가 바빠서 이러는데 좀 거들어 주었다구 뼈다귀가 뿌러질 게 뭐냐?

– 유치진, 「소」

① (나)와 〈보기〉는 모두 공연 장소와 극 중 장소가 일치한다.
② (나)와 〈보기〉는 모두 장면 전환을 위해서 다양한 무대 장치를 사용한다.
③ (나)와 〈보기〉는 모두 등장인물의 이동만으로 무대가 전환되는 효과가 나타난다.
④ (나)는 공연 중 관객의 참여를 제한하고 있지만, 〈보기〉는 공연 중 관객의 적극적 참여를 유도하고 있다.
⑤ (나)는 공연 장소와 관람 장소가 구분되지 않지만, 〈보기〉는 공연 장소와 관람 장소가 명확하게 구분되어 있다.

서술형

04 (나)에서 인물을 우스꽝스럽게 묘사한 장면을 찾아 첫 어절과 끝 어절을 쓰고, 그 표현의 효과를 서술하시오.

정답과 해설

고등학교 문학

1 문학의 본질과 가치

(1) 문학의 본질

01 그 복숭아나무 곁으로

본문 10쪽

01 ② **02** ⑤ **03** ④ **04** '복숭아나무'는 왠지 사람이 앉지 못할 그늘을 가졌을 것이라는 생각 때문에 화자는 '멀리로 멀리로 지나쳤을 뿐'이었다. 그러나 복숭아나무가 가진 '여러 겹의 마음'을 읽게 된 이후에는 '복숭아나무 그늘'에서 '저녁이 오는 소리'를 가만히 들을 수 있게 되었다. **05** ⑤ **06** ②

01. 이 시의 화자는 시간이 지남에 따라 '복숭아나무'를 이해하게 되었으며 복숭아나무에 대한 인식의 전환을 통해 깨달음을 얻고 성찰의 태도를 보이고 있다.

02. 이 시에서 공감각적 이미지를 활용한 표현은 사용되지 않았다.
오답 해설
① '-습니다', '-입니다'와 같은 종결 어미를 활용한 경어체와 독백적 어조를 통해 대상에 대한 자신의 생각을 차분히 고백하고 있다.
② '흰꽃과 분홍꽃 사이에 수천의 빛깔이 있다'는 인식을 통해 복숭아나무의 본질을 이해하고 있다.
③ '그'라는 지시어를 반복적으로 사용하여 중심 소재로 초점화하고 있다.
④ '피우고 싶은 꽃빛이 너무 많은 그 나무는 그래서 외로웠을 것이지만~' 등에서 복숭아나무를 의인화하여 표현하고 있다.

03. '그 여러 겹의 마음'은 화자가 갖게 된 것이 아니라, '복숭아나무'가 가진 것이므로 대상의 본질, 진정한 모습을 의미한다. 따라서 이를 통해 화자의 내적 충만감을 보여 준다는 설명은 적절하지 않다.

04. 화자는 대상에 대한 선입견과 편견을 버리면서, 비로소 대상의 본질과 진정한 모습을 알게 되고, 이해와 교감의 상태에 이르게 된다.

등급	채점 기준
상	화자의 인식 변화가 일어나기 전과 후의 태도를 비교하고, 이를 알 수 있는 시구를 적절히 인용하였다.
중	화자의 인식 변화가 일어나기 전과 후의 태도를 비교하였다.
하	화자의 현재 태도에 대한 설명이나 변화에 대한 비교가 미흡하였다.

05. 이 시의 화자는 시종일관 차분하고 담담한 어조로 시상을 전개하고 있다. 따라서 [A]에서 [C]로 시상이 전개되면서 화자의 정서가 점점 고조되고 있다는 설명은 적절하지 않다.
오답 해설
① [A]에서 화자는 '멀리로 멀리로만 지나치'며 대상과 거리를 두고 있다.
② [B]에서 화자는 대상에 '수천의 빛깔이 있다는 것'을 알게 되고, 대상의 '여러 겹의 마음을 읽'게 된다.
③ [C]에서 화자는 꽃잎이 흩어진 '조금은 심심한 얼굴을 하고 있는' 복숭아나무에 주목하고 있다.
④ [C]의 '가만히 들었습니다 저녁이 오는 소리를'에 도치법이 사용되고 있다.

06. <보기>는 숲에 들어가기 전과 들어가 본 후, 즉 시간의 흐름과 공간의 이동에 따른 화자의 깨달음을 주제로 하고 있다.

02 두근두근 내 인생

본문 12쪽

01 ⑤ **02** ② **03** ③ **04** ⑤ **05** ④ **06** '나'와 어머니의 심장 박동 소리를 표현한 의성어를 반복적으로 사용함으로써 두 사람 사이에 이루어지는 교감을 생동감 있게 형상화하고 전달하는 효과가 있다. **07** ① **08** ② **09** ④ **10** ④ **11** '나'가 서하에게 보낼 편지를 본격적으로 쓰기 시작했음을 표현한 것이다. **12** ③ **13** ③ **14** ⑤ **15** 가장 어린 부모와 가장 늙은 자식의 청춘과 사랑 **16** ③ **17** ⑤ **18** ① **19** '나'가 '두근두근' 하는 심정을 느꼈던 세 순간은 모두 '나'가 살아오면서 겪었던 의미 있는 순간들이다. 즉, 이 글의 제목 '두근두근 내 인생'은 의미 있었던 자신의 인생, 벅찬 삶의 한순간을 의미한다. **20** ④ **21** ②

01. 이 글에서 '나'와 '어머니'가 나누는 대화는 실제로 진행된 대화가 아니라 태아 상태에 있는 '나'의 꿈속에서 전개된 가상의 대화라고 할 수 있다. 이를 통해 '나'가 '어머니'와 깊이 교감하고 있음을 알 수 있다.
오답 해설
① 어머니의 뱃속에 있던 태아 때의 일을 과거형으로 상상하고 있다.
② 이 글의 서술자는 어리숙하지 않으며 인물의 심리를 섬세하게 나타내고 있다.
③ 어머니 뱃속이라는 배경을 통해 인물 간의 교감을 나타내고 있다. 시대 비판적 의식은 나타나지 않는다.
④ 현재와 과거의 사실을 교차하지 않았고, 과거의 사건을 상상을 통해 회상하고 있으며, 시간 순으로 사건이 전개된다.

02. '나'는 '어머니'의 심장 박동 소리를 들으며 새로운 세상을 만나는 것에 대해 두려움을 느끼기도 하지만, 자신의 몸이 성장하는 것에 불안감을 느끼고 있다는 설명은 적절하지 않다.

03. 이 글은 1인칭 주인공인 '나'의 시점으로 서술되고 있는데, 단순히 1인칭 주인공의 회상이 아닌, 기억이 미치지 못하는 태아 시절의 상상까지 복합적으로 서술하고 있다.

04. ㉠은 직유법을 사용하여 어머니의 심장 박동 소리가 태아인 '나'의 주변을 감싸고 있음을 표현한 구절이다. 이는 참신한 발상과 독창적 표현 방법이 쓰인 문학 언어로 의미의 전달 효과를 높여 주고, 언어 자체가 지닌 아름다움을 극대화해 보여 주는 효과를 갖는다.

05. ⓐ와 ⓑ는 '어머니'의 심장 박동 소리에 대한 두 가지 느낌이라고 할 수 있다. 이것들이 '나'의 꿈속에까지 이어졌다는 정보는 나와 있지 않다.

06. '나'와 '어머니'는 심장 박동을 통해 서로 교감을 나눈다. 이러한 심장 박동 소리를 표현한 의성어를 반복적으로 사용함으로써 두 사람 사이에서 이루어지는 교감을 생동감 있게 형상화하여 독자에게 전달하는 효과가 있다.

등급	채점 기준
상	의성어의 반복적 사용으로 표현하려고 한 바와 그 효과를 적절히 서술하였다.
중	의성어의 반복적 사용으로 표현하려고 한 바와 그 효과 중 한 가지만 서술하였다.
하	둘 중 한 가지만 미흡하게 서술하였다.

07. 이 글은 1인칭 주인공 시점으로, 주인공인 '나'가 자신의 내면 심리를 독백의 형식으로 전달하고 있다.

오답 해설

② 인물 간의 대화는 이 부분에 제시되고 있지 않다.
③, ⑤ 주인공 '나'가 자신의 심리를 내적 독백을 통해 나타내고 있다.
④ 현재와 과거의 상황을 대비하고 있지 않다.

08. '서하'가 '나'에게 보낸 메일은 '나'와 '서하'가 처음으로 인연을 맺도록 해 준 매개체이다.

09. '가슴속에 조용한 기척'은 '나'가 '서하'에 대해 느끼는 설렘을 표현한 것이다. '나'는 '서하'로 인해 더 큰 혼란과 고민에 빠지게 된다고 했으므로, '서하'와의 만남을 통해 내적 혼란에서 벗어날 수 있게 되었다는 설명은 적절하지 않다.

10. ㉣은 일본 애니메이션을 보고 일본어를 독학한 사람에게 여러 말투가 다 섞여 있듯이, 실제로 연애를 해 보지 못하고 글로만 접한 '나'의 마음속에도 여러 가지 욕망이 섞여 있음을 의미한다. 따라서 '나'의 모습이 남들 눈에 비현실적으로 비춰지고 있음을 알 수 있다는 설명은 적절하지 않다.

11. ⓐ는 편지에 쓸 첫 문장이 불현듯이 생각난 '나'가 서하에게 보낼 편지를 본격적으로 쓰기 시작했음을 표현한 것이다.

등급	채점 기준
상	비유적 표현이 의미하는 바를 정확하게 제시하였다.
중	비유적 표현이 의미하는 바를 정확히 제시하지 못했다.

12. 〈보기〉는 작가가 감정과 정서를 예술적으로 형상화하여 생산하면 독자가 이를 심미적으로 수용함을 설명하고 있다. 따라서 이를 바탕으로 이 글을 감상한 것은 주인공의 심리를 언어적으로 어떻게 형상화하였는지를 파악하며 감상한 ③이다.

13. 이 글은 인물들의 대화가 중심을 이루고 있으며 "보고 싶을 거예요."라는 마지막 대화를 통해 '나'의 죽음을 앞둔 이별의 상황임을 알 수 있다. 또한 이러한 상황 속에서 '나'와 가족들의 안타까운 마음이 대화를 통해 잘 드러나고 있다.

14. "나 좀 무서워요."를 통해 '나'는 죽음을 맞이하고 있는 순간에 대해 두려움을 느끼고 있음을 엿볼 수 있다. 따라서 점점 다가오는 운명의 시간을 두려움 없이 당당히 맞이하고 있다는 설명은 적절하지 않다.

15. 이 글은 열일곱 살에 서로 사랑하는 마음만으로 부모가 된 '미라'와 '대수', 조로증에 걸려 여든 살의 신체를 가진 그들의 아들인 '아름'의 청춘과 사랑에 대해 이야기하고 있는 글이다.

등급	채점 기준
상	제시된 표에 나타난 상황을 종합하여 이 글의 주제를 이해하고, 글의 구조를 정확하게 정리하였다.
중	제시된 내용을 종합하여 글의 구조를 정리하여 한 문장으로 서술하였다.
하	제시된 내용을 종합하여 서술하였다.

16. ㉠은 어린 나이에 조로증이라는 병에 걸려 점점 약해져 가는 '나'의 신체적인 허약함을 떠오르게 한다. 반면 ㉡은 그런 아들을 안으면서 느낀 아버지로서의 심정을 드러낸다.

17. ⓐ는 아버지의 심장 박동 소리로 '나'에 대한 아버지의 사랑과 '나'의 죽음에 대한 두려움을 의미하며, '나'와 아버지가 온전히 합쳐지는 기분이 들도록 하는 매개체이다.

18. "배 한번 만져 봐도 돼요?"라는 질문에 어머니가 당황한 것은 자신의 임신 사실을 모르고 있는 줄 알았던 '나'가 이미 임신 사실을 알고 있었기 때문이다. 이어지는 "알고…… 있었니?"를 통해 추론할 수 있다.

19. '나'는 태아일 때 어머니와 자신의 심장 박동 소리를 느끼며, 첫사랑인 '서하'에게 편지를 쓰며, 죽기 전 자신을 안은 아빠의 심장 박동 소리를 들으며 '두근두근'하는 심정을 느낀다. 이는 모두 '나'가 짧은 일생 동안 느낀 의미 있는 순간들이다.

등급	채점 기준
상	'나'가 '두근두근'하는 각각의 순간들의 공통점을 이해하고, 이를 바탕으로 제목이 의미하는 바를 서술하였다.
중	'나'가 '두근두근'하는 각각의 순간의 공통점을 이해하였으나 제목의 의미를 서술하지는 못했다.
하	'나'가 각각의 순간들에 어떠한 느낌을 받았는지는 이해하였으나 이를 종합하여 공통점을 도출하지는 못했다.

20. '수남'의 공포감과 쾌감은 낮에 도둑질을 하면서 느낀 감정이고, 안절부절못하고 있는 것은 현재의 심정이다.

21. 등장인물의 성숙한 정도와 성장 소설의 조건은 아무 관계가 없으므로 ②는 적절하지 않다.

(2) 문학의 가치

01 흰 바람벽이 있어

본문 19쪽

01 ③ **02** ⑤ **03** 화자는 외롭고 쓸쓸하지만 고결한 삶의 자세를 추구하고 있다. **04** ⑤ **05** ⑤ **06** ④ **07** ⑤ **08** ② **09** ①

01. 이 시는 '흰 바람벽', '십오 촉 전등', '낡은 무명샤쓰' 등과 같은 시각적 이미지를 비롯하여, '달디단 따끈한 감주', '차디찬 물'에서는 미각적·촉각적 이미지를 활용하는 등 다양한 감각적 이미지를 사용하여 시적 화자의 정서를 구체적으로 제시하고 있다.

02. '하늘이 이 세상을 내일 적에 그가 가장 귀해하고 사랑하는 것들은 모두 / 가난하고 외롭고 높고 쓸쓸하니 그리고 언제나 넘치는 사랑과 슬픔 속에 살도록 만드신 것이다' 등에 역설적 발상이 담겨 있다고 볼 수 있으나, 이는 자기 위로와 극복 의지를 드러내는 것일 뿐 자조적인 자세를 드러낸 것은 아니다.

03. '초생달, 바구지꽃, 짝새, 당나귀'는 여리고 순한 속성을 지녔으나 고결한 이미지의 존재들이며, 프랑시스 잼, 도연명, 라이넬 마리아 릴케'는 고독하게 살면서 실존에 대해 노래하며 고결한 삶을 살았던 시인들로, 화자는 이를 바탕으로 자신이 현재 외롭고 쓸쓸한 처지에 있지만 고결한 삶을 살겠다는 의지를 보인다.

등급	채점 기준
상	나열된 시어의 특징을 바탕으로 화자가 추구하는 삶의 자세를 서술하였다.
중	화자가 추구하는 삶의 자세를 알맞게 서술하였다.
하	나열된 시어의 특징을 알고 있으나, 화자가 추구하는 삶의 자세를 연상하지 못했다.

04. '흰 바람벽'은 시적 화자의 내면을 비추어 스스로 성찰하게 하는 매개체의 역할을 한다. ⑤의 '거울' 역시 시적 화자의 자아 성찰의 매개체로 볼 수 있다.

오답 해설

① '풀'은 억압당하는 자, 강한 생명력의 민중을 뜻하는 상징물이다.
② '구름'은 '한 다발 장미'의 원관념으로, 저물녘의 노을로 물든 상태이다. 화자는 '구름', '깃발과 능금나무', '들길'로 이어지는 시선의 이동을 통해 어둠이 짙어가는 모습의 변화를 보여 주고 외로운 심상을 심화시키고 있다.
③ '밤'은 화자가 죽은 아들을 만나기 위해 유리를 닦는 시간으로, 유리창 밖의 밤은 아이가 떠난 세계, 곧 죽음의 세계를 의미한다.
④ '자동차'는 '계집아이'가 타고 있는 것으로, 아이는 차창 밖의 풍경을 보며 흐느껴 운다. 즉, 차창 밖의 주재소장 일가와 아이를 대비하도록 하여, 아이의 고된 삶을 나타내고 있다.

05. [A]에서는 외로움과 슬픔 속에서 살 수밖에 없는 화자의 운명에 대한 인식과 이에 대한 체념이 드러나고 있다.

06. 젊은 여인은 화자가 사랑하는 사람으로, 단란한 가정을 이루고 살고 있는 모습을 떠올리는 장면에 나온다. 이 장면은 사랑하는 사람과 지아비가 마주앉아 밥을 먹는 장면이므로 그 사람의 가족이 가난을 극복하기 위해 힘겹게 노력하는 모습을 드러내는 것은 적절하지 않다.

07. ⓜ은 화자와 대비되는 삶을 살았던 인물이 아니라 화자와 닮은 삶을 살았던 인물에 해당한다. '가난하고 외롭고 높고 쓸쓸하니 그리고 언제나 넘치는 사랑과 슬픔 속에 살도록 만드신 것'들로 제시된 것이다.

08. ⓐ는 '내 늙은 어머니', '내 사랑하는 사람' 등 타인에 대한 화자의 쓸쓸함, 그리움 등의 정서를 불러일으키는 역할을 하는 매개체이다. ⓑ는 화자가 자신의 운명에 대한 인식(운명론적 체념)을 드러내는 매개체이다.

09. 이 시의 화자는 자신의 외롭고 쓸쓸한 삶을 숙명으로 받아들이면서 앞으로 정신적 고결함을 잃지 않겠다는 다짐을 통해 자아를 성찰한다. 한편 〈보기〉의 글쓴이는 자신의 단점을 긍정적으로 바꾸기 위해 노력하면서 앞으로 선하게 살겠다는 다짐을 하면서 자신을 성찰한다.

02 비 오는 날이면 가리봉동에 가야 한다

본문 22쪽

01 ⑤ **02** ③ **03** ④ **04** 공사비를 더 많이 받기 위한 행동이라는 생각에 경계하고 의심함. **05** ⑤ **06** ② **07** ⑤ **08** 자신보다 어린 사람에게 고용되었다는 사실을 알면 임 씨의 마음이 상할까 봐 염려되었기 때문이다. **09** ① **10** ⑤ **11** ④ **12** ⑤ **13** ④ **14** ⑤ **15** ③ **16** ③ **17** ③ **18** ⑤ **19** ④ **20** ⑤ **21** ④ **22** ② **23** '임 씨'와 '깐쭈'는 자신이 일한 대가를 받지 못해 경제적으로 어려운 상황에 처해 있다. **24** ② **25** 가난한 소시민들의 삶에서 진솔한 인간의 모습을 발견할 수 있다고 생각했기 때문이다. **26** ③

01. 이 글은 작품 밖에 존재하는 전지적 서술자가 '그'의 시각에서 '임 씨'와 관련된 사건을 서술하고 있다.

오답 해설

② 서술자가 작품 밖에서 서술하고 있는 것은 맞지만, 객관적인 입장이 아니라 주인공인 '그'의 시각으로 본 인물과 사건을 서술하고 있다.
④ 이 글에서 서술자는 인물의 성격을 논평하고 있지 않다. 또한 '임 씨'의 성실함에 '아내'의 태도가 변하기는 하지만, 인물의 성격이 변화하고 있지는 않다.

02. '부러 만들어 시킨 일로 심적 부담을 느끼기 시작한 그의 아내 역시 안절부절못했으니까.'라는 구절을 통해 옥상 일은 '아내'가 '임 씨'에게 일부러 만들어 시킨 일임을 알 수 있다.

03. '임 씨'는 날이 저문 후에도 자신이 맡은 옥상 일을 소홀히 하지 않고 최선을 다해 마무리한다. 이를 통해 책임감이 강한 인물임을 알 수 있다.

04. '나'와 '아내'는 '임 씨'가 열심히 옥상을 수리하는 것을 처음에는 '이 사내가 견적대로의 돈을 다 받기가 민망하여 우정 지어내 보이는 열정이라고 여겼'으나, 밤늦도록 일하는 모습에 오히려 심적 부담을 느꼈다.

등급	채점 기준
상	글의 내용을 바탕으로 '나'와 '아내'가 추측한 '임 씨'가 열심히 일한 까닭과 이에 대한 심리를 적절하게 서술하였다.
중	'나'와 '아내'가 추측한 '임 씨'가 열심히 일한 까닭을 알맞게 서술하였으나, 이에 대한 '나'와 '아내'의 심리를 정확히 서술하지 못하였다.
하	'임 씨'의 행동에 대한 '나'와 '아내'의 추측과 이에 대한 심리를 정확히 서술하지 못하였다.

05. '노모'는 밤늦게까지 자기 집안일을 하느라 애써 준 '임 씨'에게 고마운 마음을 드러내고 있으므로 ㉤은 '임 씨'에 대한 덕담이다. 노모가 방에 들어가 있겠다고 한 것은 '임 씨'가 편안하게 쉴 수 있도록 배려하기 위한 것임을 알 수 있다.

06. '그는 아내가 제발 딴소리 없이 이십만 원에서 이만 원이 모자라는 견적 금액을 다 내놓기를 대신 빌었다.'를 통해 돈을 깎으려는 아내의 속셈을 부끄러워하는 심리를 엿볼 수 있다.

07. '옥상 일까지 시켜놓고 돈을 다 내주기가 아깝다는 뜻이렷다.'에는 '임 씨'가 처음에 제시한 견적 금액에 상응하는 일을 충분히 했다는 생각이 담겨 있다고 볼 수 있다.

오답 해설

① '임 씨'와 따로 금액을 약속하지 않았다.

②, ③ '그'는 '임 씨'보다 한 살 어린 용띠이지만 '임 씨'의 입장을 고려하여 같은 토끼띠라 답한 것이다.

④ '그'는 공사비를 깎으려는 '아내'를 못마땅해 하고 있다.

08. '그는 임 씨의 나이가 그보다 훨씬 많으면 왠지 괴롭겠다는 기분을 지울 수가 없었다.'에서 '그'는 사실 '임 씨'보다 한 살 어린 서른다섯 살 용띠이지만 자기보다 어린 사람에게 고용된 것을 알면 임 씨의 기분이 상할까 봐 염려되어서 나이를 속인 것을 짐작할 수 있다.

등급	채점 기준
상	인물의 말에 대한 이유를 〈조건〉에 맞게 서술하였다.
중	인물의 말에 대한 이유를 추측하여 서술하였다.
하	인물의 말에 대한 이유를 추측하였으나 정확하지는 않았다.

09. 이 장면은 '임 씨'의 대화와 행동을 통해 '임 씨'의 정직한 성격이 부각되고 있다.

10. '임 씨'는 자신의 기준 속에서 최대한 품값 계산을 정확히 하려고 애쓰고 있다. 따라서 자신을 친절하게 대해 준 것에 대한 고마움에 이끌려 품값을 싸게 계산하고 있다는 설명은 적절하지 않다.

11. 이 글에서 '아내'는 '임 씨'가 바가지요금을 부를까 봐 애를 태우다 일한 노력에 비해 적은 비용으로 조정하자 당황한다. 따라서 몹시 마음을 쓰며 애를 태운다는 뜻의 '노심초사(勞心焦思)'와 뻔뻔스러워 부끄러움이 없다는 뜻의 '후안무치(厚顔無恥)'가 적절하다.

오답 해설

① • 풍수지탄(風樹之嘆): 효도를 다하지 못한 채 어버이를 여읜 자식의 슬픔을 이르는 말

• 적반하장(賊反荷杖): 도둑이 도리어 매를 든다는 뜻으로, 잘못한 사람이 아무 잘못도 없는 사람을 나무람을 이르는 말

② • 사면초가(四面楚歌): 아무에게도 도움을 받지 못하는, 외롭고 곤란한 지경에 빠진 형편을 이르는 말

• 파렴치한(破廉恥漢): 체면이나 부끄러움을 모르는 뻔뻔스러운 사람

③ • 설상가상(雪上加霜): 눈 위에 서리가 덮인다는 뜻으로, 난처한 일이나 불행한 일이 잇따라 일어남을 이르는 말

• 견리사의(見利思義): 눈앞의 이익을 보면 의리를 먼저 생각함.

⑤ • 만시지탄(晩時之歎): 시기에 늦어 기회를 놓쳤음을 안타까워하는 탄식

• 형설지공(螢雪之功): 반딧불·눈과 함께 하는 노력이라는 뜻으로, 고생을 하면서 부지런하고 꾸준하게 공부하는 자세를 이르는 말

12. ㉠은 '임 씨'의 의도를 오해한 '그'와 '아내'를 긴장하게 한다. 반면, ㉡은 '임 씨'의 의도가 밝혀지면서 '임 씨'의 정직한 성품이 드러나도록 하는 역할을 한다.

13. '그'는 '임 씨'의 행동을 보고 처음에는 옥상 공사 비용을 추가하여 청구할 것이라고 예상했다. 그러나 오히려 견적 비용을 깎아서 계산하는 '임 씨'의 모습에 '그'는 놀라움과 당혹감을 느끼며 견적 금액이 오를까 봐 전전긍긍했던 자신의 모습을 부끄럽게 생각한다. 따라서 이미 견적의 액수는 의미가 없는 것이라고 생각했기 때문이라는 설명은 적절하지 않다.

14. "워따메, 두 분이 어디서 그러코롬 일차를 하셨당가요." 등과 같은 방언과 구어적 표현을 통해 현장감을 드러내고 있다.

15. "사장님요, 기분도 그렇지 않은데 제가 맥주 한잔 살게요. 가십시다."로 보아, '임 씨'에게 맥주 한잔 더 할 것을 먼저 제안한 사람은 '그'가 아니라 '임 씨'이다.

16. '수고했다라는 말도, 고맙다는 말'도 너무 초라하게 느껴진다는 것은, '임 씨'가 베풀어 준 서비스가 그만큼 크게 느껴진다는 것으로, '임 씨'에 대해 큰 고마움을 느끼고 있는 '그'의 심리가 담겨 있다고 볼 수 있다.

17. '그'와 '임 씨'는 형제 슈퍼 앞에서 '한잔'을 더 하여 서로 말을 놓게 되면서 관계가 더욱 친밀해졌다고 할 수 있다. 또한 술을 마시면서 '임 씨'는 자기 가족에 대한 개인적인 사연을 털어놓게 된다. 따라서 '한잔'은 인물 간의 친밀한 관계를 형성하고, 개인적인 사연이 드러나게 하는 계기가 되었다고 할 수 있다.

18. 이 글은 '그'가 '임 씨' 삶을 이해하고 공감하는 과정을 보여 줌으로써 공동체 속에서 타인과 더불어 살아가는 지혜를 얻을 수 있도록 해 준다.

19. '지가 먼저 성깔 내.'를 통해 '스웨터 공장 사장'은 돈을 받으러 온 '임 씨'에게 성질을 부리는 일도 허다했음을 알 수 있다.

오답 해설

① '마누라는 마누라대로 벽돌 찍는 공장에 나댕기지'에서 '임 씨'의 아내도 일을 하고 있음을 알 수 있다.
② '저런 것도 집 축에 끼나…….'에서 '그'가 집을 가지고 있는 것이 큰 자부심을 갖고 있는 것이 아님을 알 수 있다.
③ '그놈들 곰국 한번 못 먹인 게 한이요', '달걀 후라이 한 개 마음 놓고 못 먹는 세상!'에서 '임 씨'의 가족들이 먹는 것 하나 마음대로 먹지 못하는 가난한 처지임을 알 수 있다.
⑤ '임 씨'가 비 오는 날 가리봉동에 가는 까닭은 비가 오는 날에는 일을 할 수 없으므로 떼인 돈을 받고자 하는 것이다.

20. 이 글은 착하고 정직하게 살고 있는 '임 씨'가 오히려 돈을 떼어먹은 사람들보다 더 힘들고 가난하게 살아야 하는 현실의 부조리함에 대한 비판 의식을 담고 있는 소설이다.

21. ㉣에서 '그'가 입을 다문 이유는 '임 씨'가 자신의 좋지 못한 처지에 대해 이야기를 시작했기 때문이지 '그'가 하고 싶은 말을 '임 씨'가 대신 했기 때문은 아니다.

22. ⓐ로 인해 '김 반장'이 연민을 느꼈다는 내용은 나타나 있지 않다.

23. '임 씨'는 '스웨터 공장 사장'에게 받아야 할 연탄값을 받지 못해 경제적으로 어려운 처지이며, '깐쭈'는 '사장'에게 받아야 할 임금을 받지 못하고 고향으로 돌아가야 하는 처지이다.

등급	채점 기준
상	이 글과 〈보기〉의 인물의 처지를 비교하여 공통점을 찾았다.
하	이 글과 〈보기〉의 인물이 처한 처지를 바르게 이해하지 못했다.

24. 이 글에는 빠른 장면 전환도 없고, 갈등의 긴장감이 고조되고 있지도 않다.

25. 이 글의 작가는 경제적 어려움 때문에 서울에 편입되지 못한 소시민들의 진솔한 삶을 보여 주기 위해, 당시에 이러한 사람들이 모여 살던 실존하는 '원미동'과 '가리봉동'을 작품의 배경으로 설정한 것이다.

등급	채점 기준
상	문학이 지닌, 타인의 삶을 이해하고 소통하는 태도를 기르는 가치를 알고, 이를 바탕으로 당시의 상황을 통해 작가가 독자에게 전달하고자 하는 바를 서술하였다.
중	시대적 배경을 바탕으로 작가가 작품의 공간적 배경을 설정한 이유를 추측하여 서술하였다.
하	작가가 공간적 배경을 설정한 까닭을 바르게 이해하지 못했다.

26. '임 씨'는 소외된 계층을 대표하는 인물이므로, '임 씨'가 소외된 계층을 연민의 시선으로 바라볼 수 있게 되었다는 설명은 적절하지 않다. 그가 비 오는 날에 가리봉동을 가는 이유는 맑은 날에는 생계를 위해서 일을 해야 하기 때문이다.

(3) 문학 활동의 생활화

01 광장

본문 31쪽

01 ② **02** ③ **03** ④ **04** ④ **05** 북한 측 장교는 명준에 대한 설득을 포기하였다. **06** ③ **07** ④ **08** ②

01. 남한 측 장교가 명준에게 동생처럼 여겨졌다고 말한 것은 인정에 호소하기 위해서이지 과거의 친분을 증명하는 것은 아니다.

02. '명준'이 '중립국'을 반복적으로 외치는 까닭은 남한의 자본주의와 북한의 공산주의에 모두 회의를 느꼈기 때문이다.

03. 〈보기〉에서 「광장」이 이념과 현실의 문제를 작가의 머릿속에서 풀어내고 있다는 점에서 관념 소설의 대표작으로 뽑힌다고 설명하고 있다. 따라서 이런 설명을 뒷받침하기 위해서는 당시 분단된 조국과 이념의 대립에 대한 작가의 생각을 인물의 생각으로 풀어내고 있다는 ④의 설명이 가장 적절하다.

04. 〈보기〉는 [A] 부분을 1인칭 주인공 시점으로 바꾼 것이다. [A]에는 전지적 작가 시점으로 서술되었으나 인물의 행동만을 묘사하고 있어 그 의미를 추론해야 이해할 수 있다. 그러나 〈보기〉는 1인칭 주인공 시점으로 '명준'의 행동의 의미가 직접적으로 서술되어 있어, 인물의 생각과 행동의 의미를 정확하게 알 수 있다.

05. '명준'을 설득하던 북한 측 장교는 중국 대표가 무언가 날카롭게 외치자 설득에 실패했음을 알고 적대적인 태도로 변하였고, '명준'은 유엔 측 테이블로 걸어가 남한 측 대표를 만나므로 ㉠은 북한 측 장교가 명준을 설득할 것을 포기하고 다음 포로를 설득하기로 한 것임을 알 수 있다.

06. ⓐ, ⓑ는 남한 측 설득자가 현재 사회에 불만이 있다고 해서 조국을 버리는 것은 옳지 못하다는 것을 비유적으로 표현하며 '명준'이 남한으로 오기를 설득하는 것으로 ⓐ는 조국(남한)을, ⓑ는 남한 사회의 모순을 의미한다.

07. 〈보기〉에서 '길동'은 적서 차별을 하는 사회 제도에 대해 비판하고 있고, 이 글에서 '명준'은 남북의 이념에 대해 환멸을 느껴 중립국행을 선택하고 있다. 그러므로 '개인과 사회의 갈등'이라고 보는 것이 적절하다.

08. 〈보기〉에서 시적 화자는 조국 강토에서 힘을 보태어 새 시대가 열리기를 바라고 있다. 따라서 시적 화자는 분단과 이념적 대립이라는 조국의 현실을 피해 중립국으로 도피하고자 하는 '명준'의 선택을 비판할 것이다.

대단원 실전 문제

본문 34쪽

01 ④ **02** ③ **03** ② **04** ⑤ **05** ① **06** 자기 자신 안에 여러 욕망이 뒤섞여 있어 정체성의 혼란을 느끼고 있다. **07** ⑤ **08** ⑤ **09** ⑤ **10** ④ **11** ⑤ **12** ② **13** ① **14** 임 씨의 딱한 사정을 들은 '그'가 임 씨를 배려하기 위해 대꾸하려던 말을 멈춘 것이다. **15** ① **16** ③ **17** ① **18** ② **19** ① **20** ⑤

01. (가)에서는 '그'라는 지시어를 활용하여 '복숭아나무'로 시선을 모으고 있으며, (나)에서는 '이'라는 지시어를 활용하여 '바람벽'으로 시선을 집중시키고 있다.

02. '피우고 싶은 꽃빛이 너무 많은'은 화자가 '흰꽃과 분홍꽃 사이에 수천의 빛깔이 있다는 것'을 알게 되면서 공감하게 된 '복숭아나무'의 소망이라고 할 수 있다. 따라서 화자의 소망이 복숭아나무에 투영되어 있다고 보는 것은 적절하지 않다.

03. ㉠은 화자가 '복숭아나무'에 대한 선입견에서 벗어나 가까이 할 수 있게 되었음을 보여 주는 것이므로 '복숭아나무'에 대한 이해와 교감을 장소로 볼 수 있다. 한편, ㉡은 헤어진 '어여쁜 사람'을 그리워하며 떠올린 상상 속의 장소이므로 '어여쁜 사람'에 대한 그리움을 강화하는 장소로 볼 수 있다.

04. 인물의 태도나 삶의 방식을 검토하도록 이끌어 독자들의 깊은 성찰을 유도하는 것은 문학 작품의 내용 요소가 주는 효용이다. 따라서 형식 요소와 관련된 ⓔ에 대한 감동이 이러한 내용을 통해 확산될 수 있을 것이라는 설명은 적절하지 않다.

오답 해설

①, ② (가)의 화자는 대상에 대한 편견을 버리고 대상의 진정한 모습을 발견하고 있으므로, 문학을 통해 인식의 폭을 넓히고 수용하는 태도로 볼 수 있으며, 나아가 독자는 이를 통해 가치 있는 삶의 방식을 발견할 수 있으므로 적절한 서술이다.
③ (나)의 화자는 흰바람벽에 지나가는 글자를 통해 자신의 운명을 수용하고, 정신적 고결함을 잃지 않는 삶에 대한 의지를 보이고 있으므로 적절한 서술이다.
④ 각각 대상에 대한 이해를 시작한 순간의 느낌과 화자의 외롭고 쓸쓸한 심정을 감각적으로 형상화하고 있으므로 적절한 서술이다.

05. 이 장면은 1인칭의 서술자가 자신의 내적 독백을 통해 사랑의 감정에 빠진 인물의 복잡한 심리를 전달하고 있다.

06. '나'가 예로 든 '친구'는 '일본 애니메이션을 보고 일본어를 독학한 사람'으로, 그의 친구에게 일본어를 할 때 온갖 말투가 다 섞여 있다는 평가를 들었다. '나' 또한 자신이 쓴 글이 관념적이거나 현학적이거나 유치하거나 한 제각각의 문체로 쓰인 것을 두고 '내 안에 여러 가지 욕망이 섞여 있다는 뜻이기도 했다.'로 표현하고 있다.

등급	채점 기준
상	두 사례를 비교하여 공통점을 찾아 서술하였다.
하	두 사례를 비교하여 서술하였다.

07. '고요'는 세상에서 가장 조용한 기척이 되어, 세상에서 가장 멀리 가는 동그라미를 만들어 냈다고 했다. 이것은 '고요'가 오히려 가장 멀리 퍼져 가는 사랑의 감정을 만들어 주었음을 의미하는 것이다. 따라서 이로 인해 사랑의 한계를 깨닫게 되었다는 설명은 적절하지 않다.

08. '나는 그 애에게 때 이른 만족을 주고 싶지 않았다. 끄덕이고 안도한 뒤 자족해 돌아서 버리게 하고 싶지 않았다.'를 통해 편지를 잘 써서 단번에 '그 애'의 마음을 빼앗고 싶은 욕심이 있었던 것은 아니었음을 알 수 있다.

09. (나)의 '그놈들 곰국 한번 못 먹인 게 한이오.'를 통해 '임 씨'는 자식들에게 맛있는 음식을 먹이지 못하고 있는 자신의 가난을 한스럽게 생각하고 있음을 알 수 있다.

오답 해설

① '아내'는 '임 씨'가 예상보다 훨씬 적은 금액을 요구한 것에 놀라고, '임 씨'가 한 일에 비해 너무 적은 금액이라 생각하여 '그'에게 눈빛으로 도움을 요청하였다.
② '그'는 옥상 공사는 '서비스'라는 '임 씨'의 말에 아연해 하며, 자신의 지난 태도를 반성하였다.
③ '임 씨'는 비가 오는 날마다 가리봉동에 가서 '스웨터 공장 사장'에게 못 받은 연탄값을 받으려 한다.
④ '그'는 받아야 할 연탄값을 부당하게 받지 못한 '임 씨'의 처지에 동조하고 있다.

10. 문학은 말과 글로 표현하는 예술의 하나로 내용과 형식이 긴밀한 관계를 맺으며 존재한다. 따라서 갈래와 형식은 상관없이 내용만 좋으면 동일한 감동을 줄 것이라는 설명은 적절하지 않다.

11. 가리봉동은 당시 공장들이 밀집해 있던 지역으로 자본주의의 밑바닥 삶이라고 할 수 있는 공장 노동자들의 생활 공간이다. 하지만 (나)에서 가리봉동은 자연 파괴를 상징하는 공간으로 형상화되고 있지 않다.

12. ㉠은 조금도 보탬도 없는 가격으로, '임 씨'가 얼마나 정직한 인물인가를 보여 주는 것이다. 반면 ㉡은 '스웨터 공장 사장'이 '임 씨'를 속였음을 보여 주는 것으로 '스웨터 공장 사장'의 정직하지 못한 성격을 보여 주는 것이다.

13. (가)에서는 '싸부딘'과 '깐쭈'라는 두 인물에 초점을 맞추어 우리 사회에서 소외된 외국인 노동자의 삶을 그리고 있다. 또한 (나)에서는 정직하지만 가난하게 살 수밖에 없는 '임 씨'에게 초점을 맞추어 가난한 도시 노동자의 소외된 삶을 그리고 있다.

14. '그'는 집도 없이 세를 살며 '스웨터 공장 사장'에게 받을 돈을 떼여 가난한 삶을 사는 '임 씨'를 배려하여 소유한 집에 대해 겸손한 태도를 보이려다 이마저 멈추고 있다.

15. 〈보기〉에서 소설에 삽입되어 있는 노래는 인물의 상황이나 정서를 암시하는 경우가 많다고 하였다. (가)에서 깐쭈가 부르는 노래는 쓸쓸함과 외로움의 정서를 드러내는 노래이다. 따라서 ㉠은 '나'가 깐쭈가 느끼는 외로움과 쓸쓸함에 공감하고 있음을 보여 주는 것이다.

16. ⓐ는 깐쭈가 그리워하는 고국을 상징하는 소재로, 인물에게 위로와 위안을 주고 있다. ⓑ는 '임 씨'가 '스웨터 공장 사장'에 떼인 돈을 받아 가족들을 부양하기 위한 기회를 주는 날씨로 인물의 힘겨운 삶을 보여 주는 소재이다.

17. 이 장면은 남한과 북한 양측 대표가 '명준'을 설득하는 장면으로, 북한 측 대표와 남한 측 대표는 모두 '명준'을 설득하고자 하는 의도를 드러내고, '명준'은 '중립국'이라는 짧은 말로 자신의 의지를 드러내고 있다.

18. 〈보기〉를 참고할 때, '명준'은 남한과 북한의 어느 사회에서도 자신이 살아갈 수 없다는 절망적 인식의 결과로 중립국을 선택한 것이다. 따라서 억지로 마지못하여 함을 비유적으로 이르는 말인 '울며 겨자먹기' 식의 선택이라고 볼 수 있다.

19. (가)에서 북한 장교는 '명준'에 대한 설득이 실패하자 적대적인 태도를 보이며 설득을 포기하고 있고, 남한 측 설득자는 남한 사회에 내재된 문제를 인정하지만 남한에는 자유를 보장할 수 있다며 '명준'을 설득하고 있다.

오답 해설

④ (가)에서 남한 측 설득자는 자유를 근거로 설득하고 있다. 개인적 호감을 근거로 설득하는 것은 (나)에서 나타난다.

20. '학생 1'에 따르면 특정한 시대와 장소를 넘어 공유할 수 있는 의미를 '상황의 보편적 의미'라고 한다. 그런데 작품이 상황의 보편적 의미를 지닐 수 있는 것은 '상황의 구체적 의미'가 오늘날 우리의 상황과 서로 연결되고 있기 때문이다. 따라서 이를 고려해 작품을 읽으려면 작품의 구체적 상황이 오늘날의 상황과 어떻게 연결되어 있는지 살펴보고 이를 바탕으로 상황의 보편적 의미를 생각해 보아야 한다.

1등급 완성 문제

본문 41쪽

01 ① **02** ④ **03** ⑤ **04** ① **05** ④ **06** ⑤

01. (가)는 문학의 소통에 관한 설명이다. 문학에 작가의 삶이 사실적으로 반영된다는 설명은 적절하지도 않고, (가)에 나타나 있지 않다.

02. (다)에서 '거울을 싫어할 것입니다.'는 단점이 많은 사람은 자기를 드러내기를 싫어할 것이라는 인간의 보편적 심리에 대한 거사의 인식이 드러날 뿐, 서술자의 옳고 그름의 가치관이 나타나 있지는 않다.

03. (나)는 타인의 진실한 모습을 발견하고 그와 교감하는 일의 어려움과 보람을 고백적인 어조로 드러내고 있고, (다)는 '나그네'의 질문과 '거사'의 대답으로 내용이 전개되고 있다.

04. (가)의 '나'는 대상에 대한 편견으로 서로 소통하지 못하고 있고, (나)의 '나그네'는 '거울'을 외양을 비추는 도구로만 한정하여 질문하는 고정 관념의 소유자이다.

05. [D]에서 대상에 대한 새로운 이해가 나타난다고 보는 것은 적절하지만, 화자가 외로움을 이겨 낸 상황으로는 보기 어렵다.

오답 해설

① 여러 겹의 마음을 가졌을 거라는 생각에 복숭아나무를 멀리하려는 화자의 태도가 드러나 시상이 촉발되고 있다.

② 화자는 복숭아나무가 사람이 앉지 못할 그늘을 가졌을 것이라 생각하고, 이에 멀리 피해 다니는 구체적 행동이 나타나고 있다.

③ 화자는 복숭아나무에게 수천의 빛깔이 있다는 사실을 인식하고 대상의 본질을 이해하는 깨달음을 얻고 있다.

⑤ 화자가 복숭아나무그늘 아래로 가 저녁이 오는 소리를 듣는 모습을 통해 복숭아나무에 대한 거리감이 사라진 상태에서 진정한 이해와 소통을 하고 있음을 알 수 있다.

06. 옛날에 거울을 보는 사람들이 맑은 것을 취하기 위했음을 언급한 것은 '거사'가 자신이 거울을 통해 흐린 것을 취하는 것과 대비하기 위한 것이다. 따라서 여기에 과거에 집착하지 않고 현재에 집중하려는 현실주의적 태도가 담긴 것이라는 설명은 적절하지 않다.

2 문학의 소통

(1) 문학 작품의 구조와 맥락

01 산도화

본문 46쪽

01 ② **02** ③ **03** ④ **04** 전체적인 반복을 통해 시에 안정감을 주면서, 3연에서 의도적인 호흡의 변화를 통해 봄날의 생동감을 효과적으로 형상화할 수 있다. **05** ③ **06** ④

01. 이 시에서 시적 화자는 '산도화 두어 / 송이'라고 표현하면서 여백의 아름다움을 강조하고 있다.

오답 해설

① '구강산', '산도화', '암사슴' 등의 시어를 통해 봄을 맞이한 산의 풍경을 한 폭의 동양화와 같이 묘사하고 있다.
③ 멀리서 바라본 산의 정적인 모습에서 꽃이 피고 생명이 약동하는 동적인 모습의 묘사로 변화되고 있다.
④ 감정을 절제한 압축적 표현을 구사하고, 이를 통해 평화로운 자연의 모습을 그리고 있다.
⑤ 한 연을 3행으로 배열하여 간결한 형식미를 드러내고 있다.

02. 이 시에서 '버는데'는 '벌어지는데'의 의미로, 산도화가 피는 모습을 표현하는 것이다. 즉 꽃이 피는 모습을 통해 봄의 생명력을 환기한다고 볼 수 있다.

오답 해설

① '구강산'은 신비로운 분위기의 석산을 멀리서 바라본 것으로, 정적인 모습이다.
② 꽃이 피고, 눈이 녹는 봄의 풍경을 배경으로 하고 있다.
④ '옥 같은 물은' 봄눈이 녹아 흐른 물로, 맑고 순수한 이미지를 나타내고 있다.
⑤ '암사슴'은 순수하고 고결한 동시해 생동하는 생명체를 상징하는 것으로, 이러한 사슴이 발을 씻는 모습을 통해 평화로운 분위기를 나타낸다.

03. 〈보기〉의 시에서는 아래로 내려올수록 행의 길이가 길어지도록 배열하여, 시의 형태 자체가 산의 모양을 닮도록 구성하고 있다.

04. 이 시는 한 연을 3음보의 규칙적 율격 속에 3행으로 배열하는 것을 반복하여 리듬감을 형성하고 시에 안정감을 주고 있는데, 3연은 의도적으로 호흡의 변화를 주어 봄날의 생동감을 효과적으로 표현하고 있다.

등급	채점 기준
상	시행의 배열이 주는 형식적 효과를 모두 서술하였다.
중	시행의 배열이 주는 형식적 효과를 일부 서술하였다.
하	시행 배열의 효과를 적절히 설명하지 못하였다.

05. '석산'은 차갑고 정적인 이미지이고, 봄눈이 녹은 '물', 봄을 맞아 핀 '산도화', 시냇물에 발을 씻는 '암사슴'은 따뜻하고, 동적인 이미지를 지닌 소재이다.

06. 감정 이입이란 자신의 감정을 대상에 이입하여 마치 대상도 그렇게 느끼고 생각하는 것처럼 표현하는 방법을 말한다. 4연에 등장하는 암사슴은 탈속의 공간에 존재하는 대상으로서 화자가 관찰하는 대상일 뿐, 감정 이입의 대상이 아니다.

02 흥보가

본문 48쪽

01 ④ **02** ② **03** ④ **04** '창'은 노래를 통해 청중이 정서적인 긴장감과 몰입감을 느끼게 한다. 반면 '아니리'는 이야기에 해당하는 부분으로 청중의 긴장을 이완시켜 준다. **05** ④ **06** ③ **07** ④ **08** ⑤ **09** ⑤ **10** ②

01. 이 글의 갈래는 '판소리 사설'이다. 따라서 소리꾼은 대본을 보기보다는 외워서 구연을 하며, 기록 문학적 속성보다 입에서 입으로 전달되는 구비 문학의 속성이 강하다.

02. '흥보 마누라'는 '이년의 팔자는 어이하여 이 지경이 웬일이냐.'라고 말하며 가난의 까닭을 자신의 팔자 때문이라고 생각하고 있다.

오답 해설

① 흥보는 바깥에 나가 있다가 '흥보 첫째 박을 탐'에서 술이 얼근히 취해 돌아온다.
③ 흥보 아들은 송편을 얻어먹으려 아이들의 가랑이 사이를 무릎에 피가 나도록 기어간다.
④ 흥보 아들은 송편이 세 개 있으면 하나는 입에 물고, 두 개는 양손에 갈라 쥐어 아이들을 조롱해 가면서 먹고 싶어 한다.
⑤ 흥보는 흥보 마누라에게 남 보기 창피하고, 동네 사람들이 흉을 볼까 하니 울음을 멈추라 한다.

03. [C]는 박을 타기 시작하는 흥보네의 신세 한탄이 나오는 장면이므로 극적 상황이 한가하고 이완되는 진양조가 어울린다. [C]에는 흥보네의 신세 한탄이 나와 있을 뿐, 즐거움이 나열되어 있지는 않다.

04. 판소리의 '아니리'는 사건 전개를 서술하고 인물의 대화로 이루어져 청중의 긴장을 완화하고, 청자가 호흡을 조절하면서 다음 창을 준비할 수 있게 해 준다. 반면, '창'은 다양한 장단을 통해 내용 전개나 정서적 변화를 효과적으로 표현하여, 청중이 정서적으

로 긴장·몰입하고 감흥을 유발한다.

등급	채점 기준
상	'긴장과 이완'의 측면에서 〈보기〉를 바탕으로 '창'과 '아니리'의 역할을 서술하였다.
중	'긴장과 이완'의 측면에서 '창'과 '아니리'의 역할을 서술하였다.
하	'창'과 '아니리'의 역할을 서술하였으나 '긴장과 이완'의 측면으로 서술하지 않았다.

05. 흥보네는 동네 가마솥이 있는 집을 찾아다녀서 밥을 짓는다.

06. '밥을 꼬두밥 찌듯 쪄서 삯꾼을 사다 져다 붓고, 붓고 한 것이'라는 부분에는 흥보 가족이 신이 나서 잔뜩 밥을 해대는 사건의 전개를 요약적으로 드러내고 있다.

07. 자신을 배고프게 한 밥을 원망하면서 동시에 '금을 준들 바꿀쏘냐'라고 하면서 밥에 대한 애정을 드러내고 있다.

08. 여기서의 '추세'는 '어떤 현상이 일정한 방향으로 나아가는 경향'이라기보다는 '어떤 세력이나 세력 있는 사람을 붙좇아서 따름.'의 의미이다.

09. ⓐ는 흥보 자식들이 오랜만에 먹는 밥에 흥분하여 먹는 상황을 과장되게 묘사함으로써 흥보의 가난했던 생활상을 부각하고 웃음을 유발하는 해학적인 장면이다. 이 장면을 통해 빈부의 모습을 비교한다거나 부자들의 행태를 비판한다고 보기는 어렵다.

10. 이 글은 흥보네의 가난한 상황과 박속에서 나온 쌀로 밥을 해 먹는 장면이 주를 이룬다. 이와 달리 〈보기〉의 「흥부 부부상」은 사랑과 연민이라는 정신적 가치에 주목하고 있다.

오답 해설

① 〈보기〉가 아니라 이 글에 가난한 현실에 대한 과장적이고 해학적인 진술이 드러나고 있다.
③ 이 글에는 가족 간의 갈등이 드러나지 않고 있다.
④ 이 글의 흥보 가족은 가난한 현실을 적극적으로 극복하려 하지 않고 한탄하다가 뜻밖의 행운으로 부유해진다. 오히려 흥보 아내는 가난한 현실을 자신의 팔자로 여기고 있다.
⑤ 〈보기〉의 흥부 부부는 가난하고 비참한 현실을 사랑과 연민이라는 정신적 가치를 통해 극복하려 하고 있다.

03 소설가 구보 씨의 일일

본문 53쪽

01 ⑤ **02** ④ **03** ③ **04** ② **05** ④ **06** 구보는 고독이 두렵기 때문에 교외를 즐기지 않는 것이다. **07** ① **08** ④ **09** ③ **10** ② **11** ④ **12** ④ **13** ① **14** ⑤ **15** ⑤ **16** ④ **17** ⑤ **18** ③ **19** ③ **20** ③

01. 이 소설은 문장의 첫 어절을 소제목처럼 다른 행으로 구성하는 실험적인 시도를 하고 있다.

02. '구보'는 안경을 맞추었음에도 다른 사람과 부딪힐까 걱정할 정도로 시력에 자신이 없다.

03. 이 글은 전지적 작가 시점임에도 '구보'의 눈을 통해 서술하는 특징을 보이고 있다. 따라서 '구보'의 시점에서 바라본 젊은 내외의 모습을 일반적인 전지적 시점으로 바꾸어 서술한다고 할 때, 가장 적절한 것은 ③이다.

04. 구보는 젊은 내외가 자기네들의 행복을 자랑하고 싶어 한다고 생각하여 비판적인 시각에서 바라보다가 그들이 가정을 가졌고 행복을 찾을 것이라는 생각에 부러움을 느낀다.

오답 해설

① '구보'는 나쁜 시력으로 인해 종로 네거리의 '사내'와 마주칠 것 같은 착각을 느낀다. 동질감을 느끼지는 않는다.
③ '구보'는 '젊은 부부'를 업신여겨 볼까 하다가, 생각을 고쳐 축복해 주기로 한다.
④, ⑤ '구보'는 안전지대의 '사람들'이 자신과 달리 목적지가 분명한 사람들이라 생각하고, 그들이 전차에 모두 탑승하자 홀로 남은 자신에 대해 외로움과 애달픔을 느낀다.

05. 이 글이 〈보기〉에서 언급한 모더니즘 소설인 것은 사실이지만, 제시된 장면에서 구보가 과거에 대한 여러 생각을 동시에 떠올리는 장면은 나타나지 않는다.

06. 요사이 구보는 '고독'을 두려워하는데, 교외에는 고독이 준비되어 있었기 때문에 '구보'는 교외를 즐기지 않는 것이다.

등급	채점 기준
상	주어진 〈조건〉에 맞게 알맞은 까닭을 서술하였다.
하	주어진 〈조건〉에 맞는 서술을 하지 못하였다.

07. '구보'가 '어머니'에게 '그 색시'를 만났다고 하면, '어머니'가 캐물을 것이라고 예상한다는 점으로 미루어 보아, '어머니'는 '그 색시'가 누군지 이미 알고 있다고 추론할 수 있다.

08. '구보'는 막 차에 오른 '그 색시'를 보고 시선이 마주칠까 겁을 냈지만, 여자가 시야에서 멀어지자 알은체하지 않은 것을 뒤늦게 후회하였다.

09. 〈보기〉에서 설명하고 있는 서술 기법은 '의식의 흐름' 기법이다. '차장'이 '구보'에게 다가오자 '구보'가 주머니에 손을 넣어 동전을 세는 부분은 '구보'가 요금을 내고 전차에서 내릴까 고민하는 모습을 묘사한 부분으로 의식의 흐름 기법이라고 보기 어렵다.

10. 구보는 '중년의 시골 신사'에게서 부종을 발견하고 자리를 떠나고 있으므로 시골 신사를 건강하다고 보는 것은 적절하지 않다.

11. 구보가 경성역을 찾은 까닭은 다양한 사람들이 모여 있는 곳에서 삶의 활기를 찾고 고독을 극복하고 싶었기 때문이다.

12. C는 '구보' 자신도 병자를 피해 자리에서 일어나는 태도이다. 이는 경성역에서 노파, 시골 신사, 젊은 아낙네 등 다양한 인물을 관찰하다가 시골 신사를 피해서 일어나는 것이므로 ④는 적절하지 않다.

13. ㉠의 '그곳'은 '구보'가 가고 싶어 하는 곳으로 '마땅히 인생이 있을 것'이라는 기대를 품고 있는 장소이다. 반면, ㉡의 '그곳'은 '구보'가 군중 속에서 고독을 느끼는 곳으로 '구보'의 기대가 실망으로 바뀌는 공간이다.

14. 이 글과 〈보기〉는 배경과 소재들이 비슷하며 두 작품 모두 혼란스럽고 무기력한 당대 지식인의 내면세계를 다룬 모더니즘 계열의 소설이다. 그러나 ⑤는 〈보기〉에 대한 설명으로, 이 글에서는 찾아볼 수 없다.

15. 이 글의 서술자는 전지적 시점을 취하고 있기는 하지만, 주로 '구보'의 시각을 통해 서술하고 있다.

16. 이 글에서 '구보'는 무기력한 지식인의 전형으로, 당시의 세태에 대하여 생각이 많고 비판적 인식을 보인다. 그러나 '그 사내'가 차를 마시자는 말에 거절하지 못하는 등 소심하고 우유부단한 성격이다.

17. ㉠에서 구보는 비록 허황되지만 황금을 찾아 돌아다니는 사람들이 아무 목적의식 없이 방황하는 자신보다 낫다고 생각하고 있다. 즉 구보 자신의 처지에 대한 자조 섞인 자책과 탄식을 하고 있는 것이다.

18. 서정 시인조차 돈을 찾아 황금광으로 떠나는 1930년대의 세태에 대해 표현한 부분으로 이는 '돈의 힘으로 되지 않는 일이 없다'는 뜻을 가진 '금권만능'과 가장 잘 어울린다.

오답 해설

① '전전반측'은 누워서 몸을 이리저리 뒤척이며 잠을 이루지 못함을 이르는 말이다. '구보'가 당시의 시대 상황에 비판적이기는 하나 이 때문에 고민하고 있다고 보기는 어렵다.

② '관포지교'는 우정이 아주 돈독한 친구 관계를 이르는 말이지만 여기서 '구보'는 중학 동창이나 황금을 찾아 떠난 지인들에 대해 냉담한 태도를 보인다.

④ '대기만성'은 크게 될 사람은 늦게 이루어짐을 이르는 말인데, 여기서 '구보'가 자신의 그릇을 이해해 주지 못함에 대해 부정적으로 생각하고 있는 것은 아니다.

⑤ '자가당착'은 같은 사람의 말이나 행동이 앞뒤가 서로 맞지 아니하고 모순됨을 이르는 말인데, '구보'는 우유부단한 태도를 보이기는 하나 말과 행동이 다르지 않고, 자신에 대해 냉소적이지도 않다.

19. 이 글에서 '한 사내'가 '구보'를 만났을 때 당황해하는 모습은 나타나 있지 않다.

20. 〈보기〉는 황금광 시대에 대해 설명하고 있다. 〈보기〉를 보면, 지식인들은 금광 중개 상인이 된 경우가 많았음을 알 수 있다. 이 글에서 '구보'는 문인들조차 황금 금광에 매달리는 세태에 대해 비판적인 태도를 보이고 있으므로 이들이 취재와 창작을 위해 광산을 찾았다고 보기는 어렵다.

(2) 문학 작품의 수용과 생산

01 즐거운 편지

본문 61쪽

01 ⑤ **02** ① **03** 자신의 사랑이 오랫동안 변함없이 지속될 것임을 말하고자 한 것이다. **04** ④ **05** ④ **06** ③

01. '눈이 그치고 ~ 또 눈이 퍼붓고 할 것을 믿는다.'에서 자연의 순환이 드러나지만 이는 '그대'에 대한 변치 않는 사랑을 강조한 것일 뿐 자연과의 합일을 추구하는 것은 아니다.

오답 해설

① '그대' 등의 시어와 '…을 믿는다.' 등의 문장 구조의 반복으로 운율을 형성하고 있다.

② '그대'에 대한 사랑을 '사소한 일'이라고 반어적으로 표현하여 강조하고 있다.

③ '그대'에 대한 사랑을 '해가 지고 바람이 부는 일처럼' 등 자연에 빗대어 표현하고 있다.

④ 행의 구분이 없는 산문시로, 화자의 사랑을 고백적이면서 사색적으로 나타내고 있다.

02. 이 시의 화자는 기다림으로 자신의 사랑을 완성하고자 하는 태도를 확고하게 드러내고 있다.

03. 화자는 자신의 사랑을 '해가 지고 바람이 부는 일'처럼 사소하다고 말하고 있다. 하지만 이는 반어적인 표현으로 사실은 이러한 자연 현상과 같이 무엇보다 영속적이고 중요한 일이라고 할 수 있다.

04. [A]에서는 표면에 나타난 의미가 이면의 의미와 상반되게 나타나는 반어법이 사용되었다. ④에서도 떠난 임에 대한 강렬한 그리움을 '잊었노라'라고 상반되게 표현하는 반어법이 사용되어 있다.

05. 〈보기〉의 화자는 자신의 사랑을 위해 그저 기다림에 만족하는 것이 아니라 도전을 통해 사랑을 얻으려 하고 있고, 이 시의 화자는 오랜 기다림을 다짐하여 사랑을 완성하고자 한다. 즉 이 시의 화자는 사랑은 내리는 눈과 같아서 언젠가 그치고 말 감정이지만 기다림은 영속적인 정서를 바탕으로 한 감정이므로 진정한 사랑을 위한 과정으로 생각하고 있는 것이다.

06. ㉠은 기다림의 고통을 형상화한 표현으로 여기에 사용된 '밤'과 '골짜기'는 외롭고 견디기 힘든 시간을 상징하는 시어이다. ㉠만을 가지고 화자의 사랑이 기다림으로 승화되었다고 보기는 어렵다.

02 로디지아발 기차

본문 63쪽

01 ① 02 소년은 ㉠처럼 행동한 후 '마님 사세요?'하고 묻듯 여자를 향해 바구니를 들어 올렸다. 즉 소년은 여자가 물건을 살 의향이 있는지 물어보기 위해서 ㉠처럼 행동한 것이다. 03 ④ 04 ② 05 ② 06 ㉮: 몇 주 동안 체험한 아프리카 문화, ㉯: 가난하고 힘든 아프리카의 현실 07 ④ 08 ② 09 ⑤ 10 ⑤ 11 ④ 12 기차가 떠나가 버리면 물건을 팔 수 조차 없으니 손해를 보더라도 헐값으로 팔아 치우겠다는 심리가 내재되어 있다. 13 ⑤

01. 이 글의 제시된 부분에는 등장인물 간의 갈등이 구체화되어 있지 않다. 따라서 갈등의 해소도 나타나고 있지 않다.

02. 소년은 여자에게 가지고 있는 바구니를 팔기 위해 다가간 것이다.

03. ㉡의 사자상은 '촌로'가 자신의 생계를 위해 파는 것으로 조잡하지 않고, 예술적 가치가 있는 물건이다. 이에 '여자'와 '남자'가 모두 관심을 보이고 있는 것이다. 그러나 이 사자상을 통해 '촌로'가 자신의 예술적 재능에 대해 자부심을 드러내고 있다고 보기는 어렵다.

04. '주름이 반듯한 제목을 차려입은 역장'은 가난한 원주민과는 대비되는 모습을 하고 있으므로 '고된 노동을 하는 아프리카인들의 가난'을 추론하기는 힘들다.

오답 해설

① 기차역의 뾰족한 스위스 풍의 지붕은 너저분한 지붕을 한 원주민들의 토담집이나 원주민의 행색과 대비되는 모습을 하고 있다.

③, ④ 역사 주변 마을 풍경은 궁핍한 아프리카인들의 삶이 잘 드러나 있다.

⑤ 어린아이들조차 구걸해야 할 정도로 궁핍한 아프리카인들의 처지를 보여 준다.

05. 정교하면서도 사실적으로 만들어진 사자상은 〈보기〉에서 알 수 있듯, 아프리카 민족 고유의 전통문화를 의미한다. 따라서 이를 돈으로만 거래하려는 모습을 통해 아프리카 문화에 대한 서양인의 자기중심적 시각을 반성하게 하는 소재가 되며, 승객들에게 물건을 판매해야만 생활을 이어 갈 수 있는 아프리카인의 절박한 처지를 보여 준다. 하지만 사자상이 기성품화 되었다는 이야기는 확인할 수 없다.

06. '여자'는 휴가지에서 찬란한 아프리카 문화를 만났지만, 현실 속 아프리카는 밀려들어 오는 문명에 혼을 잃고 방황하고 있으며, 부유한 백인들에 비해 궁핍한 삶을 살아가고 있음에 괴리감을 느끼고 있다.

등급	채점 기준
상	'현실'과 '비현실'이 의미하는 바를 각각 정확하게 서술하였다.
중	'현실'과 '비현실' 중 하나의 의미만을 정확하게 서술하였다.
하	'현실'과 '비현실'이 의미하는 바를 이해하지 못하였다.

07. ㉮의 인물들이 초콜릿을 밖으로 던지기는 하지만 이는 초콜릿이 별로라고 생각해서 한 행동이며, 기차 밖 사람들에게 던진 것이 아니라 개들에게 던져 준 것이다.

08. 여자는 사자상이 비싸다고 생각했을 뿐이지 작품성이 떨어진다고 생각하지는 않았다.

09. 남편은 아내가 사자상에 관심을 갖고 있기 때문에 그것을 구입하려고 하지만 가격이 너무 비싸다는 것을 이유로 흥정을 유도하고 있다. '과장된 표정으로' 가격을 묻는 남편의 태도는 사자상의 가격을 깎아보려는 의도가 나타나 있다고 할 수 있다.

오답 해설

① 남편의 사자상의 가격이 삼 실링 육 펜스라는 사실을 알고 있었으므로 정확한 가격을 확인할 필요는 없다.

② 남편은 사자상이 훌륭한 조각임을 알고 있으며, 아내가 가지고 싶어 하는 물건이기에 사려고 한다. 따라서 살 만한 가치가 없는 물건이라 생각하는 것은 아니다.

③, ④ 남편은 가격이 비싸다고 생각하고 있기는 하지만 단순히 이를 지적하거나 알려주려는 의도가 아닌, 가격을 더 낮게 제시할 것을 요구하기 위해 과장된 표정으로 말을 하고, 반복해서 중얼거리는 것이다.

10. 이 글은 사자상에 대한 백인 여자와 남편과의 갈등을 통해 아프리카인들의 힘겨운 삶과 서구인의 자기중심적 가치관에 대한 비판 의식을 드러내고 있다.

11. 〈보기〉의 '공정 무역'은 상대적으로 열악한 개발도상국 생산자에게 더 유리한 조건을 제시하는 무역 형태를 말하는 것이지 구걸을 도와주라는 것이 아니다. 돈만 주고 물건을 받지 않는 것은 '거래'라 보기 어렵다.

12. 늙은 원주민 상인은 헐값에라도 물건을 팔아야만 생계를 유지할 수 있다는 절박한 심정으로 처음 제시한 값보다 훨씬 낮은 금액을 급히 소리친 것이다.

13. 〈보기〉는 이웃의 아픔에 무관심한 채 살아가는 세태를 비판하고 있고, 이 글의 '남편'은 원주민들의 힘겨운 삶을 외면하고 자신의 이익만을 위해 행동하고 있다. 따라서 〈보기〉의 화자가 '남편'에게 해 줄 수 있는 말은 ⑤가 가장 적절하다.

03 허생전

본문 69쪽

01 ⑤ **02** ① **03** ② **04** ④ **05** ③ **06** ④ **07** ③ **08** ② **09** ② **10** '변 씨'는 돈을 빌리면서도 당당하며 부끄러워하지 않는 '허생'의 태도를 보고 '허생'이 재물이 없어도 스스로 만족할 수 있는 사람이며, 그가 하려는 일이 작은 일이 아닐 것이라 추측했기 때문에 만 냥을 빌려주었다. **11** ④ **12** ⑤ **13** ⑤ **14** 양반들의 허례허식과 조선 경제 구조의 취약성 **15** ③ **16** ⑤ **17** ① **18** ② **19** ② **20** 삼고초려(三顧草廬) **21** ③

01. 소설 뒷부분에 '이완'이라는 실존 인물로 추정되는 등장인물이 나오지만 그는 주인공은 아니며 제시된 지문에 등장하고 있지도 않다.

오답 해설

① 한문 소설이다.

②, ④ 병자호란 이후 조선 후기의 북벌론, 실학사상 등이 나타나고, 신분 질서의 붕괴와 사회적 혼란이 반영되어 있다.

③ 3인칭의 전지적 작가 시점으로 서술되고 있다.

02. 허생과 아내의 대화를 통해 허생은 개인의 학문적 성취를 위해 독서를 하고 있음을 알 수 있다. 이에 반해 그의 아내는 학문을 부와 명예를 얻는 수단으로 여기고 있다.

03. 현재의 사회·문화적 관점에서 보았을 때 허생의 처는 실용적인 관점을 지닌 인물로 볼 수 있다. 허생의 처는 가난한 삶에서 벗어나기 위한 어떤 행동도 하지 않는 남편을 비난하며 실질적인 행동을 촉구하고 있다.

04. [A]는 '허생'이 '변 씨'에게 돈을 빌리는 장면으로 인물 간의 갈등은 나타나 있지 않다. 또한 [A]는 '허생'의 가출로 인해 벌어진 사건으로 새로운 사건을 예고하고 있지도 않다.

05. 〈보기〉에서는 '허생'과 '허생의 처'의 대화를 통해 두 인물의 시각 차이가 구체화되고 있다.

06. 이 글과 〈보기〉에서 모두 '허생'의 태도 변화는 보이지 않는다.

07. ㉠은 경제적으로 무책임한 '허생'에 대한 비판 의식이 드러난 표현이고, ㉮는 집안을 등한시하고 밖으로만 나가고자 하는 '허생'의 행동을 비판하는 표현이다. ㉠과 ㉮ 모두 부부 간의 대화이므로 이를 통해 신분 질서의 동요가 일어났는지를 알 수는 없다.

08. '허생'이 과일과 말총을 매점매석한 것만으로 당시 사회에서 매점매석이 성행했다고 말하기는 어렵다.

09. '변 씨'는 '허생'의 말투와 행동거지를 통해 '허생'이 큰일을 할 사람이라고 판단되어 돈을 내어 준 것이지 경솔해서 그런 것은 아니다.

10. '변 씨'는 초라한 외양의 '허생'에게 큰돈을 조건 없이 빌려준 까닭을 묻는 아들들에게 허생이 '형색은 허술하지만, 말이 간단하고, 눈을 오만하게 뜨며, 얼굴에 부끄러운 기색이 없는 것으로 보아, 재물이 없어도 스스로 만족할 수 있는 사람'이며, '그 사람이 해보겠다는 일이 작은 일이 아닐 것이매, 나 또한 그를 시험'해 보기 위해 빌려주었다고 하였다.

등급	채점 기준
상	〈조건〉에 맞는 내용을 정해진 글자 수 안에서 한 문장으로 서술하였다.
중	〈조건〉에 맞는 내용이지만 글자 수를 지키지 못하였거나 한 문장으로 서술하지 못했다.
하	〈조건〉에 부족한 내용을 서술하였다.

11. '허생'이라는 인물의 설정은 비판의 대상인 지배 계층의 인물에서, 작가의 생각을 대변하는 인물로 변모하는 과정을 보여 주고 있다. 이는 전형적이면서 평면적인 일반적인 고전 소설과는 달리 개성적이며 입체적인 인물의 설정이라고 볼 수 있다.

12. 이 글에서 허생은 매점매석으로 재산을 축적하고 있다. 이는 수단이나 방법은 어찌 되었든 간에 목적만 이루면 된다는 의미의 속담이 적절하다.

오답 해설

① 바늘을 훔치던 사람이 계속 반복하다 보면 결국은 소까지도 훔친다는 뜻으로, 작은 나쁜 짓도 자꾸 하게 되면 큰 죄를 저지르게 됨을 비유적으로 이르는 말이다.

② 원인이 없으면 결과가 있을 수 없음을 비유적으로 이르거나, 실제 어떤 일이 있기 때문에 말이 남을 비유적으로 이르는 말이다.

③ 윗사람이 잘하면 아랫사람도 따라서 잘하게 된다는 말이다.

④ 지지리 못난 사람일수록 같이 있는 동료를 망신시킨다는 말이다.

13. '면종복배(面從腹背)'는 겉으로는 복종하는 체하면서 속으로는 배반하려는 뜻이 있을 때 쓰는 말이다. ㉤에서 배반하려는 의도는 찾아보기 어렵다.

오답 해설

① 폐포파립(弊袍破笠): 해어진 옷과 부서진 갓이란 뜻으로, 초라한 차림새를 비유적으로 이르는 말

② 생면부지(生面不知): 서로 한 번도 만난 적이 없어서 전혀 알지 못하는 사람. 또는 그런 관계

③ 허장성세(虛張聲勢): 실속은 없으면서 큰소리치거나 허세를 부림.

④ 호언장담(豪言壯談): 호기롭고 자신 있게 말함. 또는 그 말

14. 매점매석한 과일이 생활에 필수적인 품목이 아님에도 두 배를 주고 산 것이 열 배로 올라 팔 정도로 값이 오르는 것을 두고 제사나 잔치에 열을 올리는 양반들의 허례허식적 행태가 심함을 이야기한 것이다. 또한, 비록 만 냥이 큰돈이나 한 사람이 운용 가능한 돈임에도, 이 돈으로 조선의 온갖 과일의 값을 좌지우지할 정도로 조선 경제 구조가 취약함을 두고 한 말이다.

등급	채점 기준
상	ⓐ가 가리키는 두 가지를 모두 서술하였다.
중	ⓐ가 가리키는 것 중 한 가지를 서술하였다.
하	ⓐ가 가리키는 것을 이해하지 못하였다.

15. 이 글에서 '허생'의 매점매석이 가능했던 이유는 국내의 상업이 발달하지 못하고 시장이 국내로만 한정되어 있기 때문이다.

16. 이 글과 〈보기〉의 내용을 고려할 때, '허생'이 돈을 바다에 던지는 것은 많은 돈이 통용될 필요가 없을 정도로 취약한 조선의 경제 구조를 비판하는 의도인 것이지 후일을 도모하기 위해서가 아니다.

17. '허생'이 '이완'에게 실학적 입장에서 시사 삼책을 제시하지만 '이완'은 명분을 이유로 들어 '허생'의 제안을 모두 거절하고 있다.

18. '허생'이 종적을 감추는 설화적 결말은 작가의 현실 개혁 의지가 가져올 위험성을 회피하기 위한 의도적 장치라고 볼 수 있다. '허생'이 제시한 시사 삼책이 모두 받아들여지지 못하고, 당대의 사회적 문제가 그대로 남은 채 이야기가 끝났으므로, 갈등이 해소되거나 행복한 결말이라 볼 수 없다.

19. ㉡은 청나라에게 고개를 숙이자는 것이 아니라, 명나라의 망명자를 대우하고 조선의 기득권을 폐지하자는 것이다.

20. 삼고초려(三顧草廬)는 유비와 제갈량의 고사에서 유래한 한자 성어로, 인재 등용과 관련하여 허생이 이완에게 계책을 제시하며 나오는 말이다.

21. 〈보기〉의 '선생님'은 잘못된 현실을 개혁하기 위해서는 '허생' 같은 지식인이 행동을 해야 한다는 입장이다.

(3) 문학의 확장

01 남한산성

본문 76쪽

01 ③ **02** ④ **03** ④ **04** ④ **05** '화'는 화친을, '전'은 전투를, '수'는 수비를 뜻하는데, 이 셋은 결국 하나라고 말하면서 청나라와 끝까지 싸워야 한다고 주장하고 있다. **06** ④ **07** ① **08** 총소리가 울리는 배경 묘사를 통해 전쟁 중의 긴박한 분위기를 전달하고 있다. **09** ④ **10** ③ **11** ③ **12** ② **13** 최명길은 의(義)를 세운다고 이(利)를 버려서는 안 된다고 주장하고 있으며, 김상헌은 이에 대해 최명길의 주장은 전혀 이치에 맞지 않다는 점을 ㉠을 통해 강조하고 있다. **14** ② **15** ③ **16** ⑤ **17** 당시 상황을 객관적으로 살펴보면 '최명길'의 주장처럼 청과 화친을 맺는 것이 우리의 피해를 최소화하는 방안이었기 때문이다.

01. 이 글은 전지적 작가 시점의 소설로서, 작품 밖 서술자가 사건의 전개 양상뿐만 아니라 인물들의 심리까지 서술하고 있다. 다만 제시된 부분에서는 인물들의 말과 행동만을 관찰하여 전달하고 있다.

02. '용골대'의 문서에는 조선의 항복을 요구할 뿐, 청의 대군이 조선을 침략한 까닭을 언급한 내용은 담겨 있지 않다.

03. 〈앞부분 줄거리〉에서 당시 조선은 절대적인 군사적 열세 속에서 추위에 굶주림에 시달리고 있었다고 하였다. 이런 상황에서 화려한 의상과 분장은 분위기에 어울리지 않는다.

오답 해설

① 나라의 국운이 달린 전쟁 상황 속 피란처에서 공론하고 있는 모습이므로 비장하고 긴박한 배경 음악이 어울린다.

② 실제로 임금(인조)이 한겨울 군사적 열세 속에 남한산성으로 피란했던 역사를 바탕으로 하는 글이므로 겨울의 남한산성을 사실적으로 재현한 세트장이 적절하다.

③ '최명길'과 '김상헌'은 임금의 앞에서 함부로 이야기하기를 피하는 다른 신료들과 달리 자신의 주장을 근거를 대며 강하게 이야기하고 있으므로 신뢰감을 줄 수 있는 이미지의 배우가 어울린다.

⑤ 두 사람 모두 의견을 굽히지 않고 강하게 이야기하고 있으므로 대사를 할 때의 단호하고 결의에 찬 표정을 자세히 보여 주면 더욱 효과적일 것이다.

04. 병조 판서 이성구가 ㉠처럼 말한 까닭은 조선의 항복을 요구하는 '용골대'의 문서가 너무 굴욕적이어서 이를 '임금' 앞에서 읽는 것이 이치에 어긋나고 민망한 일이라고 여겼기 때문이다.

05. '김상헌은 화친과 전투와 수비는 같다는 말에 이어 적의 문서를 군병들 앞에서 불살라 버리고 싸워야 한다는 태도를 보이는데, 이는 끝까지 싸워야 함을 주장하는 것이다.

등급	채점 기준
상	'화', '전', '수'의 의미를 바탕으로 '김상헌'의 주장을 서술하였다.
중	'김상헌'의 주장만 바르게 서술하였다.
하	'화', '전', '수'의 의미를 알고 있으나 '김상헌'의 주장을 바르게 서술하지 못했다.

06. '김상헌'은 화해할 수 없는 때에 화해하는 것은 '화(和)'가 아니라 '항(降)'이라고 하면서 화친을 주장하는 '최명길'의 말을 반대하고 있다.

07. '최명길'은 '김상헌'이 말은 옳으나 헤아림이 얕다고 말하고 '김상헌'은 '최명길'이 몽매하여 본말을 뒤집고 있다고 하며 서로를 비하하고 있으며, 두 사람 모두 근거를 들어 반박하고 있다.

08. 전쟁의 총소리는 불안감과 긴장감을 더욱 조성한다.

등급	채점 기준
상	〈조건〉에 따라 배경 묘사의 효과를 정해진 길이에 맞게 서술하였다.
중	배경 묘사의 효과를 서술하였으나 〈조건〉을 충족하지 못하거나 정해진 양을 지키지 못했다.
하	배경 묘사의 효과를 충분히 서술하지 못했다.

09. ⓑ는 '김상헌'이 '최명길'에게 하는 말로, 화해할 수 없을 때에 화해하는 것은 항(降)이라면서 화친을 맺는 것에 반대하고자 한 말이다.

10. '김상헌'은 '최명길'의 주장처럼 명과 화친을 맺는 것은 의(義)도 아니고 이(利)도 아니라고 말하였다. 따라서 화친하는 것은 실리를 취하는 것이라고 말하는 것은 적절하지 않다.

11. 임금(인조)은 전쟁과 화친을 주장하는 두 신하의 날 선 대립을 지켜보면서, 결정을 내리지 못하고 괴로워하기만 한다. 통치자로서 요구되는 강한 결단력을 발휘하지 못하고 우유부단한 모습을 보이고 있다.

12. 이 글에서 '임금'은 척화파와 주화파 사이에서 고민하는 모습을 보이지만, 〈보기〉에서는 백성들의 삶을 위해 하늘에 비는 행동이 드러나 있다.

오답 해설

① 이 글에는 초자연적 존재의 힘을 빌리려는 시도가 나타나지 않으며, 위기를 극복하지도 못하였다.

③ 이 글과 〈보기〉는 모두 '임금'과 신하들의 갈등이 나타나지 않고 있다.

④ 이 글에서는 '최명길'과 '김상헌'의 첨예한 갈등이 나타나 있으나, 〈보기〉는 신하들 간의 갈등은 나타나지 않고, 자연과의 갈등이 나타나 있다.

⑤ 이 글에는 '세자'가 등장하지 않으며, '임금'이 상황을 타개하기 위해 노력하기보다는 우유부단하게 어느 한쪽의 의견도 받아들이지 못하고 있다.

13. '김상헌'이 말하는 '울면서 노래하고 웃으면서 곡하는 것'이란 이치에 맞지 않는다는 의미로, '최명길'이 이를 위해 의를 포기하려 하는 것이 전혀 이치에 맞지 않는다는 뜻이다.

등급	채점 기준
상	〈조건〉의 내용을 바탕으로 ㉠이 나타내는 바를 설명하였다.
중	㉠이 나타내는 바를 대략적으로 설명하였다.
하	㉠이 나타내는 바를 알맞게 설명하지 못하였다.

14. 이 글은 병자호란이라는 역사적 사실을 있는 그대로 전달하는 것이 아니라 작가의 상상력으로 재구성하여 더욱 구체적이고 생동감 넘치게 보여 주고 있다.

15. ⓐ에는 '김상헌'과 '최명길'의 첨예한 의견 대립 상황에서 어떠한 결정도 내리지 못하고 답답해하던 '임금'이 아무 말도 하지 않고 있는 '김류'의 의견을 듣고자 하는 심리가 반영된 것이다. 따라서 '임금'의 답답한 심정이 표현되어야 한다. ⓑ에는 두 사람의 계속되는 논쟁을 더 이상 듣고 싶지 않아 하는 '임금'의 심리가 반영되어야 한다.

16. 〈보기〉의 감독의 말을 보면, 클로즈업과 롱 숏을 극단적으로 교차하였다고 했다. 즉 롱 숏을 피하고 장면을 짧게 편집하여 속도감을 느끼게 했다는 내용은 없다.

17. '최명길'은 우선 신하들을 적진에 보낸 후 대화를 통해 적의 공성을 늦춘 후, 훗날을 도모해야 한다는 요지의 주장을 하고 있다. 당시 조선은 긴 전쟁으로 국가적으로 피폐해진 상황이었고, 실제로 화친하지 않고 버티다 더 많은 백성이 목숨을 잃었으므로 이성적으로는 최명길의 말이 옳다고 한 것이다.

02 총, 꽃, 씨

본문 82쪽

01 ① **02** ④ **03** ④ **04** '총'이 결코 '꽃'이나 '시'를 이길 수 없다는 인문 정신을 주제로 삼음. **05** ① **06** ⑤ **07** ③ **08** 총을 든 군인에게 꽃을 들고 다가서는 여인을 찍은 마크 리부의 사진과 군인에게 꽃을 건네는 어린아이의 모습을 그린 지현곤의 그림은 공통적으로 총(전쟁)보다 꽃(평화)이 강하다는 주제 의식을 드러내고 있다. **09** ⑤

01. 수필은 글쓴이가 실제 경험한 내용을 바탕으로 깨달은 바나 자신의 생각이나 느낌을 나타낸 글이다. 따라서 실제로 있었던 내용과 허구의 내용을 구분하며 읽는 것은 적절하지 않다.

02. 아들 브랑동은 아빠 앙겔에게 "나쁜 사람들은 총이 있고 우리를 쏠 수도 있어요.", "꽃으로는 아무것도 할 수 없잖아요?"라고 말하면서 '꽃'으로는 '총'의 힘을 이길 수 없다고 생각했다.

오답 해설

① 사람들을 쏘아 죽이는 '총'은 폭력적인 힘을, 희생자들을 추모하기 위해 많은 사람이 올려놓은 '꽃'은 평화를 상징한다.

② '그건 우리를 떠난 사람들을 잊지 않기 위한 거야.'라는 앙겔의 말을 통해 알 수 있다.

③ 브랑동이 아버지에게 하는 말을 통해 총이 자신들을 쏠 수도 있다는 사실에 두려움에 떨고 있으며, 그로 인해 희생된 사람들로 인해 큰 슬픔과 충격에 빠져 있는 상태임을 알 수 있다.

⑤ 앙겔은 '그들은 총을 갖고 있지만 우리에게 꽃이 있잖니?'라고 하였다. 여기서 꽃은 희생자들을 추도하는 시민들의 진심이 담긴 것이므로, 앙겔의 말은 어떠한 폭력(총)도 진심이 담긴 마음(꽃)을 이길 수 없다는 의미이다.

03. 시의 내용 중에 '할머니'가 손주의 목숨을 지켜 주기 위해 자신을 희생하고자 한다는 내용은 찾아볼 수 없다.

04. 이 글은 강한 것, 전쟁, 폭력 등이 부드러운 것, 평화, 진심 등과 같은 것을 이길 수 없다는 인문학적 주제 의식을 나타내고 있다.

05. 이 글은 언어 예술인 문학이 영상, 음악, 사진, 미술 등의 예술 분야와도 밀접한 관련을 맺고 있다는 점을 확인할 수 있는 글로 다양한 분야의 여러 사례들을 제시하여 주제를 강화하고 있다.

06. 아빠는 피란 시절이라는 극한 상황에서도 채송화를 심었고, 할머니는 전쟁 통에도 채송화 씨를 거두었다. 절망적인 상황 속에서도 미래에 대한 희망을 소중히 가꾸고자 하였다는 점에서 글쓴이는 '채송화'를 '나'(미래 세대)라고 생각한 것이다.

07. '꽃'은 '작은 것, 부드러운 것'을 의미한다. 그러한 '꽃'이 '큰 것, 강한 것'인 '총'을 이긴다고 하였다. '꽃'을 닮고자 하는 것이 '시'라는 점에서 '시'는 '꽃'이 상징하고자 하는 바를 언어로 형상화한 것이다.

08. 두 사진과 그림은 군인(폭력, 전쟁)에게 꽃(평화)을 내미는 상대적 약자(여성, 아이)를 제시하여 주제 의식을 전달하고 있다.

09. 〈보기〉의 시는 텔레비전을 끄자 이전에는 듣지 못했던 풀벌레 소리를 듣게 되었음을 노래하고 있다. 이를 통해 볼 때, 마지막에 텔레비전이 꺼지자 풀벌레들이 땅에 떨어지는 것이 아니라 오히려 풀벌레들이 풀 위로 올라와 소리를 내는 연출이 더욱 적절할 것이다.

오답 해설

① 풀벌레 우는 밤을 배경으로 하고 있고, 풀벌레 소리, 텔레비전 소리 등의 여러 효과음이 나올 것이므로 배경 음악은 잔잔하고 고요한 것이 적절하다.

②, ③ 풀벌레 소리와 텔레비전 소리가 이 시의 주요 소재가 되므로 적절하다.

④ 시상이 고조되며 '브라운관이 뿜어낸 현란한 빛이 내 눈과 귀를 두껍게 채우'고 있으므로 적절하다.

03 만화 토지

본문 86쪽

01 ④ **02** ① **03** ⑤ **04** 공포를 느낄 정도로 아버지가 불편하면서도 나갈 수 없는 '서희'의 고통스러운 심리를 표현한 것이다. **05** ①

01. 소설 매체는 독자가 글을 읽어 나가며 구체적인 장면을 상상하고 의미를 이해해야 하기 때문에 만화 매체에 비해 상상력을 더 발휘하며 적극적으로 읽게 되는 특성이 있다.

02. '서희'는 '아버지'에게 문안드리는 것을 싫다고 말하고 있으며, '아버지'가 있는 방에 들어가서도 무척 불편해 한다.

03. 만화 매체에서는 등장인물의 말투나 감정을 세밀하게 서술해 줄 수 없기 때문에 등장인물의 표정이나 얼굴 주위의 선, 서체의 변화 등을 통해 독자들이 짐작할 수 있도록 한다. 극 갈래에서 쓰이는 지시문을 굳이 따로 제시하지는 않는다.

04. 공포심을 불러일으키게 하는 강한 분위기를 뿜고 있는 아버지에게서 벗어나고 싶지만, 방에서 나가도 좋다는 말이 떨어지지 않는 이상 서희는 일어날 수 없다고 하였다. ㉠은 이러한 상황에서 서희가 느끼는 고통스러운 심리를 표현한 것이다.

등급	채점 기준
상	소설의 내용을 바탕으로 인물의 표정에 담긴 심리를 정해진 글자 수에 맞게 한 문장으로 서술하였다.
중	소설의 내용을 바탕으로 인물의 표정에 담긴 심리를 서술하였으나 정해진 글자 수에 맞지 않거나 두 문장 이상으로 서술하였다.
하	인물의 표정에 담긴 심리를 정확하게 서술하지 못했다.

05. 제시된 글은 인터넷 블로그를 통해 연재된 소설의 일부이다. 매체의 특성상 독자들 사이에 다양한 생각을 주고받을 수 있으며, 작가와의 소통도 가능하다.

대단원 실전 문제

본문 89쪽

01 ⑤ **02** ⑤ **03** ② **04** ② **05** ④ **06** ① **07** '구보'와 '나' 모두 뚜렷한 목적지 없이 방황하면서 고독과 무기력을 느끼고 있다. **08** ⑤ **09** ④ **10** 사자상에 담긴 예술품으로서의 가치를 제대로 보지 못하고, 불평등한 관계에서 절박한 원주민의 처지를 이용해 사자상을 헐값에 구입함으로써 그들의 정신적 가치를 폄하하고 좋아하는 남편의 태도에 화가 났기 때문이다. **11** ⑤ **12** ④ **13** ① **14** (나)에서 허생의 처의 말로 미루어 볼 때, 허생은 독서 즉 학문이란 쓰임이 있어야 하고 실이 없으면 안 되는 것이라 생각하고 있음을 알 수 있다. 그런데 정작 허생은 자신이 공부한 것을 사용하지도 않고 가난한 처지로 아내를 힘들게 하고 있으므로 매우 모순된 것이라 할 수 있다. **15** ③ **16** ④ **17** ② **18** 무능력한 집권층을 질타하기 위해 **19** ② **20** ⑤ **21** '최명길'은 죽는 것보다 어떻게든 사는 것이 중요하다고 여기고 있다. '김상헌'은 비굴하게 사는 것보다 의롭게 죽는 것이 낫다고 여기고 있다. **22** ① **23** ⑤ **24** ② **25** ①

01. 색채 이미지를 사용하여 시의 분위기를 형성하고 있는 것은 (나)가 아니라 (가)이다.

02. 4연에서는 이상향의 풍경을 고결하고 순수한 '암사슴'을 통해 표현하고 있다. 사슴이 발을 씻는 것은 평화로운 분위기와 정화의 의미로 이해할 수 있다.

03. ㉡은 '그대'가 힘겨운 상황에 처했지만, 주변으로부터 아무런 도움을 받지 못하는 절박한 상황을 가리킨다. (나)의 화자는 ㉡의 상황에서 오랜 시간 변하지 않은 간절한 사랑으로 그대를 부르겠다고 노래하고 있다.

04. (가)와 (나) 모두 의식의 흐름 기법에 따라 주인공이 관찰하고 떠올린 것들을 있는 그대로 전달하고 있다.

오답 해설

ㄴ. (가)의 특징이다. (나)는 1인칭 주인공의 시점에서 서술하고 있다.

ㄷ. (가)의 특징이다. (나)는 쉼표를 빈번하게 사용하여 호흡을 조절하고 인물의 심리를 드러내지 않는다.

ㅁ. (가)는 전지적 작가 시점에서, (나)는 주인공 '나'의 시점에서 동일한 서술자로 인물의 여정을 의식의 흐름대로 이야기하고 있다.

05. '구보'는 뚜렷한 목적의식이 없기에 갈 곳을 정하지 못하고 있다. 따라서 '전차'는 '구보'에게 목적의식의 부재로 쉽게 벗어날 수 없는 공간이다.

06. '회탁의 거리'는 '피곤한 생활'이 허비적거리고 있으며, 헤어나고자 하여도 '끈적끈적한 줄에 엉켜서' 헤어나지 못하는 공간으로 묘사되어 있다.

07. (가)의 '구보'와 (나)의 '나'는 모두 뚜렷한 목적지 없이 방황하면서 고독과 무기력을 느끼고 도시와 도시인의 모습을 관조하는 듯한 태도를 보이고 있다.

등급	채점 기준
상	두 개의 〈조건〉을 모두 충족하여 서술하였다.
중	하나의 〈조건〉만을 충족하여 서술하였다.
하	두 〈조건〉을 모두 충족하지 못하였다.

08. '미쓰코시 옥상'에서 '나'는 자신의 과거를 돌아보고자 하였다. 하지만 의식의 혼란으로 인해 판단력을 상실하여 자신의 존재를 인식하기조차도 어렵다고 하였다. 따라서 ㉤은 자신에 대해 돌아보고 의식을 일깨우는 것을 일부러 회피하기 위한 행동이라고 볼 수 있다.

09. 이 글은 식민지 상황에서 벗어났지만 여전히 가난과 싸우며 힘겹게 살아가는 아프리카인들의 비참한 삶을 그리고 있다. 또한 아프리카인들의 문화와 전통을 물질적인 가치로만 환산하려는 백인들의 물질 중심적이고 자기중심적인 사고를 비판하고 있다.

10. 남편은 사자상을 흥정의 대상으로만 바라보고, 일부러 비싸다는 듯한 말과 행동을 하여, 생계를 유지하기 위해 물건을 팔아야 하는 절박한 원주민 상인이 사자상을 헐값에 팔도록 하였다. 이러한 남편의 태도에 사자상을 하나의 예술 작품이라 생각한 여자는 어이없어하고 화를 내게 된다.

등급	채점 기준
상	두 개의 〈조건〉을 모두 충족하여 서술하였다.
중	하나의 〈조건〉만을 충족하여 서술하였다.
하	두 〈조건〉을 모두 충족하지 못하였다.

11. 여자는 사자상을 훌륭한 예술품이라고 생각하고 있지만, 가격이 부담되어 선뜻 사지 못했다. 그런데 사자상에 담긴 예술품으로서의 가치를 제대로 보지 못하는 남편이 옆에서 비싸다고 과장하며 놀라자 기분이 상해 사자상을 사지 않으려 한 것이다.

12. 이 글에서 '일 실링 육 펜스'는 원주민 상인이 파는 사자상의 예술적 가치를 몰라 보고 그저 상인의 절박한 심정을 악용하여 흥정의 대상으로만 삼으려 했던 남편의 부정적인 모습을 부각하는 역할을 한다. 반면 〈보기〉의 '가마니 한 장'은 불행한 처지에 있는 이웃을 위하는 동정과 배려의 마음을 의미한다.

13. (가)에서는 가정을 돌보지 않고 글만 읽는 '허생'의 행동이 원인이 되어 '허생'과 '허생의 처'가 갈등을 겪고 있다. (나)에서는 처를 큰댁에 맡기고 또다시 출유하려는 '허생'의 행동이 원인이 되어 두 사람이 갈등을 겪고 있다. (가)와 (나) 모두 갈등의 원인이 직접적으로 드러나 있다.

오답 해설

② (가)는 '허생'을, (나)는 '허생의 처'를 중심으로 사건을 전개하고 있다.

③, ④ (가)와 (나)의 '허생' 모두 가정을 돌보지 않고 생계를 아내에게 맡기면서도, 아내가 자신을 따르지 않는 것을 이해하지 못하는 가부장적인 인물이다.

⑤ (가)와 (나)의 허생의 처 모두 남편이 가정을 돌보지 않아 궁핍한 생활을 하면서 바느질 품으로 힘들게 생계를 꾸리고 있다.

14. (가)에서 '허생'은 글 읽기만 좋아하고 과거를 치지도, 경제활동을 하지도 않으면서 생계를 돌보지 않는 생활을 7년간 지속한다. 그런데 (나)에서 '허생의 처'의 말을 보면 '허생'이 평소 친구들에게 '학문이란 쓰임이 있어야 하고 실이 없으면 안 되고, 만물은 서로 이롭도록 운용되어야 한다.'라고 말했다는 것을 알 수 있다. '허생의 처'는 '허생'의 이러한 모순된 태도를 비판하고 있는 것이다.

15. '허생의 처'는 '허생'에게 집안 생계에 아무런 도움이 안 되는 글 읽기를 중단하고 장인바치 일이나 장사처럼 생계를 위해 어떤 일이든 하기를 촉구하고 있다. 가장 악하고 천한 '도둑질'이라도 하라는 것에는 이러한 '허생의 처'의 절박함이 담겨 있다고 볼 수 있다.

16. '허생의 처'가 눈이 짓무르도록 바느질을 한 것은 집안 살림을 꾸려 가기 위해 희생한 모습을 의미한다. '허생의 처'는 더 이상 자신만 희생하지 않겠다는 태도를 보이면서 주체적이며 능동적인 여성으로 살아갈 것임을 말하고 있다.

17. '허생'이 국중의 자제들을 유학 보내라고 한 곳은 명나라가 아니라 청나라이다.

18. '허생'은 '이완'의 청에 따라 나라를 구할 수 있는 시사 삼책을 제시하는데, '이완'은 이를 받아들이지 못한다. 이러한 대화의 내용을 통해 무능력한 당대의 집권층의 모습을 보여 주고 있다.

19. 이 글에서 '최명길'이 비유적 표현을 사용하고 있는 것은 찾을 수 없다. 또한 '최명길'은 신하들의 목소리보다 '임금'의 결단을 촉구하고 있다.

20. '유자의 찌꺼기들'은 사세를 돌보지 않고 대의만을 내세우는 묘당(의정부)을 비난하기 위해 한 말이다.

21. '최명길'은 '죽음은 가볍지 않'고, '죽음을 각오하지 말'기를 임금에게 이야기하고 있고, 김상헌은 이러한 최명길의 태도를 '삶을 죽음과 뒤섞어 삶을 욕되게 하는 자'라고 말하면서, '가벼운 죽음으로 무거운 삶을 지탱하려' 한다고 이야기하고 있다.

등급	채점 기준
상	삶과 죽음에 대한 두 사람의 의견을 정리하여 비교하고 서술하였다.
중	삶과 죽음에 대한 두 사람의 의견 중 하나만 맞도록 서술하였다.
하	삶과 죽음에 대한 두 사람의 의견을 모두 정확히 알지 못하고 서술하였다.

22. (가)는 현재형 문장을 사용하여 인물의 특별한 행위를 생생하게 드러내고 있다. 과거 회상을 통해 대상을 그리워하는 내용은 찾아볼 수 없다.

23. ㉠의 '꽃밭'과 〈보기〉 그림의 '꽃'은 작고 연약한 존재지만 전쟁의 극한 상황에서 총을 이길 수 있는 존재를 상징한다.

24. (가)와 같은 만화 매체에서는 정지된 그림의 한계를 극복하기 위하여 의태어나 의성어를 그림의 일부처럼 사용하여 인물의 움직임이나 상황을 생생하게 전달한다. 그러나 음성 상징어 자체가 인

물의 심리를 그대로 전달하고 있다고 보기는 어렵다.

25. 서희는 아버지와 함께 있는 것을 어색하고 불편해하고 있다. 따라서 마음이 불안하거나 걱정스러워서 한군데에 가만히 앉아 있지 못하고 안절부절못하는 모양을 이르는 말인 '좌불안석'이 적절하다.

오답 해설

① 와신상담(臥薪嘗膽): 불편한 섶에 몸을 눕히고 쓸개를 맛본다는 뜻으로, 원수를 갚거나 마음먹은 일을 이루기 위하여 온갖 어려움과 괴로움을 참고 견딤을 비유적으로 이르는 말이다.

③ 목불인견(目不忍見): 눈앞에 벌어진 상황 따위를 눈 뜨고는 차마 볼 수 없다는 뜻이다.

④ 동병상련(同病相憐): 같은 병을 앓는 사람끼리 서로 가엾게 여긴다는 뜻으로, 어려운 처지에 있는 사람끼리 서로 가엾게 여김을 이르는 말이다.

⑤ 이심전심(以心傳心): 마음과 마음으로 서로 뜻이 통한다는 뜻이다.

1등급 완성 문제

본문 99쪽

01 ④ **02** ③ **03** ⑤

01. 진양조는 '창'에서 가장 느린 장단으로, 슬픈 느낌을 준다. 청중의 긴장을 완화시켜 주는 기능을 하는 것은 '아니리'이다.

02. [C]에서는 가장 빠른 장단인 휘모리를 사용하여 박을 빠르게 타는 상황을 흥겹고 속도감 있게 드러내고 있다.

오답 해설

① [A]는 '아니리'로, '흥보'가 울고 있는 아내를 달래 박을 타게 되는 내용의 평범한 일상어로 이루어진 대화로 되어 있다.

② [B]는 판소리 창 중 가장 느리고 슬픈 느낌을 주는 '진양조'를 통해 그동안 가난으로 인해 서러웠던 점을 박을 타며 한탄하고 있다.

④ [D]는 '아니리'로 박을 탄 후 궤를 발견해 여는 과정을 대화를 통해 전달하고 있다.

⑤ [E]는 판소리 창 중 가장 빠르고 흥분과 긴박감을 주는 휘모리를 통해 박에서 나온 궤에서 쌀과 돈이 쏟아져 나오는 것을 보고 크게 기뻐하는 '흥보'의 심리를 보여 주고 있다.

03. 〈보기〉는 「흥보가」를 재해석하여 새롭게 창작한 현대시이다. 〈보기〉에서 흥부 부부는 가난한 형편 속에서도 서로 바라보며 웃음을 짓고 있는데, 시인은 이를 통해 진정한 행복은 박을 켠 후에 쏟아진 재물에 있는 것이 아니라 순수하고 진실된 인간성에 있다는 점을 드러내고 있다.

3 한국 문학의 성격

(1) 한국 문학의 개념과 범위

01 어미 말과 새끼 말

본문 104쪽

01 ④ **02** 이 이야기는 신성성이나 사실성이 있다고 볼 수 없는, 허구적인 흥미 본위의 이야기이기 때문에 민담에 해당한다. **03** ④ **04** ③ **05** ⑤

01. 원 정승은 아들이 일러 준 대로 조정에 보고하였고 임금이 그 답안에 타당성이 있다고 여겼기 때문에 그대로 표시를 해서 대국에 보냈을 것이다.

오답 해설

① 원 정승은 아침 조회에 들어가 조정에서 문제를 풀 사람으로 정해졌다.

② 원 정승의 아들은 모성애라는 보편적 원리를 바탕으로 난제를 해결하는 지혜를 발휘하였다.

③ 대국은 조선에 인재가 있는지 시험해 보기 위해 말 두 마리를 어미와 새끼로 구분하라는 문제를 내었다.

⑤ 원 정승의 아들은 어미 말과 새끼 말을 제대로 구분하였다.

02. 이 글은 신성한 이야기도 아니고 사실성을 띠고 있다고 보기도 어렵다. 흥미를 위주로 한 허구적인 이야기를 꾸민 것으로 볼 수 있기 때문에 민담으로 분류할 수 있다.

등급	채점 기준
상	글의 갈래를 알맞게 제시하였고, 그 까닭을 타당하게 제시하였다.
중	글의 갈래를 알맞게 제시하였으나, 그 까닭이 잘못되었다.
하	글의 갈래를 알맞게 제시하지 못하였다.

03. [A]에서 아들은 먹이를 다른 말에게 계속 양보하는 말을 어미 말로, 그 먹이를 받아먹는 말을 새끼 말로 판단하였다. 이는 새끼에 대한 어미의 사랑이 인간이든 동물이든 간에 보편적으로 가진 본능이라는 관점에서 아들이 먹이로 시험하고 관찰한 결과 얻은 결론이었다.

오답 해설

① 아버지 원 정승이 받은 난제를 아들이 해결해 준 것이다.

② 아버지인 원 정승은 난제에 대한 해결 방안을 전혀 찾지 못하였으나 아들이 영리하게 이를 해결하였다.

③ 기이한 능력이 아닌 아들의 영리한 발상(지혜)을 통해 문제를 해결한 것이다.

⑤ 아들은 두 말의 생김새가 아닌, 어미가 자식을 생각하는 마음을

바탕으로 두 말을 판별하였다.

04. ㉢에는 자신을 낮춘 표현이 사용되지 않았다. 여기서의 '저'는 화자가 자신을 낮춘 말이 아니라 '어미 말'을 가리키는 말이다. ㉢은 '인저' 같은 군말이 사용된 예로 적절하다.

05. 이 글에서는 대국 천자가 조선에 인재가 있는지 알아보려고 어미 말과 새끼 말을 구별해 내라는 과제를 부여하고, 〈보기〉에서는 분노한 중국 황제가 신라에 열 수 없는 함 속의 물건을 맞혀 시를 쓰라는 과제를 부여한다. 따라서 두 글 모두 다른 나라가 어려운 과제를 부여하며 우리 조정을 궁지로 몬다는 모티프가 활용되어 있다고 할 수 있다.

02 송인

본문 106쪽

01 ④ **02** ⑤ **03** ② **04** 둘 다 과장법이 사용되었다. [A]에서 해마다 흘리는 눈물로 인해 대동강 물이 언제나 마르지 모른다는 과장법을 사용한 것은 이별의 슬픔을 극대화하여 드러내는 효과로 이어진다. **05** ③ **06** '조선의 시'란 우리나라 사람의 정서와 사상을 자유롭게 담은 시를 가리킨다. 「송인」 역시 비록 한문으로 지었더라도 그 형식적인 요건에 얽매이지 않고 고려인이 이별의 정한을 진솔하게 노래한 것이므로 한국 문학의 일부라고 할 수 있다.

01. 이 시는 서사적 전개를 보이는 작품이 아니다. 서사적 전개란 작품이 시간의 흐름 속에서 벌어지는 인과적 사건에 대한 이야기를 담고 있을 때 사용할 수 있는 말로 주로 소설 등에 해당하는 설명이다.

02. 이 시에서 '물'은 화자의 눈물로 마르지 않는 대동강의 강물이라는 기발한 착상을 통해 화자가 느끼는 이별의 정한을 나타내고 있는 대상이다. 「서경 차정지상운」 역시 화자가 이별의 상황에 처해 있으며, 강물이 거꾸로 흘렀으면 하는 바람을 통해 이별한 임에게 닿고 싶다는 마음을 표현하며 이별의 정한을 나타내고 있다.

오답 해설

① 마을을 둘러 흐르는 강의 풍경을 통해 한가로운 강촌의 경치를 나타내고 있다.
② 옛 왕성 터를 흐르는 변함없는 산천의 물을 통해 고려 왕업의 무상함과 새 왕조에 대한 충심을 이야기하고 있다.
③ 가변적이고 순간적인 성격을 지닌 구름, 바람 소리와 대비하여 물의 영원성을 찬양하고 있다.
④ 다리 아래에 흐르고 있는 물로, 화자가 다리 위에 중이 건너 가는 것을 발견할 수 있도록 하였다.

03. '기' 부분에서 비 갠 뒤 둑의 모습과 고운 풀빛을 제시함으로써 봄의 풍경을 환기하였고, '승'에서는 이와 상반되는 이별 풍경을 제시하여 슬픔의 정서를 발전시켰다. '전'에서는 대동강의 물에 대한 언급을 통해 시상을 전환했고, '결'에서는 과장을 통해 슬픔을 강조하며 시상을 마무리하였다.

04. 〈보기〉의 밑줄 친 부분과 [A]에는 공통적으로 과장법이 사용되었다. 〈보기〉에서는 몸도 성치 않은 불개미가 호랑이의 허리를 물고 북해를 건넌다는 과장이 사용되었고, [A]에는 이별로 인해 해마다 흘리는 눈물이 대동강에 보태어지므로 강물이 언제나 마를지 모르겠다는 과장이 사용되었다. [A]의 이러한 과장은 이별을 맞은 화자가 자신의 슬픔이 얼마나 큰지를 인상적으로 강조하여 보여 주는 효과로 이어진다고 할 수 있다.

등급	채점 기준
상	〈보기〉와 [A]의 공통적인 표현상의 특징을 쓰고, 시의 주제와 관련지어 효과를 서술하였다.
중	글의 갈래를 알맞게 제시하였으나, 그 효과를 알맞게 설명하지 못하였다.
하	글의 갈래를 알맞게 제시하지 못하였다.

05. 이 시의 지배적 정서는 이별로 인한 가눌 수 없는 슬픔이기 때문에, 자연의 아름다움에 대한 경탄과 무관하다.

06. 〈보기〉에서 언급한 '조선의 시'라는 것은 압운, 퇴고, 구구한 격이니 법 같은 것에 얽매이지 않고 진솔한 감정을 담은 작품을 가리킨다. 정지상의 「송인」은 한글 창제 이전에 동아시아 문명권의 보편 문어였던 한문으로 지어진 작품으로, 고려인의 사상과 감정을 담은 작품이기 때문에 당연히 한국 문학의 일부로 볼 수 있는 것이다.

(2) 한국 문학의 전통과 특질

01 사미인곡

본문 108쪽

01 ⑤ **02** ⑤ **03** ② **04** ① **05** ① **06** ① **07** 이 글은 가사 문학의 일종으로, 가사 문학은 4음보의 연속체로 되어 있다. **08** ③ **09** ③ **10** ④ **11** ⑤ **12** ② **13** ②

01. '무심(無心)ᄒᆞᆫ 셰월(歲月)은 ~ᄣᅢ를 아라 가는 ᄃᆞᆺ 고텨 오니'를 보면, 무심한 세월이 물 흐르듯 흘러간다고 했고, 계절의 바뀜이 때를 알아 지나갔다가는 이내 다시 온다고 하였다. 따라서 화자는 이별 후로 세월이 빠르게 흐른다고 느끼고 있다고 할 수 있다.

오답 해설

① 'ᄆᆞ음의 ᄆᆡ친 실음 텹텹(疊疊)이 ᄊᆞ혀 이셔 / 짓ᄂᆞ니 한숨이오 디ᄂᆞ니 눈믈이라'에서 화자가 시름에 잠겨있음을 알 수 있다.
② 'ᄒᆞᆫᄉᆡᆼ 연분(緣分)이며 하ᄂᆞᆯ 모ᄅᆞᆯ 일이런가'라고 표현한 것으로 볼 때 화자는 임과의 인연을 운명적인 것이라 여기고 있다.
③ '나 ᄒᆞ나 졈어 잇고 님 ᄒᆞ나 날 괴시니'에서 임이 '나'를 과거에는 사랑했다고 표현하고 있다.
④ '연지분(臙脂粉) 잇ᄂᆡ마는 눌 위ᄒᆞ야 고이 ᄒᆞᆯ고'를 통해 임이 없으니 외모를 꾸밀 필요도 없다는 화자의 태도가 나타나고 있다.

02. 이 글에 반어가 사용된 부분은 찾을 수 없다. 또한 화자가 대상, 즉 임을 향해 원망의 정서를 드러내고 있는 것도 아니다.

03. ㉡은 은거의 삶이 정철의 평생 소원이었다는 것이 아니라, 평생 임(임금)을 가까이에서 모시는 것이 자신의 소망이었음을 드러낸 것이다.

04. 이 글의 맥락을 보면 화자는 천생연분인 줄 알았던 임과 헤어져 한숨과 눈물로 세월을 지내고 있는 상황이다. 따라서 '느낄 일'이 가리키는 것은 임에 대한 상념과 그리움에 가장 가까울 것이라고 추론할 수 있다.

05. (가)~(라)가 각각 봄, 여름, 가을, 겨울에 대응되도록 계절을 환기하는 시어들('동풍, 녹음, 서리, 빅셜' 등)을 활용함으로써, 시간의 흐름에도 변함없이 계속되는 임에 대한 그리움을 효과적으로 형상화하였다.

06. '매화'는 화자의 '임금에 대한 충정'을 나타내는 소재이고, '청광'은 화자가 임금을 상징하는 별(북극성)이 온 세상을 비추어 주기를 바라는 맑은 빛이므로, '임금의 선정에 대한 소망'을 바라는 화자의 심리를 나타내는 소재이다.

07. 이 글은 가사 문학의 백미로 꼽히는 작품이다. 가사는 조선 초에 확립된 갈래로, 3~4음절 정도를 한 마디로 하여 한 행을 4마디로 끊어 읽는 4음보 율격을 연속적으로 구사한다는 형식적 특성을 지니고 있다.

등급	채점 기준
상	글의 갈래와 율격적 특성을 정확히 서술하였다.
중	글의 갈래는 맞았으나 그 율격적 특성을 정확히 서술하지 못하였다.
하	글의 갈래를 알맞게 서술하지 못하였다.

08. (다)에서 '돌'은 외로운 화자의 처지를 표상하는 것이 아니라, 화자로 하여금 그리운 임을 떠올리게 만드는 대상이다. 그래서 화자는 '님이신가 반기니, 눈믈이 절로 난다'고 말한 것이다.

09. ㉢은 '산인지 구름인지 멀기도 멀구나.'가 아니라 '산인지 구름인지 험하기도 험하구나.'로 해석되는 구절이다.

10. '솜씨는 물론이거니와 격식도 갖추었구나.'라고 하면서 자신이 만든 임의 옷에 대해 칭찬과 감탄을 하고 있다. 여기에 드러난 화자의 태도는 '자기가 그린 그림을 스스로 칭찬한다는 뜻으로, 자기가 한 일을 스스로 자랑함을 이르는 말'인 '자화자찬(自畵自讚)'과 관련이 깊다.

오답 해설

① 견물발검(見蚊拔劍): 모기를 보고 칼을 뺀다는 뜻으로, 사소한 일에 크게 성내어 덤빔을 이르는 말이다.

② 수주대토(守株待兎): 한 가지 일에만 얽매여 발전을 모르는 어리석은 사람을 비유적으로 이르는 말이다.

③ 연목구어(緣木求魚): 나무에 올라가서 물고기를 구한다는 뜻으로, 도저히 불가능한 일을 굳이 하려 함을 비유적으로 이르는 말이다.

⑤ 전전긍긍(戰戰兢兢): 몹시 두려워서 벌벌 떨며 조심하는 것을 나타내는 말이다.

11. [A]에는 한자어가 거의 사용되지 않았다. 이는 〈보기〉에서 설명한, '자기 말을 버리고 다른 나라의 말을 흉내 내어 쓴 것'과 다른 이 작품의 가치와 통하는 것이다.

12. 화자는 시름에 잠겨, 자신의 처지를 한탄하고 있으나 마지막에 이르러 '님이야 날인 줄 모ᄅᆞ셔도 내 님 조ᄎᆞ려 ᄒᆞ노라'라며 임에 대한 사랑이 변함없을 것이라는 의지를 다지고 있다.

13. (가)의 화자는 임에 대한 그리움이 마음에 맺혀 있어 병을 얻을 지경이라고 하면서 범나비가 되어서라도 임과 함께하고 싶다는 뜻을 드러냈다. (나)의 화자는 임이 떠나갔어도 자신은 임을 보내지 않았다고 하면서 지속되는 사랑의 감정을 노래하고 있다. 따라서 두 작품 모두 화자가 멀리 떨어져 있는 임에게 변함없는 사랑을 느끼고 있다고 할 수 있다.

02 태평천하

본문 112쪽

01 ④ **02** ④ **03** 돈, 종수, 집안 **04** ① **05** ⑤ **06** ⑤ **07** ④ **08** ④ **09** ① **10** ③ **11** ② **12** 믿었던 손자 '종학'이 때문에 집안이 몰락하게 된 것을 두 눈 뜨고 봐야 하는 '윤 직원 영감'의 경우가, 자식으로 인해 나라가 망하게 된 것을 보지 못하고 죽은 진시황의 경우보다 더 가혹하다는 판단 때문이다. **13** ④ **14** ④

01. '그리서 지난달에두 오백 원 꼭 쓸 디가 있다구 펀지하였길래, 두말 않고 보내 주었다!'를 보면 '종학'이 얼마 전에 돈을 부쳐 달라고 요구했고 '윤 직원 영감'이 그 요구를 들어주었다는 것을 알 수 있다.

오답 해설

① '종수'를 '경손 애비'라고 부르는 데서 '종수'가 결혼하여 가정을 이루었음을 알 수 있따.

② '윤 직원 영감은 아들의 이렇듯 부르지 않은 걸음을~'에서 '윤 주사'가 아버지 '윤 직원 영감'의 부름으로 온 것이 아님을 알 수 있다.

③ '윤 직원 영감'은 '종수'가 군수가 되기를 바라고 있다.

⑤ '윤 직원 영감'은 어린 시절 화적에 의해 부친을 잃고 "우리만 빼놓고 어서 망해라!"라고 세상을 저주하였다. 화적을 소탕할 것을 다짐하지는 않았다.

02. 이 글은 '윤 직원 영감'의 말이 제시되는 부분에서 생생한 구어, 즉 입말투의 표현과 전라도 사투리를 풍부하게 활용하고 있다. 이는 '윤 직원 영감'을 생동감 있고 사실적으로 그려 내는 데 도움이 된다.

03. '윤 직원 영감'은 부르지 않았는데도 찾아온 아들 '창식'에게 "……멋하러 오냐? 돈 달라러 오지?"라고 말한다. 이는 아들이 돈이 필요할 때만 자신을 찾아온다는 비난이 담긴 말이다. 또 큰손자인 '종수'에게는 동생 '종학'에게 뒤떨어지지 않게 노력하라는 잔소리를 해 댄다. 한편 '윤 직원 영감'의 말 중 '그놈 종학이는 참말루 쓰겄어! ~ 내가 그놈 하나넌 꼭 믿넌다, 꼭 믿어.'에서 알 수 있듯이, 작은손자 '종학'에 대해서는 집안을 일으킬 것이라고 굳은 신뢰를 보이고 있다.

04. '웅장한 투쟁의 선언' 같은 비꼬는 말투를 사용한 것은 이기적인 태도로 세상을 저주하는 '윤 직원 영감'의 도덕적인 결함을 희화화하여 비판함으로써 풍자의 목적을 달성하기 위한 것이다.

05. '윤 직원 영감'은 예전에 ㉠으로 인해 서러움과 분노를 느꼈고, 그런 위치에서 벗어나기 위해 악착같이 살아서 오늘날 부를 누리게 되었다. 그런 그가 손자들로 하여금 군수와 경찰서장이 되라고 다그치는 의도는 자신이 그 덕을 보려는 마음과 함께, 자기가 겪은 것 같은 약자로서의 슬픔과 분노를 후손들이 겪는 일이 없기를 바라는 것이라고 추론해 볼 수 있다.

06. 이 글은 서술자가 경어체 문장으로 내용을 전달하고 반어적 말투를 구사하기도 하며 인물에 관해 폭로하기도 하는 등 판소리 창자 같은 역할을 함으로써 인물을 조롱하는 풍자적 효과를 높이고 있다.

07. 전보는 일본에 유학 중인 '종학'이 사상과 관련된 문제로 경시청에 피검되었다는 소식을 담고 있다. 따라서 '종학'의 사상적 지향이 사회주의였다는 것이 간접적으로 드러나게 한다. 또 이 전보는 갑작스럽게 새로운 상황을 유발하여 사건 전개에 극적 반전을 가져오고, '윤 직원 영감'의 유일한 희망이 물거품이 됨으로써 그의 일가가 몰락하게 될 것임을 예고한다고 볼 수 있다. 그러나 이 전보를 통해 가족들에 대한 '종학'의 심리를 알 수는 없다.

08. [A]에는 일제 강점기를 '태평천하'로 인식하는 '윤 직원 영감'의 왜곡된 인식이 고스란히 드러나 있다. 이를 통해 작가는 당시 친일 지주 계층의 부정적 면모에 대한 풍자를 시도했음을 알 수 있다.

09. ㉠은 경망스럽고 속이 좁은 티가 나는 '윤 직원 영감'의 언행을 꼬집기 위해, 마치 부자 관계가 뒤바뀐 것처럼 보인다고 말한 것이다. 따라서 서술자가 작중 상황에 개입하여 인물에 대해 주관적인 논평을 한 것이라고 할 수 있다.

10. ⓓ는 분노하여 길길이 날뛰는 '윤 직원 영감'의 모습에 다른 식구들이 주눅이 들어 혹시라도 가장인 '윤 직원 영감'의 심기를 건드리게 될까 봐 조심하면서 아무 말도 하지 않는 분위기를 빗댄 표현이다.

11. 진시황은 나라를 지키기 위해 오랑캐를 막으려 애썼으나 정작 나라를 망하게 한 원인은 가까이에 있는 자기 자식이었다. 따라서 이는 대상에서 가까이 있는 사람이 도리어 대상에 대하여 잘 알기 어렵다는 말인 '등잔 밑이 어둡다.'와 관련이 있다고 할 수 있다.

오답 해설

① 풀색과 녹색은 같은 색이라는 뜻으로, 처지가 같은 사람들끼리 한패가 되는 경우를 이르는 말이다.
③ 남이 한다고 하니까 분별없이 덩달아 나섬을 비유적으로 이르는 말이다.
④ 아무리 훌륭하고 좋은 것이라도 다듬고 정리하여 쓸모 있게 만들어 놓아야 값어치가 있음을 비유적으로 이르는 말이다.
⑤ 어떤 사물에 몹시 놀란 사람은 비슷한 사물만 보아도 겁을 냄을 이르는 말이다.

12. ⓑ는 소제목과 관련이 있는 대목이다. 이 설명에 의하면 진시황은 자신의 아들 호해 때문에 나라가 망하게 되었다는 것을 모른 채 죽었으니 오히려 '윤 직원 영감'보다는 행복하다는 것이다. '윤 직원 영감'은 자신이 그렇게도 믿던 손자 '종학'으로 인해 집안이 몰락하게 됐다는 것을 살아서 지켜봐야 하는 처지이기 때문이다.

13. 〈보기〉의 첫째와 둘째 문단에는 '황선주'에 대한 서술자의 직접적인 평가가 이어지고 있다.

14. 감상문에서 말하고 있는 '작품 속의 세계와 자기와의 만남'이란, 등장인물의 욕망이나 언행을 긍정적으로 보거나 비판적으로 바라봄으로써 자아 성찰의 계기로 삼는 것을 말한다.

(3) 한국 문학의 양상과 발전

01 정선 아리랑

본문 118쪽

01 ① **02** ④ **03** ⑤ **04** ⑤ **05** 「사할린 본조 아리랑」은 우리 민족이 창작자가 되어 한국어로 생산하였으므로 한국 문학에 포함된다. 이처럼 해외에서 창작된 작품이라 할지라도, 창작의 주체와 언어가 우리 민족과 한국어라면 한국 문학에 포함될 수 있다.

01. '아리랑 아리랑 아라리요 / 아리랑 고개 고개로 나를 넘겨 주게'라는 후렴구의 반복이 리듬감을 발생시킨다.

02. '떨어진 동박'은 낙엽과 만날 수라도 있는 상황이다. 이는 임과 헤어져 있어 만날 수 없는 화자 자신보다는 나은 처지라는 정도의 의미를 드러내기 위해 동원된 소재라고 할 수 있다. 맥락으로 볼 때 '떨어진 동박'이 자연의 아름다움을 환기하기 위해 선택된 소재일 가능성은 없다.

03. [A]에는 유사한 통사 구조를 지닌 두 문장이 짝을 이루는 대구가 사용되었다. ⑤에도 두 구절이 짝을 이루는 대구가 사용되었다.

04. 이 글과 〈보기〉와 같은 아리랑은 인류 보편의 다양한 주제를 담고 있는 한편, 부르기 쉬운 특성으로 여러 지역으로 전파되어 지역적 특성과 접합되었다. 이처럼 아리랑은 지역 문학의 총체로서 한국 문학이 지닌 다양성을 보여 준다.

오답 해설

① 이 글과 〈보기〉는 민요로, 문자가 아니라 민중들이 입으로 부르며 전달된 노래이다.

②, ③ 여성 화자의 목소리로 서민, 여성들의 삶의 애환을 노래하고는 있으나 이 글과 〈보기〉의 지역 문학으로서 지니는 가치를 설명하기에는 적절하지 않다.

④ 지배층의 이념적 지향이 나타나 있지도 않고, 지역 문학으로서 지니는 가치에 대한 설명으로도 적절하지 않다.

05. 「사할린 본조 아리랑」은 사할린 이주 동포들이 우리말로 부른 민요로, 한국 문학에 해당한다. 이는 한국 문학의 범위를 보여 주는 사례로, 이를 바탕으로 한국 문학의 개념과 범위가 역동적이고도 전향적으로 전개될 수 있음을 예측할 수 있다.

등급	채점 기준
상	한국 문학의 지역적 범위에 대해 〈조건〉의 내용을 근거로 서술하였다.
중	한국 문학의 지역적 범위에 대해 알맞게 서술하였다.
하	한국 문학의 지역적 범위에 대해 정확히 서술하지 못하였다.

대단원 **실전 문제**

본문 120쪽

01 ⑤ **02** ⑤ **03** ⑤ **04** ⑤ **05** ③ **06** ① **07** ② **08** ② **09** ③ **10** ② **11** 사랑하는 임과 사별을 했기에 아름다운 봄의 풀빛을 서럽다고 느끼게 되는 것이라고 추론해 볼 수 있다. 마지막 연에 나오는 '임 앞에 타오르는 향연'이라는 표현으로 볼 때 임이 죽은 상황임을 짐작할 수 있기 때문이다. **12** ④ **13** 자식에 대한 모성애는 인간과 동물의 구별이 없을 정도로 보편적이고 고귀한 것이다.

01. 이 글에는 반어적 표현이 등장하지 않으며, 화자는 헤어진 임을 그리워하는 태도를 보일 뿐 현실에 대해 비판적인 태도를 보인다고 할 수 없다.

오답 해설

① '호싱 연분(緣分)이며 하늘 모롤 일이런가' 등 설의법을 사용하여 의미를 강조하고 있다.

② '출하리∨싀어디여∨범나븨∨되오리라'와 같이 한 행을 3~4음절의 한 마디로 네 번 끊어 읽는 4음보의 운율적 특징을 지니고 있다.

③ '동풍', '녹음', '서리', 빅셜' 등의 시어를 통해 사계절 순서에 따라 시상이 전개되고 있음을 알 수 있다.

④ 임과 떨어져 있는 상황에서 임에 대한 충정, 지극한 정성, 소망, 염려 등을 중심으로 내용이 이루어진다.

02. 화자는 임을 그리워하여 얻은 자신의 병을 아무리 유명한 의사인 '편작'이 와도 고칠 수 없을 것이라고 말하고 있다. 임을 그리워하여 얻은 병은 임을 만남으로써만 나을 수 있다는 것이다. 따라서 '편작'이 빼어난 자질을 지닌 임을 가리키는 말이라고 해석할 수는 없다.

03. ㉤은 '차라리 죽어서 범나비가 되리라.'라는 말로, 나비가 되어서라도 임의 곁에 가고 싶다는 마음을 표현한 것이다. 따라서 선조에 대한 정철의 그리움이 그만큼 크다는 점을 표현한 것일 뿐 자신을 탄핵한 반대파에 대한 원망의 감정을 표출한 것이 아니다.

04. '전전반측'은 누워서 몸을 이리저리 뒤척이며 잠을 이루지 못함을 이르는 말이므로, 화자가 임에 대한 그리움으로 밤에도 잠 못 들고 있는 ⓐ의 상황과 관련이 깊다.

오답 해설

① 교언영색(巧言令色): 아첨하는 말과 알랑거리는 태도를 가리키는 말이다.

② 백척간두(百尺竿頭): 백 자나 되는 높은 장대 위에 올라섰다는 뜻으로, 몹시 어렵고 위태로운 지경을 이르는 말이다.

③ 양두구육(羊頭狗肉): 양의 머리를 걸어 놓고 개고기를 판다는 뜻으로, 겉보기만 그럴듯하게 보이고 속은 변변하지 아니함을 이르는 말이다.

④ 오비이락(烏飛梨落): 까마귀 날자 배 떨어진다는 뜻으로, 아무 관계도 없이 한 일이 공교롭게도 때가 같아 억울하게 의심을 받거나 난처한 위치에 서게 됨을 이르는 말이다.

05. 이 글에는 화자가 자신의 결백을 주장하는 부분이 없지만, 〈보기〉에는 '과(過)도 허믈도 천만(千萬) 업소이다 / 믈힛마리신뎌'라는 부분에서 화자가 자신의 결백을 주장하고 있다.

06. 두 작품 모두 역설을 사용한 부분은 찾을 수 없다.

07. (가)의 주제를 무릉도원에 대한 지향이라고 파악하는 것은 적절하지 않다. (가)는 정선 사람들의 삶의 애환, 그리고 사랑하는 이를 만나지 못하는 것에 대한 애절한 그리움 등을 담은 노래이다.

08. 연쇄법이란 시구가 꼬리에 꼬리를 무는 방식으로 이어지도록 구성하는 것을 가리키는데, (나)에는 이러한 수사법이 사용되지 않았다.

오답 해설

① 3행과 4행에서 도치법을 활용하며 인상적으로 마무리하고 있다.

③ '~것다.'의 문장을 반복적으로 구사하여 운율을 형성하고 있다.

④ (가)와 (나)의 화자는 모두 임을 그리는 상황인데, (가)는 이와 대비되는 비 온 후 풀빛이 고운 둑의 모습, (나)는 봄비가 내린 후의 맑은 하늘, 고운 꽃밭 등이 제시되고 있다.

⑤ (가)는 '풀빛', (나)는 '서러운 풀빛', '푸르른 보리밭 길' 등의 색채 이미지를 활용하고 있다.

09. 해마다 이별의 눈물을 보태기 때문에 대동강 물이 마르지 않

는다는 과장된 시적 진술로 이별의 슬픔을 극대화하여 표현하고 있다.

10. (가)가 한시의 7언 절구 형식을 따르고 있는 것은 맞지만, 그것이 이 작품을 한국 문학의 일부로 볼 근거가 되는 것은 아니다. 한시의 7언 절구는 기본적으로 중국의 문학 갈래이기 때문이다.

11. 전체적으로 봄비가 그치고 나면 보게 될 싱그러운 봄 풍경을 그리고 있음에도 불구하고 1연에서 '서러운 풀빛'이라고 표현한 것은 화자가 느끼는 감정이 애상적인 것임을 짐작하게 한다. 이를 뒷받침할 수 있는 근거는 마지막 연의 '향연'이라고 할 수 있다. 임이 죽어 그 앞에 피웠던 향의 연기처럼 아지랑이가 피어오를 것이라는 진술이기 때문이다.

등급	채점 기준
상	두 개의 〈조건〉을 모두 충족한 근거를 바탕으로 추론하였다.
중	하나의 〈조건〉을 충족한 근거를 바탕으로 추론하였다.
하	추론의 근거가 〈조건〉을 충족하지 못하였다.

12. 이 글은 민중들에 의해 창작되고 구비 전승되어 온 민담이다. 구비 전승되어 온 작품이므로 군말이나 불필요한 반복 같은 구어적 특성이 고스란히 살아 있으며, 대중들이 흥미를 느낄 만한 내용 요소들을 포함하고 있다. 한편 이러한 적층 문학은 전승 과정에서 내용에 크고 작은 가감이 행해지므로 세부적 변화가 생기기도 한다. 이러한 민담은 양반 등 지배 계층의 우아한 미의식이 절제된 형식 속에 담기는 갈래, 예컨대 한시나 정형 시조 같은 것과는 그 속성이 다를 수밖에 없다.

13. '대국'과 조선의 관계, 어려움을 극복해 내는 재치와 기지 등을 보여 주는 이야기이지만, 윤리적 측면의 교훈을 꼽으라고 하면 어미 말이 보여 준 모성애에 대한 내용을 언급해야 할 것이다. 이 이야기를 만들어 내고 구비 전승해 온 사람들의 문화적 배경 속에는 모성애가 인간뿐 아니라 동물에게도 있을 만큼 자연스럽고 당연한 것이며 동시에 고귀한 것이라는 생각이 깃들어 있었다고 할 수 있다.

1등급 완성 문제

본문 125쪽

01 ⑤ **02** ⑤ **03** ⑤ **04** ④

01. ⓜ은 서술자의 현실 인식이 아니라 주인공인 '윤 직원 영감'의 왜곡된 현실 인식이며, 독자들은 이를 그대로 수용하는 것이 아니라 작가가 의도한 풍자의 효과를 인식하게 된다.

02. (나)는 시간의 흐름에 따라 진행되는 사건을 보여 주고 있으므로, 공간 이동의 경로에 따라 서술되었다고 볼 수 없다.

03. '윤 직원 영감'은 원래 믿었던 '종학'에게 삼천 석 정도는 '직분하여 줄라구' 하는 마음, 즉 재산을 나눠 주려는 마음을 갖고 있었다. 그러나 '종학'이 사회주의 사상 관계로 피검되고 나자 분노하며, 그 재산을 처분해 사회주의를 처벌해 주는 경찰서에 주어 버리겠다고 소리를 지르고 있다.

오답 해설

① '거금 삼십여 년 전에, 몇 해를 두고~인삼 등속의 약효로 해서'의 내용을 통해 '윤 직원 영감'이 오랫동안 건강 관리에 애써온 것을 알 수 있다.

② 앞선 '윤 직원 영감'의 외모 묘사와 '좀 점잖다는 손님한테는 항투로 쓰는 말이지만'을 통해 '인력거꾼'이 삯을 넉넉하게 받고 싶은 마음으로 풍채가 좋고 인물이 훤해 인상이 좋은 '윤 직원 영감'에게 인력거 삯을 알아서 달라고 했음을 알 수 있다.

③ '윤 직원 영감'과 '윤 주사'의 대화를 통해 '종학'이 작년 여름 방학 때 이미 사회주의 사상에 빠진 기미를 '윤 주사'가 느꼈으나 '윤 직원 영감'은 전혀 모르고 있었음을 알 수 있다.

④ '어찌서 지가 세상 망쳐 놀 부랑당패에 참섭을 헌담 말이여'에서 '종학'이 빠진 사회주의 사상을 어떻게 여기고 있는지를 알 수 있다.

04. [A]와 [B]에는 공통적으로 서술자의 주관적 판단이 드러나 있다. [A]에는 인물의 몸집에 대한 서술자의 짐작과 판단이, [B]에는 인물이 처한 상황에 대한 주관적 평가가 담겨 있기 때문이다.

4 한국 문학의 흐름

(1) 서정 갈래의 흐름

01 제망매가

본문 130쪽

01 ③ **02** ④ **03** ① **04** ② **05** 떨어질 잎 **06** ① **07** 아아 / 낙구의 첫머리에 오는 감탄사로서 시상을 집약하는 역할을 한다. **08** ③

01. 이 작품은 10구체 향가로서, 민요적 속성이 짙은 것은 「풍요」, 「서동요」 등의 4구체 향가이다.

02. 이 시에는 동일한 시구를 반복한 부분을 찾을 수 없다.

오답 해설

① 죽은 누이를 '떨어질 잎'으로 비유하여 애상적 심상이 고조되고 있다.

② 불교적 개념인 '미타찰' 등을 바탕으로 재회에 대한 종교적 믿음을 드러낸다.

③ '나는 간다는 말도 / 못다 이르고 어찌 갑니까'에서 질문의 형식을 통해 죽은 누이에 대한 안타까움을 드러내고 있다.

⑤ '도 닦아 기다리겠노라.'에서 재회에 대한 믿음과 의지를 종교적 승화를 통해 나타내며 시상을 마무리하고 있다.

03. 이 시는 '기(1~4행)-서(5~8행)-결(9~10행)'의 순으로 3단 구성에 따라 시상이 전개되고 있다.

04. 〈보기〉의 내용 중, 향가를 지어 제사를 지낸 뒤, 이로 인해 문득 회오리바람이 일어 종이돈이 날려 서쪽으로 사라지게 된 것, 천지 귀신을 감동시켰다는 것에서 향가가 지닌 주술적 기능을 확인할 수 있다.

05. 이 시의 '이에 저에 떨어질 잎처럼'에서는 '떨어지다'와 같은 하강 이미지를 사용하여 인간의 유한한 운명을 드러내고 있다.

06. 이 시에서는 죽은 누이의 부재에 대한 안타까움을, 〈보기〉에서는 한때 존재했으나 지금은 그 흔적조차 찾아볼 수 없는 대상, 즉 태평연월과 인걸의 부재 상황에 대한 안타까움을 드러내고 있다.

07. 낙구의 첫머리에 오는 감탄사는 시조 종장의 첫음보에 영향을 주었다. 모두 시상을 집약하며 시를 마무리할 수 있도록 해 준다.

등급	채점 기준
상	향가의 형식이 시조에 영향을 미친 부분을 찾고, 시상 전개 양상에서의 역할을 서술하였다.
중	향가의 형식이 시조에 영향을 미친 부분을 찾았으나, 시상 전개 양상에서의 역할을 서술하지 못했다.
하	향가의 형식이 시조에 영향을 미친 부분은 찾지 못했다.

08. ㉠은 유언조차 남기지 못하고 이승을 떠나 죽음에 이르게 된 누이를 의미하고, ㉡은 도를 닦아 기다리며 미타찰에서 죽은 누이를 만날 것을 기대하는 화자를 의미한다.

02 청산별곡

본문 132쪽

01 ③ **02** ⑤ **03** ① **04** ② **05** ② **06** ③ **07** ⑤ **08** 얄리얄리 얄라셩 얄라리 얄라. / 각 연을 나누는 역할을 하고, 흥을 돋우며 리듬감을 형성한다. 또한 'ㄹ, ㅇ' 음을 연속적으로 표현하여 음악적 효과를 내며, 명랑한 느낌을 준다. **09** ⑤ **10** ④ **11** ② **12** ③

01. 「청산별곡」을 포함한 고려 가요의 대부분은 조선 시대 훈민정음 창제 후에 기록되었기 때문에 창작 당시의 표기법은 아니다.

02. 이 시에서 화자는 삶의 고통과 운명에 대해 체념적 태도를 드러내고 있을 뿐, 미래에 대한 희망을 바탕으로 낙천적 태도를 보이고 있지는 않다.

03. 제시된 시구는 'a-a-b-a'의 구조를 통해 율격을 형성하고 있다. '우러라 우러라 새여 자고 니러 우러라 새여'는 [우러라(a) / 우러라 새여(a) / 자고 니러(b) / 우러라 새여(a)]의 표현 구조를 통해 운율감을 형성하고 있는 부분이다.

04. 3연의 '믈 아래 가던 새 본다'에서 '믈 아래'는 '청산'과 '바다'와 대비되는 '속세'의 의미를 담고 있으며, 이렇게 볼 때 3연 전체는 '속세에 대한 미련과 번민'을 노래하고 있다고 볼 수 있다.

05. '살리라'에는 화자의 '소망'이, '살아야 했을 것을'에는 화자의 '후회'가, '울어라'에는 울어달라고 요구하는 화자의 '호소'가, '우는구나'에는 화자의 '탄식'의 정서가 드러난다.

06. '멀위와 ᄃᆞ래'와 'ᄂᆞᄆᆞ자기 구조개'는 각각 청산과 바다에서 쉽게 구할 수 있는 소박한 음식을 뜻하는 것으로, 둘 다 모두 '욕심 없이 소박하게 사는 삶'을 함축한다고 볼 수 있다.

07. 4연에서 화자는 낮에 그럭저럭 지내겠지만, 자신을 찾아 주는 이가 한 명도 없는 밤에는 어떻게 지내겠느냐며 탄식하고 있다. 이 상황에 가장 잘 어울리는 한자 성어는 '의지할 곳이 없는 외로운 홀몸'을 의미하는 혈혈단신이다.

오답 해설

① 과유불급(過猶不及): 정도를 지나침은 미치지 못함과 같다는 뜻으로, 중용(中庸)이 중요함을 이르는 말

② 유아독존(唯我獨尊): 세상에서 자기 혼자 잘났다고 뽐내는 태도

③ 백척간두(百尺竿頭): 백 자나 되는 높은 장대 위에 올라섰다는 뜻으로, 몹시 어렵고 위태로운 지경을 이르는 말

④ 반포지효(反哺之孝): 까마귀 새끼가 자라서 늙은 어미에게 먹

이를 물어다 주는 효(孝)라는 뜻으로, 자식이 자란 후에 아버이의 은혜를 갚는 효성을 이르는 말

08. 이 시의 후렴구는 악기 소리의 의성어로, 악률을 맞추기 위한 수단이 되며, 각 연을 나누는 역할을 하고 이를 통해 한 편의 노래라는 형식적인 동질성을 부여하는 기능을 한다. 또한 'ㄹ, ㅇ' 음의 연속으로 매끄러운 음악적 효과를 내며, 낙천적이고 명랑한 느낌을 주는 기능을 한다.

등급	채점 기준
상	후렴구를 찾고 그 기능을 3가지 이상 서술하였다.
중	후렴구를 찾고 그 기능을 1, 2가지 서술하였다.
하	후렴구를 찾았으나 그 기능을 서술하지 못하였다.

09. 〈보기〉의 「한림별곡」은 경기체가로 각 연의 끝에 '~景(경) 긔 엇더ᄒᆞ니잇고'와 같은 후렴구가 나타나는데, 이러한 설의적 표현을 통해 학문적 자부심과 긍지를 강조하는 효과를 이끌어 내고 있다. 한편, 고려 속요인 「청산별곡」에서는 이러한 특징이 나타나지 않는다.

10. '가던 새'는 다양한 해석이 가능한 구절이다. 〈보기〉의 해석에 따른다면 화자는 삶의 터전을 잃은 유랑민으로 볼 수 있으며, 자신의 삶의 터전을 떠나 '청산'으로 향하고 있는 화자의 정서는 '삶의 터전(현실)에 대한 미련'을 지니고 있다고 볼 수 있다.

11. 〈보기〉는 '임을 향한 변함없는 사랑'을 주제로 한 작품으로, 황진이의 시조에서 '청산'은 화자와 동일시되는 대상으로 '불변성'이란 의미를 갖는다. 「청산별곡」의 '청산'은 화자가 찾아가는 곳이기 때문에 '지향의 대상'으로 볼 수 있다.

12. ㉡에는 삶의 터전을 잃고 시름에 빠져 있는 화자의 심정이 투영되어 있고 〈보기〉의 '새'에도 봄나들이를 즐기고 있는 화자의 심정이 투영되어 있다.

03 어부사시사

본문 135쪽

01 ⑤ **02** ③ **03** ④ **04** ⑤ **05** ② **06** ② **07** ④ **08** ⑤ **09** 화자는 물고기 잡는 일을 생계 수단으로 삼고 있는 대상이 아니라, 속세를 떠나 자연 속에서 안빈낙도의 삶을 살아가는 존재이다. **10** ④ **11** 내용적 측면: ① 출항에서 귀항까지의 과정을 나타내고 있다. ② 어부의 삶을 직접 체험하는 듯한 현장감을 느끼게 한다. 운율적 측면: ① 초장과 중장 사이에 들어가 리듬감을 높이고 흥을 돋운다.

01. 이 시는 자연 속에서 노니는 안빈낙도의 삶을 노래한 작품으로 평민들의 근대 의식을 수용하고 있다고 보는 것은 적절하지 않다.

02. 이 시는 화자가 어촌에서 자연을 즐기며 한가롭게 살아가는 여유와 흥취를 드러내고 있는 작품이므로 자연과 조화롭게 어울리는 삶을 바탕으로 하여 풍류적 어조로 낭송하는 것이 가장 적절하다.

03. 일반적으로 평시조는 후렴구가 나타나지 않는데, 이 시는 '지국총 지국총 어사와'와 같은 후렴구가 매 연마다 나타나고 있어 형식적 측면에서 차이점을 보인다.
<u>오답 해설</u>
① 이 시는 4음보의 3·4조의 음수율을 지키고 있다.
② 평시조의 창작 계층은 주로 양반이었으며, 사설시조 이전 시조의 주요 창작층이 양반이었으나 양반만 쓸 수 있는 것은 아니었다.
③ 시조는 주로 4음보의 음보율을 바탕으로 한다.
⑤ 평시조에서는 자연을 주로 유교적 수단을 부각하는 수단으로 사용하지만, 이 시에서는 자연을 아름다운 대상 그 자체로 인식하고 있다.

04. [A]에서 강변과 뒷산은 화자가 머무르고 있는 공간적 배경으로 제시된 것일 뿐, 두 대상의 대비적 속성을 바탕으로 자연의 아름다움을 부각하고 있는 것은 아니므로 적절하지 않다.

05. [B]의 초장에서 옷 위에 서리가 내려도 추운 줄을 모른다고 하였는데, 이는 추위의 느낌과 관련한 촉각적 이미지를 사용하여 가을의 자연 속 삶에 대한 흥취를 부각하고 있는 장면으로 볼 수 있다.

06. '반찬으란 쟝만 마라'는 별다른 반찬을 따로 준비하지 말라는 뜻으로, 이는 과도한 욕심을 부리지 않고 현재 주어진 분수의 삶을 즐기자는 안분지족의 정서와 가장 관련이 깊은 시구에 해당한다.

07. '물심일여'는 일체 대상과 그것을 마주한 주체 사이에 어떠한 구별도 없이 서로 조화를 이루어 하나가 되는 것을 말한다.
<u>오답 해설</u>
① 수구초심(首丘初心): 여우가 죽을 때에 머리를 자기가 살던 굴 쪽으로 둔다는 뜻으로, 고향을 그리워하는 마음을 이르는 말
② 마이동풍(馬耳東風): 동풍이 말의 귀를 스쳐 간다는 뜻으로, 남의 말을 귀담아듣지 아니하고 지나쳐 흘려버림을 이르는 말
③ 과유불급: 정도를 지나침은 미치지 못함과 같다는 뜻으로, 중용(中庸)이 중요함을 이르는 말
⑤ 각골난망(刻骨難忘): 남에게 입은 은혜가 뼈에 새길 만큼 커서 잊히지 아니함.

08. 〈보기〉는 화자의 답답한 심정을 효과적으로 표현하기 위해 '고모장지', '셰살장지', '들장지' 등 유사 어구를 반복적으로 열거하고 있다. 한편 이 시에서는 이러한 특징이 나타나지 않는다.

09. 이 시는 자연 속에서 어부로 살아가는 감흥과 흥취를 계절의 흐름에 따라 변화하는 경치 속에서 보여 주고 있다. 따라서 이 시의 '어부'는 어업을 생계 수단으로 삼고 있는 일반적인 어부가 아닌, 속세를 떠나 자연 속에서 고깃배를 타고 안빈낙도의 삶을 즐기고 있는 사람이다.

등급	채점 기준
상	〈조건〉에서 제시된 관점을 바탕으로 '어부'의 성격을 서술하였다.
하	'어부'의 성격을 서술하였으나 정확하지 않았다.

10. 〈보기〉는 현대 시조로 형식적 측면과 표현적 측면에서 이 시와 같은 전통 시조를 계승한 작품이다. 평시조에서는 민요적 율격이 나타나지 않으며, 이 시나 〈보기〉 모두 수미 상관도 나타나지 않는다.

11. 이 시에서 초장과 중장 사이에 있는 여음구는 출항부터 귀항까지, 어부의 일과와 배를 타는 과정을 어부의 소리를 통해 단계별로 제시해 주고 있다. 이러한 여음구는 작품을 유기적으로 연결하며, 후렴구와 함께 평시조의 단조로움에 변화를 주고 운율을 형성하며, 시상 전개에 통일성을 부여하고 있다.

등급	채점 기준
상	여음구의 기능을 내용적 측면과 운율적 측면으로 나누어 각각 하나 이상 제시하였다.
중	여음구의 기능 중 내용적 측면이나 운율적 측면 중 하나에 대해서만 제시하였다.
하	여음구의 기능을 제시하였으나 적절하지 않았다.

04 쉽게 씌어진 시

본문 138쪽

01 ③ **02** ④ **03** ③ **04** ② **05** ⑤ **06** ② **07** ⑤ **08** 화자가 소망하는 시대, 즉 광복이 될 것이라는 희망을 의미한다. **09** ③ **10** ⑤ **11** ③

01. '나는 무얼 바라 / 나는 다만, 홀로 침전하는 것일까?'에서 의문문의 형식을 통해 화자가 자기 성찰을 시도하고 있음을 알 수 있다.

02. 이 시는 '늙은 교수의 강의 들으러 간다', '눈물과 위안으로 잡는' 등 현재형 시제로 시상이 전개되고 있으며, 이를 통해 현장감을 형성하고 있다.

03. 이 시는 삶의 순수한 목적을 잃어버린 채 안이한 일상을 이어가고 있는 화자가 자신의 삶에 대한 반성을 담고 있는 작품이다.

04. '육첩방'은 '남의 나라'에 있는 공간으로 화자가 처한 자유롭지 않은 현실 상황을 의미한다. 즉 화자를 억압하고 있는 암담한 공간으로 이해할 수 있다.

05. [A]는 현실에 안주하는 지식인의 모습으로 화자가 처한 시대 상황과는 거리가 먼 모습이다. 이를 통해 화자는 자기반성을 드러내고 있다.

06. 화자는 시인을 자신의 피할 수 없는 운명, 즉 천명으로 자각하고 있는데 이를 '슬픈 천명'이라고 표현함으로써 이와 관련하여 애상적 정서를 드러내고 있다.

07. '하나, 둘, 죄다 ~'에서 열거법이 나타나지만 이를 통해 외로운 삶에 대한 극복 의지를 드러내고 있지는 않다.

08. ⓐ는 '등불'이 부정적 현실을 내몰고 새로운 시대를 열어 줄 것이라고 믿는 화자의 소망, 즉 광복을 바라는 화자의 희망이 드러난 표현이다.

등급	채점 기준
상	두 개의 〈조건〉을 모두 충족하여 시어의 의미를 서술하였다.
중	하나의 〈조건〉만을 충족하여 시어의 의미를 서술하였다.
하	시어의 의미를 적절하지 못하게 서술하였다.

09. 8연에서는 1연의 1, 2행의 순서를 바꾸어 반복함으로써 앞서 1~7연을 통해 보여 준, 화자의 자기반성을 통해 현실을 재인식했음을 표현한다. 즉 8연을 기점으로 시상이 전환되고, 9~10연으로 연결되는 것이다.

10. '최초의 악수'는 내면적 자아와 현실적 자아가 화해에 도달하는 과정을 보여 주는 것으로 미래에 대한 희망을 나타낸다.

11. 〈보기〉는 소모적이고 의미 없는 일에 몰두하고 질투만 할 뿐 스스로를 사랑하지 못하는 자신을 반성하고 있고, 이 시는 부정적 현실에 적극적으로 대응하지 못하는 자신을 부끄러워하고 있다. 둘다 자신의 과오에 대한 뉘우침을 드러내고 있지는 않다.

05 어느 날 고궁을 나오면서

본문 141쪽

01 ⑤ **02** ② **03** ② **04** ② **05** 불의에 정면으로 저항하는 삶의 태도를 의미한다. **06** ① **07** ② **08** ⑤ **09** ② **10** ④

01. 이 시는 일상적 경험을 바탕으로 한 여러 일화들을 나열하면서 삶의 모습을 드러내고 있다.

02. 사물의 의인화를 통해 냉소적 태도를 드러내고 있는 부분은 나타나지 않는다.

오답 해설

① '왜 나는 조그마한 일에만 분개하는가', '모래야 나는 얼마큼 작으냐' 등에서 질문의 형식을 통해 자신의 모습을 돌아보고 반성하고 있다.
③ '~때문에', '~얼마큼 작으냐' 등을 반복하여 리듬감을 형성하였다.
④ '정말 얼마큼 작으냐……'로 말줄임표로 시상을 마치면서, 반성과 자조 의식의 지속성을 표현하며 여운을 주고 있다.
⑤ '비겁한 것이라고 알고 있다!'에서 영탄적 어조를 통해 자신의 모습에 대한 반성적 태도를 강조하고 있다.

03. 자신의 일상과 안위를 지키는 삶은 권력이 있는 자에게 반항하지 못하는 삶이며 이는 '절정'이 아닌 '조금쯤 옆'에 서 있는 삶이다. ② 야경꾼을 증오하는 것은 사소한 일에 분개하며 자신의 일상을 지키는 데 급급한 모습에 해당한다.

04. '왕궁의 음탕'에서 '왕궁'은 권력자들을 의미하고 '음탕'은 그들의 부도덕성을 가리키는 말이다. 즉 '왕궁의 음탕'은 권력자들의 부도덕성을 함축하고 있는 구절이다.

05. '절정' 위에 서 있는 것은 조금쯤 옆으로 비켜서 있는 것과 반

대되는 태도로, 옹졸하고 비겁한 삶을 살고 있지 않고 불의에 정면으로 항거하는 삶을 의미한다.

06. '나는 얼마큼 작으냐', '정말 얼마큼 작으냐'에서 반복법이 나타나며, 이를 통해 화자 스스로가 느끼는 부끄러움, 즉 자조적인 자기반성을 강조하여 드러내고 있다.

07. ㉠은 화자의 옹졸한 태도나 행위가 오랜 시간에 걸쳐 고착되어 온 것에 대한 자기비판의 의미를 담고 있다.

08. '개의 울음소리'는 공포스러운 외적 현실 상황을 의미하고, '그 비명에 지고'는 화자의 심리적 위축이나 굴복을 의미한다. 따라서 ㉡에는 본질적인 것에 저항하지 못하는 화자의 무기력한 모습이 나타나 있다.

09. 화자가 본질적으로 분개해야 할 대상이라고 판단하고 있는 것은 '월남 파병'과 같이 보다 큰 차원에서의 부당한 사회 현실을 의미한다.

10. 이 시와 〈보기〉에는 모두 사회의 부당한 횡포에 당당하게 맞서지 못하는 소시민적 삶의 모습이 드러나 있다.

(2) 서사 갈래의 흐름

01 김현감호

본문 144쪽

01 ⑤ **02** ④ **03** ④ **04** ⑤ **05** '처녀'가 본래 호랑이였다는 사실을 말하고 싶지 않았던 것으로, '김현'과의 만남을 소중히 여기는 모습이라 할 수 있다. **06** ① **07** ④ **08** ②

01. '하늘에서 외치는 소리'에 지상에서 살아가는 세 짐승(호랑이 형제)이 근심하였다는 내용을 통해 볼 때, 지상의 존재인 짐승에게 영향을 미치는 천상의 존재가 있음을 알 수 있다.

오답 해설

① 신라 원성왕 때의 흥륜사 등이 구체적인 배경으로 제시되었다.
② 당대의 사회상인 절에서 전탑을 도는 것으로 복회를 삼는 행위, 즉 불교의 탑돌이 의식이 나타나 있다.
③ '호랑이 처녀'는 호랑이로 태어났으나 인간인 '김현'과 '중한 부부의 의'를 맺었기에 '김현'의 손에 죽어 이에 대한 은혜를 갚고자 한다.
④ '호랑이 처녀'는 포악한 세 호랑이 '오빠들'을 대신하여 벌을 받는다고 하였다.

02. '늙은 할미'는 '세 오빠'가 '김현'을 해칠 것을 예감하고 은밀한 곳에 숨으라 한 뒤, '세 오빠'가 비린내가 난다고 말하자 '세 오빠'의 코가 잘못되었다고 말해 '김현'이 목숨을 잃지 않도록 하였다.

03. [A]에서 '처녀'는 '제가 내일 시가에 들어가서 사람들을 심하게 해치면'이라고 하고 있으므로, 시가에서 살생을 하는 주체이다.

04. ㉢에서 '처녀'는 자신이 죽는 것이 '천명(天命)'이라고 말하고 있다. 따라서 ㉢을 개인적 소망의 달성, 사회적 효용이라는 해석은 적절하지 않다.

05. 처녀는 자신이 호랑이라는 사실을 김현에게 알리고 싶지 않았기에 따라오지 못하도록 한 것이다.

등급	채점 기준
상	두 개의 〈조건〉을 모두 충족하여 인물이 행동한 근거를 서술하였다.
중	하나의 〈조건〉만을 충족하여 인물이 행동한 근거를 서술하였다.
하	인물이 행동한 근거를 적절히 서술하지 못하였다.

06. '김현'은 단도를 지니고 숲속으로 들어갔으나, '김현'이 찾던 칼을 뽑아 목을 찌른 것은 '사나운 범'이었다. '김현'이 '사나운 범'을 찌른 것이 아니므로 ①의 설명은 적절하지 않다.

07. 설화는 크게 '신화', '전설', '민담'으로 구분할 수 있다. 이 세 가지를 구분하는 기준으로는 신화는 신성성이 있다는 점, 전설은 증거물이 있다는 점, 그리고 민담은 오락성이 있다는 점이다. ㉣의 '호원사'는 일종의 증거물이므로, ㉣을 통해 이 글이 설화 중 전설임을 알 수 있다.

08. 〈보기〉에서 '김현'은 '호랑이 처녀'의 본성을 판단한 결과로 범을 잡는 행동을 했다고 설명하지 않는다. 〈보기〉에서는 '호랑이 처녀'의 일련의 행위를 부처님이 사물에 감응하는 방법의 하나로 설명하고 있으며, 이를 통해 '김현'이 범을 잡은 것은 부처님이 '김현'의 정성에 감동하여 행한 일로 설명하고 있다.

02 구운몽

본문 147쪽

01 ⑤ **02** ④ **03** ④ **04** ③ **05** • 유도: 죽은 후에나 이름을 남길 수 있음. • 선도: 구하여 얻은 자가 드묾. **06** ② **07** ③ **08** ③ **09** ② **10** ⑤ **11** ① **12** ① **13** ③

01. 제자인 '성진'이 '육관 대사'의 가르침을 받았을 것이며, 복사꽃 한 가지를 명주로 변하게 하는 것은 도술로 볼 수 있다. 그러나 이를 근거로 '팔선녀'가 '성진'이 '육관 대사'에게 도술을 배우는 것을 목격했다고 이해하는 것은 적절하지 않다.

02. '성진'은 부처의 법문을 따르는 현재의 삶에 대한 회의를 느끼며, 대장부로서 살아가며 경험하게 될 부귀공명을 꿈꾸고 있다. 그러나 부귀와 공명을 견주어 어떤 특정한 것을 더 우위에 두는 것은 아니므로 적절하지 않다.

03. ㉣은 '팔선녀'가 사라지는 모습이 이 글의 전기적 특성을 보여준다. 이는 '팔선녀'가 사라지는 방식일 뿐, '성진'의 주변 환경이 달라지게 되었다고 볼 수는 없다.

04. 이 글에서 '팔 낭자'는 '양 승상'의 결심에 기뻐하며 '양 승상'을 기다릴 테니 돌아와서 자신들에 도를 전해 달라고 말하고 있다.

05. 이 글에서 '성진'은 천하에 유도(儒道)·선도(仙道)·불도(佛道)가 가장 높으나, 유도는 죽은 후에나 이름을 전할 뿐이고, 선도는 예로부터 구하여 얻은 자가 드물다고 말하고 있다.

등급	채점 기준
상	두 빈칸에 알맞은 내용을 서술하였다.
중	하나의 빈칸에만 알맞은 내용을 서술하였다.
하	두 빈칸의 내용을 모두 알맞지 못하게 서술하였다.

06. '초부와 목동'이 느낀 정서는 '인생무상'이라고 할 수 있다. 그런데 조식의 시조는 지리산 양단수의 경치를 표현한 것으로, 복숭아꽃 뜬 맑은 물은 무릉도원을 연상케 한다. 무릉도원은 인간 세상과 구별되는 아름다운 세계를 뜻하므로, 대상에 대한 동경과 예찬을 표현한 시조로 볼 수 있다.

07. ㉠은 부귀공명을 누리는 삶을 벗어던지고 도를 추구하고자 하는 '양 승상'의 모습을 장자방보다 더 낫다고 평가하는 대목이다.

08. '성진'은 꿈에서 깨어난 후에도 현실과 꿈을 다르게 인식하고 있다. '육관 대사'는 그런 '성진'이 아직 깨달음이 부족하다고 말하고 있으며, 이에 '성진'은 자신을 깨달음으로 이끌어 줄 것을 육관 대사에게 부탁한다.

09. '노승'이 '양 승상'과 이야기하는 도중 아직 춘몽을 깨지 못했다고 말하는 것에서, 춘몽은 '양 승상'으로서의 삶을 이야기하는 것으로 볼 수 있다. '양 승상'으로서의 삶은 부귀영화를 누린 속세의 즐거움을 다 맛본 삶이라고 볼 수 있다. 즉, 춘몽은 '덧없는 인생'을 비유적으로 이르는 말이다.

10. 지는 달이 창가에 비치는 것은 새로운 날이 밝아오고 있다는 뜻으로 깨달음을 얻지 못하고 불도에 회의에 빠져 '양소유'가 되어 속세의 부귀영화를 누렸던 '성진'의 모습에서 벗어나, 깨달음을 통해 불도에 정진하고자 하는 '성진'의 모습으로 변화되는 것을 상징적으로 드러낸 것이다.

11. 〈보기〉에서의 '첫 번째 회의와 부정'은 성진이 세속적 삶을 살기 전의 불교적 가치관에 대한 것이고, '두 번째 회의와 부정'은 세속적 삶의 가치관에 대한 것이고, '세 번째 회의와 부정'은 '성진'의 참·거짓의 이분법적 구분에 대한 것이다. 따라서 ㉠은 세속적 삶에서 일어난 일이기 때문에 '첫 번째 회의와 부정'을 경험한 이후의 일이다.

12. 동상이몽(同牀異夢)은 같은 자리에 자면서 다른 꿈을 꾼다는 뜻으로, 겉으로는 같이 행동하면서도 속으로는 각각 딴생각을 하고 있음을 이르는 말이다.

<u>오답 해설</u>

② 일장춘몽(一場春夢): 한바탕의 봄꿈이라는 뜻으로, 헛된 영화나 덧없는 일을 비유적으로 이르는 말

③ 한단지몽(邯鄲之夢): 인생과 영화의 덧없음을 이르는 말

④ 남가일몽(南柯一夢): 꿈과 같이 헛된 한때의 부귀영화를 이르는 말

⑤ 수류운공(水流雲空): 흐르는 물과 하늘에 뜬 구름이라는 뜻으로, 지나간 일이 흔적 없이 사라져 허무함을 이르는 말

13. 이 글의 '대사'는 '성진'이 스스로 깨우쳐 불도에 정진하기를 바라고 있을 뿐, 불도에 귀의할 것을 권한다고 보기 어렵다. 〈보기〉의 '보살'도 부처님의 명을 받아서 '강남홍'을 안내하는 역할을 할 뿐, 불도에 귀의할 것을 권하지 않고 있다.

03 너와 나만의 시간

본문 153쪽

01 ② **02** ④ **03** ④ **04** ⑤ **05** 죽음에 대한 공포와 불길함을 암시한다. **06** ① **07** ③ **08** ① **09** ② **10** ② **11** ① **12** ④ **13** ② **14** '김 일등병'을 살리기 위해 자신의 마지막 기력을 쏟아 낸 '주 대위'의 희생정신이 부각된다. / '주 대위'를 포기하지 않고 끝까지 부축해서 살린 '김 일등병'의 희생정신이 부각된다. **15** ④

01. 이 글에서는 등장인물이 겪는 사건과 심리를 간결한 문장과 사실적인 묘사로 그려내고 있다.

02. '김 일등병'이 '주 대위'를 업고 이동하는 모습은 타인에 대한 희생정신이 드러난 것으로 볼 수 있다.

03. ㉣은 혼자 살겠다고 도망간 '현 중위'마저 죽었음을 확인하고 삶에 대해 체념하고 절망한 '김 일등병'의 행동이다.

04. '인가'는 등장인물들이 찾아 헤메는 것으로, 희망을 주는 것이다. 〈보기〉에서 화자가 어려운 상황 속에서도 간절히 열망하는 것은 '푸른 별'을 바라보는 것이라고 말하는 것을 통해 두 소재의 의미가 유사함을 알 수 있다.

05. '까마귀'는 두 사람을 버리고 도망간 '현 중위'의 죽음을 암시하는 불길한 소재이자, '현 중위'의 눈알을 쪼아먹고 인간을 피하지 않는 모습을 통해 '김 일등병'에게 죽음에 대한 공포를 심어 주고 전쟁의 참혹함을 보여 주는 소재이다.

등급	채점 기준
상	소재가 암시하는 바를 두 가지 이상 서술하였다.
중	소재가 암시하는 바를 한 가지 서술하였다.
하	소재가 암시하는 바를 정확히 서술하지 못하였다.

06. 돌을 던지는 것은 까마귀를 쫓으려는 행위이다. 그러한 행위를 한 이유는 동료였던 '현 중위'의 시신을 지키기 위함이고, 까마귀가 상징하는 특유의 불길함으로부터 벗어나고 싶었기 때문이다.

07. '김 일등병'은 개 짖는 소리라는 말에 몸을 벌떡 일으키며 삶

의 희망을 꿈꾼다.

08. '주 대위'는 삶에 대한 강한 의지로 '김 일등병'에게 의지하였으나, 이제는 자결을 통해 '김 일등병'이라도 구해야겠다는 생각을 하게 된다.

09. '김 일등병'을 위해 '주 대위'가 자결을 하려는 순간, 개 짖는 소리를 듣고 '주 대위'는 새로운 희망을 갖게 된다.

10. 이 글은 이념의 갈등을 강조하기보다는 극한 상황에서의 인간애와 생존 의지를 다루고 있다.

11. 전지적 작가 시점의 서술자가 [A]에서는 '주 대위'의 의도를 이해하고 못하고 원망하는 '김 일등병'의 심리를 직접적으로 제시하고 있다.

12. 〈보기〉는 문학 작품을 수용한 후 자신의 삶과 관련지어 내면화하는 것의 중요성을 설명하고 있다. ④는 이 글을 읽고서 자신의 삶과 연관하여 감상한 내용이다.

13. '주 대위' 자신은 이미 부상으로 인하여 더 이상 삶에 대한 희망을 갖기 어려운 상황이 되었으나, '김 일등병'만은 인가에 도착하게 하여 삶의 희망을 이어 가게 하고 싶었기 때문이다.

14. 이 글은 '주 대위'와 '김 일등병' 일행이 인가를 발견한 후 열린 결말로 마무리되는데, 마지막의 '주 대위'의 모습을 죽음으로 해석한다면, 생의 마지막 힘을 끌어 모아 '김 일등병'을 살리고자 한 '주 대위'의 희생이, 기절로 해석한다면 체력적 한계를 극복하고 '주 대위'를 업고 온 '김 일등병'의 희생이 부각된다.

등급	채점 기준
상	결말에 대한 두 해석이 의미하는 바를 서술하였다.
중	결말에 대한 해석 중 하나가 의미하는 바를 서술하였다
하	결말에 대한 두 해석을 모두 정확히 서술하지 못하였다.

15. 〈보기〉의 주인공은 죽음을 피하려고 하지 않고 죽는 순간까지도 의연하게 인간으로서의 존엄을 지키려고 하였다. 따라서 〈보기〉의 주인공이 삶에 대한 의지를 보여 주고 있다는 설명은 적절하지 않다.

04 난쟁이가 쏘아 올린 작은 공

본문 159쪽

01 ① **02** ④ **03** ② **04** ② **05** ③ **06** ③ **07** ⑤ **08** ① **09** ⑤ **10** ③ **11** 소외된 약자가 이상 세계에 다가가고자 하나 이루기 힘든 소망임을 의미한다. **12** ④ **13** ① **14** ⑤ **15** ③

01. '나'의 가족은 삶의 보금자리를 빼앗기는 상황에 처해 있다. 어머니는 철거 계고장이 나왔다는 말에 "기어코 왔구나!"라며 이를 예상하고 있었음을 드러내고 있다.

02. 철거 계고장의 전달은 수신자의 상황을 배려하지 않은 채 일방적인 통보로 이루어지고 있다.

오답 해설

①, ② 지정된 날짜까지 집을 자진 철거할 것을 일방적으로 명령하고 있다.
③ 관련 법 조항과 전달 내용을 어길 시에 받을 불이익을 경고하며 권위적인 분위기로 쓰여 있다.
⑤ '~합니다'의 경어를 통해 딱딱하고 사무적인 느낌을 주고 있다.

03. ㉡은 반어적 표현이지만, ㉠은 반어적 표현으로 보기 어렵다.

04. 이 글은 산업화 시대의 어두운 단면과 경제적 불평등에 대한 문제 제기를 바탕으로 더불어 살아가는 사회에 대한 바람을 드러낸 작품이다.

05. '영호'는 입주권을 팔지도 않고, 아파트로 들어가지도 않으며 지금의 집에서 살겠다고 강하게 저항하고 있다.

06. 이 글에서 난쟁이 가족으로 대변되는 철거민들은 부조리한 현실을 어쩔 수 없이 받아들이고 있다.

07. ㉠은 집을 떠나지 않고 그냥 사는 것을 의미하며, ㉡은 이주 보조금을 못 받을 수도 있는 상황을 의미한다.

08. 어머니는 철거 계고장을 받고 더 이상 피할 수 없는 현실에 답답함과 막막함을 느끼고 있다. 이는 '멍하니 정신을 잃음.'을 뜻하는 ①과 유사하다.

오답 해설

② 어부지리(漁父之利): 두 사람이 이해관계로 서로 싸우는 사이에 엉뚱한 사람이 애쓰지 않고 가로챈 이익을 이르는 말
③ 연목구어(緣木求魚): 나무에 올라가서 물고기를 구한다는 뜻으로, 도저히 불가능한 일을 굳이 하려 함을 비유적으로 이르는 말
④ 좌정관천(坐井觀天): 우물 속에 앉아서 하늘을 본다는 뜻으로, 사람의 견문(見聞)이 매우 좁음을 이르는 말
⑤ 가렴주구(苛斂誅求): 세금을 가혹하게 거두어들이고, 무리하게 재물을 빼앗음.

09. 〈보기〉에서 '여자'는 철거를 망설이는 인부들의 대화를 듣고 현실에 대한 암담함을 느끼고 있다.

10. '나'는 기타를 사게 되었던 과거의 이야기와, 지섭과 아버지의 대화를 회상하고 있다.

11. 이 글에서 '난쟁이'는 사회적, 경제적으로 소외된 약자를 상징한다. 이러한 난쟁이가 작은 공을 쏘아 올리는 것은 이상 세계를 향한 난쟁이의 소망에서 비롯된 행동이라 볼 수 있다. 그러나 쏘아 올린 공이 다시 떨어질 수밖에 없듯이, 결국 이루기 힘든 소망을 위한 노력을 뜻하는 것이기도 하다.

12. '달나라'는 난쟁이가 갈망하는 세계이나 현실에서는 이룰 수 없는 이상적 공간을 의미한다.

13. 지섭은 아버지로 하여금 현실에 대한 비판적인 인식을 갖게 하고, 이상 세계를 동경하게 하는 인물이며, 아버지는 지섭과의

대화를 통해 자신이 처한 현실이 개인의 힘으로는 극복할 수 없는 구조적 굴레라는 사실을 깨닫게 된다.

14. ㉠이 나오기 전까지는 과거 장면인 아버지와 지섭의 대화를 보여 주다가 ㉠을 통해 '나'가 아버지의 책을 보고 있는 장면으로 돌아온다. 즉 ㉠의 어머니의 부름은 장면의 급격한 전환을 통해 극적 분위기를 조성하는 것으로 볼 수 있다.

15. 이 글은 산업화 시대의 힘없고 소외된 약자를 대변하는 인물로 '난쟁이'를 설정하여, 현실의 모순을 적나라하게 표출하고 있다.

(3) 극 갈래의 흐름

01 봉산 탈춤

본문 165쪽

01 ② **02** ③ **03** ④ **04** ② **05** ④ **06** ② **07** ③ **08** ⑤ **09** ⑤ **10** ③ **11** ③ **12** ① **13** 이 글에서 춤과 음악은 흥겨운 분위기를 조성하는 역할을 하며, 등장인물의 등장과 퇴장을 알려 주어 장면의 독립성을 표시한다. **14** ⑤ **15** ② **16** ⑤ **17** ③ **18** ③ **19** ④

01. 이 글은 특별한 무대 장치를 필요로 하지 않는 전통극 즉 가면극의 대본이다. 실제로 대본에서는 무대 장치와 관련된 부분을 찾을 수 없으며, 같은 구절을 반복 사용하는 여음구 등을 통해 리듬감을 형성하고 있다.

02. 이 글에서 '악공'은 배우는 아니지만 극 중 인물인 '미얄'과 대화를 나누면서 극의 서사 전개에 관여한다.

03. 이 글에서 '미얄'의 말에는 '놈'이라는 일상어의 비속어가 사용된다. 하지만 '미얄'이 시나위청으로 부르는 노래 중에는 한문투의 표현이 나타난다. 이것을 통해 가면극(탈춤)은 서민의 전유물이 아니라 서민층과 양반층이 모두 함께 즐기는 예술이었음을 말해 준다.

04. 영감의 모습의 과장되고 해학적인 묘사를 통해 관객의 흥미를 유발하고 있으며 서민 취향의 익살스러운 표현을 사용하고 있다.

05. [A]는 해학적 과장과 대구적 표현 방식이 나타난 부분이다. 영감을 부르는 소리의 길이를 둔 과장과 대구적 표현의 대화를 통해 해학적인 분위기를 조성하고 있다.

06. ㉠의 '미얄'의 말에는 가족을 잃어버린 상황에도 망을 쪼으러 갔다는 '영감'에 대한 '미얄'의 반감이 엿보인다.

07. '영감'에 대한 그리움을 과장되면서도 절실하게 표현한 부분으로 이 상황에 어울리는 한자 성어는 '오매불망(寤寐不忘)'이다. 오매불망은 '자나깨나 잊지 못한다.'는 뜻으로, 누군가를 잊지 못하고 몹시 그리워함을 나타낸다.

오답 해설

① 전전반측(輾轉反側): 누워서 몸을 이리저리 뒤척이며 잠을 이루지 못함.

② 회자정리(會者定離): 만난 자는 반드시 헤어짐. 모든 것이 무상함을 나타내는 말

④ 각주구검(刻舟求劍): 융통성 없이 현실에 맞지 않는 낡은 생각을 고집하는 어리석음을 이르는 말

⑤ 타산지석(他山之石): 본이 되지 않은 남의 말이나 행동도 자신의 지식과 인격을 수양하는 데에 도움이 될 수 있음을 비유적으로 이르는 말

08. ㉢은 탈춤이 음악적 요소를 활용하여 종합 예술로서의 성격을 보인다는 것을 짐작할 수 있는 부분이다.

09. ⓐ와 <보기>의 밑줄 친 부분은 언어유희의 표현에 해당하며, 언어유희는 장면의 해학적 분위기를 조성하는 효과를 준다.

10. 이 글은 대표적인 가면극으로 봉건 사회에 대한 비판과 풍자가 강하고 근대 서민 의식이 엿보이는 작품이다.

11. '악공'은 직접 극에 개입하여 '영감'과 대화를 나누는 행동을 통해 사건을 진행시키고, '영감'에게 노래를 권하여 극의 음악성을 부여하고 있다.

12. '노심초사'는 몹시 마음을 쓰며 애를 태운다는 뜻이다. 영감은 아내와 재회하고 싶어 하며, 아내를 찾기 위해 몹시 마음을 쓰며 애를 쓰고 있다는 것을 알 수 있다.

오답 해설

② 일장춘몽(一場春夢): 한바탕의 봄꿈이라는 뜻으로, 헛된 영화나 덧없는 일을 비유적으로 이르는 말

③ 비분강개(悲憤慷慨): 슬프고 분하여 의분이 북받침.

④ 만시지탄(晩時之歎): 시기에 늦어 기회를 놓쳤음을 안타까워하는 탄식

⑤ 진퇴유곡(進退維谷): 이러지도 저러지도 못하고 꼼짝할 수 없는 궁지

13. 탈춤의 춤과 음악은 관객들에게 흥을 돋우는 역할을 하는 동시에, 등장인물의 들어감과 나가는 순간을 표시하여 다음 장면과 독립되도록 해 준다.

등급	채점 기준
상	두 개의 <조건>을 모두 충족하여 춤과 음악의 기능을 서술하였다.
중	하나의 <조건>만을 충족하여 춤과 음악의 기능을 서술하였다.
하	춤과 음악의 기능을 서술하였으나 <조건>을 모두 충족하지 못했다.

14. 이 글에서 '영감'은 '풍악 소리 듣고 보니 우리 할맘 생각이 간절하구나.'라고 말하고 있다. 이는 '풍악 소리'가 '할맘'을 떠올리게 하는 매개체 역할을 하고 있음을 알 수 있다. <보기>의 '꽃지짐' 역시 시적 화자에게 고향을 떠올리는 매개체 역할을 하고 있다.

15. [A]의 '미얄'과 '덜머리집'의 싸움을 통해 처첩 간의 갈등과 남편으로부터 가해지는 폭력을 알 수 있다. 이를 통해 여성들에게 가해지는 가부장적 질서의 횡포가 풍자적으로 드러나고 있으며, 여성의 권익 신장의 필요성에 대해 생각해 보게 하고 있다.

16. ㉠은 과장과 열거를 통해 의미를 강조하고 있다. ⑤에서도 과장과 열거를 통해 대상에 대한 풍자라는 의미를 강조하고 있다.

17. ㉡은 노래를 통해 극의 흥미를 높이고 관객의 집중을 이끌고 있는 부분으로 음악적 요소를 활용하여 탈춤의 종합 예술로서의 성격을 잘 보여 주고 있다.

18. 이 글에서 '쉬이이'는 춤과 대사의 경계를 나타내면서 관객의 주의를 환기하여 관객의 관심을 유도하고 있다.

19. 〈보기〉에서는 이 글과 달리 작품의 배경이 되는 '국서'의 집이 사실적인 무대 장치로 설치되어 있고, 객석과 분리된 무대 위에서 극이 상연되도록 하고 있다.

02 원고지

본문 171쪽

01 ② **02** ⑤ **03** ② **04** ② **05** ⑤ **06** ④ **07** ⑤
08 ④ **09** ④ **10** ② **11** ⑤ **12** ④ **13** ② **14** ④
15 ③ **16** ① **17** 시계에 밥을 줌으로써 시계가 끊임없이 돌아가게 하는 것처럼 '처'는 '교수'가 끝없이 노동할 수 있도록 만들기 위해 '교수'에게 밥을 주려고 한다. **18** ③ **19** ③

01. '처'는 남편과 자식을 매개하는 세속적 인물로, 자식에게는 의무를 강요당하고 남편은 착취하는 이중적인 입장을 취하고 있다. 따라서 자식에게 강압적인 태도를 보이고 있다는 설명은 적절하지 않다.

02. '장남'은 세속적이고 이기적인 인물로 부모의 의무만을 강조하는 인물이다. 아버지의 역할에 대해 긍정적으로 인식하는 모습은 찾을 수 없다.

03. '원고지 무늬 양복'과 '쇠사슬'은 교수의 얽매인 삶을 드러내고 있으며, '철쇄'와 '굵은 줄'은 현대인의 삶을 구속하는 현실적인 압박을 상징한다. 즉 다양한 상징적인 소재를 통해 현대인의 기계적인 삶에 대한 풍자라는 주제 의식을 드러내고 있다.

04. '교수'는 가장으로서의 의무감에 짓눌려 정상적인 사고 능력을 상실한 무기력한 인물이다. 따라서 무기력한 표정과 과장된 태도로 연기하여 인물의 성격을 잘 표현하도록 하는 것이 좋다.

<u>오답 해설</u>

① 무대 위에서 이루어지며 객석과 분리되는 연극이므로 음향이 객석에서부터 들리는 것은 적절하지 않다.
③ 특수 효과가 사용될 만한 부분은 없고, 제시된 내용은 환상적인 분위기와도 어울리지 않는다.
④ '장남'은 '처'가 여러 번 부르도록 대답하지 않고, 부탁한 것과 정반대의 음악을 트는 등 '처'의 말을 귀담아듣지 않는다.
⑤ '장녀'는 아버지에 대한 관심이 부족하여 '교수'의 상황과 정반대로 설명하고, '교수'와는 분리된 공간에 있다.

05. 서구 전통극에서 관객의 참여는 제한되고, 다만 관객은 감상을 통해 극 중 내용에 몰입할 수 있을 뿐이었다. 하지만 이 글은 이러한 전통극의 특징을 벗어나 '장남'과 '장녀'라는 배우가 객석의 관객에게 직접적으로 말을 건네고 있다. 이 작품에서 '장남'과 '장녀'는 극 중 인물이자 해설자의 역할을 하고 있는 것이다.

06. 부모와 대조되는 자녀들의 퉁명스러운 말투를 통해 전도된 가족 관계를 풍자하고 있다.

07. ㉤의 「찬란한 인생」이라는 노래 제목은 반어적 표현에 해당하며, 이 노래가 계속 반복되는 것은 현대인들의 무의미하고 지루한 일상의 반복을 상징한다.

08. ㉮에 들어갈 지시문은 〈보기〉에서 언급하는 행동 지시문에 해당한다. ㉮에는 '교수'가 처한 상황을 고려해 봤을 때, '깜짝 놀라 소파에서 일어선다'가 적절하다.

09. ⓐ는 '장녀'가 생각하는 어머니(처)의 모습이고, ⓑ는 '처'가 '교수'에게 관심을 가지고 있는 것은 돈뿐이라는 것을 보여 주는 부분이다. 따라서 이는 가족들 간의 소통이 이루어지지 않고 있음을 보여 준다.

10. 전통적인 희곡에서는 장면 전환을 위해서 커튼을 내리고 무대 장치를 바꾸는 막이나 장의 기법을 사용하지만 이 작품은 무대 위에 두 개의 공간을 설정하고 ⓒ처럼 조명을 통해 장면을 전환하고 있다. 이 상황에서 조명 대신 음악으로 장면을 전환할 수는 없다.

11. 이 글에는 자유롭게 공간을 옮기는 장면이 나오지 않는다.

12. 교수는 삭막하고 비현실적인 사회를 보여 주는 신문 기사에 대해 짧고 무덤덤한 반응만을 보이고 있다. 현실에 대한 자각 없이 타성적으로 살아가는 '교수'의 모습을 통해 일상적 삶의 무의미함을 드러내고 있다.

13. 이 글에 드러난 대사는 주로 유사한 행위나 무의미한 내용을 주고받는다. 이는 현대인의 고독과 소통의 부재를 드러내는 효과를 가지고 있다.

14. '옛날 신문'이나 '오늘 신문'은 거의 같은 내용으로, 현대인의 반복적이고 지루한 일상을 드러낸다. 또한 기사의 내용을 통해 인물들이 살고 있는 사회가 매우 비정상적인 사회임을 상징적으로 보여 주고 있다.

15. 문학 작품을 사회·문화적 맥락과 관련지어 해석해 보았을 때 이 글은 겉보기에는 평범한 대학교수와 그 가정의 이중성을 웃음으로 자아내게 하는 극 형식이다. 삶의 의미를 상실한 채 무의미하게 살아가는 현대인의 일상과 현대 사회의 부조리한 현실을 잘 보여 주고 있다.

16. 이 글에서 '처'는 '교수'에 대해 무조건 돈만을 요구한다. '처'는 관련도 없는 사람들까지 챙기는 모습을 보여 주는데, 이는 '교수'가 져야 하는 현실의 무게를 과장하여 표현한 것이다.

17. 이 글에서 '처'가 '장남'에게 시계에 밥을 주도록 하는 행위, 즉 태엽을 감는 행위는, '처'가 '교수'에게 밥을 주려는 행위와 동일한

의미이다. 시계가 끊임없이 돌아갈 수 있도록 태엽을 감는 것과 같이, 교수가 끝없이 노동할 수 있도록 밥을 주는 것이다.

등급	채점 기준
상	인물이 말한 의도를 주어진 형식에 맞게 서술하였다.
중	인물이 말한 의도를 서술하였다.
하	인물이 말한 의도를 서술하였으나 적절하지 않았다.

18. 이 글에 나타난 부조리극 형식은 인물의 대사와 행위에 상징성이 있고, 서로 일치하지 않으며 유사한 행위나 무의미한 대사를 반복하고 있다. 또한 특별한 갈등 없이 극 상황만을 보여 주는 것이다.

19. 〈보기〉는 영화 상영을 목적으로 하는 시나리오이고, 이 글은 연극 상연을 목적으로 하는 희곡이다. 〈보기〉를 보면 S# 109에서 S# 114까지 장면에 계속 전환되는데, 이를 통해 영화가 연극보다 잦은 장면 전환이 가능함을 알 수 있다.

(4) 교술 갈래의 흐름

01 관상가와의 대화

본문 178쪽

01 ② **02** ④ **03** ④ **04** ① **05** 이상한 관상가는 사람의 현재 얼굴보다는 그 사람의 미래를 내다보고 관상을 본다. 이를 통해 일반적으로 적용되는 고정 관념이나 선입견을 넘어 대상의 진면목을 보고자 하는 것이다. **06** ④ **07** ③ **08** ①

01. 이 글은 글쓴이가 '이상한 관상가'를 만났던 자신의 경험을 직접 서술하고 있는 고전 수필이다. 즉 자기 마음대로 관상을 보는 '이상한 관상가'를 만났던 자신의 개인적 체험을 통해 주제를 전달하는 글이다.

02. 이 글의 관상가는 기존의 인식과는 다른 발상으로 보는 인물로, 뭇 사람들의 비난을 받지만 이를 통해 글쓴이의 흥미를 유발하는 인물이기도 하다.

03. ㉠에서는 설의적 표현을 통해 관상가에 대한 글쓴이의 긍정적 평가를 강조하고 있다.

04. 이 글은 글쓴이와 관상가의 연속적인 대화를 통해 자연스럽게 깨달음에 이르게 되는 과정을 보여 주고 있다.

05. 이 글에서 이상한 관상가는 다른 관상가와는 달리 사람의 겉으로 보이는 얼굴보다는 그 사람의 미래를 내다보고 관상을 본다. 눈에 보이는 대로만 판단하면 미래의 모습을 잘못 예측할 수 있으므로 대상의 이면에 숨겨진 의미를 찾아야 하기 때문이다. 따라서 이상한 관상가는 대상의 진면목을 보기 위한 관상을 보는 것을 알 수 있다.

등급	채점 기준
상	관상을 보는 기준에서 드러나는 관상가의 생각을 적절하게 서술하였다.
하	관상을 보는 기준이나 관상가의 생각을 적절하지 못하게 서술하였다.

06. '나'는 "과연 내 말이 맞았군."이라고 말하며 관상가에 대한 자신의 생각이 맞았음을 표현하고 있다.

07. 이 글은 관상에 관련된 책을 읽지 않고 자기 마음대로 관상을 보는 '이상한 관상가'를 등장시켜 우리의 통념이 지니고 있는 한계와 문제점을 지적하고 있다. 즉 글쓴이는 관상가와의 대화를 통해 틀에 박힌 고정 관념을 깨야만 새로운 시야가 열린다는 점을 드러내고 있다.

08. [A]에서 글쓴이는 자신의 생각을 명확하게 드러내고 있으며 자신의 생각을 직접적으로 언급하고 있다.

02 젊은 아버지의 추억

본문 181쪽

01 ⑤ **02** ④ **03** ④ **04** ⑤ **05** • ⓐ와 관련한 증상: 학교에 가기 싫어하는 것 / • 해결하기 위해 선택한 방법: 아버지와 대화를 통해 문제를 해결하고자 하였다. **06** ② **07** ① **08** ⑤ **09** ③ **10** ⑤

01. 이 글은 글쓴이의 개성과 삶의 경험이 진솔하게 드러난 글로, 다양한 비유적 표현이 나오지 않는다.

02. 이 글에서 아들은 아버지도 자신과 비슷한 성향을 가졌기 때문에 같은 문제로 고민해 봤을 것이기에 자신을 이해해 줄 것이라 믿으며 자신의 고민을 아버지에게 말씀 드릴 기회를 엿보고 있다.

03. 〈보기〉는 교술 갈래에 대한 설명이며, 이 글은 교술 갈래에 해당하는 글이다. ④는 서사 갈래에 관한 설명이므로 적절하지 않다.

04. ㉠은 현재의 '나'가 아버지를 중년으로만 기억하게 된 사건과 관련한 과거의 이야기로 자연스럽게 이어지게 하며 독자의 흥미를 이끌어 내고 있다.

05. ⓐ는 사춘기적 증상의 해학적 표현이다. 글쓴이는 ⓐ의 증상이 학교에 가기 싫어하는 것으로 나타나며, 아버지도 자신과 같은 문제로 고민했을 것이기에 아버지와 대화를 나눠 보고자 하였다.

등급	채점 기준
상	'나'의 사춘기적 증상과 이를 해결하기 위한 '나'의 방법을 적절하게 서술하였다.
하	'나'의 사춘기적 증상과 이를 해결하기 위한 '나'의 방법을 적절하게 서술하지 못했다.

06. 글쓴이는 세차게 불어오는 바람에 자전거가 쓰러질까 봐 두려움에 떨며 아버지를 기다리는 경험을 하게 된다. 이 경험을 통해 자만했던 글쓴이는 세상에는 아직 배워야 할 것들이 많고 혼자서는 살아갈 수 없다는 것을 깨닫게 된다.

07. 이 글은 자신의 경험을 일화로 제시하면서 삶에 대한 태도를 표명하고 있다. 직접 경험을 통해 깨달음으로 나아가게 하는 현대 수필의 특징이 잘 나타나 있으며, 자기 고백적 성격이 강하고, 글쓴이의 개성적 표현이 잘 드러나는 작품이다.

08. 아버지가 글쓴이에게 깨달음을 준 방법에서 얻을 수 있는 삶의 교훈은 교육은 말로 가르치는 것보다 본인이 직접 경험하는 과정을 통해 깨달을 수 있도록 하는 것이 효과적이라는 것이다.

09. ㉢은 굳이 학교에 갈 이유를 모르겠다는 아들의 말을 들은 아버지의 행동이다. 이 뒤에 아버지가 한 행동을 볼 때, ㉢의 행동은 필요 이상으로 자존감이 높은 아들에게 어떠한 방식으로 교육을 할 것인지 생각하고 있음을 알 수 있다.

10. 두 작품 모두 글쓴이가 자신의 일상생활의 체험이나 관찰에서 얻은 느낌이나 깨달음을 기술한 교술 갈래에 해당한다. 그러나 표현 방식에는 차이가 나타난다. 이 글은 구체적 세계와 직접적 표현이, 〈보기〉는 비유적 표현을 통해 글쓴이의 생각을 표현하고 있다.

대단원 실전 문제 1회

본문 185쪽

01 ④ 02 ③ 03 ⑤ 04 ⑤ 05 ⑤ 06 내면적 자아와의 화해 07 ⑤ 08 ③ 09 ④ 10 ④ 11 ③ 12 ① 13 ⑤ 14 ② 15 '김현'은 '처녀'의 죽음 이후, 서천 가에 '호원사'라는 절을 짓고 『범망경』을 강설하여 범의 저승길을 인도하고자 하였다. 16 ③ 17 ④

01. 낙구에 감탄사가 나타나는 것은 (나)가 아니라 (가)의 특징에 해당한다. 낙구에 감탄사가 배치되는 것은 10구체 향가가 지닌 형식적 특징이다.

02. (나)에서 '청산(靑山)'은 '이상향', '안식처', '도피처' 등을 의미하는 것으로 화자가 현실적 고통을 잊을 수 있는 이상적 공간의 의미를 지니고 있다.

03. (나)의 자연인 '청산'과 '바ᄅᆞ'는 힘든 현실을 벗어나게 해 주는 일종의 이상향이고, (다)의 자연은 조선 전기의 관념적인 성격의 자연이 아니라 삶의 현장으로서의 자연이다.

오답 해설

① (나)에는 계절감이 드러나는 소재가 활용되지 않았다. 계절감이 드러나는 소재는 (가)와 (다)에서 활용되었다.

② (다)는 주로 시각적 심상이 사용되었으며, 후각적 심상이 아닌 자연물을 통해 물아일체의 경지를 표현하고 있다.

③ (나)와 (다) 모두 후렴구의 반복을 통해 운율감을 형성하고 있다.

④ (다)는 과장된 상황이 아닌 출항에서 귀항까지의 과정을 생생하게 전달하여 현장감을 느끼게 하고 있다

04. ㉤에서 '무심ᄒᆞᆫ 백구'는 세속적 욕망이 없는 탈속적 성격의 대상을 의미한다. '내 좃ᄂᆞᆫ가 제 좃ᄂᆞᆫ가'는 화자와 자연물인 새가 하나가 되는 상황, 즉 물아일체의 경지를 의미한다.

05. (가)의 '인생은 살기 어렵다는데 / 시가 이렇게 쉽게 씌어지는 것은 / 부끄러운 일이다.'와 (나)의 '왜 나는 조그마한 일에만 분개하는가' 등을 참고할 때, (가)와 (나)는 모두 화자 스스로의 행위에 대한 부끄러움과 성찰적 태도가 드러나고 있음을 확인할 수 있다.

06. (가)의 화자는 시대 현실과 괴리된 자신의 삶과 무기력한 태도에 대해 인식하고 부끄러움을 느낀다. 이러한 자기 성찰 끝에, 화자는 내적 변화를 다짐하고 과거의 '나'와 '현재의 나', 두 자아 간 화해를 하는 악수를 통해 미래에 대한 희망을 모색한다.

07. (나)는 본질적인 것, 비본질적인 것으로 속성이 나뉘는 대조적 상황과 대비되는 시어를 바탕으로 부조리한 현실에 저항하지 못하고 일상의 사소한 일에만 분개하는 화자 자신의 소시민적 삶을 반성하고 자책하고 있다.

08. [A]에서 화자는 자신의 삶이 불의에 정면으로 항거하는 '절정 위'에 있지 못하고 옆으로 '비켜서' 있는 것에 불과하다고 생각하며, 이러한 삶이 비겁하고 부끄러운 것임을 자각하고 있다.

09. ㉣은 어릴 때 친구들을 하나씩 잃어버린 상태에서 혼자 무기력하게 살아가고 있는 자신의 삶에 대한 성찰과 반성을 드러내고 있는 구절이다.

10. ⓓ는 '정보원'이 '나'에게 했던 말로 '나'의 일이 소극적이고 비본질적이라는 것을 의미하다.

11. (나)는 부당한 사회 현실에 저항하지 못하는 반성을 드러내고 있을 뿐 현실에 대한 올바른 인식을 강조하고 있다고 보기 어렵다. 또한 〈보기〉에서도 화자의 자아 성찰적인 모습은 나타나지 않는다.

12. '김현', '늙은 할미', '처녀' 등 인물 간의 구체적 대화 내용을 통해 각 인물의 성격이 드러나고 있음을 알 수 있다.

13. '이에 김현이 찼던 칼을 뽑아 스스로 목을 찔러 쓰러지니 곧 범이었다.'에서 알 수 있듯이, '김현'이 단도로 '처녀'를 찌른 것이 아니라 '처녀'가 '김현'이 차고 있던 칼을 뽑아 스스로 목을 찔러 '범'으로 변하게 된 것이므로 ⑤는 적절하지 않다.

14. 앞뒤 문맥을 참고할 때, '늙은 할미'는 '처녀'와 함께 초막으로 들어온 이가 누구인지 그 정체를 알 수 없기에 "함께 온 이는 누구냐?"라고 묻고 있는 것일 뿐이다. 이를 통해 '늙은 할미'가 '김현'과 이미 알고 있는 사이였음을 확인할 수는 없다.

15. '호랑이 처녀'는 '김현'에게 자신을 잡아 벼슬을 얻으라 당부한 뒤, '다만 저를 위하여 절을 짓고 불경을 강하여 좋은 과보를 얻도록 도와주시면 낭군의 은혜는 더없이 클 것입니다.'라고 부탁하였다. 이에 '김현'은 '처녀'의 유언을 받아들여 서천 가에 '호원사'를 세우고, 『범망경』을 강설하여 범의 저승길을 인도하였다.

등급	채점 기준
상	'김현'이 보은하기 위해 한 행동을 종교적 차원에서 서술하였다.
중	'김현'이 보은하기 위해 한 행동을 서술하였다.
하	'김현'이 보은하기 위해 한 행동을 서술하지 못했다.

16. 이 글은 등장인물의 행동 및 내면 심리를 전지적 작가 시점을 통해 서술하고 있다.

17. '두 번째의 개 짖는 소리'는 '김 일등병'의 귀에도 확실히 들렸던 소리이다. 하지만 어디서 들리는지 짐작할 수 없었던 소리로 '김 일등병'이 이로 인해 힘을 내어 목표 지점으로 이동하게 된 것은 아니다. 이는 '그저 그 자리에 주저 앉고 싶은 생각'을 통해 알 수 있으며, '김 일등병'이 계속 걸을 수 있었던 것은 '귀 뒤에 와 닿은' '주 대위'의 권총 때문이었다고 보는 것이 적절하다.

1등급 완성 문제

본문 192쪽

01 ③ **02** ⑤ **03** ⑤ **04** ① **05** 화자가 자신의 삶에 만족을 가지며 살아가는 공간이다. **06** ③ **07** ⑤

01. (가)에서 '양소유'는 유교적 세계관에서 최고의 위치인 입신양명을 이루었으나 이에 대한 무상감에 고뇌하고 있다. (나)의 화자는 자연 속에서의 여유로운 삶을 모두 임금의 은혜로 돌리면서 유교적 세계관 속에서의 만족감을 나타낸다.

02. (가)는 '양소유'가 부귀공명의 무상함을 깨닫고 불교에 귀의하는 과정을 통해서 물질 만능주의에 찌든 현대인의 삶을 되돌아보게 한다.

03. (가)에서 '소유'의 삶은 꿈속의 삶으로 '성진'의 고민이 해결되는 삶이므로, '소유'의 고민이 '소유'의 꿈을 통해 해결된다는 설명은 적절하지 않다.

04. (나)는 계절에 따라 한 수씩 노래하며, 각 수는 '강호'로 시작하여, '역군은 이샷다'로 끝을 맺고 있다. 그러나 문답법은 드러나 있지 않다.

05. '강호'는 화자가 임금의 은혜에 감사하며 만족하여 살아가는 공간이다.

등급	채점 기준
상	화자가 느끼는 감정을 포함한 공간적 특징을 정해진 글자 수 내로 서술하였다.
중	화자가 느끼는 감정을 포함한 공간적 특징을 서술하였으나 글자 수를 지키지 못했다.
하	화자가 느끼는 감정을 포함한 공간적 특징을 서술하였으나 적절하지 못하였다.

06. (가)에서 '노승'은 '소유'가 꿈에서 깨서 인생의 진리를 깨닫게 해 주는 역할을 한다. 그리고 (나)에서 시의 화자(이 몸)는 자신의 삶의 평안함을 모두 임금의 은혜라고 여기는 태도를 보이고 있다.

07. ⓐ는 '성진'이 꿈속(비현실, 인간계)에서 현실(신선계)로 돌아오지 못함을 지적하고 있으며, ⓑ는 현실과 꿈의 구분이 무의미함을 말하고 있다.

대단원 실전 문제 2회

본문 195쪽

01 ② **02** ④ **03** ⑤ **04** ② **05** ④ **06** 난쟁이 가족의 집은 산업화로 인해 철거 위기에 처해 있다. 이러한 현실을 산업화를 상징하는 '벽돌 공장의 굴뚝'이 난장이의 집을 상징하는 '좁은 마당'에 그림자를 드리운 것으로 표현하여, 난쟁이 가족에게 불행이 닥쳤음을 말하고 있다. **07** ④ **08** ③ **09** 소설은 내용을 보여 주기 위해 서술하거나 묘사하는 방법을 사용하지만, 극은 인물의 행위나 대사를 통해서만 내용을 보여 준다. 또한 극 갈래는 연극 공연이나 영화 상영을 전제로 한다. **10** ③ **11** 신문에 나온 사건은 모두 비현실적인 사건으로 현대 사회가 매우 비정상적임을 상징적으로 보여 주고 있다. 또한 삼 년 전 신문과 오늘의 신문의 내용이 같다는 것을 통해 매일 똑같은 삶이 반복되는 현대 사회의 특징을 보여 주고 있다. **12** ② **13** ④ **14** ③ **15** ① **16** 관상을 볼 때 사람의 겉모습만 보고 판단하지 않기 때문이다. **17** ② **18** '나'가 혼자서 힘겨운 상황을 견디면서 자신의 결심을 다시 생각해 볼 시간을 주기 위해서이다. **19** ⑤

01. 이 글은 주인공 '나'(영수)의 시점에서 서술되고 있다. '나'는 사람들이 동사무소로 몰려가서 떠드는 것에 대해 '쓸 데 없는 짓이었다. 떠든다고 해결될 문제는 아니었다.'라고 생각하고, 어머니가 알루미늄 표찰 떼는 것을 도우면서 '마음에 드는 일이 우리에게 일어나 주기를 바랄 수는 없는 일이었다.'라고 생각한다. 이를 통해 '나'는 집이 철거되는 상황이 바뀌지 않을 것이라고 생각하는 비관적 인식을 하고 있음을 알 수 있다.

오답 해설

① 아버지가 벽돌 공장의 굴뚝에 올라가는 것을 과장된 행동이라고 볼 수 있지만, 이것은 상황의 비극성을 심화시키는 것이지 반전을 꾀하는 것은 아니다.

③ '현학'이란 학식을 과시하는 것에 대한 부정적인 시각이 담겨 있는 말인데, 서술자가 학식을 과시하는 내용은 없으며, 다양한 관점으로 사건을 보고 있지도 않다.

④ 이 글은 과거와 현재를 넘나들며 서술하고 있지만, 액자 구조는 아니다.

⑤ 이 글에 나타나 있는 사건들은 모두 시간의 선후가 있는 것으로, 동시에 벌어진 사건을 배열한 것은 아니다.

02. '일만 년 후의 세계'라는 책 제목은 현재 사회의 문제점이 일만 년 후가 되어야만 해소될 것이라는 현실에 대한 부정적 인식을 보여 주는 것이다.

03. '나'는 '마음에 드는 일이 일어나 주기를 바랄 수 없는 일이었다.'며 현실 상황에 체념하며, 현실 상황을 수용하는 '어머니'를 도와 표찰을 떼는 일을 도와주고 있다.

04. 중구난방이란 막기 어려울 정도로 여럿이 마구 지껄임을 이르는 말로 제시된 상황에 가장 적절한 표현이다.

오답 해설

① 유구무언(有口無言): 입은 있어도 말은 없다는 뜻으로 변명할 말이 없거나 변명을 못함을 이르는 말이다.

③ 중언부언(重言復言): 이미 한 말을 자꾸 되풀이하거나 또는 그런 말을 뜻하는 말이다.

④ 진퇴양난(進退兩難): 이러지도 저러지도 못하는 어려운 처지를 이르는 말이다.

⑤ 횡설수설(橫說竪說): 조리가 없이 말을 하는 것을 이르는 말이다.

05. '아버지'는 죽은 땅에 살고 있는 자신의 공간을 떠나 '달나라'라는 이상적 공간으로 가고자 한다. 이러한 행동은 현실에 좌절한 비이성적인 행동으로 설명될 수 있다.

오답 해설

⑤ 굴뚝 꼭대기에 서 있는 것은 허구적인 상황이라 보기는 어렵다. 또한 이 장면이 환상적인 분위기를 형성하고 있지는 않다.

06. '벽돌 공장의 높은 굴뚝 그림자'는 난쟁이 가족을 억압하는 폭력적 현실(자본의 힘, 산업화)을 상징하며, 그림자가 난쟁이의 집 마당을 덮은 것은 이러한 현실이 난쟁이 가족의 삶을 침범할 것이라는 상징적 표현이라고 할 수 있다.

07. (가)는 희곡이고, (나)는 시나리오다. 희곡은 연극의 무대 상연을 목적으로 하지만, (나)는 영화 상영을 목적으로 한다.

08. '교수'는 가족을 위해 끊임없이 번역 일을 하며 돈을 버는 삶을 살고 있지만, 그것에 보람을 느끼는 장면은 제시되지 않는다.

09. 소설 등의 인쇄 매체는 문자 언어를 매개로 이야기가 구현되지만, 극 갈래는 인물의 대사, 음향 등을 통해 이야기가 구현된다. 따라서 소설은 내용 전달에 있어 작가의 문체를 통해 개성적으로 형상화 된다. 이에 비해 극 갈래는 연극, 영화 등으로 관객에게 직접 다가가므로, 인쇄 매체에 비해 보다 더 직접적으로 감각과 감성에 호소한다. 따라서 의사소통 내용을 시각적, 청각적으로 전환하여 상호 소통하기 때문에 전달하고자 하는 메시지가 더욱 분명하고 생생해진다.

등급	채점 기준
상	두 개의 〈조건〉을 모두 충족하여 극 갈래의 특징을 서술하였다.
중	하나의 〈조건〉을 충족하여 극 갈래의 특징을 서술하였다.
하	극 갈래의 특징을 서술하였으나 〈조건〉을 충족하지 못하였다.

10. '처'는 상투적인 어구를 남발하며 남편에게 돈을 빨리 벌어오기를 강요하는 착취자의 역할을 하고 있다.

11. 이 글에서 작가는 '삼 년 전 신문'과 '오늘 신문'의 내용을 통해 비상식적이고 부조리한 사건들이 일상적으로 벌어지는 현실을 표현하고자 하였다. 또한, 같은 내용의 두 신문을 통해 삶의 진정성을 의식하지 못하고 단편적이고 파편화된 삶을 살아가는 현대인의 반복적이고 지루한 일상을 전달하고 있다.

등급	채점 기준
상	두 개의 〈조건〉을 모두 충족하여 소재에 담긴 사회적 특징을 서술하였다.
중	하나의 〈조건〉을 충족하여 소재에 담긴 사회적 특징을 서술하였다.
하	소재에 담긴 사회의 특징을 서술하였으나 〈조건〉을 충족하지 못하였다.

12. 잎새가 다 떨어진 화초는 생명력을 잃어가는 정원의 상황을 상징한다. 이것으로 정원의 내면이 황폐해졌다고 볼 수는 없다.

13. (가)는 관상가와의 대화를 통해서 글의 주제를 전달하고, (나)는 아버지와의 경험을 회상하며 자신이 깨달음을 얻게 되는 과정을 표현하고 있다.

14. 어떤 대상을 판단할 때는 즉각적인 판단보다는 판단을 유보하고 많은 가능성을 생각한 후 판단해야 함을 말하고 있다. 이는 유연하고 열린 사고를 가져야 함을 의미한다.

15. 글쓴이는 과거의 철없던 자신의 모습을 반성하면서 동시에 현재 아버지가 된 자신이 과거의 아버지처럼 되지 못하였음을 반성하고 있다.

16. (가)의 '관상가'는 상대방의 얼굴과 행동거지를 살피는 것이 다른 관상가들과 반대였다. 글쓴이가 이렇게 관상을 보는 기준을 물어보니 '관상가'는 사람의 현재 얼굴보다는 그 사람의 미래를 내다보고 관상을 보는 것이었다. 따라서 겉모습만 보고 늘 하는 말만 주워가며 스스로 거룩한 체, 신령스러운 체하는 관상가들과 다르다는 점에서 글쓴이는 '기이한 관상가'라 한 것이다.

17. 글쓴이는 학교에서 더 이상 배울 것이 없고 친구들도 유치해서 사귀고 싶지 않아 학교를 그만두고 싶다고 이야기하고 있다. 하지만 그 이유는 공부가 하기 싫어서가 아니라 자연과 라디오를 벗 삼아 스스로 공부하기 위해서이다.

18. 아버지는 '나'가 힘겨운 상황을 홀로 견디면서 스스로 자신의 부족함과 세상이 만만치 않음을 깨닫기를 바라는 마음으로 '나'를 자전거 위에 두고 가서 생각할 시간을 준 것이다.

19. (가)는 글쓴이가 경험한 사건을 그대로 표현한 것에 비해, 〈보기〉는 일출을 본 경험을 개성적인 비유적 표현으로 나타내고 있다.

오답 해설

① (가)는 관상가와의 일화를 바탕으로 한 글쓴이의 깨달음이 제시되어 있으며, 〈보기〉는 일출을 본 후 묘사하고 있을 뿐, 글쓴이의 깨달음이 제시되지는 않았다.

② (가)가 아니라 〈보기〉가 여행에서 일출을 보았던 일을 다양한 비유법을 바탕으로 실감 나게 묘사하고 있다.

③ (가)와 〈보기〉 모두 액자식 구성으로 되어있지 않다.

④ (가)는 글쓴이의 깨달음과 교훈적 내용을 관상가의 사례를 바탕으로 전달하고 있지만 〈보기〉는 교훈적 내용으로 되어 있지 않다.

1등급 완성 문제

본문 203쪽

01 ④ **02** ① **03** ⑤ **04** 난간이마, 영감이올세. / 인물의 모습을 과장하여 우스꽝스럽게 표현함으로써 관객들의 웃음을 유발한다.

01. 이 글이 봉건적 질서가 무너지던 조선 후기의 탈춤인 것은 맞지만, 제시된 부분은 양반 계층을 풍자하고 있지 않고, 불합리한 남녀 관계와 결혼 제도를 비판하고 있는 과장이다.

02. 악공과 미얄, 악공과 영감의 대화를 서로 비교해 보면 동일한 구조의 대사가 약간만 변형되어 진행되고 있음을 확인할 수 있다. 이러한 구조는 내용을 기억하기에 편리하여 구비 전승을 용이하게 한다.

03. (나)는 열린 무대의 특징을 지니고 있어 관객이 공연 속에 자유롭게 참여하는 특징을 나타내고 있으므로 공연 장소와 관람 장소가 명확하게 구분되어 있지 않다. 그러나 〈보기〉는 현대극으로, 공연 장소와 관람 장소가 구분되어 있다.

오답 해설

① (나)는 특별한 무대 장치가 없어 공연 장소와 극 중 장소가 엄격하게 나눠지지 않지만, 〈보기〉는 객석과 분리된 무대 위에서 상연되어 극 중 장소와 공연 장소가 일치하지 않는다.
② (나)는 특별한 무대 장치가 없지만, 〈보기〉는 작품의 배경이 되는 사실적인 무대 장치가 필요하다.
③ (나)는 등장인물의 이동만으로 무대가 전환되지만, 〈보기〉는 장과 막으로 장면이 전환된다.
④ (나)는 무대와 객석의 구분이 없고 관객의 극 중 참여가 가능하지만, 〈보기〉는 무대와 객석이 구분되고 관객의 능동적 참여가 불가능하다.

04. 영감의 모습을 우스꽝스러운 사물에 빗대어 과장하여 해학적으로 묘사함으로써 대상을 희화화하고 관객들의 웃음을 유발하고 있다.

등급	채점 기준
상	인물을 우스꽝스럽게 묘사한 장면을 찾아 처음과 끝 어절을 쓰고, 그 표현의 효과를 서술하였다.
중	인물을 우스꽝스럽게 묘사한 장면을 찾아 처음과 끝 어절을 썼으나, 그 표현의 효과를 정확히 서술하지 못하였다.
하	인물을 우스꽝스럽게 묘사한 장면을 정확히 찾지 못하였고, 표현의 효과를 정확히 서술하지 못하였다.